ANTOLOGÍA DE LA LITERATURA

JORGE LUIS BORGES
SILVINA OCAMPO
ADOLFO BIOY CASARES

Antología de la literatura fantástica

Rosanna Costa Liñares
4º E.S.O

edhasa

De esta obra Edhasa ha publicado una Guía de Lectura
para el profesorado que la solicite
acreditando su condición

Primera edición: junio de 1977
Segunda edición: abril de 1996

ISBN: 84-350-1545-9

Impreso por Romanyà/Valls, S.A.
Verdaguer, 1. 08786 Capellades (Barcelona)
sobre papel offset crudo de Leizarán.

Depósito legal: B-14.232-1996

Printed in Spain

ÍNDICE

PRÓLOGO

1. HISTORIA

Viejas como el miedo, las ficciones fantásticas son anteriores a las letras. Los aparecidos pueblan todas las literaturas: están en el *Zendavesta*, en la Biblia, en Homero, en *Las mil y una noches*. Tal vez los primeros especialistas en el género fueron los chinos. El admirable *Sueño del aposento rojo* y hasta novelas eróticas y realistas, como *Kin P'ing Mei* y *Dui Hu Chuan*, y hasta los libros de filosofía, son ricos en fantasmas y sueños. Pero no sabemos cómo estos libros representan la literatura china; ignorantes, no podemos conocerla personalmente, debemos alegrarnos con la que la suerte (profesores muy sabios, comités de acercamiento cultural, la señora Pearl S. Buck) nos depara. Ateniéndonos a Europa y a América, podemos decir: como género más o menos definido, la literatura fantástica aparece en el siglo XIX y en el idioma inglés. Por cierto, hay precursores; citaremos: en el siglo XIV, al infante Don Juan Manuel; en el siglo XVI, a Rabelais; en el XVII, a Quevedo; en el XVIII, a De Foe[1] y a Horace Walpole;[2] ya en el XIX, a Hoffmann.

2. TÉCNICA

No debe confundirse la posibilidad de un código general y permanente, con la posibilidad de leyes. Tal vez la *Poética* y la *Retórica* de Aristóteles no sean posibles; pero las leyes existen; escribir es, continuamente, descubrirlas o fracasar. Si estudiamos la *sorpresa* como efecto literario, o los argumentos, veremos cómo la literatura va transformando a los lectores y, en consecuencia, cómo éstos exigen una continua transformación de

---

1. *A True Relevation of the Apparition of One Mrs. Veale, on September 8, 1705*, y *The Botetham Ghost*, son de invención pobre; parecen, más bien, anécdotas contadas al autor por personas que le dijeron que habían visto a los aparecidos, o –después de un rato– que habían visto a las personas que habían visto a los aparecidos.
2. *The Castle of Otranto* debe ser considerado antecesor de la pérfida raza de castillos teutónicos, abandonados a una decrepitud en telarañas, en tormentas, en cadenas, en mal gusto.

la literatura. Pedimos leyes para el cuento fantástico; pero ya veremos que no hay un tipo, sino muchos, de cuentos fantásticos. Habrá que indagar las leyes generales para cada tipo de cuento y las leyes especiales para cada cuento. El escritor deberá, pues, considerar su trabajo como un problema que puede resolverse, en parte, por las leyes generales, y preestablecidas, y, en parte, por leyes especiales que él debe descubrir y acatar.

a) *Observaciones generales*
EL AMBIENTE O LA ATMOSFERA. Los primeros argumentos eran simples –por ejemplo: consignaban el mero hecho de la aparición de un fantasma– y los autores procuraban crear un ambiente propicio al miedo. Crear un ambiente, una «atmósfera», todavía es ocupación de muchos escritores. Una persiana que se golpea, la lluvia, una frase que vuelve, o, más abstractamente, memoria y paciencia para volver a escribir, cada tantas líneas, esos *leitmotive*, crean la más sofocante de las atmósferas. Algunos de los maestros del género no han desdeñado, sin embargo, estos recursos. Exclamaciones, como ¡Horror! ¡Espanto! ¡Cuál no sería mi sorpresa!, abundan en Maupassant. Poe –no, por cierto, en el límpido M. Valdemar– aprovecha los caserones abandonados, las histerias y las melancolías, los mustios otoños.

Después algunos autores descubrieron la conveniencia de hacer que en un mundo plenamente creíble sucediera un solo hecho increíble; que en vidas consuetudinarias y domésticas, como las del lector, sucediera el fantasma. Por contraste, el efecto resultaba más fuerte. Surge entonces lo que podríamos llamar la tendencia realista en la literatura fantástica (ejemplo: Wells). Pero con el tiempo las escenas de calma, de felicidad, los proyectos para después de las crisis en las vidas de los personajes, son claros anuncios de las peores calamidades; y así, el contraste que se había creído conseguir, la sorpresa, desaparecen.

LA SORPRESA. Puede ser de puntuación, verbal, de argumento. Como todos los efectos literarios, pero más que ninguno sufre por el tiempo. Sin embargo, pocas veces un autor se atreve a no aprovechar una sorpresa. Hay excepciones: Max Beerbohm, en *Enoch Soames*, W. W. Jacobs, en *La pata de mono*. Max Beerbohm deliberadamente, atinadamente, elimina toda posibilidad de sorpresa con respecto al viaje de Soames a 1997. Para el menos experto de los lectores habrá pocas sorpresas en *La pata de mono*; con todo, es uno de los cuentos más impresionantes de la antología. Lo prueba la siguiente anécdota, contada por John Hampden: uno de los espectadores dijo [1] después de la representación que el horrible fantasma que se vio al abrirse la puerta era una ofensa al arte y al buen gusto, que el autor no debió mostrarlo, sino dejar que el público lo imaginara; que fue, precisamente, lo que había hecho.

Para que la sorpresa de argumento sea eficaz, debe estar preparada, atenuada. Sin embargo, la repentina sorpresa del final de *Los caballos de Abdera* es eficacísima; también la que hay en este soneto de Banchs:

> *Tornasolando el flanco a su sinuoso*
> *paso va el tigre suave como un verso*
> *y la ferocidad pule cual terso*
> *topacio el ojo seco y vigoroso.*
> *Y despereza el músculo alevoso*
> *de los ijares, lánguido y perverso,*
> *y se recuesta lento en el disperso*
> *otoño de las hojas. El reposo...*
> *El reposo en la selva silenciosa.*
> *La testa chata entre las garras finas*
> *y el ojo fijo, impávido custodio.*
> *Espía mientras bate con nerviosa*
> *cola el haz de las férulas vecinas,*
> *en reprimido acecho... así es mi odio.* [2]

EL CUARTO AMARILLO Y EL PELIGRO AMARILLO. Chesterton señala con esta fórmula un desiderátum (un hecho, en un lugar limitado, con un número limitado de personajes) y un error para las tramas policiales; creo que puede aplicarse, también, a las fantásticas. Es una nueva versión –periodística, epigramática– de la doctrina de las tres unidades. Wells hubiera caído en el peligro amarillo si hubiera hecho, en vez de un hombre invisible, ejércitos de hombres invisibles que invadieran y dominaran el mundo (plan tentador para novelistas alemanes); si en vez de insinuar sobriamente que Mr. Lewisham podía estar «saltando de un cuerpo a otro» desde tiempos remotísimos y de matarlo inmediatamente, nos hiciera asistir a las historias del recorrido por los tiempos, de ese renovado fantasma.

1. El autor hizo para el teatro una adaptación de su cuento.
2. Enrique Banchs: *La urna.*

b) Enumeración de argumentos fantásticos

ARGUMENTOS EN QUE APARECEN FANTASMAS. En nuestra antología hay dos,[1] brevísimos y perfectos: el de Ireland y el de Loring Frost. El fragmento de Carlyle *(Sartor Resartus)* tiene el mismo argumento, pero al revés.

VIAJES POR EL TIEMPO. El ejemplo clásico es *La máquina del tiempo*. En este inolvidable relato, Wells no se ocupa de las modificaciones que los viajes determinan en el pasado y en el futuro y emplea una máquina que él mismo no se explica. Max Beerbohm, en *Enoch Soames*, emplea al diablo, que no requiere explicaciones, y discute, aprovecha, los efectos del viaje sobre el porvenir.

Por su argumento, su concepción general y sus detalles –muy pensados, muy estimulantes del pensamiento y de la imaginación–, por los personajes, por los diálogos, por la descripción del ambiente literario de Inglaterra a fines del siglo pasado, creo que *Enoch Soames* es uno de los cuentos largos más admirables de la antología.

El más hermoso cuento del mundo, de Kipling, es también de riquísima invención de detalles. Pero el autor parece haberse distraído en cuanto a uno de los puntos más importantes. Nos afirma que Charlie Mears estaba a punto de comunicarle el más hermoso de los cuentos; pero no le creemos; si no recurriera a sus «invenciones precarias», tendría algunos datos fidedignos o, a lo más, una historia con toda la imperfección de la realidad, o algo equivalente a un atado de viejos periódicos, o –según H. G. Wells– a la obra de Marcel Proust. Si no esperamos que las confidencias de un botero del Tigre sean la más hermosa historia del mundo, tampoco debemos esperarlo de las confidencias de un galeote griego, que vivía en un mundo menos civilizado, más pobre.

En este relato no hay, propiamente, viaje en el tiempo; hay recuerdos de pasados muy lejanos. En *El destino es Chambón*, de Arturo Cancela y Pilar de Lusarreta, el viaje es alucinatorio.

De las narraciones de viajes en el tiempo, quizá la de invención y disposición más elegante sea *El brujo postergado*, de Don Juan Manuel.

LOS TRES DESEOS. Hace más de diez siglos empezó a escribirse este cuento; colaboraron en él escritores ilustres de épocas y de tierras distantes; un oscuro escritor contemporáneo ha sabido acabarlo con felicidad.

1. Y uno es variación del otro.

Las primeras versiones son pornográficas; las encontramos en el *Sendebar*, en *Las mil y una noches* («Noche 596: El hombre que quería ver la noche de la omnipotencia»), en la frase «más desdichada que Banús», registrada en el *Kamus*, del persa Firuzabadi.

Luego, en Occidente, aparece una versión chabacana. «Entre nosotros –dice Burton– [el cuento de los tres deseos] ha sido degradado a un asunto de morcillas.»

En 1902, W.W. Jacobs, autor de *sketches* humorísticos, logra una tercera versión, trágica, admirable.

En las primeras versiones, los deseos se piden a un dios o a un talismán que permanece en el mundo. Jacobs escribe para lectores más escépticos. Después del cuento, no continúa el poder del talismán (era conceder tres deseos a tres personas y el cuento refiere lo que sucedió a quienes pidieron los últimos tres deseos). Tal vez lleguemos a encontrar la pata de mono –Jacobs no la destruye– pero no podremos utilizarla.

ARGUMENTOS CON ACCIÓN QUE SIGUE EN EL INFIERNO. Hay dos en la antología, que no se olvidarán: el fragmento de *Arcana cœlestia*, de Swedenborg, y *Donde su fuego nunca se apaga*, de Mary Sinclair. El tema de este último es el del Canto V de *La Divina Comedia*.

> *Questi, che mai, da me, non fia diviso,*
> *La bocca mi baciò tutto tremante.*

CON PERSONAJE SOÑADO. Incluimos: el impecable *Sueño infinito* de Pao Yu, de Tsao Hsue Kin; el fragmento de *Through the Looking-Glass*, de Lewis Carroll; *La última visita del caballero enfermo*, de Papini.

CON METAMORFOSIS. Podemos citar: *La metamorfosis*, de Kafka; *Sábanas de tierra*, de Silvina Ocampo; *Ser polvo*, de Dabove; *Lady into Fox*, de Garnett.

ACCIONES PARALELAS QUE OBRAN POR ANALOGÍA. *La sangre en el jardín*, de Ramón Gómez de la Serna; *La secta del Loto Blanco*.

TEMA DE LA INMORTALIDAD. Citaremos: *El judío errante*, *Mr. Elvisham*, de Wells; *Las islas nuevas*, de María Luisa Bombal; *She*, de Rider Haggard; *L'Atlantide*, de Pierre Benoît.

FANTASÍAS METAFÍSICAS. Aquí lo fantástico está, más que en los hechos, en el razonamiento. Nuestra antología incluye: *Tantalia*, de Macedonio

Fernández; un fragmento de *Star Maker*, de Olaf Stapledon; la historia de Chuang Tzu y la mariposa; el cuento de la negación de los milagros; *Tlön, Upbar, Orbis Tertius*, de Jorge Luis Borges.

Con el *Acercamiento a Almotásim*, con *Pierre Menard*, con *Tlön, Uqbar, Orbis Tertius*, Borges ha creado un nuevo género literario, que participa del ensayo y de la ficción; son ejercicios de incesante inteligencia y de imaginación feliz, carentes de languideces, de todo *elemento humano*, patético o sentimental, y destinados a lectores intelectuales, estudiosos de filosofía, casi especialistas en literatura.

CUENTOS Y NOVELAS DE KAFKA. Las obsesiones del infinito, de la postergación infinita, de la subordinación jerárquica, definen estas obras; Kafka, con ambientes cotidianos, mediocres, burocráticos, logra la depresión y el horror; su metódica imaginación y su estilo incoloro nunca entorpecen el desarrollo de los argumentos.

VAMPIROS Y CASTILLOS. Su paso por la literatura no ha sido feliz; recordemos a *Drácula*, de Bram Stoker (presidente de la Sociedad Filosófica y campeón de atletismo de la Universidad de Dublín), a *Mrs. Amworth*, de Benson. No figuran en esta antología.

Los cuentos fantásticos pueden clasificarse, también, por la explicación:

a) Los que se explican por la agencia de un ser o de un hecho sobrenatural.

b) Los que tienen explicación fantástica, pero no sobrenatural («científica» no me parece el epíteto conveniente para estas invenciones rigurosas, verosímiles, a fuerza de sintaxis).

c) Los que se explican por la intervención de un ser o de un hecho sobrenatural, pero insinúan, también, la posibilidad de una explicación natural (*Sredni Vashtar*, de Saki); los que admiten una explicativa alucinación. Esta posibilidad de explicaciones naturales puede ser un acierto, una complejidad mayor; generalmente es una debilidad, una escapatoria del autor, que no ha sabido proponer con verosimilitud lo fantástico.

3. LA ANTOLOGÍA QUE PRESENTAMOS

Para formarla hemos seguido un criterio hedónico; no hemos partido de la intención de publicar una antología. Una noche de 1937 hablábamos de literatura fantástica, discutíamos los cuentos que nos parecían mejores; uno de nosotros dijo que si los reuniéramos y agregáramos los fragmentos del mismo carácter anotados en nuestros cuadernos, obtendríamos un buen libro. Compusimos este libro.

Analizado con un criterio histórico o geográfico parecerá irregular. No hemos buscado, ni rechazado, los nombres célebres. Este volumen es, simplemente, la reunión de los textos de la literatura fantástica que nos parecen mejores.

OMISIONES. Hemos debido resignarnos, por razones de espacio, a algunas omisiones. Nos queda material para una segunda antología de la literatura fantástica.

Deliberadamente hemos omitido: a E. T. W. Hoffmann, a Sheridan Le Fanu, a Ambrose Bierce, a M. R. James, a Walter de la Mare.

ACLARACIÓN. La narración titulada *El destino es Chambón* perteneció a una proyectada novela de Arturo Cancela y Pilar de Lusarreta sobre la revolución del 90.

GRATITUDES. A la señora Juana González de Lugones y al señor Leopoldo Lugones (hijo), por el permiso de incluir un cuento de Leopoldo Lugones.

A los amigos, escritores y lectores, por su colaboración.

ADOLFO BIOY CASARES
Buenos Aires, 1940

POSTDATA

Veinticinco años después, la favorable fortuna permite una nueva edición de nuestra *Antología de la literatura fantástica* de 1940, enriquecida de textos de Agutagawa, de Bianco, de León Bloy, de Cortázar, de Elena Garro, de Murena, de Carlos Peralta, de Barry Perowne, de Wilcok. Aun relatos de Silvina Ocampo y de Bioy se nos deslizaron, pues entendimos que su inclusión ya no pecaba de impaciente. El editor se opone a la supresión del prólogo de la edición original y me pide que escriba otro. Dejaré que me persuada, redactaré siquiera una postdata, porque en aquel prólogo hay afirmaciones de las que siempre me he arrepentido. Para consolarme argumenté alguna vez que si un escritor vive bastante descubrirá en su obra una variada gama de yerros y que no resignarse a tal destino entrañaría soberbia intelectual. Trataré, sin embargo, de no desperdiciar la oportunidad de enmienda.

En el prólogo, para describir los relatos de Borges, encuentro una fórmula admirablemente adecuada a los más rápidos lugares comunes de la crítica. Sospecho que no faltan pruebas de su eficacia para estimular la deformación de la verdad. Lo deploro. En otro párrafo, llevado por el afán de análisis o por la voluntad de las frases, detenidamente señalo un presunto error en el relato de Kipling. Tal reparo, ni una palabra sobre méritos, configura una opinión que no es la mía. Probablemente el párrafo en cuestión estaba maldito. No sólo ataco en él un cuento predilecto; también hallo el modo, a despecho del ritmo natural del lenguaje, que no tolera paréntesis tan largos, de agregar una referencia a Proust, no menos arbitraria que despreciativa. Me avengo a que mucho quede sin decir; no a decir lo que no pienso. Ocasionales irreverencias resultan saludables, pero ¿por qué dirigirlas entre lo que más admiramos? (Ahora creo recordar que hubo un momento en la juventud en que el sacrificio incomprensible me llenaba de orgullo.)

Lo que tan reiteradamente me arrojaba en el error acaso fuera un bien intencionado ardor sectario. Los compiladores de esta antología creíamos entonces que la novela, en nuestro país y en nuestra época, adolecía de una grave debilidad en la trama, porque los autores habían olvidado lo que podríamos llamar el propósito primordial de la profesión: contar cuentos. De este olvido surgían monstruos, novelas cuyo plan secreto consistía en un prolijo registro de tipos, leyendas, objetos representativos de cualquier folklore, o simplemente en el saqueo del diccionario de sinónimos, cuando no del *Rebusco de voces castizas* del P. Mir. Porque requeríamos contrincantes menos ridículos, acometimos contra las novelas psicológicas, a las que imputábamos deficiencia de rigor en la construcción: en ellas, alegábamos, el argumento se limita a una suma de episodios, equiparables a adjetivos o láminas, que sirven para definir a los personajes; la invención de tales episodios no reconoce otra norma que el antojo del novelista, ya que psicológicamente todo es posible y aun verosímil. Véase *Yet each man kills the thing he loves*, porque te quiero te aporreo, etcétera. Como panacea recomendábamos el cuento fantástico.

Desde luego, la novela psicológica no peligró por nuestros embustes: tiene la perduración asegurada, pues como un inagotable espejo refleja rostros diversos en los que el lector siempre se reconoce. Aun en los relatos fantásticos encontramos personajes en cuya realidad irresistiblemente creemos; nos atrae en ellos, como en la gente de carne y hueso, una sutil amalgama de elementos conocidos y de misterioso destino. ¿Quién no tropezó alguna tarde, en la Sociedad de Escritores o en el PEN Club, con el pobre Soames del inolvidable cuento de Max Beerbohm? Entre las mismas piezas que incluye la presente antología hay una, el curioso apólogo del Kafka, donde la descripción de caracteres, el delicado examen idiosincrásico de la heroína y de su pueblo, importa más que la circunstancia fantástica de que los personajes sean ratones. Con todo, porque son ratones —el autor nunca lo olvida— el admirable retrato resulta menos individual que genérico.

Tampoco peligra el cuento fantástico, por el desdén de quienes reclaman una literatura más grave, que traiga alguna respuesta a las perplejidades del hombre —no se detenga aquí mi pluma, estampe la prestigiosa palabra—: moderno. Difícilmente la respuesta significará una solución, que está fuera de alcance de novelistas y de cuentistas; insistirá más bien en comentarios, consideraciones, divagaciones, tal vez comparables al acto de rumiar, sobre el tema de actualidad: política y economía hoy, ayer o mañana la obsesión que corresponda. A un anhelo del hombre, menos obsesivo, más permanente a lo largo de la vida y de la historia, corresponde el cuento fantástico: al inmarcesible anhelo de oír cuentos; lo satisface mejor que ninguno, porque es el cuento de cuentos, el de las colecciones orientales y antiguas y, como decía Palmerín de Inglaterra, el fruto de oro de la imaginación.

Perdone el amable lector las efusiones personales. Estuvo siempre este libro —el primero en su género en que colaboramos con Borges— muy mezclado a nuestra vida. En la última parte de la frase hablo por fin en nombre de los tres antologistas.

A.B.C.
Rincón Viejo, Pardo.
16 de marzo de 1965

SENNIN

RYUNOSUKE AGUTAGAWA (1892-1927), escritor japonés. Antes de quitarse la vida, explicó fríamente las razones que lo llevaban a tal decisión y compuso una lista de suicidas históricos, en la que incluyó a Cristo. Entre sus obras citaremos *Cuentos grotescos y curiosos, Los tres tesoros, Kappa, Rashomon, Cuentos breves japoneses.* Tradujo obras de Browning al japonés.

Un hombre que quería emplearse como sirviente llegó una vez a la ciudad de Osaka. No sé su verdadero nombre, lo conocían por el nombre de sirviente, Gonsuké, pues él era, después de todo, un sirviente para cualquier trabajo.

Este hombre –que nosotros llamaremos Gonsuké– fue a una agencia de COLOCACIONES PARA CUALQUIER TRABAJO, y dijo al empleado que estaba fumando su larga pipa de bambú:

–Por favor, señor Empleado, yo desearía ser un *sennin.*[1] ¿Tendría usted la gentileza de buscar una familia que me enseñara el secreto de serlo, mientras trabajo como sirviente?

El empleado, atónito, quedó sin habla durante un rato, por el ambicioso pedido de su cliente.

–¿No me oyó usted, señor Empleado? –dijo Gonsuké–. Yo deseo ser un *sennin.* ¿Quisiera usted buscar una familia que me tome de sirviente y me revele el secreto?

–Lamentamos desilusionarlo –musitó el empleado, volviendo a fumar su olvidada pipa–, pero ni una sola vez en nuestra larga carrera comercial hemos tenido que buscar un empleo para aspirantes al grado de *sennin.* Si usted fuera a otra agencia, quizá...

Gonsuké se le acercó más, rozándolo con sus presuntuosas rodillas, de pantalón azul, y empezó a argüir de esta manera:

–Ya, ya, señor, eso no es muy correcto. ¿Acaso no dice el cartel COLOCACIONES PARA CUALQUIER TRABAJO? Puesto que promete *cualquier* trabajo, usted debe conseguir cualquier trabajo que le pidamos. Usted está mintiendo intencionadamente, si no lo cumple.

Frente a su argumento tan razonable, el empleado no censuró el explosivo enojo:

–Puedo asegurarle, señor Forastero, que no hay ningún engaño. Todo es correcto –se apresuró a alegar el empleado–; pero si usted insiste en

---

1. Según la tradición china, el *Sennin* es un ermitaño sagrado que vive en el corazón de una montaña, y que tiene poderes mágicos, como el de volar cuando quiere y disfrutar de una extrema longevidad.

su extraño pedido, le rogaré que se dé otra vuelta por aquí mañana. Trataremos de conseguir lo que nos pide.

Para desentenderse, el empleado hizo esa promesa, y logró, momentáneamente por lo menos, que Gonsuké se fuera. No es necesario decir, sin embargo, que no tenía la posibilidad de conseguir una casa donde pudieran enseñar a un sirviente los secretos para ser un *sennin*. De modo que al deshacerse del visitante, el empleado acudió a la casa de un médico vecino.

Le contó la historia del extraño cliente y le preguntó ansiosamente:

—Doctor, ¿qué familia cree usted que podría hacer de este muchacho un *sennin*, con rapidez?

Aparentemente, la pregunta desconcertó al doctor. Quedó pensando un rato, con los brazos cruzados sobre el pecho, contemplando vagamente un gran pino del jardín. Fue la mujer del doctor, una mujer muy astuta, conocida como la Vieja Zorra, quien contestó por él al oír la historia del empleado.

—Nada más simple. Envíelo aquí. En un par de años lo haremos *sennin*.

—¿Lo hará usted realmente, señora? ¡Sería maravilloso! No sé cómo agradecerle su amable oferta. Pero le confieso que me di cuenta desde el comienzo que algo relaciona a un doctor con un *sennin*.

El empleado, que felizmente ignoraba los designios de la mujer, agradeció una y otra vez, y se alejó con gran júbilo.

Nuestro doctor lo siguió con la vista; parecía muy contrariado; luego, volviéndose hacia la mujer, le regañó malhumorado:

—Tonta, ¿te has dado cuenta de la tontería que has hecho y dicho? ¿Qué harías si el tipo empezara a quejarse algún día de que no le hemos enseñado ni una pizca de tu bendita promesa después de tantos años?

La mujer, lejos de pedirle perdón, se volvió hacia él y graznó:

—Estúpido. Mejor no te metas. Un atolondrado tan estúpidamente tonto como tú, apenas podría arañar lo suficiente en este mundo de te comeré o me comerás, para mantener alma y cuerpo unidos.

Esta frase hizo callar a su marido.

A la mañana siguiente, como había sido acordado, el empleado llevó a su rústico cliente a la casa del doctor. Como había sido criado en el campo, Gonsuké se presentó aquel día ceremoniosamente vestido con *haori* y *hakama*, quizá en honor de tan importante ocasión. Gonsuké aparentemente no se diferenciaba en manera alguna del campesino corriente: fue una pequeña sorpresa para el doctor, que esperaba ver algo inusitado en la apariencia del aspirante a *sennin*. El doctor lo miró con curiosidad, como a un animal exótico traído de la lejana India, y luego dijo:

—Me dijeron que usted desea ser un *sennin*, y yo tengo mucha curiosidad por saber quién le ha metido esa idea en la cabeza.

—Bien, señor, no es mucho lo que puedo decirle —replicó Gonsuké—. Realmente fue muy simple: cuando vine por primera vez a esta ciudad y miré el gran castillo, pensé de esta manera: que hasta nuestro gran gobernante Taiko, que vive allá, debe morir algún día; que usted puede vivir suntuosamente, pero aun así volverá al polvo como el resto de nosotros. En resumidas cuentas, que toda nuestra vida es un sueño pasajero... justamente lo que sentía en ese instante.

—Entonces —prontamente la Vieja Zorra se introdujo en la conversación—, ¿haría usted cualquier cosa con tal de ser un *sennin*?

—Sí, señora, con tal de serlo.

—Muy bien. Entonces usted vivirá aquí y trabajará para nosotros durante veinte años a partir de hoy y, al término del plazo, será el feliz poseedor del secreto.

—¿Es verdad, señora? Le quedaré muy agradecido.

—Pero —añadió ella—, durante veinte años usted no recibirá de nosotros ni un centavo de sueldo. ¿De acuerdo?

—Sí, señora. Gracias, señora. Estoy de acuerdo en todo.

De esta manera empezaron a transcurrir los veinte años, que pasó Gonsuké al servicio del doctor. Gonsuké acarreaba agua del pozo, cortaba la leña, preparaba las comidas y hacía todo el fregado y el barrido. Pero esto no era todo; tenía que seguir al doctor en sus visitas, cargando en sus espaldas el gran botiquín. Ni siquiera por todo este trabajo Gonsuké pidió un solo centavo. En verdad, en todo el Japón, no se hubiera encontrado mejor sirviente por menos sueldo.

Pasaron por fin los veinte años y Gonsuké, vestido otra vez ceremoniosamente con su almidonado *haori* como la primera vez que lo vieron, se presentó ante los dueños de casa.

Les expresó su agradecimiento por todas las bondades recibidas durante los pasados veinte años.

—Y ahora, señor —prosiguió Gonsuké—, ¿quisieran ustedes enseñarme hoy, como lo prometieron hace veinte años, cómo se llega a ser *sennin* y alcanzar juventud eterna e inmortalidad?

—Y ahora, ¿qué hacemos? —suspiró el doctor al oír la petición. Después de haberlo hecho trabajar durante veinte largos años por nada, ¿cómo podría en nombre de la humanidad decir ahora a su sirviente que nada sabía respecto al secreto de los *sennin*? El doctor se desentendió diciendo que no era él sino su mujer quien sabía los secretos.

—Usted tiene que pedirle a ella que se lo diga —concluyó el doctor y se alejó torpemente.

La mujer, sin embargo, suave e imperturbable, dijo:

—Muy bien, entonces se lo enseñaré yo; pero tenga en cuenta que usted debe hacer lo que yo le diga, por difícil que le parezca. De otra manera, nunca podría ser un *sennin*, y además, tendría que trabajar para nosotros otros veinte años, sin paga, de lo contrario, créame, el Dios Todopoderoso lo destruirá en el acto.

—Muy bien, señora, haré cualquier cosa por difícil que sea —contestó Gonsuké. Estaba muy contento y esperaba que ella hablara.

—Bueno —dijo ella—, entonces trepe a ese pino del jardín.

Desconociendo por completo los secretos, sus intenciones habían sido simplemente imponerle cualquier tarea imposible de cumplir para asegurarse sus servicios gratis por otros veinte años. Sin embargo, al oír la orden, Gonsuké empezó a trepar al árbol, sin vacilación.

—Más alto —le gritaba ella—, más alto, hasta la cima.

De pie en el borde de la baranda, ella erguía el cuello para ver mejor a su sirviente sobre el árbol; vio su *haori* flotando en lo alto, entre las ramas más altas de ese pino tan alto.

—Ahora suelte la mano derecha.

Gonsuké se aferró al pino lo más que pudo con la mano izquierda y cautelosamente dejó libre la derecha.

—Suelte también la mano izquierda.

—Ven, ven, mi buena mujer —dijo al fin su marido, atisbando las alturas—. Tú sabes que si el campesino suelta la rama, caerá al suelo. Allá abajo hay una gran piedra y, tan seguro como yo soy doctor, será hombre muerto.

—En este momento no quiero ninguno de tus preciosos consejos. Déjame tranquila. ¡He! ¡Hombre! Suelte la mano izquierda. ¿Me oye?

En cuanto ella habló, Gonsuké levantó la vacilante mano izquierda. Con las dos manos fuera de la rama ¿cómo podría mantenerse sobre el árbol? Después, cuando el doctor y su mujer retomaron aliento, Gonsuké y su *haori* se divisaron desprendidos de la rama, y luego... y luego... Pero ¿qué es eso? ¡Gonsuké se detuvo! ¡se detuvo! en medio del aire, en vez de caer como un ladrillo, y allá arriba quedó, en plena luz del mediodía, suspendido como una marioneta.

—Les estoy agradecido a los dos, desde lo más profundo de mi corazón. Ustedes me han hecho un *sennin* —dijo Gonsuké desde lo alto.

Se le vio hacerles una respetuosa reverencia y luego comenzó a subir cada vez más alto, dando suaves pasos en el cielo azul, hasta transformarse en un puntito y desaparecer entre las nubes.

RYUNOSUKE AGUTAGAWA

LOS OJOS CULPABLES

Cuentan que un hombre compró una muchacha por cuatro mil denarios. Un día la miró y echó a llorar. La muchacha le preguntó por qué lloraba; él respondió: «Tienes tan bellos ojos que me olvido de adorar a Dios». Cuando quedó sola, la muchacha se arrancó los ojos. Al verla en ese estado el hombre se afligió y le dijo: «¿Por qué te has maltratado así? Has disminuido tu valor». Ella le respondió: «No quiero que haya nada en mí que te aparte de adorar a Dios». A la noche, el hombre oyó en sueños una voz que le decía: «La muchacha disminuyó su valor para ti, pero lo aumentó para nosotros y te la hemos tomado». Al despertar, encontró cuatro mil denarios bajo la almohada. La muchacha estaba muerta.

AH'MED ECH CHIRUANI

SOLA Y SU ALMA

THOMAS BAILEY ALDRICH, poeta y novelista norteamericano, nacido en New Hampshire, en 1836; muerto en Boston, en 1907. Autor de: *Cloth of Gold* (1874); *Wyndham Tower* (1879); *An Old Town by the Sea* (1893).

Una mujer está sentada sola en su casa. Sabe que no hay nadie más en el mundo: todos los otros seres han muerto. Golpean a la puerta.

THOMAS BAILEY ALDRICH
Works, vol. 9, pág. 341 (1912)

EN FORMA DE CANASTA

JOHN AUBREY, arqueólogo inglés nacido en Wiltshire, en 1626; muerto en Oxford, en 1697. Sus obras incluyen: *Arquitectonica Sacra* y las *Miscellanies* (1696), que tratan de sueños y de fantasmas.

Refería Thomas Traherne que, estando en cama, vio una canasta que flotaba en el aire, junto a la cortina; creo que dijo que había fruta en la canasta: era un Fantasma.

JOHN AUBREY
Miscellanies (1696)

ENOCH SOAMES

MAX BEERBOHM, escritor y caricaturista, nacido en Londres, en 1872, muerto en Rapallo, en 1956. Autor de *A Defense of Cosmetics* (1896); *The Happy Hyprocrite* (1897); *More* (1899); *Zuleika Dobson* (1911); *Seven Men* (1919); *And Even Now* (1920).

Cuando el señor Holbrook Jackson publicó un libro sobre la literatura de la penúltima década del siglo XIX, miré con ansiedad el índice, en busca del nombre SOAMES, ENOCH. Temía no encontrarlo. En efecto, no lo encontré. Todos los otros nombres estaban ahí. Muchos escritores, así como sus libros ya olvidados, o que sólo recordaba vagamente, renacieron para mí en las páginas del señor Holbrook Jackson. Era una obra exhaustiva, brillantemente escrita. Aquella omisión confirmaba el fracaso total del pobre Soames.

Sospecho que soy la única persona que lo notó. ¡Hasta ese punto Soames había fracasado! Tampoco es un consuelo suponer que si hubiera logrado algún éxito, yo lo habría olvidado, como a los otros, y sólo hubiese vuelto a recordarlo por la cita del historiador. Es cierto que si sus dotes, tales como eran, hubieran sido reconocidas en vida, no hubiera hecho el pacto que hizo, ese extraño pacto, cuyas consecuencias lo han destacado siempre en mi memoria. Pero esas consecuencias subrayan la plenitud de su infortunio.

No es compasión, sin embargo, lo que me impulsa a escribir sobre él. Por su bien, pobre amigo, preferiría guardar silencio. No hay que burlarse de los muertos. ¿Y cómo escribir sobre Enoch Soames sin ponerlo en ridículo? Más bien ¿cómo ocultar el hecho nefasto de que era un ser ridículo? No seré capaz de hacer eso. Tarde o temprano, sin embargo, tendré que escribir sobre él. Ustedes verán, a su debido tiempo, que no me queda otra alternativa. Tanto da que ahora lo haga.

En el verano de 1893, un bólido cayó sobre Oxford. Se hundió profundamente en la tierra. Algo pálidos, profesores y estudiantes se apiñaron a su alrededor sin hablar de otra cosa. ¿De dónde procedía ese meteoro? De París. ¿Su nombre? Will Rothenstein. ¿Su propósito? Ejecutar veinticuatro retratos en litografía, que publicaría la Bodley Head, de Londres. El asunto era urgente. Ya el director de A, el de B, como el decano de C, habían posado con humildad. Ancianos majestuosos y confusos que nunca se habían dignado a posar, no resistieron al forastero. No suplicaba: invitaba; no invitaba: ordenaba. Tenía veintiún años. Sus anteojos resplandecían. Conocía a Whistler, a Edmond D. Goncourt, conocía a todos en París. Se murmuraba que en cuanto liquidara su colección de profesores, incluiría a algunos estudiantes. Fue orgulloso día para mí cuando me incluyeron. Admiraba y temía a Rothenstein; surgió entre nosotros una amistad que los años enriquecieron.

Cuando llegaron las vacaciones se estableció en Londres. A él debo mi conocimiento de Chelsea. Fue Rothenstein quien me hizo conocer, en Pimlico, a un joven cuyos dibujos eran famosos entre la minoría. Se llamaba Aubrey Beardsley. Me llevó también a otro centro de inteligencia y osadía, el Café Royal.

Ahí, en ese atardecer de octubre, ahí, en ese exuberante panorama de ornamentos dorados y terciopelo carmesí, entre opuestos espejos y cariátides laboriosas, entre columnas de humo de tabaco que ascendían al cielorraso pintado y pagano, entre el zumbido de conversaciones sin duda cínicas, interrumpidas por las fichas de dominó en las mesas de mármol, respiré profundamente y me dije:

—Esta, esta es la vida.

Anochecía. Bebimos vermouth. Quienes conocían a Rothenstein lo señalaban a quienes sólo lo conocían de nombre. Constantemente entraban hombres que erraban de un lado a otro en busca de mesas libres o de mesas ocupadas por amigos. Uno de ellos me interesó porque parecía querer llamar la atención de Rothenstein. Pasó dos veces, con mirada indecisa; pero Rothenstein, absorto en una disertación sobre Puvis de Chavannes, no lo vio... Era una persona encorvada, vacilante, más bien alta, muy pálida, de pelo algo largo y negro. Tenía una rala, imprecisa barba o, mejor dicho, tenía un mentón sobre el cual muchos pelos se retorcían para cubrir su retirada. Era una persona de aspecto extraño, pero a fines del siglo pasado, si no me equivoco, los aspectos extraños eran más frecuentes que ahora. Los jóvenes escritores de aquella época –y estaba seguro de que ese hombre lo era– procuraban impresionar por la apariencia. Este hombre lo procuraba en vano. Usaba chambergo de corte clerical pero de intención bohemia, y una impermeable capa gris que, tal vez por ser impermeable, no conseguía ser romántica. Decidí que «impreciso» era el *mot juste* que le correspondía. Yo también había intentado escribir y me perturbaba el *mot juste*, aquel talismán de la época.

El hombre impreciso volvió a pasar; esta vez se detuvo.

–Usted no me recuerda –dijo con una voz insípida. Rothenstein lo miró.

–Sí, lo recuerdo –replicó después de un momento, con más orgullo que efusión, orgullo por la eficacia de su memoria–. Edwin Soames.

–Enoch Soames –dijo Enoch.

–Enoch Soames –repitió Rothenstein como significando que ya era mucho haber recordado el apellido–. Nos encontramos en París, dos o tres veces, cuando usted vivía ahí. Nos encontramos en el Café Groche.

–Y fui a su estudio una vez.

–Deploro que no me encontrara.

–Pero lo encontré. Usted me mostró algunos de sus cuadros. ¿No recuerda? He oído que vive en Chelsea, ahora.

–Sí.

Me asombró que después de este monosílabo Mr. Soames no se fuera. Se quedó pacientemente donde estaba, como un animal inerte, como un borrico mirando una tranquera. Melancólica figura, la suya. Se me ocurrió que «hambriento» era quizá el *mot juste* que le correspondía; pero ¿hambriento de qué? Parecía más bien desganado. Me dio lástima; y Rothenstein, aunque no lo había invitado a Chelsea, lo invitó a sentarse y a tomar algo.

Sentado, adquirió más aplomo. Echó hacia atrás las alas de su capa, con gesto que –si las alas no hubieran sido impermeables– podía haber parecido un desafío a todas las cosas. Y pidió un ajenjo.

–*Je me tiens toujour fidèle* –le dijo a Rothenstein– *à la sorcière glauque*.

–Le va a hacer mal –dijo Rothenstein secamente.

—No puede hacer mal —dijo Soames—. *Dans ce monde il n'y a ni de bien ni de mal.*

—¿Nada bueno y nada malo? ¿Qué quiere usted decir con eso?

—Todo eso lo expliqué en el prefacio de *Negaciones.*

—¿Negaciones?

—Sí; le di a usted un ejemplar.

—Sí, desde luego. ¿Pero usted llegó a explicar, por ejemplo, que no hay diferencia entre buena y mala sintaxis?

—No —dijo Soames—. En el Arte existen el Bien y el Mal. Pero en la Vida... no. —Estaba armando un cigarrillo. Tenía manos débiles y blancas, no muy limpias y con las puntas de los dedos manchadas con nicotina—. En la vida tenemos la ilusión del bien y del mal, pero... —su voz se apagó hasta convertirse en un murmullo donde las palabras *vieux jeux* y *rococó* apenas se oían. Quizá comprendía que no estaba muy elocuente y temía que Rothenstein le descubriese alguna falacia. Tosió y dijo:

—*Parlons d'autre chose.*

¿Les parecerá a ustedes que Soames era un imbécil? No era mi opinión. Yo era joven y me faltaba el discernimiento que había alcanzado Rothenstein. Soames nos llevaba cinco o seis años. Además, había escrito un libro.

Era maravilloso haber escrito un libro.

Si Rothenstein no hubiera estado ahí, yo hubiera reverenciado a Soames. Aun así, lo respetaba. Y me acerqué mucho a la reverencia cuando dijo que pronto publicaría otro. Pregunté si podía preguntar qué clase de libro sería.

—Mis poemas —contestó. Rothenstein preguntó si era ese el título de la obra.

El poeta estudió la sugestión, pero dijo que había pensado no darle título.

—Si un libro es bueno... —murmuró, agitando el cigarrillo.

Rothenstein hizo notar que la falta de título podía perjudicar la venta del libro. Insistió:

—Si yo fuera a una librería y preguntara: ¿Tiene usted...? ¿Tiene usted un ejemplar de...? ¿Cómo iban a saber lo que quiero?

—Por supuesto, llevará mi nombre en la tapa —contestó Soames vivamente—. Y me gustaría —agregó, clavando la mirada en Rothenstein— un retrato mío en la portada. —Rothenstein admitió que era una idea espléndida y mencionó que se iba al campo y que no volvería por algún tiempo. Miró luego el reloj, se asombró de la hora, pagó al mozo y salió conmigo a comer. Soames permaneció en su puesto, fiel a la bruja glauca.

—¿Por qué estaba usted tan decidido a no dibujarlo?

—¿Dibujarlo? ¿A él? ¿Cómo se puede dibujar a un hombre que no existe?

—Es impreciso —admití. Pero mi *mot juste* cayó en el vacío. Rothenstein repitió que Soames no existía.

Pero Soames había escrito un libro. Le pregunté a Rothenstein si había leído *Negaciones*. Dijo que había mirado el libro, «pero», añadió vivamente, «no entiendo nada de literatura». Una salvedad típica de la época. Los pintores de entonces no permitían que ningún profano juzgara de pinturas. Esa ley, grabada sobre las tablas que Whistler trajo de la cumbre del Fujiyama, imponía ciertas limitaciones. Si las otras artes eran comprensibles a los hombres que no las ejercían, la ley se derrumbaba. Por consiguiente, ningún pintor juzgaba un libro sin prevenir que su juicio carecía de autoridad. Nadie es mejor juez literario que Rothenstein: pero no hubiera convenido decírselo en aquellos días. Comprendí que no me ayudaría a tener una opinión sobre *Negaciones*.

En aquel tiempo, no comprar un libro de un autor que yo conocía personalmente hubiera sido un imposible sacrificio. Cuando volví a Oxford, llevaba un ejemplar de *Negaciones*. Solía dejarlo sobre la mesa y cuando alguno de mis amigos me interrogaba, le decía:

—Es un libro bastante notable. Conozco al autor. —Nunca fui capaz de decir de qué se trataba. El prefacio no contenía la clave del exiguo laberinto; el laberinto, nada para explicar el prefacio.

Inclínate sobre la vida. Inclínate muy cerca, más cerca.
La vida es un tejido y por lo tanto ni trama ni urdimbre sino tejido.
Por ello soy Católico en la iglesia y en la idea, pero dejo que la fugaz fantasía teja lo que a la lanzadera de la fantasía se le antoje.

Tales eran los párrafos iniciales del prólogo, pero los siguientes eran de comprensión menos fácil. Luego venía un cuento, *Stark*, sobre una *midinette*, que, según alcancé a comprender, había asesinado o estaba por asesinar a un maniquí. Era como un cuento de Catulle Mendès, del que hubieran traducido una frase sí y otra no. Después, un diálogo entre Pan y Santa Úrsula, que carecía, me parece, de vivacidad. Después algunos aforismos (titulados *Aphorismata*). En el libro había gran variedad de formas; esas formas habían sido elaboradas con mucho cuidado. La sustancia se me escapaba un poco. ¿Había sustancia? Llegué a pensar: y si Enoch Soames fuera un tonto... Inmediatamente surgió una hipótesis rival: si el tonto fuera yo... Resolví conceder a Soames el beneficio de la duda. Había leído *L'Après-midi d'un Faune* sin vislumbrar sentido alguno. Pero Mallarmé era un Maestro. ¿Cómo averiguar que Soames no lo era? En su prosa había cierta música, no muy llamativa, tal vez, pero obsesionante. Y quizá cargada de significaciones tan profundas como la de Mallarmé. Esperé sus poemas con espíritu abierto.

Los esperé con verdadera impaciencia después de mi segundo encuentro con Soames. Ocurrió una tarde de enero, en el Café Royal. Pasé al lado de un hombre pálido, sentado ante una mesa, con un libro abierto en las manos. Alzó la mirada; lo miré con la vaga sensación de que debí reconocerlo. Volví para saludarlo. Después de unas palabras, le dije:

—Veo que lo interrumpo —y estaba por despedirme, cuando Soames respondió con su opaca voz:

—Prefiero que me interrumpan. —Acatando su ademán, me senté.

Le pregunté si solía leer ahí.

—Sí; aquí leo cosas de esta clase —respondió indicando el título del libro—: *Poemas de Shelley*.

—Cosas que usted realmente —e iba a decir admira, pero dejé inconclusa la frase y me felicité de haberlo hecho así, porque Soames dijo con inusitado énfasis:

—Cosas de segundo orden.

Conocía muy poco a Shelley, pero murmuré:

—Por supuesto, es muy desigual.

—Yo opinaría que, precisamente, es la igualdad lo que lo mata. Una igualdad mortal. Por eso lo leo aquí. El ruido de este lugar rompe el ritmo. Es tolerable aquí —Soames tomó el libro y ojeó las páginas. Echó a reír. La risa de Soames era un sonido gutural, solo y triste, no acompañado por ningún movimiento de la cara ni brillo de los ojos—. ¡Qué época! —exclamó cerrando el libro—. ¡Qué país!

Algo nervioso, le pregunté si Keats no se mantenía a pesar de las limitaciones de la época y del país. Admitió que había «pasajes» en Keats, pero no los nombró. De los «mayores», como él los llamaba, sólo parecía gustarle Milton.

—Milton —dijo— no era sentimental. Además, Milton tenía una oscura intuición. —Y luego—: Siempre puedo leer a Milton en la sala de lectura.

—¿La sala de lectura?

—Del Museo Británico. Voy todos los días.

—¿Va usted? Sólo estuve una vez. Me pareció más bien un lugar deprimente. Le quita a uno la vitalidad.

—Así es. Por eso voy. Cuanto menor la vitalidad, más sensible es uno al gran arte. Vivo cerca del Museo. Mi apartamento está en Dyott Street.

—¿Y usted va a la sala de lectura a leer a Milton?

—Casi siempre, a Milton —me miró—. Fue Milton quien me convirtió al satanismo.

—¿Satanismo? ¿Realmente? —dije yo con la vaga incomodidad y el intenso deseo de ser cortés que uno siente cuando un hombre habla de su religión—. ¿Usted... adora al Diablo?

Soames sacudió la cabeza.

—No es exactamente adoración —rectificó sorbiendo un ajenjo—. Es más bien un asunto de confianza y estímulo.

—Ah, sí... pero el prefacio de *Negaciones* me había inducido a creer que usted era católico.

—*Je l'étais à cette époque.* Tal vez lo soy, aún. Sí, soy un satanista católico.

Hizo esta profesión de fe de un modo casual. Noté que lo que más le importaba era que yo hubiera leído *Negaciones*. Sus ojos pálidos brillaron por primera vez. Tuve la sensación característica del que va a ser examinado en voz alta sobre el tema que menos conoce. En el acto le pregunté cuándo se publicarían sus poemas.

—La semana que viene —me contestó.

—¿Y se publicarán sin título?

—No. Di por fin con el título. Pero no se lo diré —me declaró como si yo hubiera tenido la impertinencia de preguntárselo—. Sospecho que no me satisface del todo. Pero es lo mejor que he podido encontrar. Sugiere, en cierto modo, la calidad de los poemas... Extraños crecimientos, naturales y salvajes, pero exquisitos y matizados y llenos de venenos.

Le pregunté qué pensaba de Baudelaire. Emitió el sonido que era su risa y dijo:

—Baudelaire es un *bourgeois malgré lui.* —Francia sólo había tenido un poeta: Villon; y las dos terceras partes de Villon eran periodismo puro. Verlaine era un *épicier malgré lui.* En conjunto pensaba que la literatura francesa era inferior a la inglesa, juicio que me sorprendió. Sin embargo, algunos pasajes de Villiers de L'Isle Adam...

—Pero yo nada le debo a Francia. —Predijo—: Usted verá.

Cuando llegó el momento, no lo vi. Pensé que el autor de *Fungoides* debía algo, desde luego inconscientemente, a los jóvenes simbolistas de París o a los jóvenes simbolistas de Londres, que debían algo a los franceses. Sigo pensándolo. Tengo a la vista el breve libro que compré en Oxford. La pálida tapa gris y las letras de plata no han resistido al tiempo. Tampoco el texto, que he vuelto a recorrer con un interés melancólico. Cuando se publicó tuve la vaga sospecha de que era bueno. Es muy posible que mi fe se haya debilitado; no la obra de Soames.

TO A YOUNG WOMAN

Thou art, who hast not been!
Pale tunes irresolute
And traceries of old sounds
Blown from a rotted flute
Mingle with noise of cymbals roughed with dust,
Nor not strange forms and epicene
Lie bleeding in the dust,
Being wounded with wounds.
For this it is
That in thy counterpart
Of age-long mockeries
Thou hast not been nor art![1]

Me pareció descubrir cierta contradicción entre el primer verso y el último. Traté, no sin esfuerzo, de resolver la discordia. No deduje que mi fracaso demostrara que esos versos nada querían decir. ¿No demostraría, más bien, la profundidad de su sentido? En cuanto a la técnica, «adornados de moho» me pareció un acierto; en «y tampoco» había una curiosa felicidad. Me preguntaba quién sería la joven y qué habría sacado en limpio de todo aquello. Sospecho, tristemente, que Soames no hubiera podido ayudarla mucho. Pero, aún ahora, si no trato de entender el poema y lo leo sólo por el ritmo, le encuentro cierta gracia. Soames era un artista, si es que el pobre era algo.

1. A UNA JOVEN: *¡Eres, tú que no has sido!* / Pálidas melodías inseguras, / rastros de antiguos sonidos / exhalados por una flauta podrida / se mezclan a los címbalos adornados de moho / y tampoco extrañas formas y epicenas / sangrando yacen en el polvo / heridas con heridas. / Por eso es / que en tu réplica / de mofas milenarias / *¡no has sido ni eres!*

Cuando por primera vez leí *Fungoides* me pareció que el lado satánico de Soames era el menor. El satanismo parecía ejercer una alegre y hasta saludable influencia en su vida.

NOCTURNE

Round and round the shutter'd Square
I stroll'd with the Devil's arm in mine.
No sound but the scrape of is hoot was there
And the ring of his laughter and mine.
We had drunk black wine.

I scream'd, «I will race you, Master!»
«W'hat matter», he shriek'd, «to-night
Which of us runs the faster?

There is nothing to fear to-night
In the foul moons'light!»
Then I look'd him in the eyes,
And I laugh'd full shrill at the lie he told
And the gnawing fear he would fain disguise.
It was true, what I'd time and again been told:
He was old-old.[1]

Sentí que en la primera estrofa había ímpetu, un acento de gozosa camaradería. Quizá la segunda era algo histérica. Me gustaba la tercera; era tan animosa su heterodoxia, aun ateniéndonos a los principios de la secta peculiar de Soames. ¡No mucha «confianza y estímulo»! Soames, mostrando al diablo como a un mentiroso y riéndose de él, resultaba una figura estimulante. Así me pareció, entonces. Ahora, a la luz de lo que sucedió, ninguno de sus poemas me deprime tanto como *Nocturno*.

1. NOCTURNO: Alrededor y alrededor de la plaza desierta / paseamos del brazo con el Diablo. / Ningún sonido, salvo el golpear de sus cascos / y el eco de su risa y la mía. / Habíamos bebido el negro vino. / Grité: «¡Corramos una carrera, Maestro!» / «¿Qué importa», gritó, «cuál de nosotros / corra más esta noche? / Nada hay que temer esta noche / a la impura luz de la luna». / Entonces lo miré en los ojos, / y me reí de su mentira / y del temor constante que trataba de disimular. / Era cierto lo que habían dicho y repetido: / Estaba viejo-viejo.

Busqué las críticas de los diarios. Parecían dividirse en dos clases: Las que decían muy poco; las que no decían nada. La segunda era la más numerosa y las palabras de la primera eran frías; hasta el punto de que:

«Logra dar una nota de modernidad...
Esos ágiles versos. *Preston Telegraph.*»

era el único cebo ofrecido al público por el editor de Soames. Yo había esperado poder felicitar al poeta por el éxito del libro; sospechaba que Soames no estaba muy seguro de su grandeza intrínseca. Cuando lo vi, sólo fui capaz de decirle, con cierta torpeza, que esperaba que *Fungoides* se vendiera muy bien. Me miró sobre su vaso de ajenjo y me preguntó si había comprado un ejemplar. Su editor le dijo que había vendido tres. Me reí, como de una broma.

–¿Usted no se imagina que me importa, verdad? –dijo con una mueca. Rechacé la suposición. Agregó que él no era un comerciante. Contesté con suavidad que yo tampoco, y murmuré que los artistas que dan al mundo cosas verdaderamente nuevas y grandes están condenados a una larga espera, antes de que les reconozcan el mérito. Dijo que el reconocimiento no le importaba un *sou*. Compartí su opinión de que el acto mismo de crear es la recompensa del poeta.

Si yo me hubiera considerado una nulidad, me hubiera alejado su malhumor. Pero, ¿no habían sugerido John Lane y Aubrey Beardsley que yo escribiera un artículo para la gran revista que proyectaban, *The Yellow Book?* ¿No había Henry Harland, el director, aceptado mi artículo? En Oxford me encontraba aún *in statu pupillari*. En Londres ya me había graduado, y ningún Soames podía asustarme. Con una mezcla de jactancia y de buena voluntad, le dije a Soames que debía colaborar en *The Yellow Book*. Emitió, desde la garganta, un ruido despectivo.

Sin embargo, uno o dos días después, le pregunté a Harland si conocía algo de la obra de un tal Enoch Soames. Harland, que recorría el cuarto a largos pasos, se detuvo en seco, levantó las manos hacia el techo y protestó. Se había encontrado muchas veces con ese «personaje absurdo» y esa mañana había recibido, manuscritos, varios poemas suyos.

–¿No tiene talento? –pregunté.

–Tiene una renta. Está en buena situación.

Harland era el más alegre, el más generoso de los críticos, y detestaba hablar de algo que no le entusiasmara. No se habló más de Soames. La noticia de que Soames tenía una renta moderó mi ansiedad. Supe después que era hijo de un librero arruinado, de Preston, y que había heredado, de una tía, una renta anual de trescientas libras esterlinas. No tenía parientes. Materialmente, pues, estaba en buena situación. Pero seguía en una *pathos* espiritual, más evidente ahora para mí, al sospechar que las alabanzas del *Preston Telegraph* se debían a que Soames era hijo de un vecino de Preston. Tenía mi amigo una especie de débil tenacidad que yo no podía sino admirar. Ni él ni su obra recibieron el más ligero estímulo; pero persistió en conducirse como un personaje. Donde se congregaban los *jeunes féroces* de las artes –en cualquier restaurante de Soho que descubrieran– ahí estaba Soames, en medio, o más bien al borde, una vaga pero inevitable figura. Jamás trató de congraciarse con sus colegas, jamás renunció a su actitud arrogante cuando se trataba de su propia obra, ni a su desprecio por la ajena. Con los pintores era respetuoso, hasta la humildad; pero de los poetas y prosistas de *The Yellow Book* y luego del *Savoy* nunca habló sino con desprecio. Nadie se resentía. Nadie reparaba en él, ni en su satanismo católico. Cuando en el otoño del 96 publicó, por su cuenta, el tercer libro, el último libro, nadie dijo una palabra a favor o en contra. Tuve la intención de comprarlo, pero me olvidé. Jamás lo vi y me avergüenza decir que ni siquiera recuerdo el título. Pero cuando se publicó le dije a Rothenstein que el pobre Soames era una figura trágica y que se iba a morir, literalmente, por falta de éxito. Rothenstein se burló. Dijo que yo fingía compasión; tal vez era cierto. Pero en el *vernissage* de la exposición del *New English Art Club,* pocas semanas después, vi un retrato, al pastel, de «Enoch Soames, esq.». Estaba idéntico, y era muy de Rothenstein haberlo hecho. Toda la tarde estuvo Soames al lado del cuadro, con la capa impermeable y con el chambergo. Quien lo conocía identificaba inmediatamente el retrato, pero el retrato no permitía identificar el modelo. «Existía» mucho más que él. Carecía de esa expresión vaga de felicidad que esa tarde podía notarse en el rostro de Soames. Volví dos veces más al salón y las dos veces Soames estaba exhibiéndose. Ahora me parece que la clausura de esa exposición fue la clausura virtual de su carrera. La fama, la proximidad de la fama, le había llegado tarde y por muy poco tiempo; extinguido ese halago, capituló. Él, que nunca se había sentido fuerte, parecía ahora afantasmado, una sombra de la sombra que era antes. Seguía frecuentando el Café Royal, pero como ya no quería asombrar, ya no leía ahí.

–¿Usted ahora sólo lee en el museo? –le pregunté con deliberada jovialidad. Me respondió que ya no iba nunca. «No hay ajenjo ahí», –murmuró–. Era el tipo de frase que antes hubiera dicho para impresionar;

ahora parecía verdad. El ajenjo, antes un mero detalle de la personalidad que se había esforzado tanto en construir, era un consuelo y una necesidad, ahora. Ya no lo llamaba *la sorcière glauque*. Se había despojado de todas las frases francesas. Era un hombre de Preston, llano y sin barniz.

El fracaso, cuando es un fracaso total, llano y sin barniz, siempre tiene alguna dignidad. Yo evitaba a Soames, porque a su lado me sentía un poco vulgar. John Lane me había publicado dos libros y éstos habían obtenido un agradable *succès d'estime*. Yo mismo tenía una leve, pero indiscutible personalidad. Frank Harris me hacía colaborar en la *Saturday Review*, Alfred Hammersworth, en el *Daily Mail*. Yo era precisamente lo que Soames no era. Su presencia empañaba un poco mi brillo. Si yo hubiera sabido que él creía firmemente en la grandeza de su obra, no lo hubiera evitado. El hombre que no ha perdido su vanidad, no ha fracasado totalmente. La dignidad de Soames era una ilusión mía. Un día, en la primera semana de junio de 1897, esa ilusión se desvaneció. Pero en la tarde de ese día, Soames se desvaneció también.

Yo había estado fuera de casa toda la mañana, y como se me había hecho tarde para volver a almorzar, fui al *Vingtième*. Este modesto *Restaurant du Vingtième Siècle*, había sido descubierto en el 96 por los poetas y los prosistas; pero estaba más o menos abandonado a beneficio de alguna *trouvaille* posterior. Creo que no duró lo bastante para justificar su nombre; pero ahí estaba, en Greek Street, a pocos pasos de Soho Square y casi enfrente de la casa donde, en los primeros años del siglo, una muchachita y con ella un muchacho llamado De Quincey, acampaban de noche, en la oscuridad y en el hambre, entre el polvo, y las ratas, y viejos pergaminos legales. El *Vingtième* era un cuartito blanqueado, que daba por un lado a la calle y por el otro a una cocina. El propietario y cocinero era un francés, a quien le decían Monsieur Vingtième; los mozos eran sus dos hijas, Rose y Berthe; la comida, según fama, era buena. Las mesas eran tan angostas y estaban tan apretadas que cabían doce, seis de cada lado.

Cuando entré, sólo las dos más próximas a la puerta estaban ocupadas. En una estaba sentado un hombre alto, vulgar, algo mefistofélico, que yo había encontrado en el Café Royal y en alguna otra parte. En la otra estaba Soames. Contrastaban extrañamente en esa pieza llena de sol: Soames, pálido, con la capa y con el inevitable chambergo, y ese otro, ese hombre de ofensiva vitalidad, cuyo aspecto siempre me hacía conjeturar que era un prestidigitador, o que traficaba en diamantes, o que dirigía una agencia de detectives. Estaba seguro de que Soames no deseaba mi compañía; pero pregunté, pues hubiera sido una grosería no hacerlo, si podía acompañarlo, y ocupé una silla frente a él. En silencio fumaba un cigarrillo ante una media botella de Sauternes y un *salmí* que no había probado. Dije que los preparativos del Jubileo hacían de Londres un lugar imposible. (Más bien me gustaban, realmente.) Manifesté un deseo de alejarme de la ciudad hasta que pasaran las fiestas. En vano me puse a tono con su tristeza. Sentí que su conducta me ponía en ridículo ante el desconocido. El pasillo entre las dos filas de mesas tenía apenas dos pies de ancho (Rose y Berthe, cuando se encontraban, apenas podían pasar y peleaban en voz baja) y de una mesa a la otra se oía plenamente la conversación. Pensé que el desconocido se divertía con mi fracaso en interesar a Soames, y como no podía explicarle que mi insistencia era sólo caritativa, me quedé silencioso. Sin volver la cabeza, lo veía perfectamente. Tenía la esperanza de parecer menos vulgar que él, comparado con Soames. Estaba seguro de que no era inglés, pero ¿cuál era su nacionalidad? Aunque su pelo negro retinto estaba cortado *en brosse,* no me pareció francés. Hablaba en francés corrido con Berthe, que lo servía, pero no como si fuera su idioma. Deduje que era su primera visita al *Vingtième*; Berthe lo trataba con indiferencia; no había impresionado bien. El desconocido tenía ojos hermosos, pero —como las mesas del *Vingtième*— demasiado angostos y juntos. La nariz era aguileña y las rígidas guías del bigote le helaban la sonrisa. Decididamente, era siniestro. El chaleco punzó (tan fuera de estación), que envainaba el pecho vastísimo, agravaba mi sensación de incomodidad. Ese chaleco era malvado. Hubiera desentonado en el estreno de *Hernani*... Soames, brusca y extrañamente, rompió el silencio:

—¡De aquí cien años! —murmuró como en un trance.

—No estaremos aquí —observé con más vivacidad que ingenio.

—No estaremos aquí. No —zumbó—, pero el museo estará precisamente donde ahora está. Y el salón de lectura, precisamente donde ahora está. Y habrá gente que podrá ir y leer. —Tragó el humo del cigarrillo y un espasmo, como de dolor, le contrajo la cara.

Me pregunté qué ilación de ideas seguía el pobre Soames. No lo supe cuando agregó, al cabo de una larga pausa:

—Usted cree que no me ha importado.

—¿Qué no le ha importado, Soames?

—La indiferencia, el fracaso.

—¿El fracaso? —dije cordialmente—. ¿El fracaso? —repetí vagamente—. La indiferencia, sí, tal vez; pero es otro asunto. Desde luego, usted no ha sido apreciado. ¿Pero qué importa? Los artistas que, que dan... –Lo que yo quería decir era: «Los artistas que dan al mundo cosas verdaderamente nuevas y grandes están condenados a una larga espera antes de que les reconozcan su mérito». Pero la frase no salía de mis labios; su congoja tan genuina y desnuda me enmudeció.

Y entonces, él la dijo por mí. Me sonrojé.

–¿Eso es lo que usted iba a decir? –preguntó.

–¿Cómo lo supo?

–Es lo que usted me dijo hace tres años, cuando *Fungoides* apareció. –Me sonrojé aún más. No debía hacerlo, pues continuó–: Es lo único importante que le he oído decir en la vida y nunca lo he olvidado. Es la verdad. Es una espantosa verdad. Pero, ¿usted recuerda lo que yo contesté? «El reconocimiento no me importa un *sou*.» Y usted me creyó. Usted ha seguido creyendo que estoy más allá de esas cosas. Usted es superficial. ¿Qué puede usted saber de los sentimientos de un hombre como yo? Usted se figura que la fe que un gran artista tiene en sí mismo y en el fallo de la posteridad basta para hacerlo feliz... Usted jamás ha adivinado la amargura y la soledad, la... –Su voz se quebró; luego prosiguió con un vigor que jamás le había conocido–. La posteridad. ¡Qué me importa! Un hombre muerto ignora que las personas están visitando su tumba, visitando el lugar de su nacimiento, inaugurando estatuas suyas. Un muerto no puede leer los libros que se escriben sobre él. ¡De aquí cien años! ¡Imagínelo! ¡Si entonces pudiera volver a la vida por unas pocas horas e ir a la sala de lectura, y leer! O mejor aun: si pudiera proyectarme, en este momento, a ese porvenir, a esa sala de lectura, esta misma tarde. Por eso me vendería al diablo, cuerpo y alma. Piense en las páginas y páginas del catálogo: SOAMES, ENOCH, infinitamente, infinitas ediciones, comentarios, prolegómenos, biografías... –pero aquí lo interrumpió el crujido de una silla. Nuestro vecino se había levantado de su asiento. Se inclinó hacia nosotros, intrusivo y apologético.

–Permítame –dijo suavemente–. Me ha sido imposible no oír. ¿Puedo tomarme la libertad? En este restaurante *sans façon* –extendió las manos– ¿puedo, como quien dice, meter cuchara?

Tuve que asentir. Berthe apareció en la puerta de la cocina, creyendo que el forastero pedía la cuenta. Con el cigarro le hizo señas de que se alejara y un momento después estaba a mi lado, con los ojos puestos en Soames.

–Aunque no soy inglés –explicó– conozco bien a Londres. Su nombre y fama (los de Mr. Beerbohm también) me son muy conocidos.

Ustedes se preguntarán ¿quién soy *yo*? –Miró rápidamente hacia atrás y dijo en voz baja–: Soy el Diablo.

No pude contenerme; solté la risa. Traté de ahogarla; comprendí que era injustificada. Mi grosería me avergonzó; pero reí aún más. La dignidad serena del Diablo, el asombro y la contrariedad que manifestaron sus arqueadas cejas, aumentaron mi hilaridad. Me porté deplorablemente.

–Soy un caballero, y –agregó con énfasis– creí estar entre *caballeros*.

–No siga –dije jadeante–, no siga.

–Raro, *nicht wahr?* –oí que le decía a Soames–. Hay una clase de personas a quienes la simple mención de mi nombre les parece ridícula. En los teatros, basta que el comediante más estúpido diga «¡el Diablo!» para que se oiga «la carcajada sonora que delata la mente vacía». ¿No es así?

Apenas acerté a pedirle disculpas. Las aceptó, pero con frialdad y volvió a dirigirse a Soames.

–Soy un hombre de negocios –dijo– y me gusta andar sin rodeos. Usted es un poeta. *Les affaires* usted los detesta. Muy bien. Pero nos entenderemos. Lo que usted dijo hace un momento me llena de esperanzas.

Soames no se había movido, salvo para encender otro cigarrillo. Seguía con los codos sobre la mesa, mirando fijamente al Diablo.

–Continúe –dijo–. Ahora, no me quedaban ganas de reírme.

–Nuestro pequeño trato será tanto más agradable –prosiguió el Diablo– porque usted es, si no me equivoco, un satanista.

–Un satanista católico –dijo Soames.

El Diablo aceptó la enmienda, cordialmente.

–Usted desea –prosiguió– visitar ahora, esta misma tarde, la sala de lectura del Museo Británico, pero de aquí cien años ¿no es así? *Parfaitement.* El tiempo: una ilusión. El pasado y el porvenir son tan omnipresentes como el presente, o están, como quien dice, a la vuelta. Puedo conectarlo con cualquier fecha. Lo proyecto, ¡paf! ¿Usted quiere encontrarse en la sala de lectura, tal como estará en el atardecer del 3 de junio de 1997? ¿Usted quiere encontrarse en esa sala, junto a las puertas giratorias, en este mismo momento, verdad, y quedarse ahí hasta que cierren? ¿No me equivoco?

Soames asintió.

El Diablo miró la hora

–Las dos y diez –dijo–. De aquí un siglo, el horario de verano es el mismo: cierran a las siete. Eso le dará casi cinco horas. A las siete, ¡paf!, usted se encuentra aquí, en esta mesa. Ceno esta noche *dans le monde, dans le higlif.* Eso corona esta visita a su gran ciudad. Vendré a recogerlo aquí, Mr. Soames, y me lo llevo a casa.

—¿A casa? —repetí.

—Humilde, pero es mi casa —dijo el Diablo sonriendo.

—Convenido —dijo Soames.

—¡Soames! —supliqué. Pero mi amigo no movió ni un músculo.

El Diablo hizo el ademán de extender la mano y de tocar el antebrazo de Soames, pero se detuvo.

—De aquí cien años, como ahora —sonrió—, no se permite fumar en la sala de lectura. Por consiguiente, lo invito a...

Soames retiró el cigarrillo de la boca y lo dejó caer en el vaso de Sauternes.

—¡Soames! —grité de nuevo—. No debe usted... —pero el Diablo había extendido la mano. Con lentitud, la dejó caer en el mantel. La silla de Soames estaba vacía. El cigarrillo flotaba en el vaso de vino. No quedaba otro rastro de Soames.

Durante unos segundos el Diablo no movió la mano: me observaba de reojo, vulgarmente triunfal.

Me sacudió un temblor. Haciendo un esfuerzo me dominé, y me levanté de la silla.

—Muy ingenioso —dije con insegura condescendencia—. Pero, *La máquina del tiempo* es un libro delicioso, ¿no le parece? Tan original.

—A usted le gustan las burlas —dijo el Diablo, que se había levantado también—, pero una cosa es escribir sobre una máquina imposible; otra, muy distinta, ser una Potencia Sobrenatural. —Con todo, yo lo había embromado.

Berthe acudió cuando nos íbamos. Le dije que Mr. Soames había tenido que irse, y que él y yo volveríamos a cenar. Afuera, me sentí mal. Sólo me queda un vago recuerdo de lo que hice, de los lugares que recorrí en el brillante sol de esa tarde infinita. Recuerdo los martillazos de los carpinteros en Piccadilly y el desnudo aspecto caótico de las tribunas a medio levantar. ¿Fue en el Green Park o Kensington Gardens, o dónde fue que me senté en una silla, bajo un árbol, y traté de leer? Hubo una frase en el artículo editorial que se apoderó de mí: «Muy pocas cosas permanecen ocultas a esta augusta Señora, llena de la sabiduría atesorada en sesenta años de reinado». En mi desesperación, recuerdo haber proyectado una carta (que llevaría a Windsor un mensajero con orden de esperar la respuesta):

«Señora: como me consta que Su Majestad está llena de la sabiduría atesorada en sesenta años de reinado, me atrevo a pedirle consejo para un asunto confidencial. Mr. Enoch Soames, cuyos poemas usted puede o no conocer...»

¿No había manera de ayudarlo, de salvarlo? Un compromiso es un compromiso, y jamás incitaré a nadie a eludir una obligación. No hubiera levantado un dedo para salvar a Fausto. Pero el pobre Soames, condenado a pagar con una eternidad de tormento una busca infructuosa y una amarga desilusión...

Me parecía raro y monstruoso que Soames, de carne y hueso, con su capa impermeable, estuviera en ese momento en la última década del otro siglo, hojeando libros aún no escritos y mirado por hombres aún no nacidos. Todavía más raro y más monstruoso, pensar que esta noche y para siempre estaría en el infierno. Bien dicen que la verdad es más extraña que la ficción.

Esa tarde fue interminable. Casi anhelé haber ido con Soames: no para quedarme en la sala de lectura, sino para dar una buena caminata de inspección por el futuro Londres. Intranquilo, tuve que andar y andar. Inútilmente procuré imaginar que yo era un deslumbrado turista del siglo XVIII. Los minutos, lentísimos y vacíos, eran intolerables. Mucho antes de las siete regresé al *Vingtième*.

Me senté en el mismo lugar. El aire entraba indiferente por la puerta a mi espalda. De vez en cuando, aparecían Rose o Berthe. Les dije que no pediría la comida hasta la llegada de Mr. Soames. Un organito empezó a tocar, ahogando el ruido de un altercado callejero. Entre vals y vals oí las voces del altercado. Había comprado otro diario de la tarde. Lo abrí, pero mis ojos buscaban el reloj sobre la puerta de la cocina.

¡Sólo faltaban cinco minutos para las siete! Recordé que en los restaurantes los relojes se adelantan cinco minutos. Fijé mis ojos en el diario. Juré que no volvería a apartar la vista. Lo levanté, para no poder ver otra cosa... La hoja temblaba. Es la corriente de aire, me dije.

Mis brazos gradualmente se endurecían; me dolían; pero no podía bajarlos. Tenía una sospecha, una certidumbre. Los pasos rápidos de Berthe me permitieron, me obligaron a soltar el diario y a preguntar:

—¿Qué vamos a comer, Soames?

—*Il est souffrant, ce pauvre Monsieur Soames?* —preguntó Berthe.

—Sólo está... cansado. —Le pedí que trajera vino Borgoña y algún plato ya listo. Soames estaba encorvado sobre la mesa, precisamente como antes, como si no se hubiera movido, él ¡que había ido tan lejos! Una o dos veces se me había ocurrido que su viaje tal vez no había sido estéril; que tal vez todos nos habíamos equivocado al juzgar la obra de Soames. Su rostro demostraba horriblemente que habíamos horriblemente acertado–. Pero, no pierda el ánimo –murmuré–. Quizá no ha esperado lo suficiente. De aquí dos o tres siglos, tal vez...

Volví a oír su voz.

–Sí. He pensado en eso.

–Y ahora... volviendo a un porvenir inmediato. ¿Dónde va a esconderse? ¿Qué le parece tomar el expreso a París, en Charing Cross? Tiene casi una hora. No vaya a París. Deténgase en Calais. Viva en Calais. Nunca se le ocurrirá buscarlo en Calais.

–Mi destino –dijo–. Pasar mis últimas horas con un asno. –No me ofendí–. Un asno pérfido –añadió extrañamente, entregándome un papel arrugado que tenía en la mano. Me pareció entrever un galimatías. Lo aparté, con impaciencia.

–¡Vamos, Soames! ¡Ánimo! Esto no es una simple cuestión de vida o muerte. Es una cuestión de tormentos eternos. ¡Fíjese! ¿Usted va a someterse y esperar que vengan a buscarlo?

–¿Qué voy a hacer? No me queda otra alternativa.

–Vamos, esto ya pasa de estímulo y confianza. Es el colmo del satanismo. –Le llené el vaso–. Sin duda, ahora que usted ha *visto* a ese bruto...

–¿A qué insultarlo?

–Admita que tiene muy poco de miltoniano, Soames.

–No niego que me lo imaginaba algo distinto.

–Es un ordinario, es un ladrón internacional. Es el tipo de hombre que ronda por los corredores de los trenes y que roba las alhajas de las señoras. ¡Imagínese los tormentos eternos presididos por *él*!

–¿Usted cree que me alegra esa perspectiva?

–Entonces, ¿por qué no desaparece, tranquilamente?

Una y otra vez llené su vaso; siempre, como un autómata, lo vaciaba; pero el vino no lo animaba. No comió y yo apenas probé bocado. Yo no creía que ninguna tentativa de fuga pudiera salvarlo. La persecución sería rápida; la captura, fatal. Pero cualquier cosa era preferible a esa espera pasiva, mansa, miserable. Le dije a Soames que por el honor del género humano debía ofrecer alguna resistencia. Me dijo que no le debía nada al género humano.

–Además –agregó–, ¿no entiende usted que estoy en su poder? Usted lo vio tocarme ¿no? Ya no hay nada que hacer. No tengo voluntad. Estoy condenado.

Hice un gesto de desesperación. Soames repetía la palabra «condenado». Empecé a comprender que el vino había nublado su cerebro. No era extraño: sin comer había ido al porvenir; sin comer había regresado.

Lo insté a que tomara un poco de pan. Pensar que él, que tenía tanto que contar, tal vez no contara nada...

—¿Cómo era aquello? —le pregunté—. Vamos. Cuénteme sus aventuras.

—Permitirían escribir un cuento muy bueno. ¿No es verdad?

—Comprendo su estado, Soames, y no le hago el menor reproche. Pero ¿qué derecho tiene usted a insinuar que yo voy a escribir un cuento con su desgracia?

El pobre hombre se apretó la cabeza con las manos.

—No sé —dijo—. Tenía alguna razón, me parece... Trataré de acordarme.

—Está bien. Trate de acordarse de todo. Coma otro pedazo de pan. ¿Qué aspecto tenía la sala de lectura?

—El de siempre —murmuró al fin.

—¿Había mucha gente?

—Como de costumbre.

—¿Cómo eran?

Soames trató de recordarlos.

—Todos —dijo— se parecían entre ellos.

Mi mente dio un tremendo salto.

—¿Todos vestidos de lana?

—Sí, me parece. Un color gris amarillento.

—¿Una especie de uniforme? —Asintió—. ¿Con un número, tal vez? ¿Un número en un disco de metal, cosido en la manga izquierda? ¿DKF 78910, algo por el estilo? —Así era—. ¿Y todos, hombres y mujeres, con un aire muy cuidado? ¿muy utópico? ¿y con olor a ácido fénico? ¿y todos depilados? —Siempre acerté, salvo que Soames no estaba seguro de si estaban depilados o rapados. «No tuve tiempo de mirarlos detenidamente», —explicó.

—No, desde luego. Pero...

—Me clavaban los ojos, le aseguro. Atraje mucho la atención. —¡Por fin había logrado eso!—. Creo que los asusté un poco. Se retiraban, cuando yo me acercaba. Me seguían, a distancia, por todas partes. Los empleados del pupitre del medio tenían una especie de pánico cuando les pedía informes.

—¿Qué hizo usted cuando llegó?

Naturalmente, fue derecho a mirar el catálogo, a los tomos de la S, y se detuvo mucho tiempo ante SN –SOF, incapaz de sacarlo del estante porque eran tan fuertes los latidos del corazón... Me dijo que al principio no se sintió decepcionado; pensó que podían haberse hecho nuevas clasificaciones. Fue al pupitre del medio y preguntó por el catálogo de libros del siglo XX. Le dijeron que había sólo un catálogo. Volvió otra vez a buscar su nombre. Se fijó en los tres títulos que conocía tan bien.

Luego se quedó sentado un rato largo.

–Y entonces –murmuró– consulté el *Diccionario Biográfico* y algunas enciclopedias... Regresé al pupitre del medio y pregunté cuál era el mejor libro moderno sobre la literatura de fines del siglo XIX. Me dijeron que el libro de Mr. T. K. Nupton era considerado el mejor. Lo busqué en el catálogo y lo pedí. Me lo trajeron. Mi nombre no figuraba en el índice, pero... sí –dijo con un repentino cambio de tono–. Eso es lo que había olvidado. ¿Dónde está el papel? Démelo.

Yo también había olvidado esa hoja críptica. La encontré en el suelo y se la di.

La alisó, sonriendo de una manera desagradable.

–Me puse a hojear el libro de Nupton –prosiguió–. Leerlo, no resultaba fácil. Una especie de escritura fonética... Todos los libros modernos que vi eran fonéticos.

–Entonces, Soames, no quiero saber más.

–Los nombres propios se escribían como ahora. Si no fuera por eso, quizá no hubiera visto el mío.

–¿Su nombre? ¿Realmente? Soames, me alegro mucho.

–Y el suyo.

–¡No puedo creerlo!

–Pensé que nos veríamos esta noche. Por eso me tomé el trabajo de copiar el párrafo. Léalo.

Le arrebaté el papel. La letra de Soames era típicamente vaga. Esa letra, y la obscena ortografía, y mi excitación, me estorbaban para comprender lo que T. K. Nupton quería decir.

Tengo el documento a la vista. Es muy extraño que las palabras que transcribo fueron ya transcritas por Soames de aquí setenta y ocho años.

De la p. 274 de *Literatura Britaniqa* 1890-1900 x T. K. Nupton, publicado x el Estado, 1992: x ehemplo, ı sqritor de la epoqa, Max Beerbohm, que bibió ast'öl siglo 20, sqribió ı quento do ai ı typo fiqtisio llamado *Enoch Soames* – ı poeta de tersera qategoría qe se qreía ı henio e iso ı paqto con el Diablo para saber qé pensaría dél la posteridá. Es una satyra un poqo forsada pero no sin balor X qe muestra qen serio se tomaban los ombres hóbenes desa déqada. Aora qe la profesión literaria a sido organisada como ı seqtor del serbisio públiqo, los sqriptores an enqontrado su nibel y an aprendido a aser su obligasión sin pensar en el maniana. *El hornalero Má a l'altura del hornal;* i eso es todo. Felismente no qedan Enoch Soames en esta époqa.

Descubrí que dando a la «h» el valor de la «j» y a la «q» el de la «c» fuerte (artificios que demuestran la progresiva incompetencia de los filólogos), podía descifrarse el texto. Aumentaron, entonces, mi perplejidad, mi horror, mi congoja. Era una pesadilla. A lo lejos, el espantoso porvenir de las letras; aquí, en la mesa, mirándome hasta ruborizarme, el pobre a quien, a quien, evidentemente... Pero no: por más que me depravaran los años, no incurriría en la crueldad de...

Volví a mirar el manuscrito. «Fiqtisio»... pero Soames ¡ay! era tan poco ficticio como yo.

—Todo esto es muy desconcertante —alcancé a balbucear.

Soames no dijo nada, pero cruelmente no dejó de mirarme.

—¿Está usted seguro —intervine— de haber copiado esto sin equivocarse?

—Plenamente.

—Bueno, entonces es el maldito Nupton, el que ha cometido (el que cometerá) un error estúpido... Vea, Soames, usted me conoce demasiado bien para imaginar que yo... Al fin y al cabo el nombre de Max Beerbohm no tiene nada de excepcional y debe de haber unos cuantos Enoch Soames en circulación (o, más bien, a cualquier cuentista se le puede ocurrir el nombre de Enoch Soames). Y yo no escribo cuentos: soy un ensayista, un observador, un espectador... Reconozco que es una coincidencia extraordinaria. Pero usted debe comprender...

—Comprendo perfectamente —dijo Soames con serenidad. Y agregó, con algo de su antigua manera, pero con una dignidad que en él era nueva—: *Parlons d'autre chose.*

Acepté en el acto la sugestión. Encaré inmediatamente el futuro inmediato. Pasé aquellas horas interminables instándolo a esconderse en alguna parte. Recuerdo haber dicho que si, realmente, yo estaba destinado a escribir el supuesto «quento», un desenlace feliz era preferible. Soames repitió las últimas palabras con intenso desprecio.

—En la Vida y en el Arte —dijo— lo que importa es un final *inevitable.*

—Pero —insistí con una confianza que no sentía— un final que puede evitarse no es inevitable.

—Usted no es un artista —replicó—. Tan poco artista es, que lejos de poder imaginar una cosa y darle semblanza de verdad, usted va a conseguir que una cosa verdadera parezca imaginaria. Usted es un miserable chambón.

Protesté; el miserable chambón no era yo... no iba a ser yo, sino T. K. Nupton; tuvimos una discusión agitada, en medio de la cual me pareció que Soames, bruscamente, comprendió que no tenía razón: se encogió todo. Me pregunté por qué miraba fijamente detrás de mí. Lo adiviné con un escalofrío. El portador del «inevitable» final llenaba el pórtico.

Logré darme vuelta en la silla y decir, fingiendo despreocupación:

–¡Ah! pase. –Tenía un absurdo aspecto de villano de melodrama que atenuó mi temor. El brillo de su ladeado sombrero de copa y de su pechera, la continua retorsión del bigote y, sobre todo, la magnificencia de su desdén, prometían que sólo estaba ahí para fracasar.

Un paso y estaba en nuestra mesa.

–Deploro –dijo implacablemente– disolver esta amena reunión, pero...

–Usted no la disuelve, usted la completa –le aseguré–. Mr. Soames y yo teníamos que hablarle. ¿No quiere tomar asiento? Mr. Soames no sacó ningún provecho (francamente, ninguno) del viaje de esta tarde. No sugerimos que todo el asunto es una estafa, una estafa vulgar. Al contrario, creemos que usted ha procedido lealmente. Pero el convenio, si es posible darle ese nombre, queda por supuesto anulado.

El Diablo no me contestó. Miró a Soames y con el índice rígido señaló la puerta. Soames deplorablemente se levantaba cuando, con un desesperado gesto rápido, tomé dos cuchillos de postre y los puse en cruz. El Diablo reculó dando vuelta la cara y estremeciéndose.

–¡Es usted un supersticioso! –protestó.

–De ninguna manera –respondí con una sonrisa.

–¡Soames! –dijo como dirigiéndose a un subalterno, pero sin volver la cabeza–, ponga esos cuchillos en su lugar.

Con un gesto a mi amigo, dije enfáticamente al Diablo:

–Mr. Soames es un satanista católico –pero mi pobre amigo acató la orden del Diablo, no la mía; y ahora, con los ojos de su amo fijos en él, se escurrió hacia la puerta. Quise hablar; fue él quien habló.

–Trate –me suplicó mientras el Diablo iba empujándolo–, trate de que sepan que existí.

Yo salí también. Me quedé mirando la calle: a la derecha, a la izquierda, al frente. Había luz de luna y luz de los faroles; pero no Soames ni el otro. Me quedé aturdido. Aturdido, entré en el restaurante; y supongo que pagué a Berthe o a Rose. Así lo espero, porque no volví nunca al *Vingtième*. Tampoco volví a pasar por Greek Street. Y durante años no pisé Soho Square, porque ahí di vueltas y vueltas esa noche, con la esperanza oscura del hombre que no se aleja del lugar en el que ha perdido algo... «Alrededor y alrededor de la plaza desierta», ese verso retumbaba en mi soledad y con ese verso, toda la estrofa, recalcando la trágica diferencia de la escena feliz imaginada por el poeta y su verdadero encuentro con aquel príncipe que, de todos los príncipes del mundo, es el menos digno de nuestra fe.

Pero –¡cómo divaga y erra la mente de un ensayista, por atormentada que esté!– recuerdo haberme detenido ante un extenso umbral, preguntándome si no sería ahí mismo donde el joven De Quincey yació, mareado y enfermo, mientras la pobre Ann corría a Oxford Street, esa «madrastra de corazón de piedra», y volvía con la copa de oporto que le salvó la vida. ¿No sería este el mismo umbral que solía visitar en homenaje el viejo De Quincey? Pensé en el destino de Ann, en los motivos de su brusca desaparición; y me recriminé por dejar que el pasado se superpusiera al presente. ¡Pobre Soames, desaparecido!

También empecé a preocuparme por mí. ¿Qué debía hacer? ¿Habría un escándalo? –Misteriosa Desaparición de un Autor, y todo lo demás.– La última vez que vieron a Soames, estaba conmigo. ¿No convendría tomar un coche e ir directamente a Scotland Yard? Me creerían loco. Después de todo, me dije, Londres es muy grande; una figura tan vaga podía fácilmente desaparecer inadvertida, especialmente ahora, en la deslumbrante luz del Jubileo. Resolví no decir nada.

Y tuve razón. La desaparición de Soames no produjo la menor inquietud. Fue totalmente olvidado antes de que alguien notara que ya no andaba por ahí. Tal vez algún poeta o algún prosista habrá preguntado: ¿Y ese individuo Soames?, pero nunca oí esa pregunta. Tal vez el abogado que le pagaba su renta anual hizo investigaciones, pero no trascendió ningún eco.

En ese párrafo del repugnante libro de Nupton, hay un problema. ¿Cómo explicarse que el autor, aunque he mencionado su nombre y he citado las palabras precisas que va a escribir, no advierte que no he inventado nada? Sólo hay una respuesta: Nupton no habrá leído las últimas páginas de este informe. Esta omisión es muy grave en un erudito. Espero que mi trabajo sea leído por algún rival contemporáneo de Nupton y sea la ruina de Nupton.

Me agrada pensar que entre 1992 y 1997 alguien habrá leído este informe y habrá impuesto al mundo sus conclusiones asombrosas e inevitables. Tengo mis razones para pensar que así ocurrirá. Comprenderán ustedes que la sala de lectura donde Soames fue proyectado por el Diablo, era, en todos sus detalles, igual a la que lo recibirá el 3 de junio de 1997. Comprenderán ustedes que en ese atardecer el mismo público llenará la sala y ahí también estará Soames, todos haciendo exactamente lo que ya hicieron. Ahora recuerden lo que dijo Soames sobre la sensación que produjo. Me replicarán que la mera diferencia de traje bastaba para hacerlo notable en esa turba uniformada. No dirían eso si alguna vez lo hubieran visto. Les juro que en ningún período Soames podría ser notable. El hecho de que la gente no le quite la vista y que lo siga y que parezca temerlo, sólo puede aceptarse mediante la hipótesis de que están esperando, de algún modo, su visita espectral. Estarán esperando con horror si realmente viene. Y cuando venga, el efecto será horrible.

Un fantasma auténtico, garantizado, probado, pero ¡sólo un fantasma! Nada más. En su primera visita, Soames era una criatura de carne y hueso, pero los seres que lo recibieron eran fantasmas, fantasmas sólidos, palpables, vocales, pero inconscientes y automáticos, en un edificio que también era una ilusión. La próxima vez, el edificio y la gente serán verdaderos. De Soames no habrá sino el simulacro. Me gustaría pensar que está predestinado a visitar el mundo realmente, físicamente, conscientemente. Me gustaría pensar que le ha sido otorgada esta breve fuga, este modesto recreo para entretener su esperanza. No paso mucho tiempo sin recordarlo. Está donde está, y para siempre. Los moralistas rígidos pensarán que él tiene la culpa. Por mi parte, creo que el destino se ha ensañado con él. Es justo que la vanidad sea castigada; y la vanidad de Enoch Soames era, lo admito, extraordinaria y exigía un tratamiento especial. Pero la crueldad es siempre superflua. Ustedes dirán que se comprometió a pagar el precio que ahora paga; sí, pero sostengo que hubo fraude. El Diablo, siempre bien informado, tiene que haber sabido que mi amigo no ganaría nada con su visita al porvenir. Todo fue un miserable engaño. Cuanto más lo pienso, más odioso me parece el Diablo.

Desde aquel día en el *Vingtième*, lo he visto varias veces. Sólo una, sin embargo, lo he visto de cerca. Fue en París. Yo caminaba una tarde por la Rue d'Antin cuando lo vi venir, demasiado vistoso, como siempre, y revoleando un bastón de ébano, como si fuera el dueño de la calle. Al pensar en Enoch Soames y en los millares de víctimas que gimen bajo el poder de esa bestia, un gran enojo frío me acometió; me erguí cuanto pude. Pero, bueno; uno está tan acostumbrado a sonreír y a saludar en la calle a cualquier desconocido, que el acto es casi autónomo. Al cruzarme con el Diablo, sé, miserablemente, que lo saludé y sonreí. Mi vergüenza fue dolorosa cuando él me miró fijamente y siguió de largo.

Ser desairado, deliberadamente desairado por él. Estuve, estoy aún, indignado de que eso me pasara.

MAX BEERBOHM
Seven Men (1919)

SOMBRAS SUELE VESTIR

JOSÉ BIANCO, escritor argentino, nacido en Buenos Aires. En 1932 publicó un libro de cuentos, *La pequeña Gyaros*. De 1943 es su novela *Las ratas*. El relato que publicamos, editado por los *Cuadernos de la Quimera* (Emecé), apareció por primera vez en la revista *Sur* en octubre de 1941.

> *El sueño, autor de representaciones, en su teatro sobre el*
> *viento armado, sombras suele vestir de bulto bello.*
> GÓNGORA

I

—Lo echaré de menos; lo quiero como a un hijo —dijo doña Carmen.

Le contestaron:

—Sí, usted ha sido muy buena con él. Pero es lo mejor.

En los últimos tiempos, cuando iba al inquilinato de la calle Paso, rehuía la mirada de doña Carmen para no turbar esa vaga somnolencia que había llegado a convertirse en su estado de ánimo definitivo. Hoy, como de costumbre, detuvo los ojos en Raúl. El muchacho ovillaba una madeja de lana dispuesta en el respaldo de dos sillas; podía aparentar veinte años, a lo sumo, y tenía esa expresión atónita de las estatuas, llenas de dulzura y desapego. De la cabeza de Raúl pasó al delantal de la mujer; observó los cuatro dedos tenaces, plegados sobre cada bolsillo; paulatinamente llegó al rostro de doña Carmen. Pensó con asombro: «Eran ilusiones mías. Nunca la he odiado, quizá».

Y también pensó, con tristeza: «No volveré a la calle Paso.»

Había muchos muebles en el cuarto de doña Carmen; algunos pertenecían a Jacinta: el escritorio de caoba donde su madre hacía complicados solitarios o escribía cartas aún más complicadas a los amigos de su marido pidiéndoles dinero; el sillón, con el relleno asomando por las aberturas... Observaba con interés el espectáculo de la miseria. Desde lejos parecía un bloque negro, reacio; poco a poco iban surgiendo penumbras amistosas (Jacinta no carecía de experiencia) y se distinguían las sombras claras de los nichos donde era posible refugiarse. La miseria no estaba reñida con momentos de intensa felicidad.

Recordó una época en que su hermano no quería comer. Para conseguir que probara algún bocado necesitaban esconder un plato de carne debajo del ropero, en un cajón del escritorio... Raúl se levantaba por la noche: al día siguiente aparecía el plato vacío, donde ellas lo dejaron. Por eso, después de comer, mientras el muchacho tomaba fresco en la vereda, madre e hija discurrían algún escondite. Y Jacinta evocó una mañana de otoño. Oía gemidos en la pieza contigua. Entró, se aproximó a su madre, sentada en el sillón, le separó las manos de la cara y le vio el semblante contraído, deformado por la risa.

La señora de Vélez no podía recordar dónde había ocultado el plato la noche anterior.

Su madre se adaptaba a todas las circunstancias con una jovial sabiduría infantil. Nada la tomaba de sorpresa y, por eso, cada nueva desgracia encontraba el terreno preparado. Imposible decir en qué momento había sobrevenido, a tal punto se hacía instantáneamente familiar, y lo que fue una alteración, un vicio, pasaba de manera insensible a convertirse en ley, en norma, en propiedad connatural de la vida misma. Como un político y un guerrero famosos, conversando en la embajada de Inglaterra, eran para Delacroix dos pedazos rutilantes de la naturaleza visible, un hombre azul al lado de un hombre rojo, las cosas, contempladas por su madre, parecían despojarse de todo significado moral o convencional, perdían su veneno, se sustituían las unas por las otras y alcanzaban una especie de categoría metafísica, de pureza trascendente que las nivelaba.

Pensaba en el aire secreto y un poco ridículo que adoptó doña Carmen cuando la condujo a casa de María Reinoso. Era un departamento interior. En la puerta había una chapa de bronce que decía: *Reinoso. Comisiones.* Antes de entrar, mientras caminaban por el largo pasillo, doña Carmen balbuceó unas palabras: le aconsejaba que no hablara de María Reinoso con su madre; y Jacinta, al vislumbrar un destello de inocencia en esa mujer tan astuta, reflexionó en la capacidad de ilusión, en la innata afición al melodrama que tienen las llamadas «clases bajas». Pero ¿le hubiera importado tan poco a su madre, en realidad? Nunca lo sabría. Ya era imposible decírselo.

Empezó a ir a casa de María Reinoso. Doña Carmen no tuvo que mantenerlos (desde hacía más de un año, sin que nadie supiera por qué, subvenía a las necesidades de la familia Vélez). Sin embargo, no era tarea fácil evitar a la encargada del inquilinato. Jacinta tropezaba con ella, conversando con los proveedores en el amplio zaguán a que daban las puertas, o la encontraba instalada en su propio cuarto. ¿Cómo sacarla de allí? Por lo demás, gracias a la encargada del inquilinato había un poco de orden en las tres habitaciones que ocupaban Jacinta, su madre y su hermano. Doña Carmen, una vez por semana, lanzaba sobre la familia Vélez el embate de su actividad: abría las puertas, fregaba el piso y los muebles con una suerte de rabia contenida; en el patio, ante los ojos de los vecinos, salía a relucir el impudor de los colchones y de la dudosa ropa de cama. Ellos se sometían, entre agradecidos y avergonzados. Pasada esa ráfaga, el desorden comenzaba a envolverlos en su tibia, resistente complicación.

Jacinta la encontraba tejiendo, sentada junto a su madre. El primer día que Jacinta conoció a María Reinoso, doña Carmen trató de cambiar impresiones con ella. Jacinta contestó con monosílabos. Pero la presencia aún silenciosa de la encargada del inquilinato tenía la virtud de transportarla a la otra casa, de donde acababa de salir. Y Jacinta, aquellas tardes, después de apaciguar los deseos de algún hombre, también necesitaba apaciguarse, olvidar; necesitaba perderse en ese mundo infinito y desolado que creaban su madre y Raúl. La señora de Vélez hacía el *Metternich* o el *Napoleón*. Barajaba los naipes y cubría la mesa de números rojos y negros, de parejas de hombres y mujeres sin cuello, llenos de coronas y estandartes, que compartían su melancólica grandeza en la breve cartulina. De tiempo en tiempo, sin dejar de jugar, aludía a minucias cuya posesión nadie hubiera deseado disputarle, o a sus parientes y amigos de otra época que no la trataban desde hacía veinte años y quizá la creían muerta. A veces, Raúl se detenía junto a su madre. De pie, con la mejilla apoyada en una mano y el codo sostenido en la otra, seguían la lenta trayectoria de las cartas. La señora de Vélez, para distraerlo, lo hacía intervenir en un afectuoso monólogo entrecortado por silencios jadeantes dentro de los cuales sus palabras parecían prolongarse y perder todo sentido. Decía:

–Barajemos. Aquí está la reina. Ya podemos sacar el valet. De perfil, con el pelo negro, el valet de pique se te parece. Un joven moreno de ojos claros, como diría doña Carmen, que echa tan bien las cartas. Una vuelta más, esta vez muy despacio. En fin, el *Napoleón* va en camino de salir. Y es difícil. ¿Nos sucederá algo malo? Una vez, en Aix-les-Bains, lo saqué tres veces en la misma noche y al día siguiente se declaró la guerra. Tuvimos que escapar a Génova y tomar un buque mercante, *tous feux éteints*. Y yo seguía haciendo el *Napoleón* –trébol sobre trébol, ocho sobre nueve. ¿Dónde está el diez de pique? –con un miedo horrible de las minas y los submarinos. Tu pobre padre me decía: «Tienes la esperanza de sacar el *Napoleón* para que naufraguemos. Confías, pero en tu mala suerte...».

El narcótico empezaba a operar sobre los nervios de Jacinta. Se aquietaba el tumulto de impresiones recientes formado por tantas partículas atrozmente activas que luchaban entre sí y aportaban cada una su propia evidencia, su minúscula realidad. Jacinta sentía el cansancio apoderarse de ella, borrar los vestigios del hombre con quien estuvo dos horas antes en casa de María Reinoso, nublar el pasado inmediato con sus mil imágenes, sus gestos, sus olores, sus palabras, y empezaba a no distinguir la línea de demarcación entre ese cansancio al cual se entregaba un poco solemnemente y el descanso supremo. Entreabriendo los ojos, miró a sus dos queridos fantasmas en esa atmósfera gris. La señora de Vélez había terminado de jugar. La lámpara iluminaba sus manos inertes, todavía apoyadas en la mesa. Raúl continuaba de pie, pero las barajas, diseminadas sobre el tafilete amarillento, habían dejado de interesarlo. Doña Carmen estaría a su lado, posiblemente a su derecha. Jacinta, para verla, hubiese necesitado volver la cabeza. ¿Estaba doña Carmen a su lado? Tenía la sensación de haber eludido su presencia, tal vez para siempre. Había entrado en un ámbito que la encargada del inquilinato no podía franquear. Y la paz se hacía por momentos más íntima, más aguda, más punzante. En plena beatitud, con la cabeza echada para atrás hasta tocar con la nuca en el respaldo, los ojos ausentes, las comisuras de los labios distendidos hacia arriba, Jacinta mostraba la expresión de un enfermo quemado, purificado por la fiebre, en el preciso instante en que la fiebre lo abandona y deja de sufrir.

Doña Carmen continuaba tejiendo. De cuando en cuando el vaivén de las agujas imprimía un temblor subrepticio, casi animal, a través del largo hilo imperceptible, al grueso ovillo de lana que yacía junto a sus pies. Como el sopor de los leones de piedra que guardan los portales, con una bocha entre las patas, su indiferencia tenía algo de engañoso y parecía destinada a descargarse en una súbita actividad. Jacinta, de pronto, advierte que la atmósfera se llena de pensamientos hostiles. Doña Carmen la recupera, y María Reinoso, y los diálogos que sostienen las dos mujeres.

Una tarde, cuando salía de casa de María Reinoso, las había sorprendido conversando desde una puerta entreabierta. Ambas callaron, pero Jacinta tuvo la certeza de que hablaban de ella. Los ojos de doña Carmen eran pequeños, con el iris tan oscuro que se confundía con la pupila. Al observar a las personas, éstas se advertían escudriñadas sin que pudieran defenderse, observando a su vez, porque esos ojos opacos interceptaban el tácito canje de impresiones que es una mirada recíproca. La tarde que las sorprendió, los ojos de doña Carmen se habían concedido un descanso: brillaban, muy abiertos, y a esas dos rejillas complacientes iban a parar los comentarios de María Reinoso, que alargaba hasta la encargada del inquilinato su rostro anémico, con la boca aún torcida por las palabras obscenas que acababa de pronunciar.

No aborrecía sus encuentros en casa de María Reinoso. Le permitieron independizarse de doña Carmen, mantener a su familia. Además, eran encuentros inexistentes: el silencio los aniquilaba. Jacinta sentíase libre, limpia de sus actos en el plano intelectual. Pero las cosas cambiaron a partir de esa tarde. Comprendió que alguien registraba, interpretaba sus actos; ahora el silencio mismo parecía conservarlos, y los hombres anhelosos y distantes a los cuales se prostituía, empezaron a gravitar extrañamente en su conciencia. Doña Carmen hacía surgir la imagen de una Jacinta degradada, unida a ellos; quizá la imagen verdadera de Jacinta; una Jacinta creada por los otros y que por eso mismo escapaba a su dominio, que la vencía de antemano al comunicarle la postración que nos invade frente a lo irreparable. Entonces, en vez de terminar con ella, Jacinta se dedicó a sufrir por ella, como si el sufrimiento fuera el único medio que tenía a su alcance para rescatarla, y a medida que sufría obraba de tal modo que conseguía infundirle una exasperada realidad. Abandonó toda aspiración a cambiar de género de vida. Ya no hizo más esfuerzos. Había empezado a traducir una obra del inglés. Eran capítulos de un libro científico, en parte inédito, que aparecían conjuntamente en varias revistas médicas del mundo. Una vez por semana le entregaban alrededor de treinta páginas impresas en mimeógrafo, y cuando ella las devolvía traducidas y copiadas a máquina (compró una máquina de escribir en un remate del Banco Municipal), le entregaban otras tantas. Fue a la agencia de traducciones, devolvió los últimos capítulos, no aceptó otros.

Le pidió a doña Carmen que vendiera la máquina de escribir.

Llegó el día en que la señora de Vélez se acostó entre un fragante desorden de junquillos, varas de nardos, fresias y gladiolos. El médico de barrio, a quien doña Carmen arrancó de la cama esa madrugada, diagnosticó una embolia pulmonar. La ceremonia fúnebre se llevó a cabo en el primer departamento, al lado de la puerta de la calle, que con ese fin cedió una vecina. Los inquilinos entraban al cuarto de puntillas y una vez junto al ataúd dejaban caer sus miradas sobre el rostro de la señora de Vélez con todo el estrépito que habían contenido en sus pasos. Pero a la señora de Vélez no parecían molestarle esas miradas, ni los cuchicheos de los condolientes (sentados en torno a Jacinta y Raúl) ni el ir y venir de doña Carmen que distribuía con sigilo infructuoso tazas de café, arreglaba coronas de palmas o disponía nuevos ramitos al pie del ataúd. En un momento dado, Jacinta salió de la rueda, fue a la portería, marcó un número en el teléfono.

Después dijo, en voz muy baja:

—¿No ha preguntado nadie por mí?

—Ayer –le contestaron–, habló Stocker para verla a usted hoy, a las siete. Quedó en hablar de nuevo. Me pareció inútil llamarla.

—Dígale que voy a ir. Gracias.

Fue el comienzo de una tarde difícil de olvidar. Primero, en el cuarto de su madre, Jacinta permaneció largo rato con los sentidos anormalmente despiertos, ajena a todo y a la vez de todo muy consciente, cernida sobre su propio cuerpo y los objetos familiares que se animaban con una vida ficticia en honor a ella, refulgían, ostentaban sus planos lógicos, sus rigurosas tres dimensiones. «Quieren ser mis amigos –no pudo menos de pensar– y hacen esfuerzos para que yo los vea», porque este aspecto inesperado parecía corresponder a la identidad secreta de los objetos mismos y a la vez coincidir con su yo recóndito. Dio algunos pasos por el cuarto mientras perduraba en sus labios, con toda la agresividad de una presencia extraña, el gusto del café. «Y yo no los miraba. La costumbre me alejaba de ellos. Hoy los veo por primera vez.»

Y, sin embargo, los reconocía. Ahí estaba ese extravagante mueble barroco (los dos mazos de naipes sobre el tafilete amarillento) que terminaba en una repisa con un espejo incrustado. Ahí estaban las medicinas de su madre, un frasco de digital, un vaso, una jarra con agua. Y ahí estaba ella en el espejo, con su cara de planos vacilantes, sus rasgos inocentes y finos. Todavía joven. Pero los ojos, de un gris indeciso, habían envejecido antes que el resto de su persona. «Tengo ojos de muerta.»

Pensó en los ojos de su madre, guarecidos bajo una doble cortina de párpados venosos, en los de Raúl. «No, son miradas distintas, no tienen
nada en común con la mía.» Había en sus ojos el orgullo de los que
son *señores y dueños de su propio rostro*, pero ya la estrofa final asomaba
en ellos: *azucenas que se pudren*, una especie de clarividencia inútil que
se complace en su falta de aplicación. Le traían reminiscencias de otras
personas, de alguien, de algo. ¿Dónde había visto una mirada igual?
Durante un segundo su memoria giró en el vacío. En un cuadro, tal vez.
El vacío se fue llenando, adquirió tonalidades azules, rosadas. Jacinta
apartó los ojos del espejo y vio abrirse ante ella un balcón sobre un fondo nocturno; vio ánforas, perros extáticos, más animales: un pavo real,
palomas blancas y grises. Era *Las dos cortesanas,* del Carpaccio.

Y ahí estaba Stocker, en el departamento de María Reinoso. Tenía una
cara percudida y un cuerpo juvenil, muy blanco, que la ropa falsamente
modesta parecía destinada esencialmente a proteger. Cuando se la quitaba sin prisa, doblándola con esmero, verificando el lugar en que dejaba
cada prenda de vestir, conquistaba la infancia. Surgía más desnudo que
los otros hombres, más vulnerable: un niño casi desinteresado de Jacinta
que acariciaba las distintas partes del cuerpo de ella sin preocuparse por
el nexo humano que las vinculaba entre sí, como quien toma objetos de
acá y de allá para celebrar un culto sólo por él conocido y después de usar-
los los va dejando cuidadosamente en su sitio. Una atención casi dolorosa se reflejaba en su semblante: lo contrario del deseo de olvidar, de aniquilarse en el placer. Se hubiera dicho que buscaba algo, no en ella sino
en sí mismo, y también, a pesar del ritmo mecánico que ya no podía gra-
duar a voluntad, se lo hubiera tenido por inmóvil, a tal punto su expresión era contenida, vuelta hacia dentro, al acecho de ese segundo fulgu-
rante de cuya súbita iluminación esperaba la respuesta a una pregunta
insistentemente formulada.

Él había recobrado su aire perplejo. Ella pensaba con amargura en el
retorno a los vecinos, al olor de las flores, al ataúd. Pero el hombre no
mostraba deseos de irse. Caminó por el cuarto, se instaló en un sillón,
a los pies de la cama. Cuando Jacinta quiso dar por terminada la entrevista, la obligó a sentarse de nuevo apoyando sus manos en los hombros
de ella.

–Y ahora –dijo–, ¿qué piensa usted hacer? ¿No le queda nadie más?
–Mi hermano.
–Su hermano, es verdad. Pero es...

Aunque no las hubiera pronunciado, las palabras idiota o imbécil flotaban en el aire. Jacinta sintió necesidad de disiparlas. Repitió una frase de su madre:

—Es un inocente, como el de *L'Arlésienne*. —Y se echó a llorar.

Estaba sentada en el borde de la cama. El cobertor doblado en cuatro y, debajo, las sábanas que momentos antes habían rechazado ellos mismos con los pies, formaban un montículo que la obligaba a encorvar las espaldas, siguiendo una línea un poco vencida, a fijar los ojos en el fieltro gris que cubría el piso, y desaparecía debajo de la cama, de un gris muy claro, bañado de luz, en el centro del cuarto. Tal vez esta posición de su cuerpo motivó sus lágrimas. Sus lágrimas resbalaban por sus mejillas, la arrastraban cuesta abajo, la impulsaban solapadamente a confundirse con el agua gris del fieltro, en un estado de disolución semejante al que sentía por las tardes cuando su madre hacía solitarios y hablaba sin cesar, dirigiéndose a Raúl. Y en la nuca, en las espaldas, sentía también el leve peso de una lluvia dulce, penetrante. El hombre le decía:

—No llore. Escúcheme: le propongo algo que puede parecerle extraño. Yo vivo solo. Véngase a vivir conmigo.

Después, como respondiendo a una objeción:

—Habremos de entendernos. En fin, lo espero, quiero creerlo. Hay serpientes, ratones y búhos que fraternizan en la misma cueva. ¿Qué nos impide fraternizar a nosotros?

Y después, cada vez más insistente:

—Conteste. ¿Vendrá usted? No llore, no se preocupe por su hermano. De momento, que ahí quede, donde está. Ya veremos, más adelante, lo que puedo hacer por él.

«Más adelante» había sido el sanatorio.

II

El sufrimiento ajeno le inspiraba demasiado respeto para intentar consolarlo: Bernardo Stocker no se atrevía a ponerse del lado de la víctima y sustraerla al dominio del dolor. Por un poco más se hubiera conducido como esos indígenas de ciertas tribus africanas que cuando alguno de ellos cae accidentalmente al agua golpean al infeliz con los remos y alejan la chalupa, impidiendo que se salve. En la corriente los reptiles reconocen la cólera divina: ¿es posible luchar con las potencias invisibles? Su compañero ya está condenado: ¿prestarle ayuda no significa colocarse, con respecto a ellas, en un temerario pie de igualdad? Así, llevado por sus escrúpulos, Bernardo Stocker aprendió a desconfiar de los impulsos generosos. Más tarde había conseguido reprimirlos. Compadecemos al prójimo, pensaba, en la medida en que somos capaces de auxiliarlo. Su dolor nos halaga con la conciencia de nuestro poder, por un instante nos equipara a los dioses. Pero el dolor verdadero no admite consuelo. Como este dolor nos humilla, optamos por ignorarlo. Rechazamos el estímulo que originaría en nosotros un proceso análogo, aunque de signo inverso, y el orgullo, que antes alineaba nuestras facultades del lado del corazón y nos inducía fácilmente a la ternura, ahora se vuelve hacia la inteligencia para buscar argumentos con que sofocar los arranques del corazón. Nos cerramos a la única tristeza que al herir nuestro amor propio lograría realmente entristecernos.

Su impasibilidad le permitía a Bernardo Stocker vislumbrar la magnitud de la aflicción ajena. Sin embargo, ante el dolor de Jacinta reaccionó de manera instantánea, poco frecuente en él. ¿No era ello debido, precisamente, a que Jacinta no sufría?

Jacinta se trasladó a vivir a un departamento de la plaza Vicente López. Ese invierno no se anunciaba particularmente frío, pero al despertar, no bien entrada la mañana, Jacinta oía el golpeteo de los radiadores y un leve olor a fogata llegaba desde su cuarto: Lucas y Rosa encendían las chimeneas de la biblioteca y del comedor. A las diez, cuando Jacinta salía de su dormitorio, ya los sirvientes se habían refugiado en el ala opuesta de la casa.

Bernardo Stocker heredó de su padre esta pareja de negros tucumanos, así como heredó sus actividades de agente financiero, sus colecciones de libros antiguos y su no desdeñable erudición en materia de exégesis bíblica. El viejo Stocker, suizo de origen, llegó al país setenta años atrás: la ganadería, el comercio y los ferrocarriles empezaban a desarrollarse, el Banco de la Provincia estaba en trance de ocupar el tercer lugar del mundo, y el Comptoir d'Escompte, Baring Brothers, Morgan & Company trocaban en relucientes francos oro y libras esterlinas los cupones del gobierno. El señor Stocker trabajó, hizo fortuna, pudo olvidar diariamente sus tareas en la Bolsa, después de un rato de charla en el Club de Residentes Extranjeros, con el estudio del Antiguo y del Nuevo Testamento. En religión también era partidario del libre examen, de la libertad cristiana, de la liberalidad evangélica. Había participado en los tempestuosos debates en torno a *Bibel und Babel,* pertenecía a la Unión Monista Alemana, rechazaba toda autoridad y todo dogmatismo.

Fue en un viaje por Europa. Bernardo (tenía entonces dieciséis años) acompañó a su padre durante dos noches consecutivas al Jardín Zoológico de Berlín. Los profesores laicos, los rabinos, los pastores licenciados y los teólogos oficiales se arrancaban la palabra en el gran salón de actos: discutían sobre cristianismo, evolucionismo, monismo; sobre la *Gottesbewusstsein* y la influencia liberadora de Lutero; sobre la tradición sinóptica y tradición juanina. ¿Había o no existido Jesús? Las epístolas de San Pablo ¿eran documentos doctrinales o escritos de circunstancia? El rugido nocturno de los leones aumentaba la efervescencia de la asamblea. El presidente recordaba al público que la Unión Monista Alemana no se proponía inflamar las pasiones y que se abstuviera de manifestar su aprobación o su vituperio. Vanamente: cada discurso terminaba entre una barahúnda de aplausos y silbidos. Las mujeres se desmayaban. Hacía mucho calor. A la salida, padre e hijo desfilaron ante los pabellones egipcios, los templos chinos, las pagodas indias. Transpusieron la Gran Puerta de los Elefantes. El señor Stocker se detuvo, le dio el bastón a su hijo, se enjugó las gafas, las barbas y los ojos con un pañuelo a cuadros. Había sudado o llorado, había contenido decorosamente su entusiasmo. «¡Qué noche! –murmuraba–. ¡Y luego se habla de la moderna apatía religiosa! El estudio de la Biblia, la crítica de los textos sagrados y la teología no es nunca inútil, querido Bernardo. Recuérdalo bien. Hasta si nos hace pensar que Cristo no ha existido como personalidad puramente histórica. Hoy lo hemos hecho vivir en cada uno de nosotros. Con ayuda de su espíritu se ha transformado el mundo, con ayuda de su espíritu lograremos transformarlo aún, crear una tierra nueva. Discusiones como la de hoy no pueden sino enriquecernos.»

Así, acompañado por el espíritu de Cristo y por su hijo Bernardo, en cuyo brazo se apoyaba, continuó discurriendo de esta suerte. Tomaron un coche de punto, dejaron atrás la hojarasca cárdena del Tiergarten, entraron en Friedrichstrasse, llegaron al hotel.

Habían transcurrido muchos años, pero Bernardo continuaba asentando sus pasos en las huellas del señor Stocker, haciendo todo lo que aquél hizo en vida. Obraba sin convicción, quizá, pero de una manera no menos fiel. Se puso por delante ese ejemplo como hubiera podido elegir cualquier otro: las circunstancias se lo suministraron. A decir verdad, no le fue difícil adaptarse a la imagen de su padre. Se casó muy joven y al poco tiempo enviudó, como el señor Stocker. Su mujer todavía habitaba la casa (o mejor dicho el escritorio de la biblioteca) desde un marco de cuero. Por las mañanas, en la oficina, Bernardo leía los diarios y conversaba con los clientes, mientras su socio, Julio Sweitzer, despachaba la correspondencia, y el empleado, tras un tabique de vidrios azules, anotaba en los libros las operaciones del día anterior. También a Sweitzer lo había modelado el señor Stocker. En otra época llevó la contabilidad de la casa; fue ayudante del padre; hoy era el socio del hijo, y los admiraba como se admira a una sola persona. Don Bernardo, después de morir, acudió puntualmente a la oficina (¿veinte, treinta, cuántos años más joven?), afeitado y hablando español sin acento extranjero, pero la sustitución era perfecta cuando Bernardo y su actual socio (ahora le había tocado a Sweitzer de que lo llamaran don Julio) discutían temas bíblicos en francés o en alemán.

A las doce y media los socios se separaban; Sweitzer regresaba a su pensión, Bernardo almorzaba en un restaurante próximo o en el Club de Residentes Extranjeros; por la tarde, era generalmente Bernardo quien iba a la Bolsa. Y mientras tanto se va viviendo, como decía Stocker padre. En el edificio de la calle 25 de Mayo los hombres corren de una pizarra a otra, descifran a la primera ojeada los dividendos de los valores por cuya suerte se preocupan y reciben como una confidencia, entre el opaco aullido de las voces, las palabras que deben dirigirse expresamente a sus oídos. En torno a Bernardo los hombres dialogan y gesticulan y trabajan y se agitan con mayor o menor fortuna, pero aquellos que se han hecho solidarios de la escrupulosa prosperidad de «Stocker y Sweitzer» (Agentes Financieros, Sociedad Anónima Bancaria) pueden destinarse a otro género de atención; pueden dejar que los recuerdos, los días, los paisajes los maduren, y atisbar el milagro imperceptible de las nubes fugaces, del viento y de la lluvia.

Casi todas las mañanas iba Jacinta al inquilinato de la calle Paso. A menudo Raúl había salido con otros muchachos del barrio; Jacinta, a punto de marcharse, lo veía desde la puerta avanzar hacia ella con su paso irregular, un poco separado del grupo, más alto que los otros. Entraba de nuevo al inquilinato, esta vez acompañada por Raúl; sentada a su lado, se atrevía a rozarlo tímidamente con los dedos. Tenía miedo de que el muchacho se irritara, porque se mostraba más esquivo cuanto mayores esfuerzos hacía para comunicarse con él. En una ocasión, desalentada por tanta indiferencia, Jacinta dejó de visitarlo. Al volver, al cabo de una semana, el muchacho le dijo: «¿Por qué no has venido estos días?».

Parecía alegrarse de verla.

Jacinta abandonó su afán de dominación y llegó a sentir por Raúl una necesidad puramente estética. ¿A qué buscar en él las estériles reacciones de los humanos, la connivencia de las palabras, el fulgor sentimental de una mirada? Raúl estaba ahí, sencillamente, y la miraba sin fijar la vista en ella; la miraban su frente recta y dorada por el sol, sus manos anchas con los dedos separados, cuya forma recordaba los calcos de yeso que sirven de modelo en las academias de dibujo, su costumbre de andar de un lado a otro y detenerse insólitamente en el vano de las puertas, su destreza para ovillar las madejas de doña Carmen. Cargada de su presencia, Jacinta salía del inquilinato, atravesaba lentamente la ciudad.

A esa hora las personas habían entrado a almorzar y dejaban la calle tranquila. Jacinta, después de caminar en dirección al Este, se encontraba en un barrio propicio y modesto, de veredas sombreadas. Y se internaba en ese barrio como obedeciendo a una oscura protesta de su instinto. Tomaba una calle, torcía por otra, leía los nombres de los letreros, seguía la inclinada tapia del Asilo de Ancianos, presidida de vez en cuando por estatuas amarillas, a donde iba a morir un parque sombrío; doblaba a la izquierda, se resistía al llamamiento de las bóvedas terminadas en cruces o desaforados ángeles marmóreos. De pronto, el aspecto de una casa sólida y firme, provista de un amplio cancel y dos balcones a cada lado, con las paredes pintadas al aceite, un poco desconchadas, la llenaba de felicidad. Encontraba cierto espiritual parecido entre esa casa y Raúl. Y también los árboles le hacían pensar en su hermano, los árboles de la plaza Vicente López. Antes de cruzar, desde la vereda de enfrente, Jacinta hacía suya la plaza con una mirada que abarcaba césped, chicos, bancos, ramas, cielo. Los troncos negros y sinuosos de las tipas emergían de la tierra como una desdeñosa afirmación. ¡Había tal caudal de indiferencia en ese impulso un poco petulante, desinteresado de todo lo que no fuera su propio crecimiento y destinado a sostener contra las nubes, como un pretexto para justificar su altura, el follaje estremecido y ligero, casi inmaterial! Cuando Jacinta subía al tercer piso observaba de cerca el dibujo alternado de las hojitas verdes. Entonces abría las ventanas y dejaba que el aire puro enfriara el dormitorio.

Sobre una mesa la esperaban un termo con caldo, fuentes con avellanas, nueces. Jacinta se quedaba allí; otros días descansaba un momento, bajaba de nuevo a la calle, tomaba un taxi y se hacía conducir al restaurante donde almorzaba Bernardo.

Lo encontraba con la cabeza inclinada sobre el plato, masticando reflexivamente. Bernardo levantaba los ojos cuando Jacinta ya estaba sentada a la mesa. Entonces, saliendo de su ensimismamiento, pedía para ella una ostentosa ensalada y le servía una copa de vino, en la que Jacinta apenas mojaba los labios.

Se le notaba turbado por esas entrevistas. Siempre lo sorprendían. Trataba de animar la conversación, temiendo el momento en que habrían de separarse. Le preguntaba en qué había ocupado ella la mañana. ¿Y en qué había ocupado ella la mañana? Caminó, miró una casa pintada de verde, miró los árboles, estuvo con Raúl. Él le pedía noticias de Raúl. Otras veces, intentando reconstruir la vida anterior de Jacinta, conseguía arrancarle algunos detalles materiales que hacían destacar los grandes espacios desérticos donde ambos se perdían. Porque tenía la sensación de que Jacinta había perdido su pasado, o estaba en vías de perderlo. Le preguntaba:

—¿Qué tipo de hombre era tu padre?

—Un hombre con barba.

—Como el mío.

—Mi padre se dejó crecer la barba porque ya no se tomaba el trabajo de afeitarse. Era alcohólico.

Sí, esos detalles no le servían de gran cosa. El padre de Jacinta no pasaba de ser un viejo fracasado, como tantos otros. Y Bernardo continuaba preguntando, ya sumergido en plena futilidad.

—¿Le gustaban los solitarios como a tu madre? ¿No? Dime, ¿cómo se hace el *Napoleón*?

—Ya te expliqué.

—Es verdad. Tres hileras de diez cartas tapadas, tres sin tapar; se apartan los ases... Pero, ahora que pienso, se hace con dos barajas...

—No hablemos de solitarios. Únicamente a mi madre podían divertirla.

—No hablaremos si te aburre, pero una de estas noches, cuando tengas ganas, lo haremos juntos, ¿quieres?

Tampoco podía precisar el carácter de la señora de Vélez. Bernardo no era riguroso en cuestiones de moral y simpatizaba con la pobre señora. Sin embargo, con el propósito de que Jacinta fuera sobre ella más explícita, se sorprendía censurando sus costumbres.

—Pero ¿qué clase de mujer era tu madre? No podía ignorar que traías el dinero de algún lado, y si no trabajabas ni hacías más traducciones...

—No sé.

—Es tan raro lo que cuentas...

—No cuento —respondía Jacinta—. Respondo a tus preguntas. ¿Para qué quieres saber cómo era mi madre? ¿Para qué quieres saber cómo vivíamos? Vivíamos, sencillamente. Al principio, mi madre pedía dinero prestado. Después no se lo daban, pero siempre encontró alguna persona que arreglara la situación. En los últimos tiempos, antes de que yo conociera a María Reinoso, fue doña Carmen.

—Doña Carmen es una buena mujer.

—Sí.

—Pero la odias.

—Tenía celos –contestaba Jacinta–. Hasta llegué a reprocharle que me hubiese presentado a María Reinoso, como si yo...

Se interrumpía. Bernardo, bloqueado por aquel silencio, acudía a nuevos temas de conversación. Ahora se esforzaba en resucitar su miserable pasado común.

—¿Recuerdas la primera vez que nos encontramos? Siempre nos hemos visto en el mismo cuarto. ¿Y la última? Yo te esperé mucho tiempo, media hora, tres cuartos de hora. Nunca llegabas. Creo que mis deseos te hicieron venir. Y ahora mismo creo que mis deseos te vencen, te retienen. Temo que un día desaparezcas, y si te fueras no me quedaría nada de ti, ni una fotografía. ¿Por qué eres tan insensible? En una sola ocasión te has entregado a mí por completo. Estabas indefensa. Llorabas. Lograste conmoverme. Por eso comprendí que no sufrías. Fue nuestro último encuentro en casa de María Reinoso.

Su aspecto era lamentable. Aunque Jacinta apenas lo escuchaba, continuaba hablando:

—En casa de María Reinoso eras humana. En aquella época tenías un carácter atormentado. Me contabas lo que te sucedía. A veces me gustaría verte de nuevo allí. ¿Cómo eran los demás cuartos? Tú has estado en esos cuartos, con otros hombres. ¿Quiénes eran esos hombres? ¿Cómo eran?

Y ante el silencio de Jacinta:

—Me intereso en esos hombres porque han estado mezclados a tu vida, como me intereso en mí mismo, en el yo de antes, con una especie de afecto retrospectivo. Antes, yo te inspiraba algún sentimiento. Quiero a esos hombres como quiero a tu madre, a Raúl, a doña Carmen... aunque la detestes. El odio es lo único que subsiste en ti.

—Me gustaría –dijo Jacinta– que Raúl fuera a vivir a un sanatorio.

—¿Para alejarlo de doña Carmen?

—Ayer –continuó Jacinta, sin responder a su pregunta– he visitado un sanatorio en Flores, en la calle Bocayá. Hay hombres parecidos a Raúl. Caminan entre los árboles, juegan a las bochas.

—Hará mucho frío.

—Raúl no siente el frío.

Bernardo consultaba su reloj. Eran las tres pasadas, tenía que ir a la Bolsa. Y se despedía con la sensación de haberse conducido mal. Jacinta no volvería a reunirse con él a la hora del almuerzo. Y así fue. Pocas semanas después, al entrar ella al restaurante y verlo en su mesa de costumbre, tuvo un momento de vacilación. retrocedió, tomó por el lado interno del pasillo y se encontró junto al extremo de salida, pero separada de la calle por las vidrieras divididas por losanges y adornadas con el escudo inglés. Dos personas se levantaron de una mesa. Jacinta optó por sentarse allí. Pero los mozos no se le acercaron. Creían, acaso, que había terminado de almorzar. Jacinta se quedó un rato, pellizcó unos restos de pan y se marchó. Nadie pareció advertir su presencia.

La tarde de ese día Bernardo volvió a su casa en una excelente disposición de espíritu. Jacinta estaba recostada. Bernardo entró al dormitorio y le dijo desde la puerta:

—Estuve en el sanatorio de Flores. Puedes llevar a Raúl. Pero ¿querrá ir?

—Lo buscaremos juntos –contestó Jacinta, acentuando la última palabra–. Tienes que hablar con doña Carmen. Sólo tú puedes hacerlo.

Bernardo se tendió a su lado.

—Tenías razón –dijo–. El lugar es simpático y Raúl llegará a sentirse contento, si se consigue que vaya, claro está. –Hablaba con los labios pegados al cuello de Jacinta, casi sin moverlos, como tratando de que esas palabras fueran caricias que pasaran inadvertidas–. El director, un hombre muy solícito, me mostró el edificio central y los pabellones. Paseamos por el parque. Hay varios gomeros magníficos y unas tipas altas, sin hojas. Pierden las hojas antes que las de nuestra plaza. El jardín está un poco descuidado.

Después, sin transición:

—Desde el pabellón que ocuparía Raúl la vista era siniestra. Esos canteros de pasto largo, negro, esas ramas escuetas... Sólo faltaba un ahorcado.

Se incorporó. De un tranco, pasando las piernas por encima del cuerpo de Jacinta, quedó en pie, junto a la cama. Se arregló el cuello y la corbata, se echó agua de colonia.

—Esta noche viene Sweitzer a comer –dijo–. No me dejes solo con él toda la noche. Te lo suplico.

—Ni iré a la mesa.

—No me dejes solo –repitió–. Te lo suplico.

—¿A qué viene?

—Quiere que escribamos una carta.

—¿Una carta?

—Una carta sobre Jesús.

Jacinta no entendía.

—Oh, si necesito darte explicaciones... En fin, se está representando una obra de teatro que se llama *La familia de Jesús*. Un católico ha enviado una carta al periódico, protestando porque Jesús no tuvo nunca hermanos. Sweitzer quiere escribir otra diciendo que sí, que Jesús tuvo muchos hermanos.

—¿Y es cierto?

—Todo se puede afirmar. Pero ¿por qué te extraña? ¿Has leído los Evangelios? ¿Cuando hiciste la primera comunión y estudiabas la doctrina? ¿No? En la doctrina no enseñan los Evangelios sino el catecismo... ¿Y también el libro de Renan? ¡Qué me dices! Nunca lo hubiera supuesto.

Las contestaciones de Jacinta eran reticentes. Bernardo no podía saber con exactitud si era ella quien había leído los Evangelios y la *Vie de Jésus,* o su madre, la señora de Vélez.

—Bueno, ¿vienes a la mesa? Mañana vamos juntos al inquilinato, pero esta noche comes con nosotros. Te lo pido especialmente. Es lo único que te pido. ¿Me lo prometes?

—Sí.

Sweitzer lo esperaba en la biblioteca, examinando una reproducción en colores de *Las dos cortesanas* que habían colocado sobre el escritorio, en un marco de cuero. Bernardo, mientras lo saludaba, reflexionaba en la ambigüedad de Jacinta. Y de pronto comenzó a entristecerse consigo mismo al pensar que semejantes nimiedades pudieran preocuparlo, y su tristeza se manifestó en un exasperado desdén hacia Jacinta, la señora de Vélez, los Evangelios, la *Vie de Jésus.* La emprendió con Renan:

—Con razón se ha dicho que la *Vie de Jésus* es una especie de Belle Hélène del cristianismo. ¡Qué concepción de Jesús tan característica del Segundo Imperio!

Y repitió un sarcasmo sobre Renan. Lo había leído días antes hojeando unas colecciones viejas del *Mercure de France.*

—Renan tuvo en su vida dos grandes pasiones: la exégesis bíblica y Paul de Kock. A esta costumbre sacerdotal, que contrajo en el seminario, debía su afición por el estilo sencillo, la ironía suave, el *sous-entendu mi-tendre, mi-polisson,* pero también adquirió en Paul de Kock el arte de las hipótesis novelescas, de las deducciones caprichosas o precipitadas. Parece que hasta en los últimos tiempos la mujer de Renan tenía que valerse de verdaderas astucias para arrancar de las manos de su ilustre marido *La femme aux trois culottes* o *La pucelle de Belleville*. «Ernest –le decía–, sé complaciente, escribe primero lo que te ha pedido M. Buloz y luego te devolveré tu juguete.»

Sweitzer concedió una sonrisa estricta: no le hacían gracia las irreverencias. Y Bernardo, dirigiéndose a Jacinta:

–Paul de Kock es un escritor licencioso.

Escuchó la voz de Jacinta. Hablaba de unas novelas en inglés que había leído, pero de sus palabras parecía colegirse que se trataba de novelas pornográficas, para gente de puerto.

–Tenían tapas de colores violentos, rojas, amarillas, azules. Se compraban en el Paseo de Julio y los vendedores las escondían en sus armarios portátiles, tras una hilera de zuecos, con los cigarrillos de contrabando.

Pasaron al comedor.

Jacinta ocupó la cabecera. Cuando Lucas entró con la fuente había un cubierto de menos. Bernardo le hizo señas: apenas podía contener su impaciencia. Lucas tuvo que dejar la fuente, volvió instantes después trayendo una bandeja y dispuso el cubierto que faltaba con impertinente lentitud.

Sweitzer, muy confuso, sacó de la cartera un recorte y unos papeles escritos con su letra bonapartina. «He borroneado una respuesta», dijo. Empezó a leer:

–No es sólo en el cap. XIII, 55, de *Mateo*, como parece entenderlo el señor X, donde se trata este asunto que ha motivado tantas discusiones (aquí, para mayor claridad, transcribo los demás pasajes alusivos de *Mateo, Marcos, Lucas, Juan*, de los *Corintios* y los *Gálatas*). De la lectura de estos textos han surgido tres teorías: la elvidiana a que se refiere el señor X: sostiene que los hermanos y hermanas de Jesús nacieron de José y María, después de él; la epifánica: nacieron de un primer matrimonio de José; la hierominiana, a la que se adhiere San Jerónimo: eran hijos de Cleofás y de una hermana de la Virgen llamada también María. Es la doctrina sustentada por la Iglesia y defendida por sus grandes pensadores.

Al leer se llevaba de cuando en cuando a la boca una almendra o trocitos de nueces o avellanas, colocados en un plato a su izquierda. A veces, con la mano en el aire, hacía girar entre los dedos el trozo de nuez hasta despojarlo de su telilla leonada. Con el pretexto de servirse, Bernardo puso el plato fuera de su alcance, entre Jacinta y él. Sweitzer lo miró con asombro. Bernardo le preguntó:

–¿Por qué no cita los *Hechos de los Apóstoles*?

–Es verdad; después de comer, si usted me presta una Biblia...

–No se necesita Biblia. Apunte: I, 14: «... perseveraban unánimes en oración y ruego, con las mujeres y con María, la madre de Jesús, y con sus hermanos». Bueno, aquí finaliza el preámbulo. Y ahora, ¿a cuál de las tres teorías piensa usted adherirse?

–A la primera, qué duda cabe. ¿Cómo empezaría usted?

Bernardo no supo resistir el afán de lucirse.

–Yo empezaría diciendo –contestó con aire profesoral–: Es verdad que en hebreo y arameo existe una sola voz para designar los términos hermano y primo, pero no es esa razón suficiente para torcer el significado de los textos. Porque nos encontramos en presencia de un idioma como el griego, rico en vocablos, que tiene una palabra para decir hermano (*adelphos*), otra para decir primo hermano (*adelphidus*) y otra para decir primo (*anepsios*). La comunidad de Antioquía era un medio bilingüe y allí se efectuó el paso de la forma aramea de la forma griega de la tradición. Goguel cita un versículo de Pablo (*Colosenses,* IV, 10) donde se dice: «... y Marcos, *sobrino* de Bernabé». Si Pablo en sus otros escritos habla de los hermanos de Jesús, no hay motivo para que se confunda un término con otro.

Hizo una pausa. Continuó:

–Habría tanto que agregar... Tertuliano acepta que María tuvo de José muchos hijos. También lo afirmaba la secta de los Ebionitas y Victorio de Patau, mártir cristiano, muerto en el año 303. Hegesipa dice que Judas era hermano, *según la carne*, del Salvador. La Didascalia dice que Jacobo, Obispo de Jerusalén, era *según la carne* hermano de Nuestro Señor. Epifano reprocha la ceguera de Apolonio, quien enseñaba que María había tenido hijos después del nacimiento de Jesús.

Sweitzer tomaba algún apunte en su carnet. Bernardo continuaba exponiendo. Con las palabras desaparecía su mal humor de los primeros momentos. Se había vuelto a encontrar a sí mismo, estaba satisfecho de su seguridad, de su memoria, de su erudición. Recibía como un homenaje el respetuoso silencio de Sweitzer. Buscó la aprobación de Jacinta.

Jacinta permanecía ajena a todo, vaga, remota, como disuelta en la atmósfera del comedor. Bernardo tartamudeó, tomó vino, inclinó la cabeza; aún quedaba una pinta rosada en la copa. Levantó la cabeza; ante sus ojos las llamas de la chimenea bailaban en los respaldos verdes de las sillas vacías, apoyadas contra la pared, las maderas de cedro tallado y la cara de Lucas palpitaban con una especie de vida intermitente, descubriendo trozos rojizos e imprevistos, y las gotas de cristal de la araña vienesa parecían aumentar de tamaño, más grávidas que nunca, y de un instante a otro amenazaban con deshacerse sobre el mantel. (Se hubiera dicho que Lucas, al acercarse a la mesa, no salía de la penumbra con el designio de retirar los platos sino de incorporarse a ese óvalo resplandeciente de humano bienestar.) Pero Bernardo había perdido el hilo de su discurso. Quiso sobreponerse:

—Hay motivos para pensar —dijo haciendo un esfuerzo— que en los primeros siglos de la Era Cristiana se hablaba con frecuencia de los hermanos de Jesús. Guignebert...

Sweitzer lo interrumpió:

—Con eso ya basta y sobra. Es una mera respuesta.

Bernardo agregó todavía:

—Como es católico el que ha escrito la carta, para terminar conviene una cita católica. Algo así: Recordemos la ejemplar sinceridad del padre Lagrange, quien reconoce que históricamente no está probado que los hermanos de Jesús sean sus primos.

Se fue a sentar junto a la chimenea, llevándose su taza de café. Dos gruesos troncos ardían con entusiasmo. Distinguía la llama ondulante y roja, el oro ocre, casi anaranjado, de los tizones y el delicado matiz azul que se insinuaba hasta contaminar la blancura de una montañita de ceniza. A Jacinta le repugnaba el espectáculo del fuego. ¡Y él, que hubiera deseado consumirse como esos troncos, desaparecer de una vez por todas! Se acercaba más y más a la chimenea, parecía dispuesto a quemarse los pies. «Soy demasiado friolento.» Se levantó para entreabrir una ventana. Sweitzer, despegándose trabajosamente del sillón, empezó a despedirse.

—Muchas gracias. Mañana redactaré la contestación. Si usted pasa por el escritorio, a la salida de la Bolsa, podrá firmarla.

Pero Bernardo le contestó que prefería no hacerlo, y como el otro le preguntara por qué:

—Estas discusiones son inútiles —dijo—. Y ¿quién sabe?, tal vez fomenten el error. Cada día que pasa, la humanidad (pronunciemos la palabra: la «historicidad») de Jesús me parece más dudosa.

Iba y venía por el cuarto, con los ojos secos, ardientes. Salió y entró casi en seguida, trayendo un libro de noble y apolillada encuadernación; abrió el libro: el lomo, desprendiéndose de las tapas pardas, se le quedó en las manos. Sweitzer miró el título:

—*Antiquities of the Jews*. Ah, la edición de Havercamp... ¿Piensa usted leerme la dichosa interpolación? No vale la pena.

Pero nadie podía detenerlo. Bernardo leyó la cita interpolada y desarrolló, esta vez penosamente, la tesis de que el cristianismo era anterior a Cristo. Habló de Flavio Josefo, de Justo de Tiberíades... El señor Sweitzer escuchaba con sorna su apasionada incoherencia.

–Pero es otra cuestión –decía–. Además, esos argumentos están muy manoseados. Y no me parecen convincentes.

–No me fundo en ellos –contestaba Bernardo–. Mi convicción pertenece a un orden de verdades que acatamos con el sentimiento, no con el raciocinio.

Después, como si hablara para sí:

–Pienso en la famosa historia del cuadro... ¿Cómo era?

Oyó que Jacinta le decía con su voz monótona:

–Ya lo sabes. El cuadro se vino al suelo y descubrimos que Cristo no era Cristo.

«Contada así no se entiende», pensó Bernardo. Refirió él mismo la historia.

–Era una estampa antigua, un *collage* de la época colonial adornado en los bordes con terciopelo azul, arrugado, cubierto con un vidrio convexo. Al romperse el vidrio se pudo ver que la imagen era una Dolorosa. Le habían dibujado a pluma rizos y barba, le agregaron la corona de espinas, el manto estaba disimulado por el terciopelo.

Añadió en un susurro:

–Jacinta Vélez era chica y tuvo una terrible decepción. De entonces data su incredulidad.

De nuevo escuchó la voz monótona:

–No –dijo Jacinta–, ahora creo.

Cristo se había sacrificado por los hombres, por esos hombres que mientras más perfectos, menos se parecían a su Redentor: turbulentos, eruditos, complicados, astutos, destructores, insatisfechos, sensuales, débiles, curiosos... Y al margen de aquel rebaño vegetaban otros seres en un estado de misteriosa bienaventuranza, desasidos de la realidad y despreciados por los demás hombres. Pero Cristo los amaba. Eran los únicos, en el mundo, con posibilidades de salvación.

Bernardo se despedía de Sweitzer. Jacinta pensaba en Raúl. Tenía urgencia de estar a su lado, rodeada de árboles, en el sanatorio de Flores.

III

Sweitzer releyó la carta de Bernardo desde un estrepitoso automóvil de alquiler. Estaba escrita en papel azul, telado, y en el membrete se reproducía la fachada de un edificio con techo de pizarra e innumerables ventanas. Decía la carta:

Estimado don Julio: En los últimos tiempos no puedo interesarme en los negocios. Cualquier esfuerzo me fatiga. Resolví pues consultar a un médico, y actualmente, bajo su asistencia, estoy haciendo una cura de reposo. Esta cura puede prolongarse varios meses. Por eso le propongo a usted dos soluciones: busque un hombre de confianza para que desempeñe mis tareas, fijándole un sueldo conveniente y un tanto por ciento que descontará usted de los ingresos que me corresponden, o liquidemos la sociedad.

A continuación, como para desmentir el párrafo en que aludía a su actual desinterés por los negocios, Bernardo hacía algunas observaciones muy sagaces, a juicio de don Julio, sobre una inversión de títulos que había quedado pendiente en esos días. Agregaba, al terminar: «No se moleste en verme. Contésteme por escrito».

Don Julio pensaría después en esta última frase.

Llegó al sanatorio, preguntó por Bernardo, pasó su tarjeta. Lo hicieron esperar en un salón con grandes ventanas que no se abrían al jardín en toda su altura sino, únicamente, en su parte superior. Al cabo de diez minutos entró un hombre alto, el rostro sanguíneo.

—¿El señor Sweitzer? —dijo—. Yo soy el director. Acabo de llegar.

Y se ajustaba, alrededor de las muñecas, las presillas de su guardapolvo.

—¿Puedo ver al señor Stocker? —preguntó Sweitzer.

—Usted es su socio, ¿verdad? «Stocker y Sweitzer», sí, conozco la firma. Al señor Stocker tuve ocasión de tratarlo en marzo de 1926. Recuerdo exactamente la fecha. Yo tenía algunos fondos disponibles, poca cosa, pero el señor Stocker me recomendó la segunda emisión de consolidados de la Lignito San Luis Company: nunca olvidaré ese nombre. Los valores, en manos de ustedes, se liquidaron muy bien. Con esa base instalé mi sanatorio.

—¿Puedo ver a mi socio? —insistió Sweitzer.

—Por supuesto, señor Sweitzer. El señor Stocker no es un enfermo, como usted sabe. Vino al sanatorio trayendo a un muchacho de su relación, Raúl Velez. Aquí se respira un ambiente de tranquilidad que debió seducirlo. Un buen día apareció con sus valijas; me dijo: «Doctor, he resuelto tomar un descanso e internarme yo también. Pero guárdeme el secreto. No quiero que me molesten, no deseo hablar con nadie, ni siquiera con los médicos». Usted debe ser la única persona a quien ha comunicado su dirección.

—Me ha escrito.

—Lo hemos alojado en el último pabellón, el más independiente. El señor Stocker ocupa un cuarto. Raúl Velez el otro.

Vaciló un momento.

–... este muchacho es un caso doloroso –continuó–. Los médicos somos discretos, señor Sweitzer. Hay cosas que no tenemos por qué saber, que no queremos saber, pero insensiblemente llegamos a enterarnos de ciertas circunstancias familiares. En fin, sea lo que fuere, el señor Stocker siente por ese muchacho un afecto verdaderamente *paternal*. ¿Me puede usted decir por qué ha demorado tanto tiempo en confiarlo a un psiquiatra?

–¿Ya no es posible curarlo? –preguntó Sweitzer.

–No se trata de curar sino de adaptar. La adaptación importa un proceso muy delicado por parte del enfermo y del medio que lo rodea. Hay que adaptarse al paciente, es cierto, pero a la vez exigirle un pequeño esfuerzo y que sea él, en realidad, quien se vaya adaptando a los demás. Lograr ponerlo en comunicación con sus semejantes. Claro está que nunca se logrará una verdadera comunicación intelectual, como la que nosotros sostenemos en este momento, pero sí una comunicación primaria. Hacer que el enfermo comprenda y obedezca ciertas formas de vida corriente. El progreso debe marchar en ese sentido.

–Y ahora es demasiado tarde...

El otro lo miró con desconfianza.

–Nunca es demasiado tarde –contestó–. Raúl Vélez está en el sanatorio desde hace quince días. El diagnóstico diferencial de la demencia precoz ebefrenocatatónica con la debilidad mental es muy difícil. En ambos casos hay ausencia de signos físicos: el enfermo conserva una fisonomía inteligente, pero parece vivir al margen de sí mismo, indiferente a todo y a todos. Y sin embargo es dócil, suave, de apariencia afectuosa. Necesita verse rodeado de bondad, pero de una bondad firme, cuyos límites siente. Ahora bien, a este muchacho se lo ha descuidado de una manera lamentable. Estaba en manos de una mujer ignorante, que lo quiere mucho, sin duda, pero con un cariño en el cual no entra el menor discernimiento. Se plegaba a todos sus caprichos, y el muchacho abusaba, se hundía deliberadamente en la locura. Esa, en ellos, es la línea de menor resistencia. Al principio, la mujer estaba indignada con nosotros. Hasta tuvo la osadía de afirmar que iría a quejarse a la justicia, porque el señor Stocker no tenía derecho para internarlo en nuestro sanatorio.

Sweitzer, esta vez, hizo un gesto de asombro. Preguntó, sin embargo:

–¿Y es verdad?

–Parece que el señor Stocker no lo ha reconocido legalmente. Pero ella tiene menos derecho aun para disponer del muchacho. Se trata de un demente sin familia ni bienes de ninguna clase. ¿Quién, mejor que el señor Stocker, para ocuparse de él? Yo hablé con el Defensor de Menores y obtuve del Juez que nombrara al señor Stocker curador del incapaz. A la mujer, como no quería oír sus historias, le prohibí la entrada al sanatorio. Ahora le permitimos que venga, a pedido del mismo señor Stocker. He accedido, pero no estoy conforme. Hay que alejar de Raúl Vélez todas las influencias que puedan recordarle, prolongar en su espíritu el antiguo desorden en que vivía.

Se detuvo.

—Estoy entreteniéndolo —agregó—. Usted deseaba ver al señor Stocker. Yo mismo lo acompañaré.

Precedido por el médico, que se excusaba de pasar antes, Sweitzer llegó a una terraza, descendió una escalinata en forma de abanico, atravesó un jardín con canteros bordeados de caracoles, donde crecía un largo césped enmarañado; de vez en cuando, algún gomero de hojas barnizadas por la lluvia reciente; otros árboles, sin hojas, levantaban al cielo sus ramas gesticulantes. Sweitzer pisaba con cuidado para no embarrarse. Alrededor del jardín se veían casitas de ladrillo separadas unas de otras por laberintos de boj.

—Aquí lo abandono —dijo el médico—. Siga derecho por este sendero. A la derecha, en el último pabellón, vive el señor Stocker.

Se le apareció bruscamente, al pisar el umbral de la puerta abierta de par en par. Bernardo Stocker, en cambio, lo había visto venir desde lejos. Estaba sentado, envuelto en dos mantas escocesas: una sobre los hombros, la otra fajándole las piernas. «Don Julio, ni puedo levantarme para saludarlo. Esta manta...» Lo reprendió por haberse molestado: «Me hubiera escrito». Después, mirándolo en los ojos:

—¿Estuvo con el director?

—Sí.

—¡Qué lata le habrá dado! Lo compadezco.

—¿Tiene frío? —preguntó Stocker—. ¿Quiere que cerremos la puerta?

—No, he descubierto que el frío es saludable. Me gusta.

Se hizo un silencio. Sweitzer había olvidado el motivo de su visita, o no quería confesárselo a sí mismo. Quedó consternado. Buscaba algo que decir, una trivialidad cualquiera que le permitiera salir del paso. Recordaba el párrafo de la carta: *No se moleste en verme. Contésteme por escrito,* y recurrió a la carta como a un pretexto para justificar su presencia en el sanatorio. Pero se limitaba a repetir las proposiciones de Bernardo como si a él, Julio

Sweitzer, se le hubieran ocurrido en ese instante. Era un poco absurdo. Bernardo vino en su ayuda e iniciaron un diálogo de inesperada fluidez. Empezaba Bernardo, no bien Sweitzer había terminado de hablar, y su interlocutor, entre tanto, asentía con la cabeza, murmuraba «sí», «claro», «es lo mejor», «perfectamente...». Temerosos de un nuevo silencio, no prestaban fe ni atención a lo que decían. Bernardo fue el primero en callar. Sweitzer había distinguido, más allá del tabique de boj, a un muchacho alto, corpulento, en compañía de una anciana. De pronto el muchacho avanzó hacia ellos y al llegar al tabique, en vez de dar la vuelta, tomó directamente el sendero, escurriéndose por entre las ramas de boj con sorprendente agilidad. Caminaba con los ojos fijos en Bernardo. Bernardo lo miraba a su vez. Una sonrisa lenta y profunda se había dibujado en su rostro. Pero sucedió un incidente imprevisto. El viento hacía volar un papel de diario que fue a caer a los pies del muchacho. Éste se detuvo a pocos metros de ambos hombres, recogió el papel, lo miró con la expresión de alguien que piensa «es demasiado importante para leerlo ahora», lo dobló cuidadosamente, lo guardó en el bolsillo y, girando sobre sus talones, se alejó. Esta vez, al llegar al tabique, en lugar de atravesar el boj, dio la vuelta, siguió por el sendero. Los dos hombres lo perdieron de vista.

Bernardo quedó con los labios entreabiertos; Sweitzer no pudo contenerse y preguntó con una voz débil, anhelante, que apenas reconocía, a tal punto sonaba extrañamente en sus oídos:

–¿Es Raúl Vélez?

–Sí –dijo Bernardo–. Ya ve usted: acude espontáneamente a mí. Pero siempre habrá de interponerse algo entre nosotros. Ahora ha sido ese maldito papel.

Después, muy de prisa, en la misma tesitura con que habían conversado momentos antes:

–Yo he tenido relaciones con Jacinta Vélez, la hermana de este muchacho. Ha vivido varios meses en casa. Me pidió que me ocupara de Raúl. Antes de irse, ella misma eligió este sanatorio.

–Antes de irse... ¿a dónde?

–No sé. Discutíamos. Yo le hacía preguntas, la exasperaba. Uno siempre exaspera a las personas que quiere. Se fue.

–¿No le ha escrito?

–En el inquilinato, donde vivió hasta la muerte de su madre, revisé un escritorio y encontré varias cartas. Pero eran cartas escritas por la señora Vélez y que el correo había devuelto. Estaban dirigidas a personas cuyo domicilio se ignora. La numeración de las calles ha cambiado y no coincide con las direcciones de los sobres, o en esas direcciones han levantado nuevos edificios. No contento con eso, he visto a muchas personas de apellido Vélez. Nadie los conoce. Sin embargo, un hombre con quien conversé, mayor que yo, que se llama Raúl Vélez Ortúzar, me dijo que en su familia existía un personaje un poco mitológico, la tía Jacinta, a la cual solía referirse su madre. Parece que esa Jacinta era una mujer de mala conducta, que murió en Europa.

—Pero no puede ser Jacinta —contestó inmediatamente Sweitzer. Su espíritu de investigador ya estaba sobre aviso.

—No, pero podía ser la señora de Vélez. Además, él no estaba seguro de que hubiese muerto.

—¿Y usted espera que Jacinta vuelva?

—Vendrá al sanatorio a ver a su hermano. Lo quiere mucho. El «autismo» de Raúl, como dicen los médicos, no es para ella una tara. Se le antoja un signo de superioridad. Trata de parecerse a él.

—¿Pero es enferma? —preguntó Sweitzer, cada vez más intrigado.

—Enferma o no, yo la necesito. ¿Cree usted que vendrá, don Julio? Yo antes creía, pero ahora dudo de todo. ¿No cree usted en los sueños, don Julio? Yo tampoco creía, pero últimamente...

—¿Se le apareció a usted en sueños?

—Sí... y no. Pude ver únicamente sus pies, como si estuviera frente a mí y yo mirara al suelo. Es extraño hasta qué punto los pies son expresivos, inconfundibles. Le veía los pies como si la estuviera mirando a la cara. Entonces, cuando levanté los ojos, no pude seguir adelante. Todo se disolvió en una atmósfera gris.

»Anoche volví a soñar con la misma atmósfera. Es gris, pero a ratos blanca, translúcida. Quedé en suspenso. Temía despertarme. Entonces, comprendiendo que Jacinta estaba ahí, le dije que me había engañado, que me utilizó como un pretexto para que internara a Raúl en el sanatorio. Le supliqué que nuevamente se dejara ver. Hablamos de cosas íntimas, de nosotros dos, de una mujer de quien Jacinta tenía celos. Yo temblaba de rabia. Pero Jacinta se burlaba en lugar de enojarse. Me decía, observando mi temblor: "Friolento como todos los hombres". De pronto, empezó a hacerme reproches. En una ocasión yo le atribuí sentimientos que ella reprueba. Afirmé haberla visto llorar. Eso la ha herido. "Nosotros no lloramos", me decía, aludiendo a ella y a Raúl. Le hice notar que las lágrimas no correspondían a su verdadero estado de ánimo, que más tarde yo se lo había explicado de una manera verosímil. Mis explicaciones, sobre todo, la pusieron fuera de sí. "Tú también has hecho trampa", me decía en alemán.

—¿Habla alemán?

—Ni una palabra, pero le oía pronunciar distintamente: *Auch du hast betrogen!* Entonces me encontré haciendo un solitario y sentí que alguien me aplastaba la mano contra la mesa en momentos en que yo iba a destapar indebidamente una carta. Me desperté.

Sweitzer lo alentó. Jacinta volvería a ver a su hermano. Era lo más lógico. No había que dejarse sugestionar por los sueños.

Con estas palabras se despidieron.

Sweitzer caminaba distraídamente. Tomó por un sendero equivocado y por dos veces se encontró rodeado de boj, en el patiecillo de otros pabellones. No podía llegar a ese jardín que tenía ante su vista. Al fin se abrió paso y anduvo entre los árboles, atento a las ventanas iluminadas del edificio principal. De pronto se llevó por delante un bulto imponente y oscuro, más oscuro que las sombras. Retrocedió sobresaltado.

—No soy una enferma —le dijeron—. Soy Carmen, la encargada del inquilinato. Necesito hablar con usted.

Caminaron hasta la verja. Era una anciana erguida, de cabellos blancos. Sweitzer la observó bajo los focos de luz, aureolados de insectos, de la puerta de entrada: un sombrero alto y cilíndrico, una esclavina y un manguito de piel (los hocicos de las nutrias hincaban sus dientes puntiagudos en las propias colas, un poco marrones). Después buscó el taxi que lo esperaba. La mujer cruzó la calle, Sweitzer se adelantó, abrió instintivamente la portezuela y la ayudó a subir.

—Deseaba pedirle... —dijo su compañera, y adoptó una voz quejumbrosa que contrastaba con la dignidad de su aspecto y no parecía sincera, como si copiara el estilo de las personas cuyos ruegos tenía por costumbre escuchar—. Usted es bueno. Influya sobre Stocker. Que a Raúl lo dejen en paz y le permitan volver al inquilinato. Lo quiero como a un hijo.

—Entonces debería agradecerle al señor Stocker lo que hace por él. En el sanatorio podrán curarlo.

—¿Curarlo? —gritó la mujer—. Raúl no es un enfermo. Es distinto, nada más. En el sanatorio lo hacen sufrir. La primera noche lo encerraron. Como el muchacho me echaba de menos, se quiso escapar. Le pegaron: al día siguiente tenía moretones en el cuerpo. Raúl nunca se cae. Y ayer...

—¿Qué sucedió ayer?

—¡Ayer yo lo he visto, tirado en el suelo, con la boca llena de espuma! Y el enfermero que me decía: «No es nada, es la reacción de la insulina.

Un ataque de epilepsia provocado». ¡Provocado! ¡Canallas!

–Los médicos saben de estas cosas más que nosotros –protestó débilmente Sweitzer–. Espere los resultados del tratamiento. Por ahora, confórmese con visitarlo en el sanatorio.

–¿Y usted cuida del inquilinato? –respondió la mujer con insolencia–. Yo no puedo venir en automóvil. Ya Stocker no me da más dinero. Iba por las mañanas, revolvía cajones, se llevaba papeles, libros, cuadros. Me decía: «A Raúl no le faltará nada en el sanatorio, doña Carmen. Y a usted tampoco. Usted ha sido muy buena con él. Pero es lo mejor.». ¡Lo mejor! ¡Cómo se ha burlado de mí!

Sweitzer perdía la paciencia.

–Usted no quiere comprender. El señor Stocker ha internado a Raúl Vélez accediendo a un pedido de la hermana del muchacho, de Jacinta Vélez.

–Sí, ha dicho eso. Ya lo sé.

–Ella es la única que puede arreglar la situación. Desgracia- damente, no vive más con el señor Stocker. Usted, en vez de calumniarlo, debería prestarle ayuda, buscar a Jacinta.

La mujer respondió, martilleando cada sílaba:

–Jacinta se suicidó el día que murió su madre. Las enterraron juntas.

Agregó:

–Vea, no me interesa lo que Stocker pueda haberle dicho. A Jacinta la conocí gracias a mí. Se la presentó una amiga mía, María Reinoso. –Y le explicó con naturalidad–: María Reinoso es una alcahueta.

Como le pareciera que Sweitzer, al callar, pusiera en duda sus palabras, entró en un arrebato de cólera:

–¿Qué? ¿Que no me cree? María Reinoso lo convencerá. Puede hablar con ella en cualquier momento. Ahora mismo, si quiere.

Inclinándose bruscamente hacia delante, le gritó al chofer una dirección; luego, al arrinconarse en el fondo del asiento, rozó con sus cargados hombros la cara de Sweitzer. Éste sintió en la nariz el olor a moho de la esclavina de piel.

–No me gusta –dijo– hablar mal de Jacinta, pero yo nunca la quise. No se parecía a su madre, un pedazo de pan, ni a Raúl. A Raúl lo quiero como a un hijo. Jacinta era orgullosa, despreciaba a los pobres. En fin, ahora está muerta. Se tomó un frasco de digital.

El automóvil se detuvo. Mientras Sweitzer pagaba al chófer, la anciana había avanzado por un largo corredor. Sweitzer tuvo que apurar el paso para alcanzarla.

Entreabrió la puerta una mujer de edad dudosa. Doña Carmen le dijo:

–No es lo que piensas, María. El señor viene únicamente a conversar contigo sobre Stocker y Jacinta Vélez. Quiere que le digas la verdad.

–Pasen. Basta que sea amigo tuyo, yo le diré lo que sepa. Pero quedará decepcionado... –contestó la otra con afectación.

Al caminar arrastraba las chinelas. Los hizo sentarse, les ofreció de beber.

–¿El señor era amigo de Jacinta? –preguntó–. ¿No? ¿De Stocker? Ah, un hombre muy serio, muy distinguido. Hace mucho que frecuenta esta casa. Aquí conoció a Jacinta, pobrecita, y simpatizó con ella en seguida. Se vieron durante un mes, dos o tres veces por semana. Siempre en mi casa. Me hablaba Stocker, y yo le daba el mensaje a Jacinta. El día que murió la señora de Vélez, Jacinta había quedado en venir. A mí me pareció extraño, pero ella misma se había empeñado. Llega Stocker, y Jacinta que no viene. Yo le explico la demora. Esperamos. Al final, ya preocupada, hablo por teléfono y me entero de la desgracia. A Stocker le impresionó muchísimo. Me dijo: «María, déjeme solo en este cuarto». Y allí se quedó hasta muy tarde. Es un sentimental. Después, ya ve lo que ha hecho por ese retardado. Me parece un gesto bellísimo.

Doña Carmen la interrumpió:

–No hables de lo que no sabes.

La otra sonreía.

–Está furiosa –dijo mirando a Sweitzer– porque no puede verlo el día entero. ¡Carmen, Carmen, parece mentira! Una mujer seria, a tus años...

–Lo quiero como a un hijo.

–Como a un nieto, dirás.

Sweitzer se fue cuando el diálogo entre las dos mujeres empezaba a subir de tono. Las calles estaban desiertas. En el centro de la calzada la luz eléctrica hacía brillar el asfalto: grandes charcos de agua donde era peligroso aventurarse. Después la oscuridad y de nuevo, en la otra cuadra, el reflejo ficticio del estanque. Sweitzer apenas se atrevía a cruzarlo. Así anduvo un largo rato, vacilando al llegar a cada bocacalle, pegado, confundido a las paredes como el insecto a la hoja. De vez en cuando el boquete de un zaguán iluminado lo ponía en descubierto. Estaba cansado, tenía frío, no podía entrar en calor. Tampoco podía detenerse. El mismo cansancio lo impulsaba a caminar. Llegó a una plaza, atravesó la calle. Allí vivía Stocker. Miró el tablero con los timbres. Cuando Lucas bajó después de un cuarto de hora, en paños menores y cubierto por un sobretodo, continuaba apretando el botón del tercer piso.

—¡Señor Sweitzer! —exclamó el negro—. El patrón no está.

—Ya sé, Lucas. Tenía un mensaje para usted. Pasé por la casa y me atreví a llamar. Discúlpeme por haberlo despertado.

—No es nada, señor Sweitzer. Entre, no se quede afuera. Subiremos en el ascensor de servicio porque yo he bajado sin llaves.

Pasaron a la cocina. El negro abría puertas, encendía luces. «Ahora apagan la calefacción muy temprano. Como no hay nadie, yo no encendí las chimeneas.» Llegaron al *hall*. Sweitzer discurría algún mensaje para darle en nombre de su socio.

—El señor me ha escrito. Dice que mande las cuentas al escritorio. Él volverá el día menos pensado.

—Pero si me ha dejado dinero suficiente —contestó el negro.

—Le repito lo que él me ha escrito.

—El patrón está de viaje.

—Así es, Lucas.

El negro parecía deseoso de hablar. Después de un momento agregó entre dientes:

—... con la señora Jacinta.

Sweitzer le preguntó muy despacio:

—Dígame, Lucas, ¿ella ha vivido aquí?

—El señor también sabe...

—¿Está usted seguro? ¿La vio alguna vez?

—Verla, lo que se llama verla... La encontré en la puerta de la calle. Era después de almorzar. Ella salía del departamento en momentos en que yo entraba. En seguida la reconocía.

—Pero si nunca la había visto antes.

—No importa.

—¿Cómo era?

—Tenía ojos grises.

—¿Y cómo supo que era ella? —le preguntó Sweitzer.

—Me di cuenta —contestó el negro—. Me miraba sonriendo. Parecía decirme: «¡Al fin me descubres!», pero con simpatía. Parecía decirme: «¡Gracias por el caldo y la ensalada que me preparas todos los días, por las avellanas, por las nueces! ¡Gracias por tu discreción!». Es una mujer muy bondadosa.

—¿Pero usted no la vio nunca dentro de la casa?

–¡Tomaba tantas precauciones! Hasta que ellos se iban, no podíamos arreglar el dormitorio. Por la tarde, el patrón era el primero en llegar. Cerraba con llave la puerta del *hall.* Cuando abría la puerta, ya la señora estaba en su cuarto. ¿El señor Sweitzer recuerda la última noche que vino a comer? El patrón estaba muy excitado, quería que la señora Jacinta los acompañara. Quería presentársela al señor. Yo, mientras ponía la mesa, le oía la voz: «¡Jacinta, te lo suplico! Come con nosotros. No me dejes solo esta noche». La esperó hasta lo último. ¿El señor Sweitzer recuerda que me obligó a poner tres cubiertos? Pero la señora Jacinta no apareció. Es una mujer muy prudente.

–En resumidas cuentas, usted no la vio nunca dentro de la casa.

–¡Como si necesitara verla! –exclamó el negro–. Ahora ni siquiera me molesto en prepararle el caldo frío, pregúntele a Rosa, y eso que el patrón me ha ordenado que deje comida como siempre. Pero ahora no está, lo sé, así como sé que antes estuvo viviendo más de tres meses en esta casa.

Sweitzer repetía:

–Pero usted no la encontró nunca dentro de la...

Y el otro, con insistencia:

–¡Como si necesitara encontrarla! ¿Y el olor? Vea usted, señor Sweitzer, yo no quisiera ofenderlo, pero la señora Jacinta no tiene ese olor tan desagradable de los blancos. El de ella es diferente. Un olor fresco, a helechos, a lugares sombreados, donde hay un poco de agua estancada, quizá, pero no del todo. Sí, eso es; en la bóveda, cuando vamos al cementerio de los Disidentes, hay el mismo olor. El olor del agua que empieza a espesarse en los floreros.

Sweitzer se acostaba. «No he comido esta noche», pensó, al tiempo que metía la cabeza en su camisón de franela. Se acurrucó en la cama, buscó con los pies la bolsa de agua caliente, cerró los ojos, sacó una mano, apagó la lámpara. Pero no se disipaba la claridad de la habitación. Había dejado encendida la araña del techo, una araña de bronce con tres brazos puntiagudos de cuyos extremos salieron llamitas de gas y que, posteriormente, habían adaptado a las bujías eléctricas. Se levantó. Al pasar junto al ropero se vio reflejado en el espejo, con la papada temblorosa y más bajo que de costumbre, porque andaba descalzo. Rechazó esta imagen poco seductora de sí mismo, apagó la luz, buscó a tientas la cama. Después, acariciándose los hombros por encima del camisón, trató de dormir.

JOSÉ BIANCO

EL CALAMAR OPTA POR SU TINTA

ADOLFO BIOY CASARES, escritor argentino, nacido en Buenos Aires. Autor de *La invención de Morel* (1940); *Plan de evasión* (1945); *La trama celeste* (1948); *El sueño de los héroes* (1954); *Historia prodigiosa* (1955); *Guirnalda con amores* (1959); *El lado de la sombra* (1962).

Más ocurrió en este pueblo en los últimos días que en el resto de su historia. Para medir como corresponde mi palabra recuerden ustedes que hablo de uno de los pueblos viejos de la provincia, de uno en cuya vida abundan los hechos notables: la fundación, en pleno siglo XIX; algo después el cólera –un brote que felizmente no llegó a mayores– y el peligro del malón, que si bien no se concretaría nunca, mantuvo a la gente en jaque a lo largo de un lustro en que partidos limítrofes conocieron la tribulación por el indio. Dejando atrás la época heroica, pasaré por alto tantas otras visitas de gobernadores, diputados, candidatos de toda laya, amén de cómicos y uno o dos gigantes del deporte. Para morderme la cola concluiré esta breve lista con la fiesta del Centenario de la Fundación, genuino torneo de oratoria y homenajes.

Como he de comunicar un hecho de primer orden, presento mis credenciales al lector. De espíritu amplio e ideas avanzadas, devoro cuanto libro atrapo en la librería de mi amigo el gallego Villarroel, desde el doctor Jung hasta Hugo, Walter Scott y Goldoni, sin olvidar el último tomito de *Escenas matritenses*. Mi meta es la cultura, pero bordeo los «malditos treinta años» y de veras temo que me quede por aprender más de lo que sé. En resumen, procuro seguir el movimiento e inculcar las luces entre los vecinos, todos bellas personas, platita labrada, eso sí muy afectos a la siesta que hereditariamente acunan desde la edad media y el oscurantismo. Soy docente –maestro de escuela– y periodista. Ejerzo la cátedra de la péndola en modestos órganos locales, ora *factotum* de *El Mirasol* (título mal elegido, que provoca pullas y atrae una enormidad de correspondencia errónea, pues nos toman por tribuna cerealista), ora de *Nueva Patria*.

El tema de esta crónica ofrece una particularidad que no quiero omitir: no sólo ocurrió el hecho en mi pueblo: ocurrió en la manzana donde transcurre mi vida entera, donde se halla mi hogar, mi escuelita –segundo hogar– y el bar de un hotel frente a la estación, al que acudimos noche a noche, en altas horas, el núcleo con inquietud de la juventud lugareña. El epicentro del fenómeno, el foco si prefieren, fue el corralón de don Juan Camargo, cuyos fondos lindan por el costado este con el hotel y por el norte con el patio de casa. Un par de circunstancias, que no cualquiera vincularía, lo anunciaron: me refiero al pedido de los libros y al retiro del molinete de riego.

Las Margaritas, el *petit-hôtel* particular de don Juan, verdadero *chalet* provisto de florido jardín a la calle, ocupa la mitad del frente y apenas parte del fondo del terreno del corralón, donde se amontonan incalculables materiales, como reliquias de buques en el fondo del mar. En cuanto al molinete, giró siempre en el apuntado jardín, al extremo de configurar una de las más viejas tradiciones y una de las más interesantes peculiaridades de nuestro pueblo.

Un día domingo, a principios de mes, misteriosamente el molinete faltó. Como al cabo de la semana no había reaparecido, el jardín perdió color y brillo. Mientras muchos miraron sin ver, hubo uno a quien la curiosidad embargó desde el primer momento. Ese uno infestó a otros, y a la noche, en el bar, frente a la estación, la muchachada bullía de preguntas y comentarios. De tal modo, al calor de una comezón ingenua, natural, destapamos algo que tenía poco de natural y resultó una sorpresa.

Bien sabíamos que don Juan no era hombre de cortar el agua del jardín, por descuido, un verano seco. Por de pronto lo reputamos pilar del pueblo. Con fidelidad la estampa retrata el carácter de nuestro cincuentón: elevada estatura, porte corpulento, cabello cano peinado en dóciles mitades, cuyas ondas dibujan arcos paralelos a los del bigote y a los inferiores de la cadena del reloj. Otros detalles revelan al caballero chapado a la antigua: *breeches*, polainas de cuero, botín. En su vida, regida por la moderación y el orden, nadie, que yo recuerde, computó una debilidad, llámela borrachera, mujerzuela o traspié político. En un ayer que de buen grado olvidaríamos –¿quién de nosotros, en materia de infamia, no arrojó su canita al aire?– don Juan se mantuvo limpio. Por algo le reconocieron autoridad los mismos interventores de la Cooperativa, etcétera, gente muy poco espectable, francamente pelandrunes. Por algo en años ingratos aquel bigotazo constituyó el manubrio del que la familia sana del pueblo se mantuvo colgada.

Obligatorio es reconocer que este varón señero milita ideas de viejo cuño y que nuestras filas, de suyo idealistas, hasta ahora no produjeron prohombres de temple comparable. En un país nuevo, las ideas nuevas carecen de tradición. Ya se sabe, sin tradición no hay estabilidad.

Por arriba de esta figura, nuestra jerarquía *ad usum* no pone a nadie, salvo a doña Remedios, madre y consejera única de tan abultado hijo.

Entre nosotros, no sólo porque *manu militari* arregla cuanto conflicto le someten o no, la llamamos Remedio Heroico. Aunque burlesco, el mote es cariñoso.

Para completar el cuadro de quienes viven en el *chalet*, que ya no falta sino un apéndice indudablemente menor, el ahijado, don Tadeíto, alumno del turno de la noche de mi escuela. Como doña Remedios y don Juan no toleran casi nunca extraños en la casa, ni en calidad de colaboradores ni de invitados, el muchacho reúne sobre la testa los títulos de peón y dependiente del corralón y de sirvientillo de Las Margaritas. Agreguen a lo anterior que el pobre diablo acude regularmente a mis clases y comprenderán por qué respondo con cajas destempladas a cuantos, por pifia y maldad pura, le endosan el sonsonete de un apodo. Que olímpicamente lo rechazaran del servicio militar me tiene sin cuidado, porque de envidioso no peco.

El domingo en cuestión, a una hora que se me extravió entre las dos y las cuatro de la tarde, llamaron a mi puerta, con el deliberado afán, a juzgar por los golpes, de voltearla. Tambaleando me incorporé, murmuré: «No es otro», proferí palabras que no están bien en boca de un maestro y como si esta no fuera época de visitas desagradables abrí, seguro de encontrar a don Tadeíto. Tuve razón. Ahí sonreía el alumno, con la cara tan flacucha que ni siquiera servía de pantalla contra el sol, de lleno en mis ojos. A lo que entendí solicitaba a boca de jarro y con esa voz que de pronto se ahuyenta, textos de primer grado, segundo y tercero. Irritadamente inquirí:

—¿Podrías informar para qué?

—Pide padrino —contestó.

En el acto entregué los libros y olvidé el episodio como si fuera parte de un sueño.

Horas después, cuando me dirigía a la estación y alargaba el camino con una vuelta para matar el tiempo, advertí en Las Margaritas la falta del molinete. La comenté en el andén, mientras esperábamos el expreso de Plaza de las 19.30 que llegó a las 20.54, y la comenté a la noche, en el bar. No me referí al pedido de textos, ni menos aun vinculé un hecho con otro, porque al primero, ya dije, lo registré apenas en la memoria.

Supuse que tras un día tan movido retomaríamos el tranco habitual. El lunes, a la hora de la siesta, alborozadamente me dije: «Esta va de veras», pero todavía cosquilleaba el fleco del poncho la nariz, cuando empezó el estruendo. Murmurando: «Y hoy qué le ha dado. Si lo pesco a las patadas en la puerta pagará lágrimas de sangre», enfilé las alpargatas y me encaminé al zaguán.

—¿Ya es una costumbre interrumpir a tu maestro? —espeté al recibir de vuelta la pila de libros.

La sorpresa me confundió enteramente, porque oí por toda contestación:

—Pide padrino los de tercero, cuarto y quinto.

Logré articular:

—¿Para qué?

—Pide padrino —explicó don Tadeíto.

Entregué los libros y volví al lecho, en pos del sueño. Admito que dormí, pero lo hice, ruego que me crean, en el aire.

Luego, camino de la estación, comprobé que el molinete no había retomado su puesto y que el tono amarillo se difundía en el jardín. Conjuré, por lógica, despropósitos y en pleno andén, mientras el físico se lucía ante frívolas bandadas de señoritas, la mente aún trabajaba en la interpretación del misterio.

Mirando la luna, enorme allá por el cielo, uno de nosotros, creo que Di Pinto, entregado siempre a la quimera romántica de quedar como hombre de campo (¡por favor, ante los amigos de toda la vida!), comentó:

—La luna se hizo de seca. No atribuyamos, pues, a un pronóstico de lluvia el retiro del artefacto. ¡Su móvil habrá tenido nuestro don Juan!

Badaracco, mozo despierto, que presenta un lunar, porque en otra época, aparte del sueldo bancario, cobraba un tanto por delación, me preguntó:

—¿Por qué no apestillas al respecto al taradito?

—¿A quién? —interrogué por decoro.

—A tu alumno —respondió.

Aprobé el temperamento y lo apliqué esa misma noche, después de clase. Traté de marear primero a don Tadeíto con la perogrullada de que la lluvia entona al vegetal, para atacar por fin a fondo. El diálogo fue como sigue:

—¿Se descompaginó el molinete?

—No.

—No lo veo en el jardín.

—¿Cómo lo va a ver?

—¿Por qué cómo lo voy a ver?

—Porque está regando el depósito.

Aclaro que entre nosotros llamamos depósito a la última barraca del corralón, donde don Juan amontona los materiales de poca venta, por ejemplo, estrafalarias estufas y estatuas, monolitos y malacates.

Urgido por el deseo de notificar a los muchachos de la novedad sobre el molinete, ya despachaba a mi alumno sin interrogarlo sobre el otro punto. Recordar y chillar fue todo uno. Desde al zaguán don Tadeíto me miró con ojos de oveja.

—¿Qué hace don Juan con los textos? —grité.

—Y... —gritó de vuelta— los deposita en el depósito.

Alelado corrí al hotel. Ante mis comunicaciones, tal como lo previ, cundió la perplejidad entre la juventud. Todos formulamos alguna opinión, pues el buen callar en aquel momento era un bochorno, y por fortuna nadie prestó oídos a nadie. O quizá prestara oídos el patrón, el enorme don Pomponio del vientre hidrópico, a quien los del grupo a gatas distinguimos de las columnas, mesas y vajilla, porque la soberbia del intelecto nos ofusca. La voz de bronce, apagada por ríos de ginebra, de don Pomponio, llamó al orden. Siete caras miraron para arriba y catorce ojos quedaron pendientes de una sola cara roja y brillante, que se partía en la boca, para inquirir:

—¿Por qué no se dan traslado en comitiva y piden explicación a don Juan en persona?

El sarcasmo despabiló a uno, de apellido Aldini, que estudia por correspondencia y lleva corbata blanca. Enarcando cejas me dijo:

—¿Por qué no ordenas a tu alumno que espíe las conversaciones entre doña Remedios y don Juan? Después le aplicas la picana.

—¿Qué picana?

—Tu autoridad de maestro ciruela —aclaró con odio.

—¿Don Tadeíto tiene memoria? —preguntó Badaracco.

—Tiene —afirmé—. Lo que entra en su caletre, por un rato queda fotografiado.

—Don Juan —continuó Aldini— para todo se aconseja de doña Remedios.

—Ante un testigo como el ahijado —declaró Di Pinto— hablarán con entera libertad.

—Si hay misterio, saldrá a relucir —vaticinó Toledo.

Chazarreta, que trabaja de ayudante en la feria, gruñó:

—Si no hay misterio ¿qué hay?

Como el diálogo se desencaminaba, Badaracco, famoso por la ecuanimidad, contuvo a los polemistas.

—Muchachos —los reconvino—, no están en edad de malgastar energías.

Para tener la última palabra, Toledo repitió:

—Si hay misterio, saldrá a relucir.

Salió a relucir, pero no sin que antes giraran días enteros.

A la otra siesta, cuando me hundía en el sueño, resonaron, cómo no, los golpes. A juzgar por las palpitaciones, resonaron a un tiempo en la puerta y en mi corazón. Don Tadeíto traía los libros de la víspera y reclamaba los de primer año, segundo y tercero, del ciclo secundario. Porque el texto superior escapa a mi órbita, hubo que comparecer en el negocio de librería de Villarroel, a vivo golpe en la puerta despertar al gallego y aplacarlo posteriormente con la satisfacción de que don Juan reclamaba los libros. Como era de temer, el gallego preguntó:

—¿Qué mosca picó al tío ese? En la perra vida compró un libro y a la vejez viruelas. Va de suyo que el muy chulo los pide en préstamo.

—No lo tome a la tremenda, gallego —le razoné con palmaditas—. Por lo amargado parece criollo.

Referí los pedidos previos de textos primarios y mantuve la más estricta reserva en cuanto al molinete, de cuya desaparición, según él mismo me dio a entender, estaba perfectamente compenetrado. Con los libracos debajo del brazo, agregué:

—A la noche nos reunimos en el bar del hotel para debatir todo esto. Si quiere aportar su grano de arena, allá nos encuentra.

En el trayecto de ida y vuelta no vimos un alma, salvo al perro barcino del carnicero, que debía de estar de nuevo empachado, porque en sus cabales ni el más humilde irracional se expone a la resolana de las dos de la tarde.

Adoctriné al discípulo para que me reportara *verbatim* las conversaciones entre don Juan y doña Remedios. Por algo afirman que en el pecado está el castigo. Esa misma noche emprendí una tortura que, en mi gula de curioso, no había previsto: escuchar aquellos coloquios puntualmente comunicados, interminables y de lo más insulsos. De cuando en cuando llegó a la punta de mi lengua alguna ironía cruel sobre que me tenían sin cuidado las opiniones de doña Remedios acerca de la última partida de jabón amarillo y la franeleta para el reúma de don Juan; pero me refrené, pues ¿cómo delegar en el criterio del mozo la estimación de lo que era importante o no?

Por descontado que al otro día me interrumpió la siesta con los libros en devolución para Villarroel. Ahí se produjo la primera novedad: don Juan, dijo don Tadeíto, ya no quería textos; quería diarios viejos, que él debía procurar al kilo, en la mercería, la carnicería y la panadería. A su debido tiempo me enteré de que los diarios, como antes los libros, iban a parar al depósito.

Después hubo un período en que no ocurrió nada. El alma no tiene arreglo: eché de menos los mismos golpes que antes me arrancaban de la siesta. Quería que pasara algo, bueno o malo. Habituado a la vida intensa, ya no me resignaba a la pachorra. Por fin una noche el alumno, tras un prolijo inventario de los efectos de la sal y otras materias nutritivas en el organismo de doña Remedios, sin la más leve alteración de tono que preparara para un cambio de tema, recitó:

—Padrino dijo a doña Remedios que tienen una visita viviendo en el depósito y que por poco no se la lleva por delante los otros días, porque miraba a una especie de columpio de parque de diversiones al que no había dado entrada en los libros y que él no perdió el aplomo aunque el estado de la misma daba lástima y le recordaba un bagre boqueando fuera de la laguna. Dijo que atinó a traer un balde lleno de agua, porque sin pensarlo comprendió que le pedían agua y él no iba a permitir cruzado de brazos que un semejante muriera. No obtuvo resultado apreciable y prefirió acercar un bebedero a tocar la visita. Llenó el bebedero a baldazos y no obtuvo resultado apreciable. De pronto se acordó del molinete y como el médico de cabecera que prueba, dijo, a tientas los remedios para salvar a un moribundo, corrió a buscar el molinete y lo conectó. A ojos vista el resultado fue apreciable porque el moribundo revivió como si le cayera de lo más bien respirar el aire mojado. Padrino dijo que perdió un rato con su visita, porque le preguntó como pudo si necesitaba algo y que la visita era francamente avispada y al cabo de un cuartito de hora ya picoteaba por acá y por allá alguna palabra en castilla y le pedía los rudimentos para instruirse. Padrino dijo que mandó al ahijado a pedir los textos de los primeros grados al maestro. Como la visita era francamente avispada aprendió todos los grados en dos días y en uno lo que tuvo ganas del bachillerato. Después, dijo padrino, se puso a leer los diarios para enterarse de cómo andaba el mundo.

Aventuré la pregunta:

—¿La conversación fue hoy?

—Y, claro —contestó—, mientras tomaban el café.

—¿Dijo algo más tu padrino?

—Y, claro, pero no me acuerdo.

—¿Cómo no me acuerdo? —protesté airadamente.

—Y, usted me interrumpió —explicó el alumno.

—Te doy la razón. Pero no me vas a dejar así —argumenté—, muerto de curiosidad. A ver, un esfuerzo.

—Y, usted me interrumpió.

—Ya sé. Te interrumpí. Yo tengo toda la culpa.

—Toda la culpa –repitió.

—Don Tadeíto es bueno. No va a dejar así al maestro, en la mitad de la charla, para seguir mañana o nunca.

Con honda pena repitió:

—O nunca.

Yo estaba contrariado, como si me sustrajeran una ganancia de gran valor. No sé por qué reflexioné que nuestro diálogo consistía en repeticiones y de repente entreví en eso mismo una esperanza. Repetí la última frase del relato de don Tadeíto:

—Leyó los diarios para enterarse de cómo andaba el mundo.

Mi alumno continuó indiferentemente:

—Dijo padrino que la visita quedó pasmada al enterarse de que el gobierno de este mundo no estaba en manos de gente de lo mejorcito, sino más bien de medias cucharas, cuando no de pelafustanes. Que tal morralla tuviera a su arbitrio la bomba atómica, dijo la visita, era de alquilar balcones. Que si la tuviera a su arbitrio la gente de lo mejorcito, acabaría por tirarla, porque está visto que si alguien la tiene, la tira; pero que la tuviera esa morralla no era serio. Dijo que en otros mundos antes de ahora descubrieron la bomba y que tales mundos fatalmente reventaron. Que los tuvo sin cuidado que reventaran, porque estaban lejos, pero que nuestro mundo está cerca y que ellos temen que una explosión en cadena los envuelva.

La increíble sospecha de que don Tadeíto se burlaba de mí, me llevó a interrogarlo con severidad:

—¿Estuviste leyendo *Sobre cosas que se ven en el cielo* del doctor Jung?

Por fortuna no oyó la interrupción y prosiguió:

—Dijo padrino que la visita dijo que vino de su planeta en un vehículo especialmente fabricado a puro pulmón, porque por allá escasea el material adecuado y que es el fruto de años de investigación y trabajo. Que vino como amigo y como libertador, y que pedía el pleno apoyo de padrino para llevar adelante un plan para salvar el mundo. Dijo padrino que la entrevista con la visita tuvo lugar esta tarde y que él, ante la gravedad, no trepidó en molestar a doña Remedios para recabarle su opinión, que desde ya descontaba era la suya.

Como la pausa inmediata no concluía, pregunté cuál fue la respuesta de la señora.

—Ah, no sé –contestó.

—¿Cómo ah no sé?–repetí enojado de nuevo.

—Los dejé hablando y me vine, porque era hora de clase. Pensé yo solo: cuando no llego tarde el maestro se pone contento.

Envanecida la cara de oveja esperaba congratulaciones. Con admirable presencia de ánimo reflexioné que los muchachos no creerían mi relato, si no llevaba como testigo a don Tadeíto. Violentamente lo empuñé de un brazo y a empujones lo llevé hasta el bar. Ahí estaban los amigos, con el agregado del gallego Villarroel.

Mientras tenga memoria no olvidaré aquella noche.

—Señores —grité, a tiempo que proyectaba a don Tadeíto contra nuestra mesa—. Traigo la explicación de todo, una novedad de envergadura y un testigo que no me dejará mentir. Con lujo de detalle don Juan comunicó el hecho a su señora madre y mi fiel alumno no perdió palabra. En el depósito del corralón, aquí nomás, pared por medio, está alojado —¿adivinen quién?— un habitante de otro mundo. No se alarmen, señores: aparentemente el viajero no dispone de constitución robusta, ya que tolera mal el aire seco de nuestra ciudad —todavía resultaremos competidores de Córdoba— y para que no muera como pescado fuera del agua, don Juan le enchufó el molinete, que de continuo humedece el ambiente del depósito. Es más: aparentemente el móvil del arribo del monstruo no debe provocar inquietud. Llegó para salvarnos, persuadido de que el mundo va camino de estallar por la bomba atómica y a calzón quitado informó a don Juan de su punto de vista. Naturalmente, don Juan, mientras degustaba el café, consultó con doña Remedios. Es de lamentar que este mozo aquí presente —agité a don Tadeíto, como si fuera monigote— se retiró justo a tiempo de no oír la opinión de doña Remedios, de modo que no sabemos qué resolvieron.

—Sabemos —dijo el librero, moviendo como trompa labios mojados y gordos.

Me incomodó que me corrigieran la plana en una novedad de la que me creía único depositario. Inquirí:

—¿Qué sabemos?

—No se amosque usted —pidió Villarroel, que ve bajo el agua—. Si es como usted dice aquello de que el viajero muere si le quitan el molinete, don Juan le condenó a morir. De casa acá pasé frente a Las Margaritas y a la luz de la luna vi perfectamente el molinete que regaba el jardín como antes.

—Yo también lo vi —confirmó Chazarreta.

—Con la mano en el corazón —murmuró Aldini— les digo que el viajero no mintió. Tarde o temprano reventamos con la bomba atómica. No veo escapatoria.

Como hablando solo preguntó Badaracco:

–No me digan que esos viejos, entre ellos, liquidaron nuestra última esperanza.

–Don Juan no quiere que le cambien su composición de lugar –opinó el gallego–. Prefiere que este mundo estalle, a que la salvación venga de otros. Vea usted, es una manera de amar a la humanidad.

–Asco por lo desconocido –comenté–. Oscurantismo.

Afirman que el miedo aviva la mente. La verdad es que algo extraño flotaba en el bar aquella noche, y que todos aportábamos ideas.

–Coraje, muchachos, hagamos algo –exhortó Badaracco–. Por amor a la humanidad.

–¿Por qué tiene usted, señor Badaracco, tanto amor a la humanidad? –preguntó el gallego.

Ruborizado, Badaracco balbuceó:

–No sé. Todos sabemos.

–¿Qué sabemos, señor Badaracco? ¿Si usted piensa en los hombres, los encuentra admirables? Yo todo lo contrario: estúpidos, crueles, mezquinos, envidiosos –declaró Villarroel.

–Cuando hay elecciones –reconoció Chazarreta–, tu bonita humanidad se desnuda rápidamente y se muestra tal cual es. Gana siempre el peor.

–¿El amor por la humanidad es una frase hueca?

–No, señor maestro –respondió Villarroel–. Llamamos amor a la humanidad a la compasión por el dolor ajeno y a la veneración por las obras de nuestros grandes ingenios, por el *Quijote* del Manco Inmortal, por los cuadros de Velázquez y de Murillo. En ninguna de ambas formas vale ese amor como argumento para demorar el fin del mundo. Sólo para los hombres existen las obras y después del fin del mundo –el día llegará, por la bomba o por muerte natural– no tendrán ni justificación ni asidero, créame usted. En cuanto a la compasión, sale gananciosa con un fin próximo... Como de ninguna manera nadie escapará a la muerte ¡que venga pronto, para todos, que así la suma del dolor será la mínima!

–Perdemos tiempo en el preciosismo de una charla académica y aquí nomás, pared por medio, muere nuestra última esperanza –dije con una elocuencia que fui el primero en admirar.

–Hay que obrar ahora –observó Badaracco–. Pronto será tarde.

–Si le invadimos el corralón, don Juan a lo mejor se enoja –apuntó Di Pinto.

Don Pomponio, que se arrimó sin que oyéramos y por poco nos derriba del susto, propuso:

–¿Por qué no destacan a este mozo don Tadeíto como piquete de avanzada? Sería lo prudente.

–Bueno –aprobó Toledo–. Que don Tadeíto conecte el molinete en el depósito y que espíe, para contarnos cómo es el viajero de otro planeta.

En tropel salimos a la noche, iluminada por la impasible luna. Casi llorando rogaba Badaracco:

–Generosidad, muchachos. No importa que pongamos en peligro el pellejo. Están pendientes de nosotros todas las madres y todas las criaturas del mundo.

Frente al corralón nos arremolinamos, hubo marchas y contramarchas, cabildeos y coridas. Por fin Badaracco juntó coraje y empujó adentro a don Tadeíto. Mi alumno volvió después de un rato interminable, para comunicar:

–El bagre se murió.

Nos desbandamos tristemente. El librero regresó conmigo. Por una razón que no entiendo del todo su compañía me confortaba.

Frente a Las Margaritas, mientras el molinete monótonamente regaba el jardín, exclamé:

–Yo le echo en cara la falta de curiosidad –para agregar con la mirada absorta en las constelaciones–: Cuántas Américas y Terranovas infinitas perdimos esta noche.

–Don Juan –dijo Villarroel– prefirió vivir en su ley de hombre limitado. Yo le admiro el coraje. Nosotros dos, ni siquiera a entrar aquí nos atrevemos.

Dije:

–Es tarde.

–Es tarde –repitió.

ADOLFO BIOY CASARES
El lado de la sombra (1962)

¿QUIÉN ES EL REY?

LÉON BLOY, literato francés, nacido de Périgueux (1846), muerto en Bourg la Reine (1917). Autor de: *Le Désespéré* (1887); *Christophe Colomb devant les Taureaux* (1890); *Le Salut par les Juifs* (1892); *Sueur de Sang* (1894); *La Femme Pauvre* (1897); *Léon Bloy devant les Cochons* (1898); *Celle qui Pleure* (1906); *L'Âme de Napoleon* (1912).

Recuerdo una de mis ideas más antiguas. El Zar es el jefe y el padre espiritual de ciento cincuenta millones de hombres. Atroz responsabilidad que sólo es aparente. Quizá no es responsable, ante dios, sino de unos pocos seres humanos. Si los pobres de su imperio están oprimidos durante su reinado, si de ese reinado resultan catástrofes inmensas, ¿quién sabe si el sirviente encargado de lustrarle las botas no es el verdadero y solo culpable? En las disposiciones misteriosas de la Profundidad, ¿quién es de veras Zar, quién es rey, quién puede jactarse de ser un mero sirviente?

LÉON BLOY
Le Mendiant Ingrat (1898)

LOS GOCES DE ESTE MUNDO

Aterradora idea de Juana, acerca del texto *Per Speculum in Aenigmate:* Los goces de este mundo serían los tormentos del infierno, vistos al revés, en un espejo.

LÉON BLOY
Le Vieux de la Montagne (1909)

LOS CAUTIVOS DE LONGJUMEAU

El Postillón de Longjumeau anunciaba ayer el deplorable fin de los Fourmi. Esta hoja tan recomendable por la abundancia y por la calidad de su información, se perdía en conjeturas sobre las misteriosas causas de la desesperación que había precipitado al suicidio a esta pareja, considerada tan feliz.

Casados muy jóvenes, y despertando cada día a una nueva luna de miel, no habían salido de la ciudad ni un *solo* día.

Aliviados por previsión paterna de las inquietudes pecuniarias que suelen envenenar la vida conyugal, ampliamente provistos, al contrario, de lo requerido para endulzar un género de unión legítima, sin duda, pero poco conforme a ese afán de vicisitudes amorosas que impulsa al versátil ser humano, realizaban, a los ojos del mundo, el milagro de la ternura a perpetuidad.

Una hermosa tarde de mayo, el día que siguió a la caída del señor Thiers, aparecieron en el tren de circunvalación con sus padres, venidos para instalarlos en la propiedad deliciosa que albergaría su dicha.

Los longjumelianos de corazón puro contemplaron con enternecimiento a esta linda pareja, que el veterinario comparó sin titubear a Pablo y Virginia.

En efecto, ese día estaba muy bien y parecían niños pálidos de gran casa.

Maître Piécu, el notario más importante de la región, les había adquirido, en las puertas de la ciudad, un nido de verdura, que los muertos hubieran envidiado. Pues hay que convenir que el jardín hacía pensar en un cementerio abandonado. Este aspecto no debió desagradarles, pues no hicieron, en lo sucesivo, ningún cambio y dejaron que las plantas crecieran a su arbitrio.

Para servirme de una expresión profundamente original de Maître Piécu, vivieron *en las nubes*, sin ver casi a nadie, no por maldad o desprecio, sino, sencillamente, porque no se les ocurría.

Además, hubiera sido necesario soltarse por algunas horas o algunos minutos, interrumpir los éxtasis, y a fe mía, dada la brevedad de la vida, les faltaba valor para ello.

Uno de los hombres más grandes de la Edad Media, el maestro Juan Tauler, cuenta la historia de un ermitaño a quien un visitante inoportuno pidió un objeto que estaba en su celda. El ermitaño tuvo que entrar a buscar el objeto. Pero al entrar olvidó cuál era, pues la imagen de las cosas exteriores no podía grabarse en su mente. Salió pues y rogó al visitante le repitiera lo que deseaba. Éste renovó el pedido. El solitario volvió a entrar, pero antes de tomar el objeto, ya había olvidado cuál era. Después de muchas tentativas, se vio obligado a decir al importuno:

—Entre y busque usted mismo lo que desea, pues *yo no puedo conservar su imagen* lo bastante para hacer lo que me pide.

Con frecuencia, el señor y la señora Fourmi me han hecho pensar en el ermitaño. Hubieran dado gustosos todo lo que se les pidiera si lo hubiesen recordado un solo instante.

Sus distracciones eran célebres y se comentaban hasta en Corbeil. Sin embargo, esto no parecía afectarlos, y la *funesta* resolución que ha concluido con sus vidas tan generalmente envidiadas tiene que parecer inexplicable.

Una carta ya antigua de ese desdichado Fourmi, a quien conocí de soltero, me ha permitido reconstruir, por inducción, toda su lamentable historia.

He aquí la carta. Se verá, quizá, que mi amigo no era ni un loco, ni un imbécil.

«... Por décima vez o vigésima vez, querido amigo, faltamos a nuestra palabra, infamemente. Por paciente que seas, supongo que ya estarás harto de invitarnos. La verdad es que esta última vez, como las anteriores, no tenemos excusa, mi mujer y yo. Te habíamos escrito que contaras con nosotros y no teníamos absolutamente nada que hacer. Sin embargo, hemos perdido el tren, como siempre.

»Hace *quince años* que perdemos todos los trenes y todos los vehículos públicos, *hagamos lo que hagamos*. Es horriblemente estúpido, es de un atroz ridículo, pero empiezo a creer que el mal no tiene remedio. Somos víctimas de una grotesca fatalidad. Todo es inútil. Para alcanzar el tren de las ocho, por ejemplo, hemos ensayado levantarnos a las tres de la mañana, y hasta pasar la noche en vela. Y bien, amigo mío, en el último momento, se incendiaba la chimenea, a medio camino se me recalcaba un pie, el vestido de Julieta se enganchaba en alguna zarza, nos quedábamos dormidos en la sala de espera, sin que ni la llegada del tren ni los gritos del empleado nos despertaran a tiempo, etcétera, etcétera... La última vez olvidé mi portamonedas. En fin, te repito, hace quince años que esto dura y siento que ahí está nuestro principio de muerte. Por esa causa tú lo sabes, todo lo he malogrado, me he disgustado con todo el mundo, paso por un monstruo de egoísmo, y mi pobre Julieta se ve envuelta, claro está, en la misma reprobación. Desde nuestra llegada a este lugar maldito, hemos faltado a setenta y cuatro entierros, a doce casamientos, a treinta bautismos, a un millar de visitas o diligencias indispensables. He dejado que reventara mi suegra sin volver a verla ni una sola vez, aunque estuvo enferma cerca de un año, cosa que nos privó de tres cuartas partes de su herencia, que nos escamoteó, furiosa, en un codicilo, la víspera de su muerte.

»No acabaría con la enumeración de las torpezas y de los fracasos ocasionados por la circunstancia increíble de que jamás pudimos alejarnos de Longjumeau. Para decirlo en una palabra, *somos cautivos*, ya sin esperanza, y vemos acercarse el momento en que esta condición de galeotes se nos hará insoportable...»

Suprimo el resto en que mi pobre amigo me confiaba cosas demasiado íntimas. Pero doy mi palabra de honor de que no era un hombre vulgar, de que fue digno de la adoración de su mujer y de que esos dos seres merecerían algo mejor que acabar estúpida e indecentemente como han acabado.

Ciertas particularidades que me permito reservar me sugieren la idea de que la infortunada pareja era realmente víctima de una maquinación tenebrosa del Enemigo del hombre, que los condujo, por medio de un notario evidentemente infernal, a ese rincón maléfico de Longjumeau de donde no ha habido poder humano que los arranque. Creo, en verdad, que no *podían* huir, que había alrededor de su morada un cordón de *tropas* invisibles, cuidadosamente elegidas para sitiarlos, contra las cuales era inútil toda energía.

El signo, para mí, de una influencia diabólica es que los Fourmi vivían devorados por la pasión de los viajes. Esos cautivos eran, por naturaleza, especialmente migratorios.

Antes de unirse, habían tenido la sed de rodar tierras. Cuando no eran más que novios, fueron vistos en Enghien, en Choisy-le-Roy, en Meudon, en Clamart, en Montre-tout. Un día alcanzaron hasta Saint-Germain.

En Longjumeau, que les parecía una isla de Oceanía, esta rabia de exploraciones audaces, de aventuras por mar y tierra, se había exasperado.

Su casa estaba abarrotada de globos terráqueos y de planisferios, de atlas ingleses y de atlas germánicos. Hasta tenían un mapa de la luna publicado por Ghota bajo la dirección de un botarate llamado Justus Perthes.

Cuando no se entregaban al amor, leían juntos historias de navegantes célebres, libros exclusivos de esa biblioteca; no había diario de viajes, *Tour du Monde* o boletín de sociedad geográfica, del que no fueran suscriptores. Llovían en la casa, sin intermitencia, las guías de ferrocarril y los prospectos de las agencias marítimas.

Cosa increíble, sus baúles estaban siempre listos. Siempre estuvieron a punto de partir, de realizar un viaje interminable a los países más lejanos, más peligrosos o más inexplorados.

He recibido como cuarenta telegramas anunciándome su partida inminente para Borneo, la Tierra del Fuego, Nueva Zelanda o Groenlandia.

Muchas veces, en efecto, estuvieron a un ápice de la partida. Pero el hecho es que no partían, que no partieron jamás porque no podían y no debían partir. Los átomos y las moléculas se coaligaban para sujetarlos.

Un día, sin embargo, hará diez años, creyeron escapar. Habían conseguido, contra toda esperanza, meterse en un vagón de primera clase que los conduciría a Versalles. ¡Libertad! Ahí, sin duda, se rompería el círculo mágico.

El tren se puso en marcha, pero ellos no se movían. Se habían ubicado, naturalmente, en un coche destinado a quedar en la estación. Había que volver a empezar. El único viaje que debían lograr era evidentemente el que acababan de emprender, ay de mí, y su carácter, que conozco tan bien, me induce a creer que lo prepararon temblando.

LÉON BLOY

TLÖN, UQBAR, ORBIS TERTIUS

JORGE LUIS BORGES, nacido en Buenos Aires. Autor de: *Fervor de Buenos Aires* (1923); *El idioma de los argentinos* (1928); *Cuaderno San Martín* (1929); *Evaristo Carriego* (1930); *Discusión* (1932); *Historia Universal de la Infamia* (1935); *Historia de la Eternidad* (1936); *El jardín de senderos que se bifurcan* (1941); *Ficciones* (1944); *El Aleph* (1949); *Otras inquisiciones* (1952); *El hacedor* (1960); *Obra poética* (1964).

I

Debo a la conjunción de un espejo y de una enciclopedia el descubrimiento de Uqbar. El espejo inquietaba el fondo de un corredor en una quinta de la calle Gaona, en Ramos Mejía; la enciclopedia falazmente se llama *The Anglo-American Cyclopaedia* (New York, 1917) y es una reimpresión literal, pero también morosa, de la *Encyclopaedia Britannica* de 1902. El hecho se produjo hará unos cinco años. Bioy Casares había cenado conmigo esa noche y nos demoró una vasta polémica sobre la ejecución de una novela en primera persona, cuyo narrador emitiera o desfigurara los hechos e incurriera en diversas contradicciones, que permitieran a unos pocos lectores –a muy pocos lectores– la adivinación de una realidad atroz o banal. Desde el fondo remoto del corredor, el espejo nos acechaba. Descubrimos (en la alta noche ese descubrimiento es inevitable) que los espejos tienen algo monstruoso. Entonces Bioy Casares recordó que uno de los heresiarcas de Uqbar había declarado que los espejos y la cópula son abominables, porque multiplican el número de los hombres. Le pregunté el origen de esa memorable sentencia y me contestó que *The Anglo-American Cyclopaedia* la registraba, en su artículo sobre Uqbar. La quinta (que habíamos alquilado amueblada) poseía un ejemplar de esa obra. En las últimas páginas del volumen XLVI dimos con un artículo sobre Upsala; en las primeras del XLVII, con uno sobre *Ural-Atlaic Languages,* pero ni una palabra sobre Uqbar. Bioy, un poco azorado, interrogó los tomos del índice. Agotó en vano todas las lecciones imaginables: Ukbar, Ucbar, Ooqbar, Ookbar, Oukbahr... Antes de irse, me dijo que era una región del Irak o del Asia Menor. Confieso que asentí con alguna incomodidad. Conjeturé que ese país indocumentado y ese heresiarca anónimo eran una ficción improvisada por la modestia de Bioy para justificar una frase. El examen estéril de uno de los atlas de Justus Perthes fortaleció mi duda.

Al día siguiente, Bioy me llamó desde Buenos Aires. Me dijo que tenía a la vista el artículo sobre Uqbar, en el volumen XLVI de la enciclopedia. No constaba el nombre del heresiarca, pero sí la noticia de su doctrina, formulada en palabras casi idénticas a las repetidas por él, aunque –tal vez– literariamente inferiores. Él había recordado: *Copulation and mirrors are abominable.* El texto de la enciclopedia decía: *Para uno de esos gnósticos, el visible universo era una ilusión o (más precisamente) un sofisma. Los espejos y la paternidad son abominables* (mirrors and fatherhood are abominable), *porque lo multiplican y lo divulgan.* Le dije, sin faltar a la verdad, que me gustaría ver ese artículo. A los pocos días lo trajo. Lo cual me sorprendió, porque los escrupulosos índices cartográficos de la *Erdkunde de Ritter* ignoraban con plenitud el nombre de Uqbar.

El volumen que trajo Bioy era efectivamente el XLVI de la *Anglo-American Cyclopaedia.* En la falsa carátula y en el lomo, la indicación alfabética (Tor-Ups) era la de nuestro ejemplar, pero en vez de 917 páginas constaba de 921. Esas cuatro páginas adicionales comprendían el artículo sobre Uqbar: no previsto (como habrá advertido el lector) por la indicación alfabética. Comprobamos después que no hay otra diferencia entre los volúmenes. Los dos (según creo haber indicado) son reimpresiones de la décima *Encyclopaedia Britannica*. Bioy había adquirido su ejemplar en uno de tantos remates.

Leímos con algún cuidado el artículo. El pasaje recordado por Bioy era tal vez el único sorprendente. El resto parecía muy verosímil, muy ajustado al tono general de la obra y (como es natural) un poco aburrido. Releyéndolo, descubrimos bajo su rigurosa escritura una fundamental vaguedad. De los catorce nombres que figuraban en la parte geográfica, sólo reconocimos tres –Jorasán, Armenia, Erzerum–, interpolados en el texto de un modo ambiguo. De los nombres históricos, uno solo: el impostor Esmerdis el mago, invocado más bien como una metáfora. La nota parecía precisar las fronteras de Uqbar, pero sus nebulosos puntos de referencia eran ríos y cráteres y cadenas de esa misma región. Leímos, verbigracia, que las tierras bajas de Tsai Jaldún y el delta del Axa definen la frontera del sur y que en las islas de ese delta procrean los caballos salvajes. Eso, al principio de la página 918. En la sección histórica (página 920) supimos que a raíz de las persecuciones religiosas del siglo XIII, los ortodoxos buscaron amparo en las islas, donde perduran todavía sus obeliscos y donde no es raro exhumar sus espejos de piedra. La sección *idioma y literatura* era breve. Un solo rasgo memorable: anotaba que la literatura de Uqbar era de carácter fantástico y que sus epopeyas y sus leyendas no se referían jamás a la realidad, sino a las dos regiones imaginarias de Mlejnas y de Tlön... La bibliografía enumeraba cuatro volúmenes que no hemos encontrado hasta ahora, aunque el tercero –Silas Haslam: *History of the land called Uqbar*, 1874– figura en los catálogos de librerías de Bernard Quaritch.[1] El primero, *Lesbare und lesenswerthe Bemerkungen über das Land Ukkbar in Klein-Asien*, data de 1641 y es obra de Johannes Valentinus Andreä. El hecho es significativo; un par de años después, di con ese nombre en las inesperadas páginas de De Quincey (*Writings*, volumen decimotercero) y supe que era el de un teólogo alemán que a principio del siglo XVII describió la imaginaria comunidad de la Rosa-Cruz, que otros luego fundaron, a imitación de lo prefigurado por él.

Esa noche visitamos la Biblioteca Nacional. En vano fatigamos atlas, catálogos, anuarios de sociedades geográficas, memorias de viajeros e his-

---

1. Haslam ha publicado también *A general history of labyrinths*.

toriadores: nadie había estado nunca en Uqbar. El índice general de la enciclopedia de Bioy tampoco registraba ese nombre. Al día siguiente, Carlos Mastronardi (a quien yo había referido el asunto) advirtió en una librería de Corrientes y Talcahuano los negros y dorados lomos de la *Anglo-American Cyclopaedia*... Entró e interrogó el volumen XLVI. Naturalmente, no dio con el menor indicio de Uqbar.

II

Algún recuerdo limitado y menguante de Herbert Ashe, ingeniero de los ferrocarriles del Sur, persiste en el hotel de Adrogué, entre las efusivas madreselvas y en el fondo ilusorio de los espejos. En vida padeció de irrealidad, como tantos ingleses; muerto, no es siquiera el fantasma que ya era entonces. Era alto y desganado y su cansada barba rectangular había sido roja. Entiendo que era viudo, sin hijos. Cada tantos años iba a Inglaterra: a visitar (juzgo por unas fotografías que nos mostró) un reloj de sol y unos robles. Mi padre había estrechado con él (el verbo es excesivo) una de esas amistades inglesas que empiezan por excluir la confidencia y muy pronto omiten el diálogo. Solían ejercer un intercambio de libros y periódicos; solían batirse al ajedrez, taciturnamente... Lo recuerdo en el corredor del hotel, con un libro de matemáticas en la mano, mirando a veces los colores irrecuperables del cielo. Una tarde, hablamos del sistema duodecimal de numeración (en el que doce se escribe 10). Ashe dijo que precisamente estaba trasladando no sé qué tablas doudecimales a sexagesimales (en las que sesenta se escribe 10). Agregó que ese trabajo le había sido encargado por un noruego: en Rio Grande do Sul. Ocho años que lo conocíamos y no había mencionado nunca su estadía en esa región... Hablamos de vida pastoril, de *capangas*, de la etimología brasilera de la palabra *gaucho* (que algunos viejos orientales todavía pronuncian *gaúcho*) y nada más se dijo —Dios me perdone— de funciones duodecimales. En septiembre de 1937 (no estábamos nosotros en el hotel) Herbert Ashe murió de la rotura de un aneurisma. Días antes, había recibido del Brasil un paquete sellado y certificado. Era un libro en octavo mayor. Ashe lo dejó en el bar, donde —meses después— lo encontré. Me puse a hojearlo y sentí un vértigo asombrado y ligero que no describiré, porque esta no es la historia de mis emociones sino de Uqbar y

Tlön y Orbis Tertius. En una noche del Islam que se llama la Noche de las Noches se abren de par en par las secretas puertas del cielo y es más dulce el agua en los cántaros; si esas puertas se abrieran, no sentiría lo que esa tarde sentí. El libro estaba redactado en inglés y lo integraban 1.001 páginas. En el amarillo lomo de cuero leí estas curiosas palabras que la falsa carátula repetía: *A first Encyclopaedia of Tlön. Vol. XI. Hlaer to Jangr*. No había indicación de fecha ni de lugar. En la primera página y en una hoja de papel de seda que cubría una de las láminas en colores había estampado un óvalo azul con esta inscripción: *Orbis Tertius*. Hacía dos años que yo había descubierto en un tomo de cierta enciclopedia pirática una somera descripción de un falso país; ahora me deparaba el azar algo más precioso y más arduo. Ahora tenía en las manos un vasto fragmento metódico de la historia total de un planeta desconocido, con sus arquitecturas y sus barajas, con el pavor de sus mitologías y el rumor de sus lenguas, con sus emperadores y sus mares, con sus minerales y sus pájaros y sus peces, con su álgebra y su fuego, con su controversia teológica y metafísica. Todo ello articulado, coherente, sin visible propósito doctrinal o tono paródico.

En el «onceno tomo» de que hablo hay alusiones a tomos ulteriores y precedentes. Néstor Ibarra, en un artículo ya clásico de la *N.R.F.,* ha negado que existen esos aláteres; Ezequiel Martínez Estrada y Drieu La Rochelle han refutado, quizá victoriosamente, esa duda. El hecho es que hasta ahora las pesquisas más diligentes han sido estériles. En vano hemos desordenado las bibliotecas de las dos Américas y de Europa. Alfonso Reyes, harto de esas fatigas subalternas de índole policial, propone que entre todos acometamos la obra de reconstruir los muchos y macizos tomos que faltan: *ex ungue leonem*. Calcula, entre veras y burlas, que una generación de *tlönistas* puede bastar. Ese arriesgado cómputo nos retrae al problema fundamental: ¿Quiénes inventaron a Tlön? El plural es inevitable, porque la hipótesis de un solo inventor –de un infinito Leibniz obrando en la tiniebla y en la modestia– ha sido descartada unánimemente. Se conjetura que este *brave new world* es obra de una sociedad secreta de astrónomos, de biólogos, de ingenieros, de metafísicos, de poetas, de químicos, de algebristas, de moralistas, de pintores, de geómetras... dirigidos por un oscuro hombre de genio. Abundan individuos que dominan esas disciplinas diversas, pero no los capaces de invención y menos los capaces de subordinar la invención a un riguroso plan sistemático. Ese plan es tan vasto que la contribución de cada escritor es infinitesimal. Al principio se creyó que Tlön era un mero caos, una irresponsable licencia de la imaginación; ahora se sabe que es un cosmos y que las íntimas leyes que lo rigen han sido formuladas, siquiera de modo provisional. Básteme recordar que las contradicciones aparentes en el Onceno Tomo son la piedra fundamental de la prueba de que existen los otros: tan lúcido y tan justo es el orden que se ha observado en él. Las revistas populares han divulgado, con perdonable exceso, la zoología y la topografía de Tlön; yo pienso que sus tigres transparentes y sus torres de sangre no merecen, tal vez, la continua atención de *todos* los hombres. Yo me atrevo a pedir unos minutos para su concepto del universo.

Hume notó para siempre que los argumentos de Berkeley no admitían la menor réplica y no causaban la menor convicción. Ese dictamen es del todo verídico en su aplicación a la tierra; del todo falso en Tlön. Las naciones de ese planeta son –congénitamente– idealistas. Su lenguaje y las derivaciones de su lenguaje –la religión, las letras, la metafísica– presuponen el idealismo. El mundo para ellos no es un concurso de objetos en el espacio; es una serie heterogénea de actos independientes. Es sucesivo, temporal, no espacial. No hay sustantivos en la conjetural *Ursprache* de Tlön, de la que proceden los idiomas «actuales» y los dialectos: hay verbos impersonales, calificados por sufijos (o prefijos) monosilábicos de valor adverbial. Por ejemplo: no hay palabra que corresponda a la palabra *luna*, pero hay un verbo que sería en español *lunecer* o *lunar*. *Surgió la luna sobre el río* se dice *hlör u fang axaxaxas mlö* o sea en su orden: hacia arriba (*upward*) detrás duradero-fluir luneció. (Xul Solar traduce con brevedad: upa tras perfluye lunó. *Upward behind onstreaming it mooned.*)

Lo anterior se refiere a los idiomas del hemisferio austral. En los del hemisferio boreal (de cuya *Ursprache* hay muy pocos datos en el Onceno Tomo) la célula primordial no es el verbo, sino el adjetivo monosilábico. El sustantivo se forma por acumulación de adjetivos. No se dice *luna*: se dice *aéreo-claro sobre oscuro-redondo* o *anaranjado-tenue-del cielo* o cualquier otra agregación. En el caso elegido la masa de adjetivos corresponde a un objeto real; el hecho es puramente fortuito. En la literatura de ese hemisferio (como en el mundo subsistente de Meinong) abundan los objetos ideales, convocados y disueltos en un momento, según las necesidades poéticas. Los determina, a veces, la mera simultaneidad. Hay objetos compuestos de dos términos, uno de carácter visual y otro auditivo: el color del naciente y el remoto grito de un pájaro. Los hay de muchos: el sol y el agua contra el pecho del nadador, el vago rosa trémulo que se ve con los ojos cerrados, la sensación de quien se deja llevar por un río y también por el sueño. Esos objetos de segundo grado pueden combinarse con otros; el proceso, mediante ciertas abreviaturas, es prácticamente infinito. Hay poemas famosos compuestos de una sola enorme palabra. Esa palabra integra un *objeto poético* creado por el autor. El hecho de que nadie crea en la realidad de los sustantivos hace, paradójicamente, que sea interminable su número. Los idiomas del hemisferio boreal de Tlön poseen todos los nombres de las lenguas indoeuropeas, y otros muchos más.

No es exagerado afirmar que la cultura clásica de Tlön comprende una sola disciplina: la psicología. Las otras están subordinadas a ella. He dicho que los hombres de ese planeta conciben el universo como una serie de procesos mentales, que no se desenvuelven en el espacio sino de modo sucesivo en el tiempo. Spinoza atribuye a su inagotable divinidad los atributos de la extensión y del pensamiento; nadie comprendería en Tlön la yuxtaposición el primero (que sólo es típico de ciertos estados) y del segundo, que es un sinónimo perfecto del cosmos. Dicho sea con otras palabras: no conciben que lo espacial perdure en el tiempo. La percepción de una humareda en el horizonte y después del campo incendiado y después del cigarro a medio apagar que produjo la quemazón es considerada un ejemplo de asociación de ideas.

Este monismo o idealismo total invalida la ciencia. Explicar (o juzgar) un hecho es unirlo a otro; esa vinculación, en Tlön, es un estado posterior del sujeto, que no puede afectar o iluminar el estado anterior. Todo estado mental es irreductible: el mero hecho de nombrarlo –*id est,* de clasificarlo– importa un falseo. De ello cabría deducir que no hay ciencia en Tlön, ni siquiera razonamiento. La paradójica verdad es que existen, en casi innumerable número. Con las filosofías acontece lo que acontece con los sustantivos en el hemisferio boreal. El hecho de que toda filosofía sea de antemano un juego dialéctico, una *Philosophie des Als Ob,* ha contribuido a multiplicarlas. Abundan los sistemas increíbles, pero de arquitectura agradable o de tipo sensacional. Los metafísicos de Tlön no buscan la verdad ni siquiera la verosimilitud: buscan el asombro. Juzgan que la metafísica es una rama de la literatura fantástica. Saben que un sistema no es otra cosa que la subordinación de todos los aspectos del universo a uno cualquiera de ellos. Hasta la frase «todos los aspectos» es rechazable, porque supone la imposible adición del instante presente y de los pretéritos. Tampoco es lícito el plural «los pretéritos», porque supone otra operación imposible... Una de las escuelas de Tlön llega a negar el tiempo: razona que el presente es indefinido, que el futuro no tiene realidad sino como esperanza presente, que el pasado no tiene realidad sino como recuerdo presente.[1] Otra escuela declara que ha transcurrido ya *todo el tiempo* y que nuestra vida es apenas el recuerdo o reflejo crepuscular, y sin duda falseado y mutilados, de un proceso irrecuperable. Otra, que la historia del universo —y en ella nuestras vidas y el más tenue detalle de nuestras vidas— es la escritura que produce un dios subalterno para entenderse con un demonio. Otra, que el universo es comparable a esas criptografías en las que no valen todos los símbolos y que sólo es verdad lo que sucede cada trescientas noches. Otra, que mientras dormimos aquí, estamos despiertos en otro lado y que así cada hombre es dos hombres.

Entre las doctrinas de Tlön, ninguna ha merecido tanto escándalo como el materialismo. Algunos pensadores lo han formulado, con menos claridad que fervor, como quien adelanta una paradoja. Para facilitar el entendimiento de esa tesis inconcebible, un heresiarca del undécimo siglo[2] ideó el sofisma de las nueve monedas de cobre, cuyo renombre escandaloso equivale a Tlön al de las aporías eleáticas. De ese «razonamiento especioso» hay muchas versiones, que varían el número de monedas y el número de hallazgos; he aquí la más común:

El martes, X atraviesa un camino desierto y pierde nueve monedas de cobre. El jueves, Y encuentra en el camino cuatro monedas, algo herrumbradas por la lluvia del miércoles. El viernes, Z descubre tres monedas en el camino. El viernes de mañana, X encuentra dos monedas en el corredor de su casa. El heresiarca quería deducir de esa historia la realidad —*id est*, la continuidad— de las nueve monedas recuperadas. *Es absurdo* (afirmaba) *imaginar que cuatro de las monedas no han existido entre el martes y el jueves, tres entre el martes y la tarde del viernes, dos entre el martes y la madrugada del viernes. Es lógico pensar que han existido —siquiera de algún modo secreto, de comprensión velada a los hombres— en todos los momentos de esos tres plazos.*

El lenguaje de Tlön se resistía a formular esa paradoja; los más no la entendieron. Los defensores del sentido común se limitaron, al principio, a negar la veracidad de la anécdota. Repitieron que era una falacia verbal, basada en el empleo temerario de dos voces neológicas, no

---

1. Russell (*The Analysis of Mind*, 1921, página 159) supone que el planeta ha sido creado hace pocos minutos, provisto de una humanidad que «recuerda» un pasado ilusorio.

2. Siglo, de acuerdo con el sistema duodecimal, significa un período de ciento cuarenta y cuatro años.

autorizadas por el uso y ajenas a todo pensamiento severo: los verbos *encontrar* y *perder*, que comportaban una petición de principio, porque presuponían la identidad de las nueve primeras monedas y de las últimas. Recordaron que todo sustantivo (hombre, moneda, jueves, miércoles, lluvia) sólo tiene un valor metafórico. Denunciaron la pérfida circunstancia *algo herrumbradas por la lluvia del miércoles*, que presupone lo que se trata de demostrar: la persistencia de las cuatro monedas, entre el jueves y el martes. Explicaron que una cosa es *igualdad* y otra *identidad* y formularon una especie de *reductio ad absurdum*, o sea el caso hipotético de nueve hombres que en nueve sucesivas noches padecen un vivo dolor. ¿No sería ridículo –interrogaron– pretender que ese dolor igual es el mismo?[1] Dijeron que al heresiarca no lo movía sino el blasfematorio propósito de atribuir la divina categoría de *ser* a unas simples monedas y que a veces negaba la pluralidad y otras no. Argumentaron: si la igualdad comporta la identidad, habría que admitir asimismo que las nueve monedas son una sola.

Increíblemente, esas refutaciones no resultaron definitivas. A los cien años de enunciado el problema, un pensador no menos brillante que el heresiarca pero de tradición ortodoxa, formuló una hipótesis muy audaz. Esa conjetura feliz afirma que hay un solo sujeto, que ese sujeto indivisible es cada uno de los seres del universo y que éstos son los órganos y máscaras de la divinidad. X es Y y es Z. Z descubre tres monedas porque recuerda que se le perdieron a X; X encuentra dos en el corredor porque recuerda que han sido recuperadas las otras... El Onceno Tomo deja entender que tres razones capitales determinaron la victoria total de ese panteísmo idealista. La primera, el repudio del solipsismo; la segunda, la posibilidad de conservar la base psicológica de las ciencias; la tercera, la posibilidad de conservar el culto de los dioses. Schopenhauer (el apasionado y lúcido Schopenhauer) formula una doctrina muy parecida en el primer volumen de *Parerga und Paralipomena*.

La geometría de Tlön comprende dos disciplinas algo distintas: la visual y la táctil. La última corresponde a la nuestra y la subordinan a

---

1. En el día de hoy, una de las iglesias de Tlön sostiene platónicamente que tal dolor, que tal matiz verdoso del amarillo, que tal temperatura, que tal sonido, son la única realidad. Todos los hombres, en el instante poderoso del coito, son el mismo hombre. Todos los hombres que repiten una línea de Shakespeare, *son* William Shakespeare.

la primera. La base de la geometría visual es la superficie, no el punto. Esta geometría desconoce las paralelas y declara que el hombre que se desplaza modifica las formas que lo circundan. La base de su aritmética es la noción de números indefinidos. Acentúan la importancia de los conceptos de mayor y menor, que nuestros matemáticos simbolizan por > y por <. Afirman que la operación de contar modifica las cantidades y las convierte de indefinidas en definidas. El hecho de que varios individuos que cuentan una misma cantidad logran un resultado igual, es para los psicólogos un ejemplo de asociación de ideas o de buen ejercicio de la memoria. Ya sabemos que en Tlön el sujeto del conocimiento es uno y eterno.

En los hábitos literarios también es todopoderosa la idea de un sujeto único. Es raro que los libros estén firmados. No existe el concepto del plagio; se ha establecido que todas las obras son obra de un solo autor, que es intemporal y es anónimo. La crítica suele inventar autores: elige dos obras disímiles —el *Tao Te King* y *Las Mil y Una Noches*, digamos—, las atribuye a un mismo escritor y luego determina con probidad la psicología de ese interesante *homme de lettres*...

También son distintos los libros. Los de ficción abarcan un solo argumento, con todas las permutaciones imaginarias. Los de naturaleza filosófica invariablemente contienen la tesis y la antítesis, el riguroso pro y el contra de una doctrina. Un libro que no encierra su contralibro es considerado incompleto.

Siglos y siglos de idealismo no han dejado de influir en la realidad. No es infrecuente, en las regiones más antiguas de Tlön, la duplicación de objetos perdidos. Dos personas buscan un lápiz; el primero lo encuentra y no dice nada; el segundo encuentra un segundo lápiz no menos real, pero más ajustado a su expectativa. Esos objetos secundarios se llaman *hrönir* y son, aunque de forma desairada, un poco más largos. Hasta hace poco, los *hrönir* fueron hijos casuales de la distracción y el olvido. Parece mentira que su metódica producción cuente apenas cien años, pero así lo declara el Onceno Tomo. Los primeros intentos fueron estériles. El *modus operandi*, sin embargo, merece recordación. El director de una de las cárceles del estado comunicó a los presos que en el antiguo lecho de un río había ciertos sepulcros y prometió la libertad a quienes trajeran un hallazgo importante. Durante los meses que precedieron a la excavación les mostraron láminas fotográficas de lo que iban a hallar. Ese primer intento probó que la esperanza y la avidez pueden inhibir; una semana de trabajo con la pala y el pico no logró exhumar otro *hrön* que una rueda herrumbrada, de fecha posterior al experimento. Éste se mantuvo secreto y se repitió después en cuatro colegios. En tres fue casi total el fracaso; en el cuarto (cuyo director murió casualmente durante las primeras excavaciones) los discípulos exhumaron –o produjeron– una máscara de oro, una espada arcaica, dos o tres ánforas de barro y el verdinoso y mutilado torso de un rey con una inscripción en el pecho que no se ha logrado aún descifrar. Así se descubrió la improcedencia de testigos que conocieran la naturaleza experimental de la busca... Las investigaciones en masa producen objetos contradictorios; ahora se prefiere los trabajos individuales y casi improvisados. La metódica elaboración de *hrönir* (dice el Onceno Tomo) ha prestado servicios prodigiosos a los arqueólogos. Ha permitido interrogar y hasta modificar el pasado, que ahora no es menos plástico y menos dócil que el porvenir. Hecho curioso: los *hrönir* de segundo y tercer grado –los *hrönir* derivados de otro *hrön*, los *hrönir* derivados del *hrön* de un *hrön*– exageran las aberraciones del inicial; los de quinto son casi informes; los de noveno se confunden con los de segundo; en los de undécimo hay una pureza de líneas que los originales no tienen. El proceso es periódico: el *hrön* de duodécimo grado ya empieza a decaer. Más extraño y más puro que el *hrön* es a veces el *ur*: la cosa producida por sugestión, el objeto deducido por la esperanza. La gran máscara de oro que he mencionado es un ilustre ejemplo.

Las cosas se duplican en Tlön; propenden asimismo a borrarse y a perder los detalles cuando los olvida la gente. Es clásico el ejemplo de un umbral que perduró mientras lo visitaba un mendigo y que se perdió de vista a su muerte. A veces unos pájaros, un caballo, han salvado las ruinas de un anfiteatro.

1940, *Salto Oriental.*

POSTDATA DE 1947. Reproduzco el artículo anterior tal como apareció en la *Antología de la Literatura Fantástica*, Editorial Sudamericana, 1940, sin otra escisión que algunas metáforas y que una especie de resumen burlón que ahora resulta frívolo. Han ocurrido tantas cosas desde esa fecha... Me limitaré a recordarlas.

En marzo de 1941 se descubrió una carta manuscrita de Gunnar Erfjord en un libro de Hinton que había sido de Herbert Ashe. El sobre tenía el sello postal de Ouro Preto; la carta elucidaba enteramente el misterio de Tlön. Su texto corrobora las hipótesis de Martínez Estrada. A principios del siglo XVII, en una noche de Lucerna o de Londres, empezó la espléndida historia. Una sociedad secreta y benévola (que entre sus afiliados tuvo a Dalgarno y después a George Berkeley) surgió para inventar un país. En el vago programa inicial figuraban los «estudios herméticos», la filantropía y la cábala. De esa primera época data el curioso libro de Andreä. Al cabo de unos años de conciliábulos y de síntesis prematuras comprendieron que una generación no bastaba para articular un país. Resolvieron que cada uno de los maestros que la integraban eligieran un discípulo para la continuación de la obra. Esa disposición hereditaria prevaleció; después de un hiato de dos siglos la perseguida fraternidad resurge en América. Hacia 1824, en Memphis (Tennessee) uno de los afiliados conversa con el ascético millonario Ezra Buckley. Éste lo deja hablar con algún desdén, y se ríe de la modestia del proyecto. Le dice que en América es absurdo inventar un país y le propone la invención de un planeta. A esa gigantesca idea añade otra, hija de su nihilismo:[1] la de guardar en el silencio la empresa enorme. Circulaban entonces los veinte tomos de la *Encyclopaedia Britannica;* Buckley sugiere una enciclopedia metódica del planeta ilusorio. Les dejará sus cordilleras auríferas, sus ríos navegables, sus praderas holladas por el toro y por el bisonte, sus negros, sus prostíbulos y sus dólares, bajo una condición: «La obra no pactará con el impostor Jesucristo». Buckley descree de Dios, pero quiere demostrar al Dios no existente que los hombres mortales son capaces de concebir un mundo. Buckley es envenenado en Bâton Rouge en 1828; en 1914 la sociedad remite a sus colaboradores, que son trescientos, el volumen final de la Primera Enciclopedia de Tlön. La edición es secreta: los cuarenta volúmenes que comprende (la obra más vasta que han acometido los hombres) serían la base de otra más minuciosa, redactada no ya en inglés, sino en alguna de las lenguas de Tlön. Esa revisión de un mundo ilusorio se llama provisoriamente *Orbis Tertius* y uno de sus modernos demiurgos fue Herbert Ashe, no sé si como agente de Gunnar Erfjord o como afiliado. Su recepción de un ejemplar del Onceno Tomo parece favorecer lo segundo. Pero ¿y los otros? Hacia 1942 arreciaron los hechos. Recuerdo con singular nitidez uno de los primeros y me parece que algo sentí de su carácter premonitorio. Ocurrió en un departamento de la calle Laprida, frente a un claro y alto balcón que miraba al ocaso. La princesa de Faucigny Lucinge había recibido de Poitiers su vajilla de plata. Del vasto fondo de un cajón rubricado de sellos internacio-

1. Buckley era librepensador, fatalista y defensor de la esclavitud.

nales iban saliendo finas cosas inmóviles: platería de Utrecht y de París con dura fauna heráldica, un samovar. Entre ellas –con un perceptible y tenue temblor de pájaro dormido– latía misteriosamente una brújula. La princesa no la reconoció. La aguja azul anhelaba el norte magnético; la caja de metal era cóncava; las letras de la esfera correspondían a uno de los alfabetos de Tlön. Tal fue la primera intrusión del mundo fantástico en el mundo real. Un azar que me inquieta hizo que yo también fuera testigo de la segunda. Ocurrió unos meses después, en la pulpería de un brasilero, en la Cuchilla Negra. Amorim y yo regresábamos de Sant'Anna. Una creciente del río Tacuarembó nos obligó a probar (y a sobrellevar) esa hospitalidad temeraria... el pulpero nos acomodó unos catres crujientes en una pieza grande, entorpecida de barriles y cueros. Nos acostamos, pero no nos dejó dormir hasta el alba la borrachera de un vecino invisible, que alternaba denuestos inextricables con rachas de milongas, más bien con rachas de una sola milonga. Como es de suponer, atribuimos a la fogosa caña del patrón ese griterío insistente... A la madrugada, el hombre estaba muerto en el corredor. La aspereza de la voz nos había engañado: era un muchacho joven. En el delirio se le habían caído del tirador unas cuantas monedas y un cono de metal reluciente, del diámetro de un dado. En vano un chico trató de recoger ese cono. Un hombre apenas acertó a levantarlo. Yo lo tuve en la palma de la mano algunos minutos: recuerdo que su peso era intolerable y que después de retirado el cono, la opresión perduró. También recuerdo el círculo preciso que me grabó en la carne. Esa evidencia de un objeto muy chico y a la vez pesadísimo dejaba una impresión desagradable de asco y de miedo. Un paisano propuso que lo tiraran al río correntoso; Amorim lo adquirió mediante unos pesos. Nadie sabía nada del muerto, salvo «que venía de la frontera». Esos conos pequeños y muy pesados (hechos de un metal que no es de este mundo) son imagen de la divinidad, en ciertas religiones de Tlön.

Aquí doy término a la parte personal de mi narración. Lo demás está en la memoria (cuando no en la esperanza o en el temor) de todos mis lectores. Básteme recordar o mencionar los hechos subsiguientes, con una mera brevedad de palabras que el cóncavo recuerdo general enriquecerá o ampliará. Hacia 1944 un investigador del diario *The American* (de Nashville, Tennessee) exhumó en una biblioteca de Memphis los cuarenta volúmenes de la Primera Enciclopedia de Tlön. Hasta el día de hoy se discute si este descubrimiento fue casual o si lo consintieron los directores del todavía nebuloso *Orbis Tertius*. Es verosímil lo segundo. Algunos rasgos increíbles del Onceno Tomo (verbigracia, la multiplicación de los *hrönir*) han sido eliminados o atenuados en el ejemplar de Memphis; es razonable imaginar que esas tachaduras obedecen al plan de exhibir un mundo que no sea demasiado incompatible con el mundo real. La diseminación de objetos de Tlön en diversos países complementaría ese plan...[1] El hecho es que la prensa internacional voceó infinitamente el «hallazgo». Manuales, antologías, resúmenes, versiones literales, reimpresiones autorizadas y reimpresiones piráticas de la Obra Mayor de los Hombres abarrotaron y siguen abarrotando la tierra. Casi inmediatamente, la realidad cedió en más de un punto. Lo cierto es que anhelaba ceder. Hace diez años bastaba cualquier simetría con la apariencia de orden –el materialismo dialéctico, el antisemitismo, el nazismo– para embelesar a los hombres. ¿Cómo no someterse a Tlön, a la minuciosa y vasta evidencia de un planeta ordenado? Inútil responder que la realidad también está ordenada. Quizá lo esté, pero de acuerdo a leyes divinas –traduzco: a leyes inhumanas– que no acabamos nunca de percibir. Tlön será un laberinto, pero es un laberinto urdido por hombres, un laberinto destinado a que lo descifren los hombres.

El contacto y el hábito de Tlön han desintegrado este mundo. Encantada por su rigor, la humanidad olvida y torna a olvidar que es un rigor de ajedrecistas, no de ángeles. Ya ha penetrado en las escuelas el (conjetural) «idioma primitivo» de Tlön; ya la enseñanza de su historia armoniosa (y llena de episodios conmovedores) ha obliterado a la que presidió mi niñez; ya en las memorias un pasado ficticio ocupa el sitio de otro, del que nada sabemos con certidumbre, ni siquiera que es falso. Han sido reformadas la numismática, la farmacología y la arqueología. Entiendo que la biología y las matemáticas aguardan también su avatar... una dispersa dinastía de solitarios ha cambiado la faz del mundo. Su tarea prosigue. Si nuestras previsiones no erran, de aquí a cien años alguien descubrirá los cien tomos de la Segunda Enciclopedia de Tlön.

Entonces desaparecerán del planeta el inglés y el francés y el mero español. El mundo será Tlön. Yo no hago caso, yo sigo revisando en los quietos días del hotel de Adrogué una indecisa traducción quevediana (que no pienso dar a la imprenta) del *Urn Burial* de Browne.

JORGE LUIS BORGES
El jardín de senderos que se bifurcan (1941)

---

1. Queda, naturalmente, el problema de la *materia* de algunos objetos.

ODÍN

Se refiere que a la corte de Olaf Tryggvason, que se había convertido a la nueva fe, llegó una noche un hombre viejo, envuelto en una capa oscura y con el ala del sombrero sobre los ojos. El rey le preguntó si sabía hacer algo; el forastero contestó que sabía tocar el harpa y contar cuentos. Tocó en el harpa aires antiguos, habló de Gudrun y de Gunnar y, finalmente, refirió el nacimiento de Odín. Dijo que tres parcas vinieron, que las dos primeras le prometieron grandes felicidades y que la tercera dijo, colérica: «El niño no vivirá más que la vela que está ardiendo a su lado». Entonces los padres apagaron la vela para que Odín no muriera. Olaf Tryggvason descreyó la historia; el forastero repitió que era cierto, sacó la vela y la encendió. Mientras la miraban arder, el hombre dijo que era tarde y que tenía que irse. Cuando la vela se hubo consumido, lo buscaron. A unos pasos de la casa del rey, Odín había muerto.

JORGE LUIS BORGES
y DELIA INGENIEROS

EL DESCUIDO

MARTIN BUBER, nacido en Austria, en 1878; muerto en Israel, en 1956. Historiador de la secta de los piadosos y filósofo existencialista.

Cuentan:

El rabí Elimelekl estaba cenando con sus discípulos. El criado le trajo un plato de sopa. El rabí lo volvió y la sopa se derramó sobre la mesa. El joven Mendel, que sería rabí de Rimanov, exclamó:

—Rabí, ¿qué has hecho? Nos mandarán a todos a la cárcel.

Los otros discípulos sonrieron y se hubieran reído abiertamente, pero la presencia del maestro los contuvo. Éste, sin embargo, no sonrió. Movió afirmativamente la cabeza y dijo a Mendel:

—No temas, hijo mío.

Algún tiempo después se supo que en aquel día un edicto dirigido contra los judíos de todo el país había sido presentado al emperador para que lo firmara. Repetidas veces el emperador había tomado la pluma, pero algo siempre lo interrumpía. Finalmente firmó. Extendió la mano hacia la arena de secar, pero tomó por error el tintero y lo volcó sobre el papel. Entonces lo rompió y prohibió que se lo trajeran de nuevo.

MARTIN BUBER

LA OBRA Y EL POETA

R. F. BURTON. El capitán sir Richard Francis Burton (1821-1890), se distinguió como explorador, orientalista, políglota y antropólogo. Tradujo *Las Lusiadas* de Camoens y el libro de *Las Mil y Una Noches*.

El poeta hindú Tulsi Das compuso la gesta de Hanuman y de su ejército de monos. Años después, un rey lo encarceló en una torre de piedra. En la celda se puso a meditar y de la meditación surgió Hanuman con su ejército de monos y conquistaron la ciudad e irrumpieron en la torre y lo libertaron.

R. F. BURTON

EL DESTINO ES CHAMBÓN

ARTURO CANCELA, escritor argentino, nacido en Buenos Aires, en 1892; muerto en la misma ciudad, en 1957. Autor de: *Tres relatos Porteños* (1922); *El Burro de Maruf* (1925); *Palabras Socráticas* (1928); *Film Porteño* (1933).

PILAR DE LUSARRETA, novelista y crítica de arte, argentina. Autora de los libros de cuentos fantásticos, *Job el Opulento* (1928), *Celimena sin corazón* (1935); de la obra teatral, *El culto de los héroes* (en colaboración con Arturo Cancela, 1939). En 1964 publicó *El manto de Noé*.

De cómo Juan Pedro Rearte hizo su entrada
en el siglo XX

El discutible principio popular de que «no hay dos sin tres» nunca fue más objetable que en el caso de Juan Pedro Rearte. Este viejo criollo, que había sido durante quince años cochero en la Compañía de Tranvías Ciudad de Buenos Aires se fracturó una pierna hacia fines de la centuria pasada. Fue el suyo un accidente alegórico de fin de siglo: el tranvía que dirigía se llevó por delante la última carreta de bueyes que cruzaban las calles del centro. En «El Diario» de Láinez se destacó este episodio urbano como un postrer incidente de la lucha entre la Civilización y la Barbarie; y así, en virtud del descuido que le impidió detener los caballos de su coche en la barranca de la calle Comercio,[1] Rearte fue investido por el anónimo cronista, del cárácter de símbolo del Progreso.

El involuntario agresor de la última careta tucumana fue llevado al Hospital de Caridad, en una de cuyas salas aguardó, con la paciencia de todos los humildes, a que el tiempo le soldara los dos fragmentos de tibia, violentamente separados por el choque y no menos violentamente puestos en presencia uno de otro por el precipitado cirujano que le hizo la primera cura. El buen discípulo de Pirovano –que tenía una obligación de carácter no profesional respecto a una de las posibles asistentes a la quermese del Parque Lezama, organizada por las Damas del Patronato–, a fin de ahorrar unos minutos, le acortó en cuatro centímetros la pierna derecha al pobre conductor del tranvía.

En su premura por asistir a aquel acto de beneficencia, había tratado la fractura, que era directa y total, como si fuese simple e incompleta, y dado que entre los milagros que puede obrar la Naturaleza, que son muchos, no se cuenta, sin embargo, el de corregir los errores de los médicos, Juan Pedro Rearte abandonó el hospital cojeando, y cojeando penetró en el siglo XX.

Breve paréntesis sobre Filosofía
de la Historia

Hizo su entrada, en su nuevo carácter de inválido, con un poco de precipitación. (¿Qué rengo han visto ustedes que no camine apresuradamente, ni qué tartamudo que no hable con atropello? La lentitud

1. Humberto I aún paseaba triunfante por las ciudades de Italia la corona y los gallardos bigotes heredados de su padre…

majestuosa es el signo más aparente de la seguridad en el esfuerzo. Nuestros provincianos conocen instintivamente esta ley y abusan de ella hasta el punto de combinar, en algunos casos, la solemnidad y la tartamudez.)

Insistimos en que el conductor Rearte adelantó improcedentemente su entrada en el presente siglo, pues aún no se había dictado la ley de accidentes del trabajo que debía ampararlo. Ésta llegó a promulgarse tan sólo dieciséis años más tarde, pero aunque él la hubiese presentado, no habría podido aguardar todo ese tiempo en el hospital.

Es cierto que el efecto más notable de esa ley ha consistido en la prolongación de las convalecencias. Cuando no regía, los heridos en el trabajo diario sanaban rápidamente o se morían, que es la más completa curación para todos los daños, aunque la más resistida...

Juan Pedro Rearte optó por restablecerse cuanto antes, sin recapacitar sobre la injusticia de su destino ni sobre el egoísmo de la Empresa que, tras quince años de trabajo, lo abandonaba a su infortunio.

Nada más extraño a su espíritu que tales especulaciones. Ellas pertenecen, por entero, al historiador de este episodio, quien, como todos los historiadores, mezcla en sus reflexiones el pasado y el presente, lo real y lo posible, lo que «fue», lo que «hubo de ser» y lo que «habría debido ser».

La Filosofía de la Historia consiste esencialmente en ese anacronismo constante que tuerce con la imaginación, en todos los sentidos, el inflexible determinismo de los hechos.

El «compadrito» y el orden social

Juan Pedro Rearte no pudo pensar, ni aun sentir confusamente, nada de lo expuesto en el capítulo anterior, porque, al igual que todos los individuos de su profesión, era lo que en el lenguaje familiar de entonces se llamaba «un compadrito». Ahora bien: el compadrito era instintivamente conservador, como lo son todos los hombres satisfechos de sí mismos,[1]

----

1. Es el descontento de sí mismo, ya sea por la oscuridad de origen, por un defecto de conformación física o por ausencia de condiciones espirituales brillantes, lo que lleva a muchos hombres a la acción revolucionaria.

Y, por el contrario, en todo espíritu rebelde hay un gran fondo de timidez. La actividad revolucionaria es la reacción violenta de los tími-

y nadie más vano de su persona que aquellos cocheros de requintada gorra de visera, clavel tras de la oreja, pañuelo de seda al cuello, pantalón abombillado a la francesa y breves botines de alto taco militar. El orgullo de su condición evidenciábase a cada momento, en los arabescos que dibujaban en el aire con la fusta al arrear los caballos; en los floreos con que exornaban en su cometa de asta las frases más sabidas de los aires populares; en la vertiginosa destreza con que daban vueltas a la manivela del freno; en la dulzura socarrona de sus requiebros a las mucamas, y en el desprecio burlón de sus intimaciones a los rivales en el tráfico.

Sólo cuando abandonaba la elevada plataforma –tribuna ambulante de galanterías y denuestos– tornaba el cochero de tranvía a su humilde condición de proletario. Pero esa vuelta a la oscuridad era demasiado breve para darle tiempo a reflexionar sobre lo inane de su orgullo.

Trabajando diez horas al día, faltábales el ocio, engendrador de todos los vicios y, en particular, del más terrible de todos ellos, el vicio filosófico del pesimismo y la timidez...

Las reliquias de un contubernio

Sin embargo, en los días que siguieron a su salida del hospital, Rearte dispuso de algunos momentos de ocio. Apenas en la calle, habíase encaminado a la Administración de la Compañía, donde, tímidamente, como si hubiese desertado por voluntad del puesto, formuló su deseo de vol-

---

dos que transtornan la sociedad a fin de darse ánimos. Lo cual es lo mismo que prender fuego a una casa ajena para entrar en calor.

A veces suele ocurrir que en el curso de la acción revolucionaria, cuando ésta es afortunada, los tímidos pierden su cortedad y entonces vuélvense conservadores. Tal es la secreta causa psicológica de la defección de tantos arrebatados profetas que han dejado a medio camino la emancipación de su pueblo, sólo porque lograron antes su propia liberación espiritual.

Cuando yo pierda mi timidez literaria, escribiré sobre este asunto una comedia llena de sagaces observaciones –entre otras, las de que la austeridad, virtud revolucionaria por excelencia, es una actitud natural en todos los cortos de genio–, comedia que titularé *Los rodeos del tímido* y que, estoy desde ya seguro, no tendrá buen éxito. Otra cosa sería si la estrenase en París y se titulara: *Le détour du timide*.

ver al trabajo. Le hicieron dar unos pasos «para ver cómo había quedado de la pierna», y aunque la renquera era bien evidente, míster McNab, el administrador, dispuso que volviese a tomar servicio dentro de quince días. Además, le dio cincuenta pesos, junto con el consejo de que acortase tres centímetros el tacón del botín izquierdo para restablecer, en parte, el equilibrio de su apostura. Rearte se gastó el dinero, si bien no siguió el consejo.

En los quince días que transcurrieron hasta su vuelta al trabajo, casi no abandonó su ordenada habitación de celibatalio, que ocupaba desde hacía diez años en una tranquila casa de la calle Perú. Consagró todo ese tiempo al cuidado de las dos docenas de parejas de canarios que eran el lujo de su existencia y el orgullo de sus condiciones de criador y pedagogo. De lo primero, porque toda aquella multitud canora tenía su origen en un solo casal legítimamente heredado de un compañero de pieza, que seis años antes había alzado el vuelo con todos sus ahorros y sus dos únicos trajes; y de lo segundo, porque poseía un arte especial para enseñar a los pichones los temas melódicos que él ejecutaba en su corneta de tranviero.

De aquel malhadado contubernio[1] le quedaban a Rearte, además de la pareja de canarios que, a modo de compensación, tan fecunda se mostrara, dos cromooleografías y algunos volúmenes. Es inútil advertir que ni los cuadros ni los libros se habían reproducido como los pájaros. Unos y otros seguían siendo los mismos que había abandonado en su fuga el desleal compañero: *El mitin del Frontón,* en el que sobre un mar de tres mil galeras, todas iguales, se alzaba como un peñasco la silueta de un orador ilustre; *La revolución de Julio,* donde la decoración belicosa del parque contrasta con la actitud estudiadamente tribunicia de Alem; *La Unión Cívica: su origen y sus tendencias Publicación oficial,* imponente mamotreto que el tranviero nunca se había atrevido a hojear; *Magia Blanca y Clave de los Sueños,* obra que frecuentemente le era solicitada en préstamo por las vecinas; *El Secretario de los Amantes,* a cuyo auxilio epistolar nunca le ocurriera acudir y, por último, *Los negocios de Carlo Lanza,* por Eduardo Gutiérrez, crónica novelesca que había inspirado a Rearte una asombradiza desconfianza hacia los bancos y las casas de cambio.

---

1. Contubernio. (Del lat. *contubernium.*) Habitación con otra persona. *Diccionario de la Real Academia Española.*

De cómo una sola y misma causa puede producir
efectos contrarios

Después de aquel corto reposo doméstico que Rearte consagró a la enseñanza de los primeros compases del vals *Sobre las Olas* a sus cuarenta y
ocho canarios, nuestro héroe volvió a la escena de sus triunfos. Volvió
algo disminuido de su estatura física, pero engrandecido moralmente
por la gloriosa desgracia que le valiera el suelto alegórico de *El Diario*.

El oscuro conductor fue por algún tiempo el campeón del progreso, el destructor de carretas, el símbolo de las grandes conquistas de su
siglo en el campo de los transportes urbanos.

Pero, como dice la *Imitación de Cristo*, toda gloria humana es efíme-
ra, y después de muy pocos meses de gozarla, el propio progreso de
que le armaran campeón lo dejó atrás.

Llegaron los tranvías eléctricos, y aunque Rearte pretendió convertirse en «motorman» no lo pudo a causa de su cojera, que le dificultaba
tañer la campana avisadora. Durante el aprendizaje, cada vez que inten-
taba el advertidor taconazo, perdía el equilibrio... Este episodio, que tanto recocijo causó a los otros practicantes, fue motivo de amargas reflexiones para el pobre conductor.

«Así –se dijo para sí, con profunda melancolía–, el progreso me ha
dejado rengo y mi propia renguera me impide seguirlo y hace ahora de
mí el campeón del atraso.»

Y así fue, en efecto, pues concluida la electrificación de las líneas, míster Bright, el nuevo administrador, lo destinó al enganche de acopla-
dos en la estación Caridad. Con una yunta de caballos cada vez más flacos, Rearte llevaba varias veces al día, desde el interior de la estación hasta
el centro de la calle, los viejos tranvías, cada vez más viejos, destinados
ahora a ser un modesto apéndice de los coches motores.

Llegó a ser, de esta manera, por espacio de varios minutos, la paro-
dia de sí mismo: de aquel Rearte conquistador y dicharachero que dibu-
jaba con la fusta arabescos en el aire, llevaba un clavel tras de la oreja y
tocaba en la corneta «Me gustan todas... Me gustan todas» cada vez
que se encontraba con una negra.

Un accidente de tráfico

Quince años después de haberse resignado a ser un espectro de su prís-
tina gloria callejera, Rearte llegó a la estación más temprano que de cos-

tumbre. El «mal de Bright» —y no ciertamente aquel Bright de la Compañía Anglo Argentina— hace a los hombres madrugadores. Lamentándose, con las palmas de las manos en la cintura y maldiciendo entre dientes, sentóse el viejo conductor en el alféizar de una ventana baja, bajo el cobertizo en que se alineaban los tranvías con el aire juicioso de bestias en pesebre. Frente a él una canilla mal cerrada goteaba isócrona y melancólicamente, agrandando con imperceptible tenacidad un ojo de agua que avivaba con su brillo la hostil fisonomía del corralón.

—Debe haber estado así toda la noche —pensó—; cada vez son más descuidados estos serenos. ¡Hijos de tal por cual! Conmigo habían de tratar e iban a andar derechitos.

Quiso ajustar el robinete, pero tras varias pruebas infructuosas en las que no logró más que salpicarse las botas y lastimarse un dedo, la canilla rebelde continuó manando, acompañándose ahora de una especie de silbido afónico de maestra a fin de curso. En pocos instantes el agua desbordó el cuenco de piedra que la contenía y corrió sinuosa al cauce recto y seguro de las vías.

Aquella débil corriente trájole a la memoria los antiguos tiempos, cuando a las cuatro gotas de lluvia inundábanse las mal niveladas calles de Buenos Aires. Por las Cinco Esquinas...¡qué barriales! Ni con las cuartas se salía del atolladero, y era preciso esperar a que amainase, sentándose con los pasajeros en el respaldo de los asientos para esquivar el agua que llegaba al estribo inundando a veces el interior de los coches... Pero la gente era otra cosa; todos conocidos, todos amigos, sabía uno con quién trataba y a quién llevaba; se podía echar un párrafo y fumar un Sublime o un Ideal con cualquiera, y desde las puertas, en el verano, las familias que tomaban el fresco le daban a uno recuerdos para la familia...

La campana, advirtiendo la hora reglamentaria de salida para el primer coche, le hizo alejarse de la canilla, sonriendo a los recuerdos y, sumido aún en ellos, trajo y enganchó al acoplado la hirsuta yunta de jamelgos. Eso era lo que nunca había podido llevar con paciencia: ir manejando por las mejores calles de la ciudad, él, criollo de pura cepa española, apreciador y amigo de las buenas bestias, esos caballos escuálidos, alimentados como los cerdos en un revoltijo de afrecho y agua.

«Verdad es —pensó— que ni eso valen.»

Ajustó las cadenas, trepó al pescante después de enrollarse al pescuezo la bufanda, silbó entre dientes una diana alegre, arreó a los infelices caballejos con un chasquido de lengua, y con un irónico «¡Vamos, Bonito!

¡Vamos, Pipón!» arrancó el tranvía chirriando y crujiendo de todos sus goznes, junturas, vidrios y tablillas.

Fuera, ya debía esperarle «el eléctrico». Milagro que no tintineaba la campanilla bajo el tacón chueco del gallego Pedrosa. Pero no: la vía estaba expedita y en la helada neblina mañanera la ciudad se esfumaba empalidecida y melancólica como una vieja fotografía. El aire frío picoteó las sienes y las manos del conductor. De buena gana daría una vuelta, pensó; pero le distrajeron las señales desesperadas que le hacía desde la calle una mulata enorme, cargada con un canasto tapado por un paño blanco.

–¡Pare, pues! –le gritó–. ¿Anda distraído, mozo?

Rearte paró en seco y la negra izó la mole temblorosa de sus carnes fláccidas; crujió el estribo al peso de su alpargata enorme y con un relámpago de blancura entre el belfo pulposo, pidió al mayoral:

–¿Me alcanza la canasta, ahora?

Accedió él galantemente, y mientras la negra rebuscaba en el bolsillo lleno de migas y medallas los dos pesos del viaje, comentaron el tiempo:

–Fresquita la mañana, ¿eh?

–Güena pa bañarse en el río.

–Como pa quedarse pasmao.

Un poco más lejos, desde un balcón bajo, una chinita mofletuda le mandó parar, mientras gritaba hacia el interior:

–¡El trangua, patrón, que pasa el trangua!

Salió agitadamente del portal un caballero solemne con levita y galera, que protestó enérgicamente:

–¡Qué horario desastroso! ¡No hay forma de desayunarse, y aun así llega uno tarde a todas partes! Pésimo servicio... abusos...

–Buenos días, don Máximo –cortó humildemente la mulata.

–Buenos, Rosario –y refiriéndose a algún sobreentendido–: ¿Están tiernitas?

–Acabadas de salir del sartén. Si gusta...

Aceptó el caballero solemne una empanada crujiente que puso escamas de oro en la deslustrada solapa de su levita.

Rearte se acordaba de aquellas voces, aquel delicado aroma culinario; se sentía remozado e involuntariamente llevóse la mano a la oreja para cerciorarse si estaba en su puesto el clavel reventón, furtivamente arrancado de la clavelina del patio, que florecía en una lata grande de café. No, no lo llevaba, pero ¡claro está! si era invierno...

–¡Salga de ahí, mocito, salga pronto de ahí, si no quiere que le cuente a su padre! –gritó don Máximo a un muchacho que corría tras el coche con el designio evidente de colarse.

–Así pasan las desgracias –comentó la negra.

Rearte dio a diestra y siniestra unos formidables latigazos que el chico esquivó largándose y haciéndole la burla desde la calle.

Tocaban a misa en la Balvanera; la negra se santiguó devotamente, se descubrió don Máximo. En el atrio, dos curas, panzón y sucio el uno, esmirriado e igualmente sucio el otro, platicaban animadamente, el balandrán suelto y la teja en la mano. Sin que le hicieran seña, detuvo el conductor la marcha del tranvía. Saliendo de decir misa, todos los días lo tomaba el padre Prudencio Helguera. Aguardó dos minutos con la gorra en la mano a que su reverencia se despidiese; tosió discretamente don Máximo, carraspeó la negra y con un revuelo de faldas se instaló el sacerdote saludando como quien otorga indulgencia plenaria.

Rosario disimulaba su canasto, afectando mirar por la ventanilla, dándose vuelta los anillos de plata que relucían en su mano retinta y huesosa.

–¿Se madruga, don Máximo?

–¡Qué quiere su reverencia, padre Prudencio, con este pésimo servicio de la Compañía!…

–La mañana está enormemente fresca, saludable respirar este aire, abre el apetito... y después de la misa...

–¿Asistió usted a la conferencia de anoche, en el Colegio Nacional, padre?

–Me fue imposible; tenía que preparar un sermón...

–El salón de actos era chico para contener al público, con los 840 alumnos, los profesores y los invitados...

–¿Sobre qué versó?

–Sobre los Evangelios...

El cura se revolvía en su asiento.

–¿Y tú, Rosario, siempre buena cristiana?

–Mientras no me manden cambiar...

–Y aunque mandaran... Tienen buen olor las de hoy...

Con un hilo de voz ofreció la negra:

–¿Si gusta?

Arrojó dos Máximo unas monedas al regazo, diciendo:

–Está pagado.

–De ninguna manera, de ninguna manera –protestó el cura con melindres, y luego, distrayéndose–: ¿No hay noticias de nuestros sueldos?

–Que yo sepa...

—A nosotros no nos pagan desde marzo...

—Pues a nosotros, desde enero...

—Los sueldos del magisterio y del sacerdocio debían ser sagrados para el país; en nuestras manos están su presente y su porvenir. Es escandaloso cuando pienso que en la sesión de ayer se han votado doscientos mil pesos papel para el mobiliario del archivo de los Tribunales...

Una jardinera de mazamorra cruzó al trote el pantano de Piedad y Andes, empapando al mayoral y a los pasajeros.

—¡Cuartiador!

—¡Salvaje!

—Haya paz, haya paz —intervino el cura, conciliador.

Aprovechando la parada, dos viejas que pasaban por la calle indagaron desde la ventanilla:

—¿Confesará mañana, padre Prudencio?

Su reverencia, preocupado en la honradez del comercio, se hacía llenar hasta los bordes una medida de mazamorra con leche, de *aquella mazamorra* que aún recuerdan los viejos y que desapareció con el empedrado.

Un sol pálido filtrábase a través del caparazón de neblina; la calle comenzaba a poblarse y los gritos familiares de los abastecedores se juntaron a los cornetazos del «tramway»; vendedores de leña y de periódicos, pasteleros, vascos con el tarro al flanco de su cabalgadura y pregoneros de naranjas paraguayas y bananas del Brasil hicieron pronto coro al concierto de la perrera, al que despertó todas las mañanas la generación del 85.

—¿No quiere subir a dar una vuelta? La llevo de yapa —preguntó Rearte a una morochita regordeta que lavaba el umbral de una casa.

Contestó ariscada la muchacha:

—Y usted ¿no quiere que de yapa le friegue la jeta?

Frente a la Piedad se llenó el tranvía; hizo lugar, muy deferente, el padre Prudencio a una dama elegante con velito sobre los ojos y rosario enredado entre los dedos muy finos. Ella respondió apenas con condescendencia e hizo un gesto amistoso a un señor de barba rubia ya algo canosa.

—¿Tan tempranito y sola?

—De la iglesia; ya sabe que todos los meses vengo a comulgar expresamente. Y usted ¿adónde va a estas horas y en «tramway»?

—Vuelvo, Teodorita, vuelvo...

—¡Y me lo dice! ¡Qué escándalo!

—Es que, desgraciadamente, vengo del club; toda la noche discutiendo el programa de propaganda.

—Y eso, para que salga la candidatura de Juárez...

—Es a lo único que me atrevo a decirle a usted que no, Teodorita; don Bernardo tiene el apoyo de la razón.

—Y Juárez, el del pueblo. Pero, dígame, ¿entonces, no estuvo anoche en el Colón?

—No tengo el don de la ubicuidad. ¿Que tal *Lucrecia?*

—«Lucrecia» mal; pero, en cambio, si hubiese visto a Guillermina...

—No sea murmuradora. Hablemos de otra cosa.

—¿Es que tiene miedo? En fin, como vuelvo de confesarme y he prometido no pecar de lengua...

El caballero procuró distraerla.

—Entonces, ¿no es gran cosa la Borghi Mamo?

—No se lució, le aseguro. ¡Cuando uno recuerda aquella *Lucrecia* de la Teodorini! ¿Y el bajo? ¡En «Vieni, mia vendetta» creí que se me rompían los tímpanos!...

Estornudó un señor casposo con gruesos botines de elástico picados en los juanetes, que leía las «Noticias» de *La Nación.*

—Hombre, no está mal esto...

—¿Qué? —indagó un joven que se entretenía en hacer en voz alta anagramas con los avisos que decoraban el interior del coche.

—Se piden felpudos en los «tramways» de San José de Flores, para evitar a los pasajeros el frío en los pies: yo sufro mucho de eso...

Un señor de bigotes ganchudos saludó deferentemente a otro con gabán avellana y aire de extranjero.

—Lo felicito, amigo Icaza; su proposición a la municipalidad, que tanto se descuida en estos asuntos, me parece inmejorable...

—Es la única forma de acabar con las plagas de mosquitos y el contagio de tantas enfermedades...

—¿De qué se trata? —preguntó desde la otra punta el doctor Vélez.

—Una cosa muy sencilla. Simplemente, arar diez manzanas de terreno alrededor de los corrales y llevar allá por medio de cauces las aguas servidas para que desaparezcan por absorción...

—Sin contar que con el riego y los abonos la tierra llegará a ser fertilísima.

El tranvía dio un retumbo que arrojó a los pasajeros unos contra otros, despertando protestas terribles.

—¿Se ha hecho usted daño, Teodorita?

—¡Jesús, no vuelvo a tomar un «tramway» aunque tenga que pedir el coche en lo de Cabral a las cuatro de la mañana!

—Estos vehículos deberían ser para hombres solos...

Comentó el lector de *La Nación* un hecho terrible de las «Noticias».

—Figúrense ustedes, un pobre changador que descansaba tranquilamente sentado en el cordón de la vereda, en la esquina de Cangallo y La Florida y pasa un carro aplastándole el pie...

Dieron las siete en el reloj de San Ignacio. El profesor se despidió del sacerdote con sus protestas habituales, y éste, con los párpados entornados, comenzó a musitar el rosario. Descendieron también la dama elegante y el caballero distinguido. Dos señores que viajaban en la plataforma ocuparon los asientos prediciendo la crisis del gabinete inglés.

—Caerán Gladstone y los suyos; la situación es inminente...

—Y, ¿qué opina usted del resultado de la gestión del doctor Pellegrini?

—Hábil diplomático, inteligencia superior, logrará el empréstito, seguramente...

Inquirió el más joven:

—Dígame, señor Poblet, ¿es cierto que se remata el campo de Rodríguez, en San Juan?

—¡Qué esperanza, mi amigo! Don Ernesto está cada vez más platudo. ¡Gallego de suerte, si los hay!

—Me informaron que se vendían treinta leguas sin base al lado de La Rosita y supuse... Si usted me puede facilitar datos exactos... me interesa.

—¡Cómo no!, es el campito de los Arcadini, familia vieja que pasea por Europa mientras acá un pícaro les administra... El que lo compre se hará rico, tierra de porvenir, amigo Cambaceres...

En aquel momento un apurado consultó el reloj.

—¡Qué embromar! ¡Las siete y veinte ya!

¡Cómo! Rearte había dejado a las flacas bestias seguir al paso, interesado por los comentarios, y de pronto advirtió el retraso que llevaba... Era preciso llegar para la cuarta al Bajo del Retiro a las siete y media...

Fustigó enérgicamente los caballos, que al galope tomaron la curva de Maipú con peligro de descarrilar, y enderezaron hacia el norte.

Donde Juan Pedro Rearte da un salto
de 30 años

Un estrépito formidable de cristales y tablas ahogaba el rumor de las conversaciones de los pasajeros. Ungido por una impaciencia de pesadilla, Rearte tocaba desesperadamente la corneta y cruzaba como una tromba las bocacalles. Los vigilantes, de quepis con morrión y polainas blancas, lo saludaban irónicamente al paso, y desde el alto pescante de sus cupés, los cocheros de largos bigotes y barbita en punta lo incitaban a correr más.

Orgulloso de sus caballos, Rearte no hacía caso de los timbrazos desesperados de los pasajeros...

De pronto se le nubló la visión y con un estampido de globo desapareció el paisaje familiar: los vigilantes de quepis y polainas blancas, los
cocheros de barba, las jardineras de mazamorra, los vascos lecheros a
caballo, las señoras de mantilla y los caballeros de sombrero de copa...
Hasta la doble hilera de casas bajas se perdió en el horizonte fundién-
dose como los últimos tramos de una vía férrea.

Rearte cerró los ojos con resignada tristeza para no ver aniquilarse los
postreros fantasmas de su mundo: un farolero que se alejaba elástica-
mente con su lanza al hombro y un carro aguatero arrastrado pesadamente por tres mulas pequeñas.

Cuando volvió a abrirlos, se encontró tirado junto al umbral de una puerta y a la sombra de una casa de siete pisos. Le rodeaba un círculo de gente a través de cuyas piernas pudo ver en la calzada los escombros del acoplado y en un charco de sangre los cuerpos inertes de los dos jamelgos.

Junto a él, un vigilante rubio interrogaba, libreta y lápiz en mano
como un repórter oficioso, a un «motorman» pálido y locuaz.

Rearte pudo darse cuenta de que había atropellado a un tranvía eléctrico, y por los síntomas ya conocidos, advirtió que acababa de romperse la otra pierna.

Al recobrar la lucidez junto con el dolor, preocupóle únicamente saber
la fecha del día.

–¿Qué día es hoy? –preguntó ansioso.

–Veintiséis de julio –respondióle el practicante que le palpaba el tobillo.

–¿Qué año? –insistió Rearte.

–Mil novecientos dieciocho –contestó el practicante. Y añadió, como
para sí–: La tibia parece fracturada en tres partes.

–No es mucho para un salto de treinta años... –comentó filosóficamente el viejo conductor.

Porque treinta años antes –el 26 de julio de 1888– se le habían desbocado los caballos en el mismo trayecto y, según el médico, había estado a punto de quebrarse los huesos de la canilla.

Después de esa reflexión estoica, Juan Pedro Rearte cerró los ojos,
simulando un desmayo. Le avergonzaba verse convertido en un objeto
de curiosidad pública y tener que responder a las preguntas apremiantes
de los policías. Él hubiese deseado que le interrogase uno de aquellos
vigilantes de quepis con morrión, tan arbitrarios y tan campechanos a la

vez, los vigilantes de su juventud. Los de ahora le parecían extranjeros, y declarar ante ellos se le antojaba abdicar de su nacionalidad.

Y le molestaba sobre todo el asombro del «motorman» que no cesaba de repetir: «¿Pero cómo es posible que este armatoste haya cruzado toda la ciudad a esta hora y a contramano? ¿Cómo es posible?..».

Rearte sabía cómo había sido posible, porque en los choques entre los alucinados y la realidad, ellos poseen la clave inefable del misterio. Más ¿cómo explicárselo a aquel rudo sirviente de una máquina?

El Destino es chambón...

Ya en la ambulancia, con la locuacidad que le prestaba la morfina, Rearte diose a explicar el misterio:

—Es que el Destino es pícaro y chambón como los gringos... Estaba de Dios, desde que subí a un tranvía, que había de quebrarme la pierna izquierda. Ya me la hube de romper hace treinta años, pero me salvó un milagro. El noventa, en Lavalle y Paraná, el primer día de la revolución, tres balas atravesaron la plataforma a la altura de la rodilla, sin rozarme siquiera el pantalón. Después, cuando el choque con la carreta, el Destino se equivocó y me rompió la derecha. Y ahora, por miedo de que me le escapase, ha urdido esta trampa para salir con la suya. ¡Vea que es Diablo! ¿No?

ARTURO CANCELA
y PILAR DE LUSARRETA

UN AUTÉNTICO FANTASMA

THOMAS CARLYLE, historiador y ensayista escocés. Nacido en Ecclefechan en 1796; muerto en Londres en 1881. Autor de: *The French Revolution* (1837); *Heroes and Hero-Worship* (1841); *Letters and Speeches of Oliver Cromwell* (1845); *Latter Day Pamphlets* (1850); *History of Frederick the Great* (1851), etc.

¿Habría algo más prodigioso que un auténtico fantasma? El inglés Johnson anheló, toda su vida, ver uno; pero no lo consiguió, aunque bajó a las bóvedas de las iglesias y golpeó féretros. ¡Pobre Johnson! ¿Nunca miró las marejadas de vida humana que amaba tanto? ¿No se miró siquiera a sí mismo? Johnson era un fantasma, un fantasma auténtico; un millón de fantasmas lo codeaba en las calles de Londres. Borremos la ilusión del Tiempo, compendiemos los sesenta años en tres minutos, ¿qué otra cosa era Johnson, qué otra cosa somos nosotros? ¿Acaso no somos espíritus que han tomado un cuerpo, una apariencia, y que luego se disuelven en aire y en invisibilidad?

THOMAS CARLYLE
Sartor Resartus (1834)

EL SUEÑO DEL REY

LEWIS CARROLL (Charles Lutwidge Dodgson), escritor matemático inglés. Nacido en Daresbury, en 1832; muerto en Guildford, en 1898. Autor de: *Alice's Adventures in Wonderland* (1865): *Through the Looking-Glass* (1871); *Phantasmagoria* (1876); *Curiosa Mathematica* (1888-93); *Sylvie and Bruno* (1889); *Symbolic Logic* (1896).

–Ahora está soñando. ¿Con quién sueña? ¿Lo sabes?
–Nadie lo sabe.
–Sueña contigo. Y si dejara de soñar, ¿qué sería de ti?
–No lo sé.
–Desaparecerías. Eres una figura de su sueño. Si se despertara ese Rey te apagarías como una vela.

LEWIS CARROLL
Through the Looking-Glass (1871)

EL GESTO DE LA MUERTE

JEAN COCTEAU (1891-1963). Lúcido polígrafo francés, comparable, en cuanto a fecundidad, con «nuestro» Tostado. Entre sus libros recordaremos: poesía: *Opéra, L'Ange Heurtebise;* novela: *Le Grand*

Écart, Les Enfants Terribles; crítica: *Le Rappel à L'ordre, Le Mystère Layc, Portraits-Souvenirs;* teatro: *La Voix Humaine, Les Parents Terribles, Les Monstres Sacrés.*

Un joven jardinero persa dice a su príncipe:

—¡Sálvame! Encontré a la Muerte esta mañana. Me hizo un gesto de amenaza. Esta noche, por milagro, quisiera estar en Ispahan.

El bondadoso príncipe le presta sus caballos. Por la tarde, el príncipe encuentra a la Muerte y le pregunta:

—Esta mañana ¿por qué hiciste a nuestro jardinero un gesto de amenaza?

—No fue un gesto de amenaza —le responde— sino un gesto de sorpresa. Pues lo veía lejos de Ispahan esta mañana y debo tomarlo esta noche en Ispahan.

JEAN COCTEAU

CASA TOMADA

JULIO CORTÁZAR, escritor argentino, nacido de Bruselas. Autor de *Los reyes* (1949); *Bestiario* (1951); *Final del juego* (1956); *Las armas secretas* (1959); *Los premios* (1960); *Historias de cronopios y de famas* (1962); *Rayuela* (1963).

Nos gustaba la casa porque aparte de espaciosa y antigua (hoy que las casas antiguas sucumben a la más ventajosa liquidación de sus materiales) guardaba los recuerdos de nuestros bisabuelos, el abuelo paterno, nuestros padres y toda la infancia.

Nos habituamos Irene y yo a persistir solos en ella, lo que era una locura, pues en esa casa podían vivir ocho personas sin estorbarse. Hacíamos la limpieza por la mañana, levantándonos a las siete, y a eso de las once yo le dejaba a Irene las últimas habitaciones por repasar y me iba a la cocina. Almorzábamos a mediodía, siempre puntuales; ya no quedaba nada por hacer fuera de unos pocos platos sucios. Nos resultaba grato almorzar pensando en la casa profunda y silenciosa y cómo nos bastábamos para mantenerla limpia. A veces llegamos a creer que era ella la que no nos dejó casarnos. Irene rechazó dos pretendientes sin mayor motivo, y a mí se me murió María Esther antes de que llegáramos a comprometernos. Entramos en los cuarenta años con la inexpresada idea de que el nuestro, simple y silencioso matrimonio de hermanos, era necesaria clausura de la genealogía asentada por los bisabuelos de nuestra casa. Nos moriríamos allí algún día, vagos y esquivos primos se quedarían con la casa y la echarían al suelo para enriquecerse con el terreno y los ladrillos; o mejor nosotros mismos la voltearíamos justicieramente antes de que fuera demasiado tarde.

Irene era una chica nacida para no molestar a nadie. Aparte de su actividad matinal se pasaba el resto del día tejiendo en el sofá de su dormitorio. No sé por qué tejía tanto, yo creo que las mujeres tejen cuando han encontrado en esa labor el gran pretexto para no hacer nada. Irene no era así, tejía cosas siempre necesarias, tricotas para el invierno, medias para mí, mañanitas y chalecos para ella. A veces tejía un chaleco y después lo destejía en un momento porque algo no le agradaba; era gracioso ver en la canastilla el montón de lana encrespada resistiéndose a perder su forma de algunas horas. Los sábados iba yo al centro a comprarle lana; Irene tenía fe en mi gusto, se complacía con los colores y nunca tuve que devolver madejas. Yo aprovechaba esas salidas para dar una vuelta por las librerías y preguntar vanamente si había novedades en literatura francesa. Desde 1939 no llegaba nada valioso a la Argentina.

Pero es de la casa que me interesa hablar, de la casa y de Irene porque yo no tengo importancia. Me pregunto qué hubiera hecho Irene sin el tejido. Uno puede releer un libro pero cuando un pulóver está terminado no se puede repetirlo sin escándalo. Un día encontré el cajón de abajo de la cómoda de alcanfor lleno de pañoletas blancas, verdes, lilas. Estaban con naftalina, apiladas, como en una mercería; yo no tuve valor para preguntarle a Irene qué pensaba hacer con ellas. No necesitábamos ganarnos la vida, todos los meses llegaba la plata de los campos y el dinero aumentaba. Pero a Irene solamente la entretenía el tejido, mostraba una destreza maravillosa y a mí se me iban las horas viéndole las manos como erizos plateados, agujas yendo y viniendo y una o dos canastillas en el suelo donde se agitaban constantemente los ovillos. Era hermoso.

Cómo no acordarme de la distribución de la casa. El comedor, una sala con gobelinos, la biblioteca y tres dormitorios grandes quedaban en la parte más retirada, la que mira hacia Rodríguez Peña. Solamente un pasillo con su maciza puerta de roble aislaba esa parte del ala delantera donde había un baño, la cocina, nuestros dormitorios y el living central al cual comunicaban los dormitorios y el pasillo. Se entraba a la casa por un zaguán con mayólica, y la puerta cancel daba al living. De manera que uno entraba por el zaguán, abría la cancel y pasaba al living; tenía a los lados las puertas de nuestros dormitorios, y al frente el pasillo que conducía a la parte más retirada; avanzando por el pasillo se franqueaba la puerta de roble y más allá empezaba el otro lado de la casa, o bien se podía girar a la izquierda justamente antes de la puerta y seguir por un pasillo más estrecho que llevaba a la cocina y el baño. Cuando la puerta estaba abierta advertía uno que la casa era muy grande; si no, daba la impresión de un departamento de los que se edifican ahora, apenas para moverse; Irene y yo vivíamos siempre en esa parte de la casa, casi nunca íbamos más allá de la puerta de roble, salvo para hacer la limpieza, pues es increíble cómo se junta la tierra en los muebles. Buenos Aires será una ciudad limpia, pero eso lo debe a sus habitantes y no a otra cosa. Hay demasiada tierra en el aire, apenas sopla una ráfaga se palpa el polvo en los mármoles de las consolas y entre los rombos de las carpetas de macramé; da trabajo sacarlo bien con plumero, vuela y se suspende en el aire, un momento después se deposita de nuevo en los muebles y los pianos.

Lo recordaré siempre con claridad porque fue simple y sin circunstancias inútiles. Irene estaba tejiendo en su dormitorio, eran las ocho de la noche y de repente se me ocurrió poner al fuego la pavita del mate. Fui por el pasillo hasta enfrentar la entornada puerta de roble, y daba la vuelta al codo que llevaba a la cocina cuando escuché algo en el comedor o la biblioteca. El sonido venía impreciso y sordo, como un volcarse de sillas sobre la alfombra o un ahogado susurro de conversación. También lo oí, al mismo tiempo o un segundo después, en el fondo del pasillo que traía desde aquellas piezas hasta la puerta. Me tiré contra la puerta antes de que fuera demasiado tarde, la cerré de golpe apoyando el cuerpo; felizmente la llave estaba puesta de nuestro lado, y además corrí el gran cerrojo para más seguridad.

Fui a la cocina, calenté la pavita, y cuando estuve de vuelta con la bandeja del mate, le dije a Irene:

–Tuve que cerrar la puerta del pasillo. Han tomado la parte del fondo.

Dejó caer el tejido y me miró con sus grandes ojos cansados.

–¿Estás seguro?

Asentí.

–Entonces –dijo recogiendo las agujas–, tendremos que vivir en este lado.

Yo cebaba el mate con mucho cuidado, pero ella tardó un rato en reanudar su labor. Me acuerdo que tejía un chaleco gris; a mí me gustaba ese chaleco.

Los primeros días nos pareció penoso porque ambos habíamos dejado en la parte tomada muchas cosas que queríamos. Mis libros de literatura francesa, por ejemplo, estaban todos en la biblioteca. Irene extrañaba unas carpetas, un par de pantuflas que tanto la abrigaban en invierno. Yo sentía mi pipa de enebro y creo que Irene pensó en una botella de Hesperidina de muchos años. Con frecuencia (pero esto solamente sucedió los primeros días) cerrábamos algún cajón de las cómodas y nos mirábamos con tristeza.

–No está aquí.

Pero también tuvimos ventajas. La limpieza de la casa se simplificó tanto que aun levantándonos tardísimo, a las nueve y media por ejemplo, no daban las once y ya estábamos de brazos cruzados. Irene se acostumbró a ir conmigo a la cocina y ayudarme a preparar el almuerzo. Lo pensamos bien, y se decidió esto: mientras yo preparaba el almuerzo, Irene cocinaría platos para comer fríos de noche. Nos alegramos porque siempre resultó molesto tener que abandonar los dormitorios al atardecer y ponerse a cocinar. Ahora nos bastaba con la mesa en el dormitorio de Irene y las fuentes de comida fiambre.

Irene estaba contenta porque le quedaba más tiempo para tejer. Yo andaba un poco perdido a causa de los libros, pero por no afligir a mi hermana me puse a revisar la colección de estampillas de papá y eso me sirvió para matar el tiempo. Nos divertíamos mucho, cada uno en sus cosas, casi siempre reunidos en el dormitorio de Irene, que era más cómodo. A veces Irene decía:

–Fíjate este punto que se me ha ocurrido. ¿No da un dibujo de trébol?

Un rato después era yo el que le ponía ante los ojos un cuadradito de papel para que viese el mérito de algún sello de Eupen y Malmédy. Estábamos bien, y poco a poco empezamos a no pensar. Se puede vivir sin pensar.

(Cuando Irene soñaba en alta voz, yo me desvelaba enseguida. Nunca pude habituarme a esa voz de estatua o de papagayo, voz que viene de los sueños y no de la garganta. Irene decía que mis sueños consistían en grandes sacudones que a veces hacían caer el cobertor. Nuestros dormitorios tenían el living de por medio, pero de noche se escuchaba cualquier cosa en la casa. Nos oíamos respirar, toser, presentíamos el ademán que conduce a la llave del velador, los mutuos y frecuentes insomnios.

Fuera de eso, todo estaba callado en la casa. De día eran los rumores domésticos, el roce metálico de las agujas de tejer, un crujido al pasar las hojas del álbum filatélico. La puerta de roble, creo haberlo dicho, era maciza. En la cocina y el baño, que quedaban tocando la parte tomada, nos poníamos a hablar en voz más alta o Irene cantaba canciones de cuna. En una cocina hay demasiado ruido de loza y vidrios para que otros sonidos irrumpan en ella. Muy pocas veces permitíamos allí el silencio, pero cuando tornábamos a los dormitorios y al living, entonces la casa se ponía callada y a media luz, hasta pasábamos más despacio para no molestarlos. Yo creo que era por eso que de noche, cuando Irene empezaba a soñar en alta voz, me desvelaba en seguida.)

Es casi repetir lo mismo salvo las consecuencias. De noche siento sed, y antes de acostarnos le dije a Irene que iba hasta la cocina a servirme un vaso de agua. Desde la puerta del dormitorio (ella tejía) oí ruido en la cocina; tal vez en la cocina o tal vez en el baño porque el codo del pasillo apagaba el sonido. A Irene le llamó la atención mi brusca manera de detenerme, y vino a mi lado sin decir palabra. Nos quedamos escuchando los ruidos, notando claramente que eran de este lado de la puerta de roble, en la cocina y el baño, o en el pasillo mismo donde empezaba el codo casi al lado nuestro.

No nos miramos siquiera. Apreté el brazo de Irene y la hice correr conmigo hasta la puerta cancel, sin volvernos hacia atrás. Los ruidos se oían más fuerte pero siempre sordos, a espaldas nuestras. Cerré de un golpe la cancel y nos quedamos en el zaguán. Ahora no se oía nada.

–Han tomado esta parte –dijo Irene. El tejido le colgaba de las manos y las hebras iban hasta la cancel y se perdían debajo. Cuando vio que los ovillos habían quedado del otro lado, soltó el tejido sin mirarlo.

–¿Tuviste tiempo de traer alguna cosa? –le pregunté inútilmente.

–No, nada.

Estábamos con lo puesto. Me acordé de los quince mil pesos en el armario de mi dormitorio. Ya era tarde ahora.

Como me quedaba el reloj de pulsera, vi que eran las once de la noche. Rodeé con mi brazo la cintura de Irene (yo creo que ella estaba llorando) y salimos así a la calle. Antes de alejarnos tuve lástima, cerré bien la puerta de entrada y tiré la llave a la alcantarilla. No fuese que a algún pobre diablo se le ocurriera robar y se metiera en casa, a esa hora y con la casa tomada.

JULIO CORTÁZAR

EL ÁRBOL DEL ORGULLO

G. K. CHESTERTON, polígrafo inglés. Nacido en Londres, en 1847; muerto en esa ciudad, en 1936. Su obra es vasta, pero continuamente lúcida y fervorosa. Ejerció, y renovó, la novela, la crítica, la lírica, la biografía, la polémica y las ficciones policiales. Es autor de: *Robert Browning* (1903); *G. F. Watts* (1904); *Heretics* (1905); *Charles Dickens* (1906); *The Man Who Was Thursday* (1908); *Orthodoxy* (1908); *Manalive* (1912); *Magic* (1913); *The Crimes of England* (1915); *A Short History of England* (1917); *The Uses of Diversity* (1920); *R. L. Stevenson* (1927); *Father Brown Stories* (1927); *Collected Poems* (1927); *The Poet and the Lunatics* (1929); *Four Faultless Felons* (1930); *Autobiography* (1937); *The Paradoxes of Mr. Pond* (1936); *The End of the Armistice* (1940). Alfonso Reyes ha traducido: *El Hombre que fue Jueves, Ortodoxia y El Candor del Padre Brown.*

Si bajan a la Costa de Berbería, donde se estrecha la última cuña de los bosques entre el desierto y el gran mar sin mareas, oirán una extraña leyenda sobre un santo de los siglos oscuros. Ahí, en el límite crepuscular del continente oscuro, perduran los siglos oscuros. Sólo una vez he visitado esa costa; y aunque está enfrente de la tranquila ciudad italiana donde he vivido mucho años, la insensatez y la transmigración de la leyenda casi no me asombraron, ante la selva en que retumban los leones y el oscuro desierto rojo. Dicen que el ermitaño Securis, viviendo entre árboles, llegó a quererlos como a amigos; pues, aunque eran grandes gigantes de muchos brazos, eran los seres más inocentes y mansos; no devoraban como devoran los leones; abrían los brazos a las aves. Rogó que los soltaran de tiempo en tiempo para que anduvieran como las otras criaturas. Los árboles caminaron con las plegarias de Securis, como antes con el canto de Orfeo. Los hombres del desierto se espantaban viendo a lo lejos el paseo del monje y de su arboleda, como un maestro y sus alumnos. Los árboles tenían esa libertad bajo una estricta disciplina; debían regresar cuando sonara la campana del ermitaño y no imitar de los animales sino el movimiento, no la voracidad ni la destrucción. Pero uno de los árboles oyó una voz que no era la del monje; en la verde penumbra calurosa de una tarde, algo se había posado y le hablaba, algo que tenía la forma de un pájaro y que otra vez, en otra soledad, tuvo la forma de una serpiente. La voz acabó por apagar el susurro de las hojas, y el árbol sintió un vasto deseo de apresar a los pájaros inocentes y de hacerlos pedazos. Al fin, el tentador lo cubrió con los pájaros del orgullo, con la pompa estelar de los pavos reales. El espíritu de la bestia venció al espíritu del árbol, y éste desgarró y consumió a los pájaros azules, y regresó después a la tranquila tribu de los árboles. Pero dicen que cuando vino la primavera todos los árboles dieron hojas, salvo éste que dio plumas que eran estrelladas y azules. Y por esa monstruosa asimilación, el pecado se reveló.

G. K. CHESTERTON
The Man Who Knew Too Much (1922)

LA PAGODA DE BABEL

—Ese cuento del agujero en el suelo, que baja quién sabe hasta dónde, siempre me ha fascinado. Ahora es una leyenda musulmana; pero no me asombraría que fuera anterior a Mahoma. Trata del sultán Aladino; no el de la lámpara, por supuesto, pero también relacionado con genios o con gigantes. Dicen que ordenó a los gigantes que le erigieran una especie de pagoda, que subiera y subiera hasta sobrepasar las estrellas. Algo como la Torre de Babel. Pero los arquitectos de la Torre de Babel eran gente doméstica y modesta, como ratones, comparada con Aladino. Sólo querían una torre que llegara al cielo. Aladino quería una torre que *rebasara* el cielo, y se elevara encima y siguiera elevándose para siempre. Y Dios la fulminó, y la hundió en la tierra, abriendo interminablemente un agujero, hasta que hizo un pozo sin fondo, como era la torre sin techo. Y por esa invertida torre de oscuridad, el alma del soberbio sultán se desmorona para siempre.

G. K. CHESTERTON
The Man Who Knew Too Much (1922)

SUEÑO DE LA MARIPOSA

CHUANG TZU, filósofo chino, de la escuela taoísta, vivió en el siglo cuarto y tercero antes de Cristo. De su obra, que abunda en alegorías y en anécdotas, sólo nos quedan treinta y tres capítulos. Hay versiones inglesas de Giles y de Legge; alemana, de Wilhelm.

Chuang Tzu soñó que era una mariposa. Al despertar ignoraba si era Tzu que había soñado que era una mariposa o si era una mariposa y estaba soñando que era Tzu.

CHUANG TZU (300 a.C.)

SER POLVO

SANTIAGO DABOVE, escritor argentino, nacido en Morón, provincia de Buenos Aires, en 1889; muerto en 1951. *La muerte y su traje,* volumen publicado póstumamente, reúne sus cuentos fantásticos.

¡Inexorable severidad de las circunstancias! Los médicos que me atendían tuvieron que darme, a mis pedidos insistentes, a mis ruegos desesperados, varias inyecciones de morfina y otras sustancias para poner como un guante suave a la garra con que habitualmente me torturaba la implacable enfermedad: una atroz neuralgia del trigémino.

Yo, por mi parte, tomaba más venenos que Mitrídates. El caso era poner una sordina a esa especie de pila voltaica o bobina que atormentaba mi trigémino con su corriente de viva pulsación dolorosa. Pero nunca se diga: he agotado el padecimiento, este dolor no puede ser superado. Pues siempre habrá más sufrimiento, más dolor, más lágrimas que tragar. Y no se vea en las quejas y expresiones de amargura presentes otra cosa que una de las variaciones sobre este texto único de terrible dureza: «¡no hay esperanza para el corazón del hombre!». Me despedí de los médicos y llevaba la jeringa para inyecciones hipodérmicas, las píldoras de opio y todo el arsenal de mi farmacopea habitual.

Monté a caballo, como solía hacerlo, para atravesar esos cuarenta kilómetros que separaban los pueblos que con frecuencia recorría.

Frente mismo a ese cementerio abandonado y polvoriento que me sugería la idea de una muerte doble, la que había albergado y la de él mismo, que se caía y se transformaba en ruinas, ladrillo por ladrillo, terrón por terrón, me ocurrió la desgracia. Frente mismo a esa ruina me tocó la fatalidad lo mismo que a Jacob el ángel de las tinieblas le tocó el muslo y lo derrengó, no pudiendo vencerlo. La hemiplejía, la parálisis que hacía tiempo me amenazaba, me derribó del caballo. Luego que caí, éste se puso a pastar un tiempo, y al poco rato se alejó. Quedaba yo abandonado en esa ruta solitaria donde no pasaba un ser humano en muchos días, a veces. Sin maldecir mi destino, porque se había gastado la maldición en mi boca y nada representaba ya. Porque esa maldición había sido en mí como la expresión de gratitud que da a la vida un ser constantemente agradecido por la prodigalidad con que lo mima una existencia abundante en dones.

Como el suelo en que caí, a un lado del camino, era duro, y podía permanecer mucho tiempo allí, y poco me podía mover, me dediqué a cavar pacientemente con mi cortaplumas la tierra alrededor de mi cuerpo. La tarea resultó más bien fácil porque, bajo la superficie dura, la tierra era esponjosa. Poco a poco me fui enterrando en una especie de fosa que resultó un lecho tolerable y casi abrigado por la caliente humedad. La tarde huía. Mi esperanza y mi caballo desaparecieron en el horizonte. Vino la noche, oscura y cerrada. Yo la esperaba así, horrorosa y pegajosa de negrura, con desesperanza de mundos, de luna y estrellas. En esas primeras noches negras pudo el espanto contra mí. ¡Leguas de espanto, desesperación, recuerdos! No, no, ¡idos, recuerdos! No he de llorar por mí, ni por... Una fina y persistente llovizna lloró por mí. Al amanecer del otro día tenía bien pegado mi cuerpo a la tierra. Me dediqué a tragar, con entusiasmo y regularidad «ejemplares», píldora tras píldora de opio y eso debe de haber determinado el «sueño» que precedió a «mi muerte».

Era un extraño sueño-vela y una muerte-vida. El cuerpo tenía una pesadez mayor que la del plomo, a ratos, porque en otros no lo sentía en absoluto, exceptuando la cabeza, que conservaba su sensibilidad.

Muchos días, me parece, pasé en esa situación y las píldoras negras seguían entrando por mi boca y sin ser tragadas descendían por declive, asentándose abajo para transformar todo en negrura y tierra.

La cabeza sentía y sabía que pertenecía a un cuerpo terroso, habitado por lombrices y escarabajos y traspasado de galerías frecuentadas por hormigas. El cuerpo experimentaba cierto calor y cierto gusto en ser de barro y de ahuecarse cada vez más. Así era, y, cosa extraordinaria, los mismos brazos que al principio conservaban cierta autonomía de movimiento, cayeron también a la horizontal. Tan sólo parecía quedar la cabeza indemne y nutrida por el barro como una planta. Pero como ninguna condición tiene reposo, debió defenderse a dentelladas de los pájaros de presa que querían comerle los ojos y la carne de la cara. Por el hormigueo que siento adentro, creo que debo de tener un nido de hormigas cerca del corazón. Me alegra, pero me impele a andar y no se puede ser barro y andar. Todo tiene que venir a mí; no saldré al encuentro de ningún amanecer ni atardecer, de ninguna sensación.

Cosa curiosa: el cuerpo está atacado por las fuerzas roedoras de la vida y es un amasijo donde ningún anatomista distinguiría más que barro, galerías y trabajos prolijos de insectos que instalan su casa y, sin embargo, el cerebro conserva su inteligencia.

Me daba cuenta de que mi cabeza recibía el alimento poderoso de la tierra, pero en una forma directa, idéntica a la de los vegetales. La savia subía y bajaba lenta, en vez de la sangre que maneja nerviosamente el corazón. Pero ahora ¿qué pasa? Las cosas cambian. Mi cabeza estaba casi contenta con llegar a ser como un bulbo, una papa, un tubérculo, y ahora está llena de temor. Teme que alguno de esos paleontólogos que se pasan la vida husmeando la muerte, la descubra. O que esos historiadores políticos que son los otros empresarios de pompas fúnebres que acuden después de la inhumación, echen de ver la vegetalización de mi cabeza. Pero, por suerte, no me vieron.

... ¡Qué tristeza! Ser casi como la tierra y tener todavía esperanzas de andar, de amar.

Si me quiero mover me encuentro como pegado, como solidarizado con la tierra. Me estoy difundiendo, voy a ser pronto un difunto. ¡Qué extraña planta es mi cabeza! Difícil será que dure su singular incógnita. Todo lo descubren los hombres, hasta una moneda de dos centavos embarrada.

Maquinalmente se inclinaba mi cabeza hacia el reloj de bolsillo que había puesto a mi lado cuando caí. La tapa que cerraba la máquina estaba abierta y una hilera de hormigas pequeñas entraba y salía. Hubiera querido limpiarlo y guardarlo, pero ¿en qué harapo de mi traje, si todo lo mío era casi tierra?

Sentía que mi transición a vegetal no progresaba mucho porque un gran deseo de fumar me torturaba. Ideas absurdas me cruzaban la mente. ¡Deseaba ser planta de tabaco para no tener la necesidad de fumar!

... El imperioso deseo de moverme iba cediendo al de estar firme y nutrido por una tierra rica y protectora.

... Por momentos me entretengo y miro con interés pasar las nubes. ¿Cuántas formas piensan adoptar antes de no ser ya más, máscaras de vapor de agua? ¿Las agotarán todas? Las nubes divierten al que no puede hacer otra cosa que mirar al cielo, pero cuando repiten hasta el cansancio su intento de semejar formas animales, sin mayor éxito, me siento tan decepcionado que podría mirar impávido una reja de arado venir en derechura a mi cabeza.

... Voy a ser vegetal y no lo siento, porque los vegetales han descubierto eso de su vida estática y egoísta. Su modo de cumplimiento y realización amorosos, por medio de telegramas de polen, no puede satisfacernos como nuestro amor carnal y apretado. Pero es cuestión de probar y veremos cómo son sus voluptuosidades.

... Pero no es fácil conformarse y borraríamos lo que está escrito en el libro del destino si ya no nos estuviera acaeciendo.

... De qué manera odio ahora eso del «árbol genealógico de las familias»; me recuerda demasiado mi trágica condición de regresión a un vegetal. No hago cuestión de dignidad ni de prerrogativas; la condición de vegetal es tan honrosa como la de animal, pero, para ser lógicos, ¿por qué no representan las ascendencias humanas con la cornamenta de un ciervo? Estaría más de acuerdo con la realidad y la animalidad de la cuestión.

... Solo en aquel desierto, pasaban los días lentamente sobre mi pena y aburrimiento. Calculaba el tiempo que llevaba de entierro por el largo de mi barba. La notaba algo hinchada y, su naturaleza córnea igual a la de la uña y epidermis, se esponjaba como en algunas fibras vegetales. Me consolaba pensando que hay árboles expresivos tanto como un animal o un ser humano. Yo recuerdo haber visto un álamo, cuerda tendida del cielo a la tierra. Era un árbol con hojas abundantes y ramas muy cortas, muy alto, más lindo que un palo de navío adornado. El viento, según su intensidad, sacaba del follaje una expresión cambiante, un murmullo, un rumor, casi un sonido, como un arco de violín que hace vibrar las cuerdas con velocidades e intensidad graduadas.

... Oí los pasos de un hombre, planta de caminador quizá, o que por no tener con qué pagar el pasaje en distancias largas, se ha puesto algo así como un émbolo en las piernas y una presión de vapor de agua en el pecho. Se detuvo como si hubiera frenado de golpe frente a mi cara barbuda. Se asustó al pronto y empezó a huir; luego, venciéndole la curiosidad, volvió y, pensando quizá en un crimen, intentó desenterrarme escarbando con una navaja. Yo no sabía cómo hacer para hablarle, porque mi voz era ya un semisilencio por la casi carencia de pulmones. Como en secreto, le decía: ¡Déjeme, déjeme! Si me saca de la tierra, como hombre ya no tengo nada de efectivo, y me mata como vegetal. Si quiere cuidar la vida y no ser meramente policía, no mate este modo de existir que también tiene algo de grato, inocente y deseable.

No oía el hombre, sin duda acostumbrado a las grandes voces del campo, y pretendió seguir escarbando. Entonces le escupí en la cara. Se ofendió y me golpeó con el revés de la mano. Su simplicidad de campesino, de rápidas reacciones, se imponía sin duda a toda inclinación de investigación o pesquisa. Pero a mí me pareció que una oleada de sangre subía a mi cabeza, y mis ojos coléricos desafiaban como los de un esgrimista enterrado, junto con espadas, pedana y punta hábil que busca herir.

La expresión de buena persona desolada y servicial que puso el hombre, me advirtió que no era de esa raza caballeresca y duelista. Pareció que quería retirarse sin ahondar más en el misterio... y se fue en efecto, torciendo el pescuezo largo rato para seguir mirando... Pero en todo esto había algo que llegó a estremecerme, algo referente a mí mismo.

Como es común a muchos cuando se encolerizan, me subió el rubor a la cara. Habréis observado que sin espejo no podemos ver de esta última más que un costado de la nariz y una muy pequeña parte de la mejilla y labio correspondiente, todo esto muy borroso y cerrando un ojo. Yo, que había cerrado el izquierdo como para un duelo a pistola, pude entrever en los planos confusos por demasiada proximidad, del lado derecho, en esa mejilla que en otro tiempo había fatigado tanto el dolor, pude entrever, ¡ah!... la ascensión de un «rubor verde». ¿Sería la savia o la sangre? Si era esta última: ¿la clorofila de las células periféricas le prestaría un ilusorio aspecto verdoso?... No sé, pero me parece que cada día soy menos hombre.

... Frente a ese antiguo cementerio me iba transformando en una tuna solitaria en la que probarían sus cortaplumas los muchachos ociosos. Yo, con esas manazas enguantadas y carnosas que tienen las tunas, les palmearía las espaldas sudorosas y les tomaría con fruición «su olor humano». ¿Su olor?, para entonces, ¿con qué?, si ya se me va aminorando en progresión geométrica la agudeza de todos los sentidos.

Así como el ruido tan variado y agudo de los goznes de las puertas no llegará nunca a ser música, mi tumultuosidad de animal, estridencia en la creación, no se avenía con la actividad callada y serena de los vegetales, con su serio reposo. Y lo único que comprendía es precisamente lo que estos últimos no saben: que son elementos del paisaje.

Su tranquilidad e inocencia, su posible éxtasis, quizá equivalen a la intuición de belleza que ofrece al hombre la «escena» de su conjunto.

... Por mucho que se valore la actividad, el cambio, la traslación humanos, en la mayoría de los casos el hombre se mueve, anda, va y viene en un calabozo filiforme, prolongado. El que tiene por horizonte las cuatro paredes bien sabidas y palpadas no difiere mucho del que recorre las mismas rutas a diario para cumplir tareas siempre iguales, en circunstancias no muy diferentes. Todo este fatigarse no vale lo que el beso mutuo, y ni siquiera pactado, entre el vegetal y el sol.

... Pero todo esto no es más que sofisma. Cada vez muero más como hombre y esa muerte me cubre de espinas y capas clorofiladas.

... Y ahora, frente al cementerio polvoriento, frente a la ruina anónima, la tuna «a que pertenezco» se disgrega cortado su tronco por un hachazo. ¡Venga el polvo igualitario! ¿Neutro? No sé, pero, ¡tendría que tener ganas el fermento que se ponga de nuevo a laborar con materia o cosa como «la mía», tan trabajada de decepciones y derrumbamientos!

SANTIAGO DABOVE
La muerte y su traje (1961)

GLOTONERIA MÍSTICA

ALEXANDRA DAVID-NEEL, orientalista francesa, nacida en París. Ha vivido muchos años en el Tibet; conoce íntimamente su idioma, su hagiografía y sus costumbres. Es autora de: *Initiations Lamaïques; Le Lama aux Cinq Sagesses; Le Boudisme, ses Doctrines et ses Méthodes; Les Théories Individualistes dans la Philosophie Chinoise.*

A la orilla de un río, un monje tibetano se encontró con un pescador que cocía en una marmita una sopa de pescados. El monje, sin decir palabra, se bebió la marmita de sopa hirviendo. El pescador le reprochó su glotonería. El monje entró en el agua y orinó: salieron los peces que había comido y se fueron nadando.

ALEXANDRA DAVID-NEEL
Parmi les Mystiques et les Magiciens du Tibet (1929)

LA PERSECUCIÓN DEL MAESTRO

Entonces el discípulo atravesó el país en busca del maestro predestinado. Sabía su nombre: Tilopa; sabía que era imprescindible. Lo perseguía de ciudad en ciudad, siempre con atraso.

Una noche, famélico, llama a la puerta de una casa y pide comida. Sale un borracho y con voz estrepitosa le ofrece vino. El discípulo rehúsa, indignado. La casa entera desaparece; el discípulo queda solo en mitad del campo; la voz del borracho le grita: Yo era Tilopa.

Otra vez un aldeano le pide ayuda para desollar un caballo muerto; asqueado, el discípulo se aleja sin contestar; una burlona voz le grita: Yo era Tilopa.

En un desfiladero un hombre arrastra del pelo a una mujer. El discípulo ataca al forajido y logra que suelte a su víctima. Bruscamente se encuentra solo y la voz le repite: Yo era Tilopa.

Llega, una tarde, a un cementerio; ve a un hombre agazapado junto a una hoguera de ennegrecidos restos humanos; comprende, se prosterna, toma los pies del maestro y los pone sobre su cabeza. Esta vez Tilopa no desaparece.

ALEXANDRA DAVID-NEEL
Parmi les Mystiques et les Magiciens du Tibet (1929)

UNA NOCHE EN UNA TABERNA

LORD DUNSANY, escritor irlandés, nacido en Londres en 1878; muerto en Irlanda en 1957. Combatió en la guerra Boer y en la de 1914. Autor de: *Time and the Gods* (1906); *The Sword of Welleran* (1908); *A Dreamer's Tales* (1910); *King Argimenes* (1911); *Unhappy, Far-off Things* (1919); *The Curse of the Wise Woman* (1943); *Patches of Sunlight* (1938). Sus libros de recuerdos, de tiempos de la Segunda Guerra Mundial, son muy admirables. Hay versión española de *A Dreamer's Tales;* se titula *Cuentos de un Soñador.*

Dramatis Personae:

A. E. Scott Fortescue (el Niño): un caballero en decadencia
Guillermo Jones (Bill)
Alberto Thomas
Jacobo Smith (Sniggers)   Marineros
3 sacerdotes de Klesh
Klesh

> *(SNIGGERS y BILL hablan; EL NIÑO lee un diario; ALBERTO está sentado más lejos.)*

SNIGGERS: Yo me pregunto ¿qué se propone?

BILL: No sé.

SNIGGERS: Y ¿por cuánto tiempo más nos tendrá aquí?

BILL: Ya van tres días.

SNIGGERS: Y no hemos visto un alma.

BILL: Y nos costó unos buenos pesos de alquiler.

SNIGGERS: ¿Hasta cuándo alquiló la taberna?

BILL: Con él nunca se sabe.

SNIGGERS: Esto es bastante solitario.

BILL: Niño, ¿hasta cuándo alquiló la taberna?

> *(EL NIÑO sigue leyendo un diario de carreras; no hace caso de lo que dicen.)*

SNIGGERS: También es un Niño…

BILL: Pero es vivo, no hay duda.

SNIGGERS: Estos vivos son mandados a hacer para cansar desastres. Sus planes son muy buenos, pero no trabajan y las cosas les salen peor que a ti y a mí.

BILL: ¡Ah!

SNIGGERS: No me gusta este lugar.

BILL: ¿Por qué?

SNIGGERS: No me gusta su aspecto.

BILL: Nos tiene aquí para que esos negros no nos encuentren. Los tres sacerdotes que nos buscaban. Pero queremos irnos y vender el rubí.

ALBERTO: Pero no hay razón.

BILL: ¿Por qué, Alberto?

ALBERTO: Porque les di el esquinazo, a esos demonios, en Hull.

BILL: ¿Les diste el esquinazo, Alberto?

ALBERTO: A los tres, a los individuos con manchas de oro en la frente. Tenía entonces el rubí y les di el esquinazo, en Hull.

BILL: ¿Cómo hiciste, Alberto?

ALBERTO: Tenía el rubí y me estaban siguiendo.

BILL: ¿Quién les dijo que tenías el rubí? ¿No se lo mostraste?

ALBERTO: No, pero ellos lo sabían.

SNIGGERS: ¿Lo sabían, Alberto?

ALBERTO: Sí, saben si uno lo tiene. Bueno, me persiguieron y se lo conté a un vigilante y me dijo que eran tres pobres negros y que no me harían nada. ¡Cuando pienso lo que le hicieron en Malta al pobre Jim!

BILL: Sí, y a Jorge en Bombay, antes de embarcarnos; ¿por qué no los hiciste detener?

ALBERTO: Te olvidas del rubí.

BILL: ¡Ah!

ALBERTO: Bueno, hice algo mejor todavía. Me camino Hull de una punta a otra. Camino bastante despacio. De pronto, doy vuelta en una esquina y corro. No paso una esquina sin dar una vuelta; aunque de vez en cuando dejo una, para engañarlos. Disparo como una liebre, después me siento y espero. No los vi más.

SNIGGERS: ¿Cómo?

ALBERTO: No hubo más demonios negros con manchas doradas en la cara. Les di el esquinazo.

BILL: Bien hecho, Alberto.

SNIGGERS (*después de mirarlo con satisfacción*): ¿Por qué no nos contastes?

ALBERTO: Porque no lo dejan a uno hablar. Tiene sus planes y cree que somos tontos. Las cosas deben hacerse como él quiere. Sin embargo, les di el esquinazo. A lo mejor le hubieran metido un cuchillo, hace tiempo, pero yo les di el esquinazo.

BILL: Bien hecho, Alberto.

SNIGGERS: ¿Oyó eso, Niño? Alberto les dio el esquinazo.

EL NIÑO: Sí, oigo.

SNIGGERS: ¿Y qué opina?

EL NIÑO: ¡Oh! Bien hecho, Alberto.

ALBERTO: ¿Y qué va a hacer?

EL NIÑO: Esperar.

ALBERTO: Ni él sabe lo que espera.

SNIGGERS: Es un lugar horrible.

ALBERTO: Esto se está poniendo aburrido, Bill. La plata se nos acaba y queremos vender el rubí. Vayamos a una ciudad.

BILL: Pero él no querrá venir.

ALBERTO: Entonces, que se quede.

SNIGGERS: Nos irá bien, si no nos acercamos a Hull.

ALBERTO: Iremos a Londres.

BILL: Pero tiene que recibir su parte.

SNIGGERS: Muy bien. Pero tenemos que irnos. (*AL NIÑO.*) Nos vamos. ¿Me oye?

EL NIÑO: Aquí lo tienen.

> (*Saca un rubí del bolsillo del chaleco y se lo entrega; es del tamaño de un huevo chico de gallina. Sigue leyendo el diario.*)

ALBERTO: Vamos, Sniggers.

> (*Salen ALBERTO y SNIGGERS.*)

BILL: Adiós, viejo. Le daremos su parte, pero no hay nada que hacer aquí, no hay mujeres, no hay bailes y tenemos que vender el rubí.

EL NIÑO: No soy tonto, Bill.

BILL: No, es claro que no. Y nos ha ayudado mucho. Adiós. Díganos adiós.

EL NIÑO: Pero, sí. Adiós.

> (*Sigue leyendo el diario. Sale BILL. EL NIÑO pone un revólver sobre la mesa y sigue con el diario.*)

SNIGGERS (*sin aliento*): Hemos vuelto, Niño.

EL NIÑO: Así es.

ALBERTO: Niño, ¿cómo han llegado hasta aquí?

EL NIÑO: Caminando, naturalmente.

ALBERTO: Pero hay ochenta millas.

SNIGGERS: ¿Sabía que estaban aquí, Niño?

EL NIÑO: Estaba esperándolos.

ALBERTO: ¡Ochenta millas!

BILL: Viejo, ¿qué haremos?

EL NIÑO: Pregúntaselo a Alberto.

BILL: Si pueden hacer cosas como esta, nadie nos puede salvar, sino usted, Niño. Siempre dije que era un vivo. No volveremos a ser tontos. Lo obedeceremos, Niño.

EL NIÑO: Ustedes son bastante valientes y bastante fuertes. No hay muchos capaces de robar un ojo de rubí de la cabeza de un ídolo, y un ídolo como ese, y en esa noche. Eres bastante valiente, Bill. Pero los tres son tontos. Jim no quería oír mis planes. ¿Dónde está Jim? Y a Jorge, ¿qué le hicieron?

SNIGGERS: Basta, Niño.

EL NIÑO: Bueno, la fuerza no les sirve. Necesitan inteligencia; si no, acabarán con ustedes como acabaron con Jorge y con Jim.

TODOS: ¡Uy!

EL NIÑO: Esos sacerdotes negros nos van a seguir alrededor del mundo, en círculos. Año tras año, hasta que tengan el ojo de su ídolo. Si morimos van a perseguir a nuestros nietos. Ese zonzo cree que puede salvarse de hombres así, doblando un par de esquinas en Hull.

ALBERTO: Usted tampoco se ha escapado de ellos, pues aquí están.

EL NIÑO: Así lo esperaba.

ALBERTO: *¿Lo esperaba?*

EL NIÑO: Sí, aunque no está anunciado en las notas sociales. Pero he alquilado esta quinta especialmente para recibirlos. Hay bastante sitio, si uno cava; está agradablemente situada, y, lo que es más importante, está en un barrio muy tranquilo. Entonces, para ellos estoy en casa esta tarde.

BILL: Usted es astuto.

EL NIÑO:– Recuerden que está solamente mi ingenio entre ustedes y la muerte; no quieran oponer sus planes a los de un caballero.

ALBERTO: Si es un caballero, ¿por qué no anda entre caballeros y no con nosotros?

EL NIÑO: Porque fui demasiado inteligente para ellos, como soy demasiado inteligente para ustedes.

ALBERTO: ¿Demasiado inteligente para ellos?

EL NIÑO: Nunca perdí una partida de naipes, en mi vida.

BILL: ¡Nunca perdí una partida!

EL NIÑO: Cuando era por plata.

BILL: Bueno, bueno.

EL NIÑO: ¿Juguemos una partida de póker?

TODOS: No, gracias.

EL NIÑO: Entonces hagan lo que se les manda.

BILL: Está bien, Niño.

SNIGGERS: Acabo de ver algo. ¿No será mejor correr las cortinas?

EL NIÑO: No.

SNIGGERS: ¿Qué?

EL NIÑO: No corras las cortinas.

SNIGGERS: Bueno, muy bien.

BILL: Pero Niño, pueden vernos. No se le debe permitir eso al enemigo. No veo por qué...

EL NIÑO: No, claro que no.

BILL: Bueno, está bien, Niño.

(Todos empiezan a sacar revólveres.)

EL NIÑO *(guardando el suyo)*: Nada de revólveres, por favor.

ALBERTO: ¿Por qué no?

EL NIÑO: Porque no quiero ruido en mi fiesta. Podrían entrar comensales que no han sido invitados. Los cuchillos son otra cosa.

(Todos sacan sus cuchillos. EL NIÑO les hace un signo para que no los saquen todavía; ya ha retomado el rubí.)

BILL: Me parece que vienen, Niño.

EL NIÑO: Todavía no.

ALBERTO: ¿Cuándo vendrán?

EL NIÑO: Cuándo esté listo para recibirlos; no antes.

SNIGGERS: Me gustaría que esto se acabara de una vez.

EL NIÑO: ¿Te gustaría? Bueno, los tendremos ahora.

SNIGGERS: ¿Ahora?

EL NIÑO: Sí, escúchenme. Hagan lo que me vean hacer. Finjan todos salir. Les voy a mostrar cómo. Yo tengo el rubí. Cuando me vean solo, vendrán a buscar el ojo de su ídolo.

BILL: ¿Cómo van a saber quién lo tiene?

EL NIÑO: Confieso que no me doy cuenta, pero lo saben.

SNIGGERS: ¿Qué va a hacer cuando entren?

EL NIÑO: Nada, nada.

SNIGGERS: ¿Cómo?

EL NIÑO: Se acercarán despacio y, de golpe, me atacarán por la espalda. Entonces mis amigos Sniggers, Bill y Alberto, que les dieron el esquinazo, harán lo que puedan.

BILL: Muy bien, Niño. Confíe en nosotros.

EL NIÑO: Si tardan un poco, verán representarse el animado espectáculo que acompañó la muerte de Jim.

SNIGGERS: No, Niño. Nos portaremos.
EL NIÑO: Muy bien. Ahora, obsérvenme.

> *(Va a la puerta de la derecha, pasando frente a la ventana. La abre hacia adentro; guarecido por la puerta abierta, se deja caer de rodillas y la cierra para hacer creer que ha salido. Hace una seña a los demás, que la entienden. Simulan entrar del mismo modo.)*

EL NIÑO: Ahora voy a sentarme de espaldas a la puerta. Vayan saliendo uno por uno. Agáchense bien. No tienen que verlos por la ventana.

> *(Bill efectúa un simulacro de salida.)*

EL NIÑO: Recuerden, no quiero revólveres. La policía tiene fama de curiosa.

> *(Los otros dos siguen a BILL. Los tres están agachados detrás de la puerta de la derecha. EL NIÑO pone el rubí sobre la mesa y enciende un cigarrillo. La puerta de atrás se abre tan suavemente que es imposible decir cuándo ha empezado el movimiento. EL NIÑO toma el diario. Un hindú se desliza con lentitud, tratando de ocultarse detrás de las sillas. Se mueve hacia la izquierda del NIÑO. Los marineros están a su derecha. SNIGGERS y Alberto se inclinan hacia adelante. El brazo de BILL los retiene. El sacerdote se acerca al Niño. BILL mira si no entra ningún otro. Salta descalzo y acuchilla al sacerdote. El sacerdote quiere gritar pero la mano izquierda de BILL le aprieta la boca. EL NIÑO sigue leyendo el diario. No se da vuelta.)*

BILL *(sotto voce)*: Hay uno solo, Niño. ¿Qué hacemos?
EL NIÑO *(sin mover la cabeza)*: ¿Uno solo?
BILL: Sí.
EL NIÑO: Un momento. Déjenme pensar. (*Todavía leyendo el diario.*) Ah, sí. Retrocede, Bill. Debemos atraer a otro huésped. ¿Estás listo?
BILL: Sí.
EL NIÑO: Muy bien. Verán ahora mi muerte en mi residencia de Yorkshire. Ustedes tendrán que recibir en mi nombre las visitas. (*Salta frente a la ventana. Agita los brazos y cae cerca del sacerdote muerto.*) Estoy listo.

(Sus ojos se cierran. Una larga pausa. De nuevo la puerta se abre muy despacio. Otro sacerdote se desliza dentro del cuarto. Tiene tres manchas de oro en la frente. Mira alrededor, se desliza donde está su compañero, le da vuelta y le revisa las manos cerradas. Se acerca al NIÑO. BILL se le echa encima y lo acuchilla. Con la mano izquierda le tapa la boca.)

BILL *(sotto voce)*: Tenemos dos, solamente, Niño.

EL NIÑO: Nos falta uno.

BILL: ¿Qué hacemos?

EL NIÑO *(sentándose)*: ¡Hum!

BILL: Este es, lejos, el mejor sistema.

EL NIÑO: Ni pensarlo. No hagas dos veces el mismo juego.

BILL: ¿Por qué, Niño?

EL NIÑO: No da resultado.

BILL: ¿Cuándo?

EL NIÑO: Ya está, Alberto. Ahora va a entrar. Ya te enseñé cómo había que hacerlo.

ALBERTO: Sí.

EL NIÑO: Corre hasta aquí y pelea contra estos dos hombres en la ventana.

ALBERTO: Pero si están...

EL NIÑO: Sí, están muertos, mi perspicaz Alberto. Pero Bill y yo vamos a resucitarlos.

(BILL recoge a un muerto.)

EL NIÑO: Está bien, Bill. *(Hace lo mismo.)* Sniggers, ven a ayudarnos. *(SNIGGERS se acerca.)* Quédense agachados, bien agachados; que Sniggers les mueva los brazos. No te dejes ver. Ahora, Alberto, al suelo. A nuestro Alberto lo han matado. Atrás, Bill. Atrás, Sniggers. Quieto, Alberto. No te muevas, cuando entre. Ni un músculo.

(Aparece una cara en la ventana, y se queda un rato. La puerta se abre y entra el tercer sacerdote mirando cautelosamente alrededor. Mira los cuerpos de sus compañeros y se da vuelta. Sospecha algo. Recoge uno de los cuchillos y con un cuchillo en cada mano hace espalda a la pared. Mira a izquierda y derecha.)

EL NIÑO: Vamos, Bill.

> *(El sacerdote corre hacia la puerta. El Niño acuchilla*
> *por la espalda al último sacerdote.)*

EL NIÑO: Una buena jornada, amigos míos.

BILL: Bien hecho. Usted es un genio.

ALBERTO: Un genio si los hay.

SNIGGERS: ¿No quedan más negros, Bill?

EL NIÑO: Ya no hay más en el mundo.

BILL: Éstos son todos. Sólo había tres en el templo. Tres sacerdotes y
su ídolo inmundo.

ALBERTO: ¿Cuánto valdrá, Niño? ¿Mil libras esterlinas?

EL NIÑO: Vale todo el dinero que hay. Vale cuanto querramos pedir.
Podemos pedir lo que querramos, por él.

ALBERTO: Entonces somos millonarios.

EL NIÑO: Sí, y lo que es mejor, ya no tenemos herederos.

BILL: Ahora tendremos que venderlo.

ALBERTO: No será tan fácil. Es una lástima que sea tan grande y que
no tengamos media docena. ¿No tenía otros, el ídolo?

BILL: No. Era todo de jade verde, y tenía este único ojo. Lo tenía en el
medio de la frente y era el espectáculo más horroroso.

SNIGGERS: Debemos estar muy agradecidos al Niño.

BILL: Claro que sí.

ALBERTO: Si no hubiese sido por él...

BILL: Claro, si no hubiera sido por el Niño...

SNIGGERS: Es muy vivo.

EL NIÑO: Yo tengo el don de adivinar las cosas.

SNIGGERS: Ya lo creo.

BILL: Creo que no puede suceder nada que el Niño no adivine. ¿No es
verdad, Niño?

EL NIÑO: Sí, a mí también me parece difícil.

BILL: Para el Niño la vida es como una partida de naipes.

EL NIÑO: Bueno, a esta partida lo hemos ganado.

SNIGGERS *(mirando por la ventana)*: No convendría que nos vieran.

EL NIÑO: No hay peligro. Estamos solos en el páramo.

BILL: ¿Dónde los metemos?

EL NIÑO: Entiérrenlos en la bodega; pero no hay apuro.

BILL: ¿Y después, Niño?

EL NIÑO: Después iremos a Londres y trastornaremos el mercado de rubíes. Esto nos ha salido muy bien.

BILL: Lo primero que debemos hacer es ofrecerle un banquete al Niño. A los tipos, los enterraremos esta noche.

ALBERTO: De acuerdo.

SNIGGERS: Muy bien.

BILL: Y todos beberemos a su salud.

ALBERTO: ¡Viva el Niño!

SNIGGERS: Debería ser general o primer ministro.

(Sacan botellas del aparador, etc.)

EL NIÑO: Bueno, nos hemos ganado la comida.

BILL *(vaso en mano)*: A la salud del Niño, que adivinó todo.

ALBERTO y SNIGGERS: ¡Viva el Niño!

BILL: El Niño que nos salvó la vida y nos hizo ricos.

ALBERTO y SNIGGERS: Bravo, bravo.

EL NIÑO: Y a la salud de Bill, que me salvó dos veces esta noche.

BILL: Pude hacerlo por tu viveza, Niño.

SNIGGERS: Bravo, bravo, bravo.

ALBERTO: Adivina todo.

BILL: Un discurso, Niño. Un discurso de nuestro general.

TODOS: Sí, un discurso.

SNIGGERS: Un discurso.

EL NIÑO: Bueno, tráiganme un poco de agua. Este whisky se me va a la cabeza y tengo que mantenerla clara, hasta que nuestros amigos estén guardados en el sótano.

BILL: Agua. Claro que sí. Tráele un poco de agua, Sniggers.

SNIGGERS: Aquí no usamos agua. ¿Dónde habrá?

BILL: En el jardín.

(Sale SNIGGERS.)

ALBERTO: Brindo por nuestra buena suerte.

(Todos beben.)

BILL: Brindo por el señor don Alberto Thomas.

(Bebe.)

EL NIÑO: Por el señor don Alberto Thomas.

ALBERTO: Por el señor don Guillermo Jones.

El Niño: Por el señor don Guillermo Jones.

(*El Niño y Alberto beben. Entra Sniggers, aterrado.*)

El Niño: Aquí está de vuelta el señor don Jacobo Smith, Juez de Paz, alias Sniggers.

Sniggers: Estuve pensando en lo que me toca por el rubí. No lo quiero, no lo quiero.

El Niño: ¡Qué absurdo, Sniggers, qué absurdo!

Sniggers: Usted lo tendrá, Niño, usted lo tendrá; pero diga que a Sniggers no le toca nada por el rubí. Dígalo, Niño, dígalo.

Bill: ¿Vas a dedicarte a la delación, Sniggers?

Sniggers: No, no. Pero no quiero el rubí, Niño.

El Niño: Basta de disparates, Sniggers. Todos estamos metidos en este asunto. Si ahorcan a uno, ahorcan a todos. Pero a mí no van a embromarme. Además, no es cuestión de horca; ellos tenían cuchillos.

Sniggers: Niño, Niño, siempre me porté bien con usted, Niño. Yo siempre he dicho: Nadie como el Niño. Pero que me dejen devolver mi parte, Niño.

El Niño: ¿Qué andas buscando? ¿Qué sucede?

Sniggers: Acéptela, Niño.

El Niño: Contéstame, ¿qué andas tramando?

Sniggers: Yo no quiero mi parte.

Bill: ¿Has visto a la policía?

(*Alberto saca el cuchillo.*)

El Niño: No, cuchillos no, Alberto.

Alberto: Entonces, ¿qué?

El Niño: La pura verdad en el tribunal, sin contar el rubí. Nos agredieron.

Sniggers: No se trata de policía.

El Niño: ¿Entonces, qué es?

Bill: Que hable, que hable.

Sniggers: Juro por Dios...

Alberto: ¿Y?

El Niño: No interrumpas.

Sniggers: Juro que he visto algo que no me gusta.

El Niño: ¿Qué no te gusta?

Sniggers (*llorando*): ¡Oh, Niño, Niño. Acepte mi parte! ¡Diga que la acepta!

EL NIÑO: ¿Qué habrá visto?

> (*Silencio sólo interrumpido por los sollozos de
> SNIGGERS. Se oyen pasos de piedra. Entra un ídolo
> atroz. Está ciego. Se dirige a tientas hacia el rubí.
> Lo recoge y se lo atornilla en la frente. SNIGGERS sigue
> llorando. Los otros miran horrorizados. El ídolo sale
> con aplomo: ahora ve. Sus pasos se alejan y luego se
> detienen.*)

EL NIÑO: Dios mío.
ALBERTO (*con voz infantil y quejosa*): ¿Qué era eso, Niño?
BILL: Es el horrible ídolo que ha venido de la India.
ALBERTO: Se ha ido.
BILL: Se ha llevado el ojo.
SNIGGERS: Estamos salvados.
UNA VOZ (*afuera con acento extranjero*): Señor don Guillermo Jones,
marinero.

> (*EL NIÑO, inmóvil y mudo, mira estúpidamente, con
> horror.*)

BILL: Alberto, ¿qué es esto?

> (*Se levanta y sale. Se oye un quejido, SNIGGERS mira
> por la ventana. Retrocede, deshecho.*)

ALBERTO (*murmura*): ¿Qué ha sucedido?
SNIGGERS: Lo he visto. Lo he visto.

> (*Vuelve a la mesa.*)

EL NIÑO (*tomando suavemente el brazo de SNIGGERS*): ¿Qué era, Sniggers?
SNIGGERS: Lo he visto.
ALBERTO: ¿Qué?
SNIGGERS: ¡Ah!
LA VOZ: Señor don Alberto Thomas, marinero.
ALBERTO: ¿Debo salir, Niño, debo salir?
SNIGGERS (*agarrándolo*): No te muevas.
ALBERTO (*saliendo*): Niño, Niño...

> (*Sale.*)

LA VOZ: El señor don Jacobo Smith, marinero.

Sniggers: No puedo salir, Niño, no puedo, no puedo.

(Sale.)

La voz: El señor Arnold Everett Scott-Fortescue, marinero.
El Niño: Esto no lo preví.

(Sale.)

Telón

LORD DUNSANY

TANTALIA

MACEDONIO FERNÁNDEZ, metafísico y humorista argentino, nacido en Buenos Aires en 1874; muerto en 1952. Su obra, originalísima, se distingue por el fervor y las continuas invenciones. Recordemos: *No toda es Vigilia la de los Ojos Abiertos* (1928); *Papeles de Recienvenido* (1930).

El mundo es de inspiración tantálica.

Primer momento:
El cuidador de una plantita

Él acaba de convencerse de que su sentimentalidad, aptitud de simpatía, que viene desde tiempo luchando por recuperar, está enteramente agotada, y, en los sufrimientos de este descubrimiento, cavila y halla por fin que quizá el cuidado de una plantita endeble, de una mínima vida, de lo más necesitado de cariño, debiera ser el comienzo de la reeducación de su sentimentalidad.

Ocurre que pocos días después de esta meditación y proyectos en suspenso, Ella, sin sospechar tales cavilaciones, pero movida por una aprensión vaga que había tenido del empobrecimiento afectivo que ocurría en él, le envía de regalo una plantita de trébol.

Él resuelve adoptarla para iniciar el procedimiento entrevisto. La cuida con entusiasmo durante un tiempo y cada vez se percata más de la infinidad de atenciones y protecciones, expuestas a un descuido fatal, exigidas para la seguridad de la vida de un ser tan débil, al que un gato,

147

una helada, un golpe, sed, calor, viento, amenazan. Se siente intimidado por la posibilidad de verla morirse un día por mínimo descuido; pero no es sólo el temor de perderla para su cariño, sino que conversando con Ella, cavilosos como todos los que están en la pasión, y más cuando en esa pasión uno decae, llegan a la obsesión de que exista algún nexo de destinos entre el vivir de la plantita y el vivir de ellos o de su amor. Fue Ella la que un día vino a decirle que ese trébol fuera el símbolo del vivir del amor de ellos.

Empiezan a temer que la plantita muera y muera con ella uno de ellos y lo que es más: el amor de ellos, única muerte que hay. Se ven sucesivamente, meditando en coloquios, creciendo el pavor a que se ven sujetos. Deciden entonces anular la identidad reconocible de esa plantita para que, eludiendo el mal presagio de matarla, nada haya identificable en el mundo a cuyo existir esté supeditada la vida y amor de ellos; y al par así, sitúanse en la asegurada ignorancia de no saber nunca si aquel existir vegetal que tan singularmente se había hecho parte en las vicisitudes de una pasión humana, se muere o vive. Resuelven entonces, de noche, en un paraje no reconocible para ellos, perderla en un vasto trebolar.

Segundo momento:
Identidad de una mata de trébol

Pero la excitación que iba creciendo desde algún tiempo en Él, y el desencanto de ambos por haber tenido que renunciar a la comenzada tentativa de reeducación de su sensibilidad y al hábito y cariño de cuidar a la plantita que alboreaba en él, se traduce en un acto oculto que realiza el retorno de esa labor de olvidación en las sombras. En el trayecto, sin que lo advirtiera de fijo pero con algún pulso de zozobra en Ella sin embargo, Él se inclinó y cogió otra mata de trébol.

–¿Qué haces?

–Nada.

Ambos se separaron al amanecer, quedando en Ella algo de sobresalto, en ambos el alivio de no reconocerse ya dependientes del vivir simbólico de esa plantita, y en ambos también la pavura que nos viene de todas las situaciones de lo irreparable, cuando acabamos de crear un imposible cualquiera, como en este caso el imposible de saber jamás si vivía y cuál era la plantita que fuera al principio obsequio de amor.

148

Tercer momento:
El torturador de un trébol

«Por múltiples modos y males me veo sin placeres ni de inteligencia o arte ni sensuales, que se brindan en torno. Me voy quedando sordo habiendo sido la música mi mayor goce; los largos paseos entre los cercos se hacen imposibles por mil detalles de decadencia fisiológica. Y así en las demás cosas...

»Esta plantita de trébol ha sido elegida por mí para el Dolor, entre otras muchas: ¡elegida! ¡pobrecita! Veré si puedo hacerle un mundo de Dolor. Veré si su Inocencia y su Tortura llegan a tanto que estalle algo en el Ser, en la Universalidad, que clame y logre la Nada para ella y para el Todo, la total Cesación, pues el mundo es tal que no hay siquiera muerte individual; el cesar del Todo o la eternidad inexorable para todos. La única cesación inteligible es la del Todo; la particular de que el que ha "sentido" una vez cese de sentir, quedando existente, cesado él, la restante realidad, es una contradicción verbal, una concepción imposible.

»Elegida entre millones, te tocó a ti serlo, ¡serlo para el Dolor! Aún no; ¡desde mañana seré contigo un artista en Dolor!

»Durante tres días, sesenta, setenta horas, el viento del verano estuvo constante oscilando dentro de un corto ángulo, fue y volvió de un acento y de una dirección a una pequeña variante de un acento y dirección; y la puerta de mi habitación retenida en su batir entre el quicio y una silla que puse para acortar su oscilar, batía sin cesar, y el postigo de mi ventana golpeaba también sin cesar sometido al viento. Sesenta, setenta horas la hoja de la puerta y el postigo cediendo minuto a minuto a su distinta presión, y yo al par, sentado o columpiándome en la silla de la hamaca.

»Parece entonces que yo me dije: esto es la Eternidad. Parece que fue por esto que veía yo, por esa formulación de hastío, de no sentido de las cosas, de no finalidad, de todo es lo mismo, dolor, placer, crueldad, bondad, que hubo nacido el pensamiento de hacerme el torturador de una plantita.

»Ensayaré –me repetía– sin intentar ya amar de nuevo, torturar lo más endeble e indefenso, la forma más mansa y herible de la vida: seré el torturador de esta plantita. Ésta es la pobrecita elegida entre miles para soportar mi ingenio y empeño torturador. Ya que cuando fue mi ánimo hacer la felicidad de un trébol tuve que renunciar al intento y desterrarlo de mí bajo sentencia de irreconocibilidad, el péndulo de mi pervertida y descalabrada voluntad transportó al otro extremo, surgiendo de súbito en una mutación opuesta, en el malquerer, y alumbró prestamente la idea de martirizar la inocencia y orfandad a fin de obtener el suicidio del Cosmos por vergüenza de que en su seno prosperara una escena tan repulsiva y cobarde. ¡Al fin y al cabo, el Cosmos también me ha creado a mí!

»Yo niego la Muerte, no hay Muerte aun como ocultación de un ser para otro, cuando para ellos hubo el todo amor; y no la niego solamente como muerte para sí mismo. Si no hay la muerte de quien sintió una vez, ¿por qué no ha de haber el dejar de ser total, aniquilamiento del Todo? Tú sí eres posible, Cesación eterna. En ti nos guareceríamos todos los que no creemos en la Muerte y no estamos tampoco conformes con el Ser, con la vida. Y creo que el Deseo puede llegar a obrar directamente, sin mediación de nuestro cuerpo, sobre el Cosmos, que la Fe puede mover montañas; creo yo aunque nadie otro creyera.

»No puedo reavivar el lacerante recuerdo de la vida de dolor que sistematicé, ingeniándome cada día en nuevos modos crueles para hacerla padecer sin matarla.

»Como por sobre ascuas tendré que decir que la colocaba todos los días próxima e intocada de los rayos de sol y tenía la prolijidad de crueldad de alejarla con el avanzar de la mancha del sol. Apenas la regaba para que no muriera y en cambio la rodeaba de recipientes de agua y había inventado fieles rumores de lluvia y lloviznas vecinas que no llegaban a refrescarla. Tentar y no dar... El mundo es una mesa tendida de la Tentación con infinitos embarazos interpuestos y no menos variedad de estorbos que de cosas brindadas. El mundo es de inspiración tantálica; despliegue de un inmenso hacerse desear que se llama Cosmos, o mejor, la Tentación. Todo lo que desea un trébol y todo lo que desea un hombre le es brindado y negado. Yo también pensé; tienta y niega. Mi consigna interior, mi tantalismo, era buscar las exquisitas condiciones máximas de sufrimiento sin tocar a la vida, procurando al contrario la vida más plena, la sensibilidad más viva y excitada para el padecer. Y logré que en esto el dolor de privación tantálica la estremeciera. Mas no podía mirarla ni tocarla; me vencía de repulsión mi propia obra (cuando la arranqué, en aquella noche tan negra a mi espíritu, no miré hacia donde estaba y su contacto me fue por demás odioso). El rumor de lluvia sin alcanzarle su húmedo frescor hacíala retorcerse.

»¡Elegida entre millones para un destino de martirio! ¡Elegida! ¡Pobrecita! ¡Oh, tu Dolor ha de saltar el mundo! Cuando te arranqué ya estabas elegida por mi ansia de atormentar.»

La fórmula radical, íntima, de lo que Él estaba haciendo miserablemente, era la ambición y ansiedad de lograr el reemplazo por la Nada de la Totalidad, de todo lo que hay, lo que hubo, lo que es, de toda la Realidad material y espiritual. Creía que el Cosmos, lo Real, no podría soportar mucho tiempo, avergonzándose de albergar en su ámbito una escena de tal tortura ejercida sobre un primer eslabón de lo viviente más frágil y endeble, por el mayor poder y dotación de lo viviente. ¡El hombre tiranizando un trébol! ¡Era para eso que había advenido el Hombre!

La irritación de lo rehusado después de ofrecido enloquece de perversidad a un hombre de máximo pensamiento. De ahí el martirio cobarde, el repugnante complacimiento del mayor poder en una alevosía en un mínimo existir.

Su pensamiento sabía la igual posibilidad de la Nada y el Ser, y creía plenamente inteligible y posible una total sustitución del Todo-Ser por lo Todo-Nada. Él, como el máximo de la Conciencia de Vida, como hombre y hombre excepcional en dotes, era quien podría en un refinamiento último de pensamiento haber hallado el resorte, el talismán que podría determinar la opción del Ser por la Nada, opción o reemplazo o «empujamiento afuera» del Ser por la Nada. Porque verdaderamente, dígaseme si no es así, si no es cierto que no hay elemento alguno mental que pueda decidir que la Nada o el Ser difieren en su *posibilidad* de darse en grado alguno; si no es totalmente posible que se diera la Nada en lugar del Ser. Esto es cierto, evidente, porque el mundo es o no es, pero si es, es causalístico, y así, su Cesación, su no ser, es causable; aunque el resorte buscado no determinara la cesación del Ser, quizá otro la determinaría... Si el darse el Mundo o la Nada son de absoluta igual posibilidad, en este equilibrio o balanza de Ser y Nada, una brizna, una gota de rocío, un suspiro, un deseo, una idea, pueden tener eficacia para precipitar la alternativa a un Mundo de No-Ser de un Mundo de Ser.

Vendría un día el Salvador-de-Ser...

(Yo lo digo comentando, teorizando lo que Él hizo, pero no soy Él.)

Pero Ella vino un día:

—Dime, ¿qué hiciste aquella noche, porque yo sentí el opaco rumor de un desenraizar de matita, el sonido de la tierra que apaga el arrancar de una tierna raíz? ¿Eso es lo que yo oí?

Pero Él se sintió de nuevo en su natural después de una larga peregrinación tras de respuesta, y se echó a llorar en brazos de Ella y la amó de nuevo, inmensamente, como antes. Era un llanto que hacía diez o doce años no lograba derramarse, que hinchaba su corazón, que había querido hacerle estallar el mundo, y al serle recordado el gritito, el murmullo abismante del dolorcillo vegetal, de pequeña raíz arrancada ¡fue eso! lo que necesitó su naturaleza para que el llanto, desbordándose, lavara su ser todo y lo volviera a los días de su plenitud de amor... Un gritito sofocado de raíz doliente entre la tierra, así como pudo decidir hacia el No-Ser toda la Realidad, pudo entonces cambiar toda la vida interior de Él.

Yo lo creo. Y lo que cree todo el mundo es mucho más de lo que muestro creer en esto –¿quién se mide en el creer?–; no me digáis, pues, absurdo temerario en el creer. Cualquier mujer cree que la vida del amado puede depender del marchitarse del clavel que le diera si el amado descuida ponerlo en agua en el vaso que ella le regaló otrora. Toda madre cree que el hijo que parte con su «bendición» va protegido de males; toda mujer cree que lo que reza con fervor puede sobre los destinos. Todo-es-posible es mi creencia. Así, pues, Yo lo creo.

No me engaña el verbiario hinchado del plácido ideario de muchos metafísicos, con sus juicios fundados en juicios. Un Hecho, un hecho que enloquezca de humillación, de horror, al Secreto, al Ser-Misterio, el martirio de la Inocencia Vegetal por la máxima personalización de la Conciencia: el Hombre, por el máximo poder no mecánico. Un hecho tal, sin necesidad de verificación, meramente concebido por una conciencia humana, creo que puede estremecer hacia el No-Ser todo lo que es.

Concebido está; luego la Cesación está potencialmente causada; podemos esperarla. Pero la milagrosa re-creación de amor concebida al par por el autor, batallará quizá con aquélla o triunfará más tarde después de realizado el No-Ser. En verdad el continuo psicológico conciencial es una serie de cesaciones y re-creaciones más que un continuo.

Los he visto amarse otra vez; pero no puedo mirarlo a él o escucharlo sin súbito horror. Ojalá nunca me hubiera hecho su terrible confesión.

MACEDONIO FERNÁNDEZ

VIVIR PARA SIEMPRE

JAMES GEORGE FRAZER, etnólogo inglés, nacido en Glasgow, en 1854; muerto en 1941. Autor, entre otras obras, de: *The Golden Bough* (1890-1915); *The Devil's Advocate: A Plea for Superstition* (1909): *Totemism and Exogamy* (1910).

Otro relato, recogido cerca de Oldenburg, en el Ducado de Holstein, trata de una dama que comía y bebía alegremente y tenía cuanto podía anhelar el corazón, y que deseó vivir para siempre. En los primeros cien años todo fue bien, pero después empezó a encogerse y arrugarse, hasta que no pudo andar, ni estar de pie, ni comer ni beber. Pero tampoco podía morir. Al principio la alimentaban como si fuera una niñita, pero llegó, a ser tan diminuta que la metieron en una botella de vidrio y la colgaron en la iglesia. Todavía está ahí, en la iglesia de Santa María, en Lübeck. Es del tamaño de una rata, y una vez al año se mueve.

JAMES GEORGE FRAZER
Balder the Beautiful, vol. I (1913)

UN CREYENTE

GEORGE LORING FROST, escritor inglés, nacido en Brentford, en 1887. Autor de *Foreword* (1909); *The Island* (1913); *Love of London* (1916); *The Unremembered Traveller* (1919); *The Sundial* (1924); *The Unending Rose* (1931).

Al caer de la tarde, dos desconocidos se encuentran en los oscuros corredores de una galería de cuadros. Con un ligero escalofrío, uno de ellos dijo:
—Este lugar es siniestro. ¿Usted cree en fantasmas?
—Yo no —respondió el otro—. ¿Y usted?
—Yo sí —dijo el primero y desapareció.

GEORGE LORING FROST
Memorabilia (1923)

UN HOGAR SÓLIDO

ELENA GARRO, escritora mexicana, nacida en Puebla. Entre sus libros mencionaremos el volumen de comedias *Un lugar sólido* y la novela *Los recuerdos del porvenir* (1963).

CLEMENTE (60 años); DOÑA GERTRUDIS (40 años); MAMÁ JESUSITA (80 años); CATALINA (5 años); VICENTE MEJÍA (23 años); MUNI (28 años); EVA, extranjera (20 años); LIDIA (32 años)

(Interior de un cuarto pequeño, con los muros y el techo de piedra. No hay ventanas ni puertas. A la izquierda, empotradas en el muro y también de piedra, unas literas. En una de ellas, MAMÁ JESUSITA, en camisón de encajes y cofia de dormir de encajes. La escena es muy oscura.)

VOZ DE DOÑA GERTRUDIS: ¡Clemente, Clemente! ¡Oigo pasos!

VOZ DE CLEMENTE: ¡Tú siempre estás oyendo pasos! ¿Por qué serán tan impacientes las mujeres? Siempre anticipándose a lo que va a suceder, vaticinando calamidades.

VOZ DE DOÑA GERTRUDIS: Pues los oigo.

VOZ DE CLEMENTE: No, mujer, siempre te equivocas; te dejas llevar por tu nostalgia de catástrofes.

VOZ DE DOÑA GERTRUDIS: Es cierto... pero esta vez no me equivoco.

VOZ DE CATALINA: ¡Son muchos pies, Gertrudis! *(Sale CATITA, vestida con un traje blanco de los usados hacia 1865, botitas negras y un collar de corales al cuello. Lleva el pelo atado en la nuca con un lazo rojo.)* ¡Qué bueno, qué bueno! ¡Tralalá! ¡Tralalá! *(CATITA da saltos y bate palmas.)*

DOÑA GERTRUDIS *(apareciendo con un traje rosa de 1930)*: Los niños no se equivocan. ¿Verdad, tía Catalina, que alguien viene?

CATALINA: ¡Sí, yo lo sé! Lo supe desde la primera vez que vinieron. ¡Tenía tanto miedo aquí, solita!

CLEMENTE *(aparece en traje negro y puños blancos)*: Creo que tiene razón. ¡Gertrudis! ¡Gertrudis! ¡Ayúdame a buscar mis metacarpios! Siempre los pierdo y sin ellos no puedo dar la mano.

VICENTE MEJÍA *(apareciendo en traje de oficial juarista)*: Usted leyó mucho, don Clemente; de ahí le viene el mal hábito de olvidar las cosas.

¡Míreme a mí, completito en mi uniforme, siempre listo para cualquier advenimiento!

MAMÁ JESUSITA (*enderezándose en su litera y enseñando la cabeza cubierta con la cofia de encajes*): ¡Catita tiene razón! Los pasos vienen hacia acá (*se coloca una mano detrás de una oreja, en actitud de escuchar*), se han detenido los primeros... a no ser que a los Ramírez les haya sucedido una desgracia... esta vecindad ya nos ha hecho llevar muchos chascos.

CATALINA (*saltando*): ¡Tú duérmete, Jesusita! A ti no te gusta sino dormir.

> Dormir, dormir
> que cantan los gallos
> de San Agustín.
> ¿Ya está el pan?

MAMÁ JESUSITA: ¿Y qué quieres que haga? Si me dejaron en camisón...

CLEMENTE: No se queje, doña Jesús. Pensamos que por respeto...

MAMÁ JESUSITA: ¡Por respeto! ¿Y por respeto una tal falta de respeto?

GERTRUDIS: Si hubiera estado yo, mamá... pero qué querías que hicieran las niñas y Clemente. (*Arriba se oyen muchos pasos. Se detienen. Vuelve el ruido de pasos.*)

MAMÁ JESUSITA: ¡Catita! Ven acá y púleme la frente; quiero que brille como la estrella polar. Dichoso el tiempo en que yo corría por la casa como una centella, barriendo, sacudiendo el polvo que caía sobre el piano en engañosos torrentes de oro, para luego, cuando ya cada cosa relucía como un cometa, romper el hielo de mis cubetas dejadas al sereno, y bañarme con el agua cuajada de estrellas de invierno. ¿Te acuerdas, Gertrudis? Eso era vivir; rodeada de mis niños tiesos y limpios como pizarrines.

GERTRUDIS: Sí, mamá. Y me acuerdo también de tu corchito quemado para hacerte ojeras; y de los limones que comías para que la sangre se te hiciera agua; y de aquellas noches en que te ibas con papá al Teatro de los Héroes. ¡Qué bonita te veías con tu abanico y las dormilonas en las orejas!

MAMÁ JESUSITA: ¡Ya ves, hija, la vida es un soplo! Cada vez que llegaba al palco...

CLEMENTE (*interrumpiendo*): ¡Por piedad, ahora no encuentro mi fémur!

MAMÁ JESUSITA: ¡Qué falta de consideración! ¡Interrumpir a una señora! (CATITA, *mientras tanto, ha estado ayudando a* MAMÁ JESUSITA *a arreglarse la cofia.*)

VICENTE MEJÍA: Yo vi a Catita jugar con él a la trompeta.

GERTRUDIS: Tía Catalina, ¿dónde olvidó usted el fémur de Clemente?

CATALINA: ¡Jesusita! ¡Jesusita! ¡Me quieren quitar mi corneta!

MAMÁ JESUSITA: ¡Gertrudis, deja en paz a esta niña! Y en cuanto a ti, te diré:

> no es tan malo
> que mi niña enfermara,
> como la maña
> que le quedara...

GERTRUDIS: Pero mamá, no seas injusta, ¡es el fémur de Clemente!

CATALINA: ¡Fea, mala! ¡Te pego! ¡No es su fémur, es mi cornetita de azúcar!

CLEMENTE *(a GERTRUDIS)*: ¿No se la habrá comido? Tu tía es insoportable.

GERTRUDIS: No lo sé, Clemente. A mí me perdió mi clavícula rota. Le gustaban mucho los caminitos de cal dejados por la cicatriz. ¡Y era mi hueso favorito! Me recordaba las tapias de mi casa llenas de heliotropos. ¿Te conté que me caí, verdad? La víspera habíamos ido al circo. Todo Chihuahua estaba en las gradas para ver a Ricardo Bell; de pronto, salió una equilibrista, que parecía una mariposa y a la que no he olvidado nunca... *(Arriba se oye un golpe y GERTRUDIS se interrumpe.)*

GERTRUDIS *(continuando)*: ... por la mañana me fui a las bardas, a bailar sobre un pie, pues toda la noche había soñado que era ella... *(Arriba se oye un golpe más fuerte.)*

GERTRUDIS: ... Claro, no sabía que tenía huesos. Una, de niña, no sabe nada. Como me lo rompí, digo siempre que fue el primer huesito que tuve. ¡Se lleva uno cada sorpresa! *(Los golpes se suceden con más rapidez.)*

VICENTE MEJÍA *(atusándose el bigote)*: No cabe duda. Alguien llega, tenemos huéspedes. *(Canta)*:

> Cuando en tinieblas
> riela la luna
> y en la laguna
> canta el alción...

MAMÁ JESUSITA: ¡Cállate, Vicente! No es hora de cantar. ¡Mira estos inoportunos! En mis tiempos la gente se anunciaba antes de caerle a uno de visita. Había más respeto. ¡A ver ahora a quién nos traen, a cualquier extraño de esos que se casaron con las niñas! ¡Abate Dios a los humildes!, como decía el pobre Ramón, a quien Dios tenga en su santa gloria...

VICENTE MEJÍA: ¡Tú no cambiaste para bien, Jesusita! A todo le pones pero. Antes tan risueña que eras; lo único que te gustaba era bailar polcas. *(Tararea «Jesusita en Chihuahua» y hace unos pasos.)* ¿Te acuerdas cómo bailamos en aquel Carnaval? *(Sigue bailando.)* Tu traje rosa giraba, giraba, y tu cuello estaba muy cerca de mi boca...

MAMÁ JESUSITA: ¡Por Dios, primo Vicente! No me recuerdes esas tonterías.

VICENTE MEJÍA *(riéndose)*: ¿Qué dirá ahora Ramón? Él, tan celoso... y tú y yo aquí juntos, mientras él se pudre solo, allá en el Panteón de Dolores.

GERTRUDIS: ¡Tío Vicente! Cállese, va a provocar un disgusto.

CLEMENTE *(alarmado)*: Ya le expliqué, doña Jesús, que en ese momento no tuvimos dinero para transportarlo.

MAMÁ JESUSITA: Y las niñas, ¿qué esperan para traerlo? No me dé explicaciones, a usted siempre le faltó delicadeza. *(Se oye un golpe más fuerte.)*

CATALINA: ¡Vi luz! *(Entra un rayo de luz.)* ¡Vi un sable! ¡Otra vez San Miguel que viene a visitarnos! ¡Miren su lanza!

VICENTE MEJÍA: ¿Estamos completos? Pues ahora, ¡orden y nos amaneceremos!

CLEMENTE: Faltan Muni y mi cuñada.

MAMÁ JESUSITA: Ustedes, los extranjeros, siempre apartándose.

GERTRUDIS: ¡Muni! ¡Muni! Alguien viene; a lo mejor es una de tus primas. ¿No te da gusto, hijo? Podrás jugar y reírte con ellas otra vez. A ver si se te quita esa tristeza.

> *(Aparece Eva, extranjera, rubia, alta, triste, muy joven, en traje de viaje de 1920.)*

EVA: Muni estaba por ahí hace un momento. ¡Muni, hijito! ¿Oyes ese golpe? Así golpea el mar contra las rocas de mi casa... ninguno de ustedes la conoció... estaba sobre una roca, alta como una ola. Batida por los vientos que nos arrullaban en la noche. Remolinos de sal cubrían sus vidrios de estrellas marinas. La cal de la cocina se doraba con las manos solares de mi padre... Por las noches, las criaturas del viento, del agua, del fuego, de la sal, entraban por la chimenea, se acurrucaban en las llamas, cantaban en la gota de los lavaderos... ¡Tin, tan! ¡Tin, tin, tin, tin, tan!... Y el yodo se esparcía por la casa como el sueño... La cola de un delfín resplandeciente nos anunciaba el día. ¡Así! ¡Con esta luz de escamas y corales! *(EVA, al decir la última fra-*

se, levanta el brazo y señala el raudal de luz que entra en la cripta. Arriba separan la primera losa. El cuarto se inunda de sol. Los trajes lujosos están polvorientos y los rostros pálidos. La niña CATALINA *salta de gusto.)*

CATALINA: ¡Mira, Jesusita! ¡Viene alguien! ¿Quién lo trae, Jesusita: doña Difteria o San Miguel?

MAMÁ JESUSITA: ¡Espera, niña, vamos a ver!

CATALINA: A mí me trajo doña Difteria. ¿Te acuerdas de ella? Tenía los dedos de algodón y no me dejaba respirar. ¿A ti te dio miedo, Jesusita?

MAMÁ JESUSITA: Sí, hermanita. Me acuerdo que te llevaron y el patio de la casa quedó sembrado de pétalos morados. Mamá lloró mucho y nosotras las niñas también.

CATALINA: ¡Tontita! ¿Que no sabías que ibas a venir a jugar aquí conmigo? Ese día San Miguel se sentó junto a mí y con su lanza de fuego lo escribió en el cielo de mi casa. Yo no sabía leer... y lo leí. ¿Y era bonita la escuela de las señoritas Simson?

MAMÁ JESUSITA: Muy bonita, Catita. Mi mamá nos mandó con lazos negros... y tú ya no pudiste ir.

CATALINA: ¿Y aprendiste el silabario? Para eso me iba a mandar mi mamá. Y como es...

MUNI *(entra en pijama, con el rostro azul y el pelo rubio)*: ¿Quién será? *(Arriba, por el trozo de bóveda abierto al cielo, se ven los pies de una mujer suspendidos en un círculo de luz.)*

GERTRUDIS: ¡Clemente, Clemente, son los pies de Lidia! ¡Qué gusto, hijita, qué gusto que hayas muerto tan pronto! *(Todos callan. Empieza el descenso de* LIDIA, *suspendida con cuerdas. Viene tiesa, con un traje blanco, los brazos cruzados al pecho, los dedos en cruz, la cabeza inclinada y los ojos cerrados.)*

CATALINA: ¿Quién es Lidia?

MUNI: ¿Lidia? Es la hija de tío Clemente y de tía Gertrudis, Catita. *(Acaricia a la niña.)*

MAMÁ JESUSITA: ¡Éramos pocos y parió la abuela! Ya tenemos aquí a toda la serie de los nietos. ¡Cuánto mocoso! ¿Pues qué, el horno crematorio no es más moderno? A mí cuando menos me parece más higiénico.

CATALINA: ¿Verdad, Jesusita, que Lidia es de mentiritas?

MAMÁ JESUSITA: ¡Fuera bueno, mi niña! ¡Aquí hay lugar para todo el mundo, menos para el pobre de Ramón!

EVA: ¡Cómo creció! Cuando me vine era tan chiquita como Muni. *(LIDIA queda de pie, en medio de todos, que la miran. Luego abre los ojos.)*

LIDIA: ¡Papá! *(Lo abraza.)* ¡Mamá! ¡Muni! *(Los abraza.)*

GERTRUDIS: Te veo muy bien, hija.

LIDIA: ¿Y la abuela?

CLEMENTE: No puede levantarse. ¿Te acuerdas que cometimos el error de enterrarla en camisón?

MAMÁ JESUSITA: Sí, Lilí, aquí me tienes acostada per secula seculorum.

GERTRUDIS: Cosas de mi mamá, ya sabes, Lilí, lo compuesta que fue siempre...

MAMÁ JESUSITA: Lo peor será, hijita, presentarse así ante Dios Nuestro Señor. ¿No te parece una infamia? ¿Cómo no se te ocurrió traerme un vestido? Aquel gris, con las vueltas de brocado y el ramito de violetas en el cuello. ¿Te acuerdas de él? Me lo ponía para ir a las visitas de cumplido... pero de los viejos nadie se acuerda...

CATALINA: Cuando San Miguel nos visita, ella se esconde.

LIDIA: ¿Y tú quién eres, preciosa?

CATALINA: ¡Catita!

LIDIA: ¡Ah! ¡claro! Si la teníamos sobre el piano. Ahora está en casa de Evita. ¡Qué tristeza cuando la veíamos, tan melancólica, pintada en su traje blanco! Se me había olvidado que estaba aquí.

VICENTE MEJÍA: ¿Y no te da gusto conocerme a mí, sobrina?

LIDIA: ¡Tío Vicente! También a ti te teníamos en la sala, con tu uniforme, y en una cajita de terciopelo rojo, tu medalla.

EVA: ¿Y de tu tía Eva, no te acuerdas?

LIDIA: ¡Tía Eva! Sí, te recuerdo apenas, con tu pelo rubio tendido al sol... y recuerdo tu sombrilla morada y tu rostro desvanecido debajo de sus luces, como el de una hermosa ahogada... y tu sillón vacío meciéndose al compás de tu canto, después que ya te habías ido. *(Del círculo de luz brota una voz. Un discurso.)*

VOZ DEL DISCURSO: La generosa tierra de nuestro México abre sus brazos para darte amoroso cobijo. Virtuosa dama, madre ejemplarísima, esposa modelo, dejas un hueco irreparable...

MAMÁ JESUSITA: ¿Quién te habla con tanta confianza?

LIDIA: Es don Gregorio de la Huerta y Ramírez Puente, presidente de la Asociación de Ciegos.

VICENTE MEJÍA: ¡Qué locura! ¿Y qué hacen tantos ciegos juntos?

MAMÁ JESUSITA: Pero ¿por qué te tutea?

GERTRUDIS: Es la moda, mamá, hablarle de tú a los muertos.

VOZ DEL DISCURSO: Pérdida crudelísima, cuya ausencia lamentaremos más tristemente con el paso del tiempo, nos privas de tu avasalladora simpatía y dejas también a un hogar cristiano y sólido en la orfandad más atroz. Tiemblen los hogares ante la inexorable Parca...

CLEMENTE: ¡Válgame Dios! ¿Pero todavía anda por allá ese botarate?

MAMÁ JESUSITA: ¡Lo que no sirve, abunda!

LIDIA: Sí. Y ahora es el presidente de la Banca, de los Caballeros de Colón, de la Bandera y del Día de la Madre...

VOZ DEL DISCURSO: Sólo la fe inquebrantable, la resignación cristiana y la piedad...

CATALINA: Siempre dice lo mismo don Hilario.

MAMÁ JESUSITA: No es don Hilario, Catita. Don Hilario hace la friolera de sesenta y siete años que murió...

CATALINA (sin oírla): Cuando a mí me trajeron, decía: «¡Voló un angelito!». Y no era cierto. Yo estaba aquí abajo, solita, muy asustada. ¿Verdad, Vicente, verdad que yo no digo mentiras?

VICENTE MEJÍA: ¡Dímelo a mí! Figúrense, yo llego aquí, todavía atarantado por los fogonazos, con mis heridas abiertas y... ¿qué veo? A Catita llorando: ¡quiero ver a mi mamá, quiero ver a mi mamá! ¡Qué guerra me dio esta niña! Con decirles que echaba de menos a los franceses...

VOZ DEL DISCURSO: ¡Requiescat in pace! (Empiezan a poner las losas. La escena se oscurece paulatinamente.)

CATALINA: Estuvimos mucho tiempo solitos ¿verdad, Vicente? No sabíamos qué pasaba, por qué nadie vino nunca más.

MAMÁ JESUSITA: Ya te he dicho, Catita, nos fuimos a México. Luego vino la Revolución...

CATALINA: Hasta que un día llegó Eva. Tú dijiste, Vicente, que era extranjera porque no la conocíamos.

VICENTE MEJÍA: La situación era un poco tirante y Eva no nos decía ni una palabra.

EVA: También yo estaba cohibida... y además pensaba en Muni... y en mi casa... aquí estaba todo tan callado. (Silencio. Ponen la última losa.)

LIDIA: ¿Y ahora, qué hacemos?

CLEMENTE: Esperar.

LIDIA: ¿Esperar todavía?

GERTRUDIS: Sí, hija, ya irás viendo.

EVA: Verás todo lo que quieras ver, menos tu casa con su mesa de pino blanco y en las ventanas las olas y las velas de los barcos...

MUNI: ¿No estás contenta, Lilí?

LIDIA: Sí, Muni, sobre todo de verte a ti. Cuando te vi tirado aquella noche en el patio de la comisaría con aquel olor a orines que venía de las losas rotas, y tú durmiendo en la camilla, entre los pies de los gendarmes, con tu pijama arrugado y tu cara azul, me pregunté: ¿por qué?, ¿por qué?

CATALINA: También yo, Lilí. Tampoco yo había visto a un muerto azul. Jesusita me contó después que el cianuro tiene muchos pinceles y sólo un tubo de color: el azul.

MAMÁ JESUSITA: ¡Ya no molesten a este muchacho! El azul le va muy bien a los rubios.

MUNI: ¿Por qué, prima Lilí? ¿No has visto a los perros callejeros caminar y caminar banquetas, buscando huesos en las carnicerías, llenas de moscas, y al carnicero, con los dedos remojados en sangre a fuerza de destazar? Pues yo ya no quería caminar banquetas atroces buscando entre la sangre un hueso. Ni ver las esquinas, apoyo de borrachos, meadero de perros. Yo quería una ciudad alegre, llena de soles y de lunas. Una ciudad sólida, como la casa que tuvimos de niño: con un sol en cada puerta, una luna para cada ventana y estrellas errantes en los cuartos. ¿Te acuerdas de ella, Lilí? Tenía un laberinto de risas. Su cocina era cruce de caminos; su jardín, cauce de todos los ríos; y ella toda, el nacimiento de los pueblos...

LIDIA: ¡Un hogar sólido, Muni! Eso mismo quería yo... Y ya sabes, me llevaron a una casa extraña y en ella no hallé sino relojes y unos ojos sin párpados, que miraron durante años. Yo pulía los pisos para no ver los miles de palabras muertas que las criadas barrían por las mañanas. Lustraban los espejos, para ahuyentar nuestras miradas hostiles. Esperaba que una mañana surgiera de su azogue la imagen amorosa. Abría libros, para abrir avenidas en aquel infierno circular. Bordaba servilletas, con iniciales enlazadas, para hallar el hilo mágico, irrompible, que hace de dos nombres uno...

MUNI: Lo sé, Lilí.

LIDIA: Pero todo fue inútil. Los ojos furiosos no dejaron de mirarme nunca. Si pudiera encontrar la araña que vivió en mi casa –me decía a mí misma– con su hilo invisible que une la flor a la luz, la manzana al perfume, la mujer al hombre, cosería amorosos párpados a estos ojos que me miran, y esta casa entraría en el orden solar. Cada balcón sería una patria diferente; sus muebles florecerían, de sus copas brotarían surtidores; de las sábanas, alfombras mágicas para viajar al sueño; de las manos de mis niños, castillos, banderas y batallas... pero no encontré el hilo, Muni...

MUNI: Me lo dijiste en la comisaría. En ese patio ajeno, lejos para siempre del otro patio en cuyo cielo un campanario nos contaba las horas que nos iban quedando para el juego.

LIDIA: Sí, Muni. Y en ti guardé el último día que fuimos niños. Después sólo quedó una Lidia sentada de cara a la pared, esperando...

MUNI: Tampoco yo pude crecer, vivir en las esquinas. Yo quería mi casa...

EVA: También yo, Muni, hijo mío, quería un hogar sólido. Tanto que el mar lo golpeara todas las noches, ¡bum! ¡bum!, y él se riera con la risa de mi padre, llena de peces y de redes.

CLEMENTE: ¿Lilí, no estás contenta? Hallarás el hilo y hallarás la araña. Ahora tu casa es el centro del sol, el corazón de cada estrella, la raíz de todas las hierbas, el punto más sólido de cada piedra.

MUNI: Sí, Lilí, todavía no lo sabes, pero de pronto no necesitas casa, ni necesitas río. No nadaremos en el Mezcala: seremos el Mezcala.

GERTRUDIS: A veces, tendrás mucho frío; y serás la nieve cayendo en una ciudad desconocida, sobre tejados grises y gorros rojos.

CATALINA: A mí lo que más me gusta es ser bombón en la boca de una niña, o cardillo, ¡para hacer llorar a los que leen cerca de una ventana!

MUNI: No te aflijas cuando tus ojos empiecen a desaparecer, porque entonces serás todos los ojos de los perros mirando pies absurdos.

MAMÁ JESUSITA: Ay, ojalá, y nunca te toque ser ojos ciegos de pez ciego en lo más profundo de los mares. No sabes la impresión terrible que tuve: era como ver y no ver.

CATALINA (*riéndose y palmoteando*): ¡También te asustaste mucho cuando eras el gusano que te entraba y salía por la boca!

VICENTE MEJÍA: Pues para mí lo peor ha sido ser el puñal del asesino.

MAMÁ JESUSITA: Ahora volverán las tuzas. No grites cuando tú misma corras por tu cara.

CLEMENTE: No le cuenten eso, la van a asustar. Da miedo aprender a ser todas las cosas.

GERTRUDIS: Sobre todo que en el mundo apenas si aprende uno a ser hombre.

LIDIA: ¿Y podré ser un pino con un nido de arañas y construir un hogar sólido?

CLEMENTE: Claro. Y serás el pino y la escalera y el fuego.

LIDIA: ¿Y luego?

MAMÁ JESUSITA: Luego Dios nos llamará en su seno.

CLEMENTE: Después de haber aprendido a ser todas las cosas, aparecerá la lanza de San Miguel, centro del Universo. Y a su luz surgirán las huestes divinas de los ángeles y entraremos en el orden celestial.

MUNI: ¡Yo quiero ser el pliegue de la túnica de un ángel!

MAMÁ JESUSITA: Tu color irá muy bien, dará hermosos reflejos. ¿Y yo qué haré, enfundada en este camisón?

CATALINA: ¡Yo quiero ser el dedo índice de Dios Padre!

TODOS A CORO: ¡Niña!

EVA: ¡Y yo una ola salpicada de sal, convertida en nube!

LIDIA: ¡Y yo los dedos costureros de la Virgen, bordando... bordando...!

GERTRUDIS: Y yo la música del arpa de Santa Cecilia.

VICENTE MEJÍA: Y yo el furor de la espada de San Gabriel.

CLEMENTE: Y yo una partícula de la piedra de San Pedro.

CATALINA: ¡Y yo la ventana que mire al mundo!

MAMÁ JESUSITA: Ya no habrá mundo, Catita, porque todo eso lo seremos después del Juicio Final.

CATALINA *(llora)*: ¿Ya no habrá mundo? ¿Y cuándo lo voy a ver? Yo no vi nada. Ni siquiera aprendí el silabario. Yo quiero que haya mundo.

VICENTE MEJÍA: ¡Velo ahora, Catita! *(A lo lejos se oye una trompeta.)*

MAMÁ JESUSITA: ¡Jesús, Virgen Purísima! ¡La trompeta del Juicio Final! ¡Y yo en camisón! Perdóname, Dios mío, esta impudicia...

LIDIA: No, abuelita. Es el toque de queda. Hay un cuartel junto al panteón.

MAMÁ JESUSITA: ¡Ah! Sí, ya me lo habían dicho: y siempre se me olvida. ¿A quién se le ocurre poner un cuartel tan cerca de nosotros? ¡Qué gobierno! ¡Se presta a tantas confusiones!

VICENTE MEJÍA: ¡El toque de queda! Me voy. Soy el viento. El viento que abre todas las puertas que no abrí, que sube en remolino las escaleras que nunca subí, que corre por las calles nuevas para mi uniforme de oficial y levanta las faldas de las hermosas mujeres desconocidas... ¡Ah, frescura! *(Desaparece.)*

MAMÁ JESUSITA: ¡Pícaro!

CLEMENTE: ¡Ah, la lluvia sobre el agua! *(Desaparece.)*

GERTRUDIS: ¡Leño en llamas! *(Desaparece.)*

MUNI: ¿Oyen? Aúlla un perro. ¡Ah, melancolía! *(Desaparece.)*

CATALINA: ¡La mesa donde comen nueve niños! ¡Soy el juego! *(Desaparece.)*

MAMÁ JESUSITA: ¡El cogollito fresco de una lechuga! *(Desaparece.)*

EVA: ¡Centella que se hunde en el mar negro! *(Desaparece.)*

LIDIA: ¡Un hogar sólido! ¡Eso soy yo! ¡Las losas de mi tumba! *(Desaparece.)*

ELENA GARRO

EL NEGADOR DE MILAGROS

Chu Fu Tze, negador de milagros, había muerto; lo velaba su yerno. Al amanecer, el ataúd se elevó y quedó suspendido en el aire, a dos cuartas del suelo. El piadoso yerno se horrorizó. «Oh, venerado suegro», suplicó, «no destruyas mi fe de que son imposibles los milagros». El ataúd, entonces, descendió lentamente, y el yerno recuperó la fe.

Citado por GILES en *Confucianism and its Rivals, Lecture VIII*, 1915

PEOR QUE EL INFIERNO

RAMÓN GÓMEZ DE LA SERNA, humorista español, nacido en Madrid, en 1891; muerto en Buenos Aires, en 1963. Fue uno de los más inventivos escritores de España. De su vastísima obra mencionaremos: *El drama del Palacio Deshabitado* (1909); *El laberinto* (1913); *El Teatro en Soledad* (1912); *Ruskin, el Apasionado* (1913); *El Rastro* (1915); *Greguerías* (1917); *Muestrario* (1918); *El Novelista* (1923); *Efigies* (1929); *Ismos* (1931).

¡Oh, la crueldad incomprensible, inadmisible! Le sentenció Dios a muchos miles de siglos de purgatorio porque si los hombres al que no matan, al que absuelven de la última pena lo sentencian casi a lo mismo con sus treinta años, Dios, al que perdona del Infierno, le condena, a veces, a toda la eternidad menos un día, y aunque ese día mata por completo toda la eternidad, ¡cuán vieja y cuán postrada no estará el alma el día en que cumpla la condena! Estará idiota como el alma de la ramera Elisa, de Goncourt, cuando sale del presidio silencioso.

«¡Cuántas hojas de almanaque, cuántos lunes, cuántos domingos, cuántos primeros de año esperando un primero de año separado por tantísimos años», pensaba el sentenciado, y no pudiendo resistir aquello, le pidió al Dios tan abusivamente cruel, que le desterrase al infierno definitivamente, porque allí no hay ninguna impaciencia.

«¡Matadme la esperanza! ¡Matad a esa esperanza que piensa en la fecha final, en la fecha inmensamente lejana», gritaba aquel hom

bre que por fin fue enviado al Infierno, donde se le alivió la deses
peración.

RAMÓN GÓMEZ DE LA SERNA
Muestrario (1918)

LA SANGRE EN EL JARDÍN

El crimen aquel hubiera quedado envuelto en el secreto durante mucho
tiempo si no hubiera sido por la fuente central del jardín, que, después
de realizado el asesinato, comenzó a echar agua muerta y grasienta.

La correspondencia entre el disimulado crimen de dentro del palacio y la veta de agua rojiza sobre la tapa repodrida de verdosidades, dio
toda la clave de lo sucedido.

RAMÓN GÓMEZ DE LA SERNA
Los muertos, las muertas y otras
fantasmagorías (1933)

LOS GANADORES DE MAÑANA

HOLLOWAY HORN, matemático inglés, nacido en Brighton, en
1901. Célebre por su polémica con J. W. Dunne, en la que demostró: 1°) Que la infinita regresión del tiempo es puramente verbal; 2°)
Que en general es más inseguro utilizar los sueños para profetizar la
realidad, que utilizar la realidad para profetizar los sueños. Ha publicado: *A New Theory of Structures* (1927); *The Old Man and Other
Stories* (1927); *The Facts in the Case of Mr. Dunne* (1936).

Martin «Knocker» Thompson era difícilmente un caballero. Había sido
empresario de dudosos combates de boxeo y de partidas (amistosas) de
póker, que ya no dejaban la menor duda. Carecía de imaginación, pero no
de viveza y de cierta habilidad. Su galera, sus polainas y la herradura de oro
de su corbata podían haber sido más charras, pero estaba tratando de despistar.

No siempre iba a favorecerlo la suerte, pero el hombre se defendía. La explicación no era difícil: «Por cada zonzo que se muere, nacen diez más».

Sin embargo, la tarde que se encontró con el viejo, estaba pobre. Knocker había dedicado la siesta a una conferencia sobre finanzas en un hotel. Las opiniones abundantemente emitidas por sus dos socios no lo molestaban en absoluto, pero sí el hecho de que le retiraran su crédito.

Dobló por Whitcomb y se dirigió a Charing Cross. El enojo acentuaba la fealdad normal de su cara, y el resultado general inquietó a las pocas personas que lo miraron.

A las ocho, la calle Whitcomb no está muy concurrida, y no había nadie cerca de los dos cuando el viejo le habló. Estaba acurrucado en un portón cerca de Pall Mall, y Knocker no podía verlo bien.

–¡Hola, Knocker! –gritó.

Knocker se dio vuelta.

En la oscuridad descifró la vaga figura, sin otro rasgo memorable que una barba blanca desmesurada.

–¡Hola! –respondió desconfiadamente. (Su memoria le estaba asegurando que él no conocía esa barba.)

–Hace frío... –dijo el viejo.

–¿Qué quiere? –dijo Thompson con sequedad–. ¿Quién es usted?

–Soy un viejo, Knocker.

–Si eso es todo lo que quiere decir...

–Es casi todo. ¿Quiere comprarme un diario? Le aseguro que no es como los demás.

–No entiendo. ¿Que no es como los demás?

–Es el *Eco* de mañana a la noche –dije el viejo calmosamente.

–Usted debe estar mareado, amigo; eso es lo que le pasa. Mire, los tiempos no son buenos, pero aquí tiene un peso, ¡y que le traiga suerte!... –Sinvergüenza o no, Thompson tenía la generosidad natural de los que viven precariamente.

–¡Suerte! –El viejo se rió con una dulzura que crispó los nervios de Knocker.

–Mire –dijo otra vez, consciente de algo inverosímil y raro en la vaga figura del portón–. ¿Qué juego es este?

–El juego más antiguo del mundo, Knocker.

–Déle un descansito a mi nombre, hágame el favor.

–¿Lo avergüenza su nombre?

–No –dijo Knocker con firmeza–. Dígame de una vez lo que quiere. Estoy harto de perder tiempo.

—Váyase entonces, Knocker.

—Pero, ¿qué quiere usted? –insistió Knocker, extrañamente inquieto.

—Nada. ¿No quiere llevarse este diario? En el mundo no hay otro igual. Ni habrá, por veinticuatro horas.

—Claro. Si recién mañana aparece –dijo Knocker con sorna.

—Tiene los ganadores de mañana –dijo el otro con sencillez.

—Está mintiendo.

—Fíjese usted mismo. Ahí los tiene.

Un diario salió de la oscuridad y los dedos de Knocker lo aceptaron, casi con miedo. Una carcajada retumbó en el portón, y Knocker se quedó solo.

Sintió incómodamente el latir de su corazón, pero siguió hasta una vidriera con luz que le permitió ver el diario.

«Jueves 29 de julio de 1926», leyó.

Pensó un rato. Hoy era miércoles, tenía la seguridad. Sacó del bolsillo una agenda y la consultó. Era miércoles 28 de julio, último día de carreras en Kempton. No cabía duda.

Miró otra vez la fecha: julio 29, 1926. Buscó instintivamente la última página, la página de las carreras.

Se encontró con los cinco ganadores en el hipódromo de Gatwick. Se pasó la mano por la frente: estaba húmeda de sudor.

—Hay una trampa en esto –dijo en voz alta y volvió a examinar la fecha del diario. Estaba repetida en cada página, clara y patente. Examinó después las cifras del año, pero también el seis era perfectamente normal.

Miró con apuro la primera página. Había un encabezamiento de ocho columnas sobre la huelga. Eso no podía corresponder al año pasado. Volvió en seguida a las carreras. El ganador de la primera era Inkerman, y Knocker había resuelto jugarle a Clip. Notó que los transeúntes lo miraban con curiosidad. Se metió el diario en el bolsillo y siguió. Nunca había necesitado tanto un poco de alcohol. Entró en un bar cerca de la estación, que felizmente estaba vacío. Después de tomar una copa sacó el diario. Sí, Inkerman había ganado la primera y había pagado seis a uno. (Knocker hizo ciertos cálculos apurados pero satisfactorios.) Salmón había ganado la segunda; era lo que él siempre había dicho. Bala Perdida –¿quién demonios iba a pensarlo?– había ganado la tercera, el clásico. ¡Y por siete cuerpos! Knocker se humedeció los labios resecos. No había ninguna mistificación. Conocía muy bien los caballos que correrían en Gatwick, y ahí estaban los ganadores.

Hoy ya era tarde. Lo mejor sería ir mañana a Gatwick y allí mismo apostar.

Tomó otra copa... y otra. Gradualmente, en la cordial atmósfera del bar, su inquietud lo dejó. Ahora el asunto le parecía uno de tantos. A su mente trastornada por el alcohol acudió el recuerdo de un film, que le había gustado muchísimo. Había un brujo hindú en ese film, con una barba blanca, una desmesurada barba blanca, igual a la del viejo. El brujo había hecho las cosas más increíbles... en la pantalla. Knocker estaba seguro de que no se trataba de una mistificación. El viejo no le había pedido dinero, ni siquiera había tomado el peso que Knocker le ofreció.

Knocker pidió otro whisky y convidó al barman.

—¿Tiene algún dato para mañana? —éste le preguntó. (Lo conocía de vista y de fama.)

Knocker vaciló.

—Sí —dijo luego—. Salmón en la segunda carrera.

Knocker se tambaleaba un poco al salir. El médico le había prohibido el alcohol, pero en una noche como esa...

Al día siguiente tomó el tren para Gatwitck. Siempre le había traído suerte ese hipódromo, pero hoy no se trataba de suerte. Hizo las primeras apuestas con cierta moderación, pero la victoria de Inkerman lo convenció. ¡El caballo y la boleteada! Ya no le quedaban dudas. Salmón, el favorito, ganó la segunda carrera.

En la carrera principal casi nadie le jugó a Bala Perdida. No estaba en forma y no había por qué. Knocker repartió las apuestas. Veinte aquí, veinte allá. Diez minutos antes de las carreras mandó un telegrama a una oficina del West End. Había resuelto ganar una fortuna. Y la ganó.

Esa carrera no tuvo emoción para Knocker. Él ya sabía el resultado. Sus bolsillos estaban repletos de dinero, y eso no era nada comparado con lo que iba a cosechar en el West End. Pidió una botella de champaña y la bebió a la salud del viejo de la barba blanca. Media hora tuvo que esperar el tren. Estaba lleno de carreristas, a quienes tampoco les interesaba la carrera final. A Knocker los días de suerte lo solían poner muy conversador, pero esa tarde estaba callado. No se podía desentender del viejo del portón. No tanto del aspecto y de la barba, sino de la carcajada final.

El diario estaba todavía en su bolsillo: tuvo un impulso y lo sacó. Fuera de las carreras, no le interesaban otras noticias. Lo hojeó; era un diario como los demás. Resolvió comprar otro en la estación para ver si el viejo no había mentido.

De pronto su mirada se detuvo; un suelto le llamó la atención. «Muerte en un tren» se titulaba. El corazón de Knocker estaba agitadísimo; pero siguió leyendo. «El conocido deportista señor Martin Thompson falleció esta tarde en el tren al volver de Gatwick.»

No leyó más: el diario se le cayó de las manos.

—Fíjese en Knocker —alguien dijo—. Debe estar enfermo. —Knocker respiraba pesadamente, con dificultad.

—Paren... paren el tren —balbuceó, y buscó la campana de alarma.

—Quieto, amigo —dijo uno de los pasajeros agarrándolo del brazo—. Siéntese, no hay por qué tirar la manija...

Se sentó, más bien se dejó caer en el asiento. La cabeza se inclinó sobre el pecho.

Le metieron whisky entre los labios, pero era inútil.

—Está muerto —dijo la espantada voz del hombre que lo sostenía.

Nadie prestó atención al diario en el suelo. El barullo lo había empujado bajo el asiento, y no es posible decir dónde fue a parar. Tal vez lo barrieron en la estación.

Tal vez.

Nadie sabe.

HOLLOWAY HORN
The old man and other stories (1927)

FINAL PARA UN CUENTO FANTÁSTICO

I. A. IRELAND, erudito inglés, nacido en Hanley, en 1871. Afirma ser descendiente del afamado impostor William II. Ireland, que improvisó un antepasado, William Henrye Irelaunde, a quien Shakespeare habría legado sus manuscritos. Ha publicado: *A Brief History of Nightmares* (1899); *Spanish Literature* (1911); *The Tenth Book of the Annals of Tacitus, newly done into English* (1911).

—¡Qué extraño! —dijo la muchacha, avanzando cautelosamente—. ¡Qué puerta más pesada! —La tocó, al hablar, y se cerró de pronto, con un golpe.

—¡Dios mío! —dijo el hombre—. Me parece que no tiene picaporte del lado de adentro. ¡Cómo, nos ha encerrado a los dos!

—A los dos no. A uno solo —dijo la muchacha.

Pasó a través de la puerta y desapareció.

IRELAND
Visitations (1919)

LA PATA DE MONO

W. W. JACOBS, humorista inglés, nacido en 1863; muerto en 1943.
Ha publicado: *Many Cargoes* (1896); *The Skipper's Wooing* (1911);
Sea Whispers (1926).

I

La noche era fría y húmeda, pero en la pequeña sala de Laburnum Villa,
los postigos estaban cerrados y el fuego ardía vivamente. Padre e hijo
jugaban al ajedrez; el primero tenía ideas personales sobre el juego y
ponía al rey en tan desesperados e inútiles peligros, que provocaba el
comentario de la vieja señora que tejía plácidamente junto a la chimenea.

–Oigan el viento –dijo el señor White; había cometido un error fatal
y trataba de que su hijo no lo advirtiera.

–Lo oigo –dijo éste moviendo implacablemente la reina–. Jaque.

–No creo que venga esta noche –dijo el padre con la mano sobre el
tablero.

–Mate –contestó el hijo.

–Esto es lo malo de vivir tan lejos –vociferó el señor White con impre-
vista y repentina violencia–. De todos los barriales, este es el peor. El
camino es un pantano. No sé en qué piensa la gente. Como hay sólo dos
casas alquiladas, no les importa.

–No te aflijas, querido –dijo suavemente su mujer–, ganarás la próxima vez.

El señor White alzó la vista y sorprendió una mirada de complicidad
entre madre e hijo. Las palabras murieron en sus labios y disimuló un
gesto de fastidio.

–Ahí viene –dijo Herbert White al oír el golpe del portón y unos
pasos que se acercaban. Su padre se levantó con apresurada hospitalidad
y abrió la puerta; lo oyeron condolerse con el recién venido.

Luego, entraron. El forastero era un hombre fornido, con los ojos
salientes y la cara rojiza.

–El sargento mayor Morris –dijo el señor White, presentándolo. El
sargento les dio la mano, aceptó la silla que le ofrecieron y observó con
satisfacción que el dueño de casa traía whisky y unos vasos y ponía una
pequeña pava de cobre sobre el fuego.

Al tercer vaso, le brillaron los ojos y empezó a hablar. La familia miraba con interés a ese forastero que hablaba de guerras, de epidemias y de pueblos extraños.

–Hace veintiún años –dijo el señor White sonriendo a su mujer y a su hijo–. Cuando se fue era apenas un muchacho. Mírenlo ahora.

–No parece haberle sentado tan mal –dijo la señora White amablemente.

–Me gustaría ir a la India –dijo el señor White–. Sólo para dar un vistazo.

–Mejor quedarse aquí –replicó el sargento moviendo la cabeza. Dejó el vaso y, suspirando levemente, volvió a sacudir la cabeza.

–Me gustaría ver esos viejos templos y faquires y malabaristas –dijo el señor White–. ¿Qué fue, Morris, lo que usted empezó a contarme los otros días, de una pata de mono o algo por el estilo?

–Nada –contestó el soldado, apresuradamente–. Nada que valga la pena oír.

–¿Una pata de mono? –preguntó la señora White.

–Bueno, es lo que se llama magia, tal vez –dijo con desgana el sargento.

Sus tres interlocutores lo miraron con avidez. Distraídamente, el forastero llevó la copa vacía a los labios; volvió a dejarla. El dueño de casa la llenó.

–A primera vista, es una patita momificada que no tiene nada de particular –dijo el sargento mostrando algo que sacó del bolsillo.

La señora retrocedió, con una mueca. El hijo tomó la pata de mono y la examinó atentamente.

–¿Y qué tiene de extraordinario? –preguntó el señor White quitándosela a su hijo, para mirarla.

–Un viejo faquir le dio poder mágico –dijo el sargento mayor–. Un hombre muy santo... Quería demostrar que el destino gobierna la vida de los hombres y que nadie puede oponérsele impunemente. Le dio este poder: tres hombres pueden pedirle tres deseos.

Habló tan seriamente que los otros sintieron que sus risas desentonaban.

–Y usted, ¿por qué no pide las tres cosas? –preguntó Herbert White.

El sargento lo miró con tolerancia.

–Las he pedido –dijo, y su rostro curtido palideció.

–¿Realmente se cumplieron los tres deseos? –preguntó la señora White.

–Se cumplieron –dijo el sargento.

–¿Y nadie más pidió? –insistió la señora.

171

–Sí, un hombre. No sé cuáles fueron las dos primeras cosas que pidió: la tercera fue la muerte. Por eso entré en posesión de la pata de mono.

Habló con tanta gravedad que produjo silencio.

–Morris, si obtuvo sus tres deseos, ya no le sirve el talismán –dijo finalmente, el señor White–. ¿Para qué lo guarda?

El sargento sacudió la cabeza:

–Probablemente he tenido, alguna vez, la idea de venderlo; pero creo que no lo haré. Ya ha causado bastantes desgracias. Además, la gente no quiere comprarlo. Algunos sospechan que es un cuento de hadas; otros quieren probarlo primero y pagarme después.

–Y si a usted le concedieran tres deseos más –dijo el señor White–, ¿los pediría?

–No sé –contestó el otro–. No sé.

Tomó la pata de mono, la agitó entre el pulgar y el índice y la tiró al fuego.

White la recogió.

–Mejor que se queme –dijo con solemnidad el sargento.

–Si usted no la quiere, Morris, démela.

–No quiero –respondió terminantemente–. La tiré al fuego; si la guarda, no me eche las culpas de lo que pueda suceder. Sea razonable, tírela.

El otro sacudió la cabeza y examinó su nueva adquisición. Preguntó:

–¿Cómo se hace?

–Hay que tenerla en la mano derecha y pedir los deseos en voz alta. Pero le prevengo que debe temer las consecuencias.

–Parece de *Las Mil y Una Noches* –dijo la señora White. Se levantó a preparar la mesa–. ¿No le parece que podrían pedir para mí otro par de manos?

El señor White sacó del bolsillo el talismán; los tres se rieron al ver la expresión de alarma del sargento.

–Si está resuelto a pedir algo –dijo agarrando el brazo de White–, pida algo razonable.

El señor White guardó en el bolsillo la pata de mono. Invitó a Morris a sentarse a la mesa. Durante la comida el talismán fue, en cierto modo, olvidado. Atraídos escucharon nuevos relatos de la vida del sargento en la India.

–Si en el cuento de la pata de mono hay tanta verdad como en los otros –dijo Herbert cuando el forastero cerró la puerta y se alejó con prisa, para alcanzar el último tren–, no conseguiremos gran cosa.

–¿Le diste algo? –preguntó la señora mirando atentamente a su marido.

–Una bagatela –contestó el señor White, ruborizándose levemente–.
No quería aceptarlo, pero lo obligué. Insistió en que tirara el talismán.

–Sin duda –dijo Herbert con fingido horror–, seremos felices, ricos
y famosos. Para empezar tienes que pedir un imperio, así no estarás domi-
nado por tu mujer.

El señor White sacó del bolsillo el talismán y lo examinó perpleja-
mente.

–No se me ocurre nada para pedirle –dijo con lentitud–. Me parece
que tengo todo lo que deseo.

–Si pagaras la hipoteca de la casa serías feliz ¿no es cierto? –dijo Herbert
poniéndole la mano sobre el hombro–. Bastará con que pidas doscientas libras.

El padre sonrió avergonzado por su propia credulidad y levantó el
talismán; Herbert puso una cara solemne, hizo un guiño a su madre y
tocó en el piano unos acordes graves.

–Quiero-doscientas-libras –pronunció el señor White.

Un gran estrépito del piano contestó a sus palabras. El señor White
dio un grito. Su mujer y su hijo corrieron hacia él.

–Se movió –dijo mirando con desagrado el objeto y lo dejó caer–. Se
retorció en mi mano, como una víbora.

–Pero yo no veo el dinero –observó el hijo, recogiendo el talismán
y poniéndolo sobre la mesa–. Apostaría que nunca lo veré.

–Habrá sido tu imaginación, querido –dijo la mujer mirándolo ansiosamente.

Sacudió la cabeza.

–No importa. No ha sido nada. Pero me dio un susto.

Se sentaron junto al fuego y los dos hombres acabaron de fumar sus
pipas. El viento era más fuerte que nunca. El señor White se sobresaltó
cuando se golpeó una puerta en los pisos altos. Un silencio inusitado y
deprimente los envolvió hasta que se levantaron para ir a acostarse.

–Se me ocurre que encontrarás el dinero en una gran bolsa, en el
medio de la cama –dijo Herbert al darles las buenas noches–. Una aparición horrible, agazapada encima del ropero, te acechará cuando estés
guardando tus bienes ilegítimos.

Ya solo, el señor White se sentó en la oscuridad, y miró las brasas, y
vio caras en ellas. La última era tan simiesca, tan horrible, que la miró
con asombro; se rió, molesto, y buscó en la mesa su vaso de agua para
echárselo encima y apagar la brasa; sin querer, tocó la pata de mono; se
estremeció, limpió la mano en el abrigo y subió a su cuarto.

A la mañana siguiente, mientras tomaba el desayuno en la claridad del sol invernal, se rió de sus temores. En el cuarto había un ambiente de prosaica salud que faltaba la noche anterior; y esa pata de mono, arrugada y sucia, tirada sobre el aparador, no parecía terrible.

—Todos los viejos militares son iguales —dijo la señora White—. ¡Qué idea, la nuestra, escuchar esas tonterías! ¿Cómo puede creerse en talismanes, en esta época? Y si consiguieran las doscientas libras, ¿qué mal podrían hacerte?

—Pueden caer de arriba y lastimarte la cabeza —dijo Herbert.

—Según Morris, las cosas ocurrían con tanta naturalidad que parecían coincidencias —dijo el padre.

—Bueno, no vayas a encontrarte con el dinero antes de mi vuelta —dijo Herbert levantándose de la mesa—. No sea que te conviertas en un avaro y tengamos que repudiarte.

La madre se rió, lo acompañó hasta afuera y lo vio alejarse por el camino; de vuelta a la mesa del comedor, se burló de la credulidad del marido. Sin embargo, cuando el cartero llamó a la puerta, corrió a abrirla y cuando vio que sólo traía la cuenta del sastre, se refirió con cierto malhumor a los militares de costumbres intemperantes.

—Me parece que Herbert tendrá tema para sus bromas —dijo al sentarse.

—Sin duda —dijo el señor White—. Pero, a pesar de todo, la pata se movió en mi mano. Puedo jurarlo.

—Habrá sido en tu imaginación —dijo la señora suavemente.

—Afirmo que se movió. Yo no estaba sugestionado. Era... ¿Qué sucede?

Su mujer no le contestó. Observaba los misteriosos movimientos de un hombre que rondaba la casa y no se decidía a entrar. Notó que el hombre estaba bien vestido y que tenía una chistera nueva y reluciente; pensó en las doscientas libras. El hombre se detuvo tres veces en el portón; por fin se decidió a llamar. Apresuradamente, la señora White se quitó el delantal y lo escondió debajo del almohadón de la silla.

Hizo pasar al desconocido. Éste parecía incómodo. La miraba furtivamente, mientras ella le pedía disculpas por el desorden que había en el cuarto y por el guardapolvo del marido. La señora esperó cortésmente que les dijera el motivo de la visita; el desconocido estuvo un rato en silencio.

—Vengo de parte de Maw y Meggins —dijo por fin.

La señora White tuvo un sobresalto.

—¿Qué pasa? ¿Qué pasa? ¿Le ha sucedido algo a Herbert?

Su marido se interpuso.

—Espera, querida. No te adelantes a los acontecimientos. Supongo que usted no trae malas noticias, señor. —Y lo miró patéticamente.

—Lo siento... —empezó el otro.

—¿Está herido? —preguntó, enloquecida, la madre.

El hombre asintió.

—Mal herido —dijo pausadamente—. Pero no sufre.

—Gracias a Dios —dijo la señora White, juntando las manos—. Gracias a Dios.

Bruscamente comprendió el sentido siniestro que había en la seguridad que le daban y vio la confirmación de sus temores, en la cara significativa del hombre. Retuvo la respiración, miró a su marido que parecía tardar en comprender, y le tomó la mano temblorosamente. Hubo un largo silencio.

—Lo agarraron las máquinas —dijo en voz baja el visitante.

—Lo agarraron las máquinas —repitió el señor White, aturdido.

Se sentó, mirando fijamente por la ventana; tomó la mano de su mujer, la apresó en la suya, como en sus tiempos de enamorados.

—Era el único que nos quedaba —le dijo al visitante—. Es duro.

El otro se levantó y se acercó a la ventana.

—La compañía me ha encargado que le exprese sus condolencias por esta gran pérdida —dijo sin darse vuelta—. Le ruego que comprendan que soy tan sólo un empleado y que obedezco a las órdenes que me dieron.

No hubo respuesta. La cara de la señora White estaba lívida.

—Se me ha comisionado para declararles que Maw y Meggins niegan toda responsabilidad en el accidente —prosiguió el otro—. Pero en consideración a los servicios prestados por su hijo, le remiten una suma determinada.

El señor White soltó la mano de su mujer y, levantándose, miró con terror al visitante. Sus labios secos pronunciaron la palabra: ¿cuánto?

—Doscientas libras —fue la respuesta.

Sin oír el grito de su mujer, el señor White sonrió levemente, extendió los brazos, como un ciego, y se desplomó, desmayado.

En el cementerio nuevo, a unas doscientas millas de distancia, marido y mujer dieron sepultura a su muerto y volvieron a la casa transidos de sombra y de silencio.

Todo pasó tan pronto que al principio casi no lo entendieron y quedaron esperando alguna cosa que les aliviara el dolor. Pero los días pasaron y la expectativa se transformó en resignación, esa desesperada resignación de los viejos, que algunos llaman apatía. Pocas veces hablaban, porque no tenían nada que decirse; sus días eran interminables hasta el cansancio.

Una semana después, el señor White, despertándose bruscamente en la noche, estiró la mano y se encontró solo. El cuarto estaba a oscuras; oyó, cerca de la ventana, un llanto contenido. Se incorporó en la cama para escuchar.

—Vuelve a acostarte —dijo tiernamente—. Vas a coger frío.

—Mi hijo tiene más frío —dijo la señora White y volvió a llorar.

Los sollozos se desvanecieron en los oídos del señor White. La cama estaba tibia, y sus ojos pesados de sueño. Un despavorido grito de su mujer lo despertó.

—La pata de mono —gritaba desatinadamente—, la pata de mono.

El señor White se incorporó alarmado.

—¿Dónde? ¿Dónde está? ¿Qué sucede?

Ella se acercó:

—La quiero. ¿No la has destruido?

—Está en la sala, sobre la repisa —contestó asombrado—. ¿Por qué la quieres?

Llorando y riendo se inclinó para besarlo, y le dijo histéricamente:

—Sólo ahora he pensado... ¿Por qué no he pensado antes? ¿Por qué tú no pensaste?

—¿Pensaste en qué? —preguntó.

—En los otros dos deseos —respondió en seguida—. Sólo hemos pedido uno.

—¿No fue bastante?

—No —gritó ella triunfalmente—. Le pediremos otro más. Búscala pronto y pide que nuestro hijo vuelva a la vida.

El hombre se sentó en la cama, temblando.

—Dios mío, estás loca.

—Búscala pronto y pide —le balbuceó—; ¡mi hijo, mi hijo!

El hombre encendió la vela:

—Vuelve a acostarte. No sabes lo que estás diciendo.

—Nuestro primer deseo se cumplió. ¿Por qué no hemos de pedir el segundo?

—Fue una coincidencia.

—Búscala y desea —gritó con exaltación la mujer.

El marido se dio vuelta y la miró:

—Hace diez días que está muerto, y, además, no quería decirte otra cosa, lo reconocí por el traje. Si ya entonces era demasiado horrible para que lo vieras...

—Tráemelo —gritó la mujer arrastrándolo hacia la puerta—. ¿Crees que temo al niño que he criado?

El señor White bajó en la oscuridad, entró en la sala y se acercó a la repisa. El talismán estaba en su lugar. Tuvo miedo que el deseo todavía no formulado trajera a su hijo hecho pedazos, antes que él pudiera escaparse del cuarto. Perdió la orientación. No encontraba la puerta. Tanteó alrededor de la mesa y a lo largo de la pared y de pronto se encontró en el zaguán, con el maligno objeto en la mano.

Cuando entró en el dormitorio, hasta la cara de su mujer le pareció cambiada. Estaba ansiosa y blanca y tenía algo sobrenatural. Le tuvo miedo.

—Pídelo —gritó con violencia.

—Es absurdo y perverso —balbuceó.

—Pídelo —repitió la mujer.

El hombre levantó la mano:

—Deseo que mi hijo viva de nuevo.

El talismán cayó al suelo. El señor White siguió mirándolo con terror. Luego, temblando, se dejó caer en una silla mientras la mujer se acercó a la ventana y levantó la cortina. El hombre no se movió de ahí, hasta que el frío del alba lo traspasó. A veces miraba a su mujer, que estaba en la ventana. La vela se había consumido; hasta apagarse, proyectaba en las paredes y el techo sombras vacilantes.

Con un inexplicable alivio ante el fracaso del talismán, el hombre volvió a la cama; un minuto después, la mujer, apática y silenciosa, se acostó a su lado.

No hablaron; escuchaban el latido del reloj. Crujió un escalón. La oscuridad era opresiva; el señor White juntó coraje, encendió un fósforo y bajó a buscar una vela.

Al pie de la escalera el fósforo se apagó. El señor White se detuvo para encender otro; simultáneamente, resonó un golpe furtivo, casi imperceptible, en la puerta de entrada.

Los fósforos cayeron. Permaneció inmóvil, sin respirar, hasta que se repitió el golpe. Huyó a su cuarto y cerró la puerta. Se oyó un tercer golpe.

—¿Qué es eso? —gritó la mujer.

—Una rata —dijo el hombre—. Una rata. Se me cruzó en la escalera.

La mujer se incorporó. Un fuerte golpe retumbó en toda la casa.

—¡Es Herbert! ¡Es Herbert! —la señora White corrió hacia la puerta, pero su marido la alcanzó.

—¿Qué vas a hacer? —le dijo ahogadamente.

—¡Es mi hijo; es Herbert! —gritó la mujer, luchando para que la soltaran—. Me había olvidado que el cementerio está a dos millas. Suéltame; tengo que abrir la puerta.

—Por amor de Dios, no lo dejes entrar —dijo el hombre, temblando.

—¿Tienes miedo de tu propio hijo? —gritó—. Suéltame. Ya voy, Herbert; ya voy.

Hubo dos golpes más. La mujer se libró y huyó del cuarto. El hombre la siguió y la llamó, mientras bajaba la escalera. Oyó el ruido de la tranca de abajo; oyó el cerrojo; y luego, la voz de la mujer, anhelante:

—La tranca —dijo—. No puedo alcanzarla.

Pero el marido, arrodillado, tanteaba el piso, en busca de la pata de mono.

—Si pudiera encontrarla antes de que *eso* entrara... —Los golpes volvieron a resonar en toda la casa. El señor White oyó que su mujer acercaba una silla; oyó el ruido de la tranca al abrirse; en el mismo instante encontró la pata de mono y, frenéticamente, balbuceó el tercer y último deseo.

Los golpes cesaron de pronto; aunque los ecos resonaban aún en la casa. Oyó retirar la silla y abrir la puerta. Un viento helado entró por la escalera; y un largo y desconsolado alarido de su mujer le dio valor para correr hacia ella y luego hasta el portón. El camino estaba desierto y tranquilo.

W. W. JACOBS
The Lady of the Barge (1902)

DEFINICIÓN DEL FANTASMA

JAMES JOYCE, literato irlandés, nacido en Dublín, en 1882; muerto en Zurich, en 1941. Sus virtudes son de orden técnico, especialmente verbal. Publicó: *Chamber Music* (1907); *Dubliners* (1914);

Portrait of the Artist as a Young Man (1916); *Exiles* (1918); *Ulysses* (1921); *Finnegans Wake* (1939).

¿Qué es un fantasma?, preguntó Stephen. Un hombre que se ha desvanecido hasta ser impalpable, por muerte, por ausencia, por cambio de costumbres.

JAMES JOYCE
Ulysses (1921)

MAY GOULDING

La madre de Stephen, extenuada, rígidamente surge del suelo, leprosa y turbia, con una corona de marchitos azahares y un desgarrado velo de novia, la cara gastada y sin nariz, verde de moho sepulcral. El pelo es lacio, ralo. Fija en Stephen las huecas órbitas anilladas de azul y abre la boca desdentada, diciendo una silenciosa palabra.

LA MADRE

(Con la sonrisa sutil de la demencia de la muerte.)

Yo fui la hermosa May Goulding. Estoy muerta.

JAMES JOYCE
Ulysses (1921)

EL BRUJO POSTERGADO

DON JUAN MANUEL, príncipe español, nacido en Escalona en 1282; muerto en Peñafiel, en 1348. Fue sobrino de Alfonso el Sabio.

Hombre de cultura latina y de erudición islámica, es uno de los padres de la prosa española.

En Santiago había un deán que tenía gran deseo de saber el arte de la nigromancia. Oyó decir que don Illán de Toledo la sabía más que ninguno, y fue a Toledo a buscarlo.

El día que llegó a Toledo enderezó a la casa de don Illán y lo encontró leyendo en una cámara muy apartada. Éste lo recibió con bondad; le dijo que postergara el motivo de su visita hasta después de almorzar. Le señaló un alojamiento muy fresco y le dijo que lo alegraba mucho su venida. Después de almorzar, el deán le refirió la razón de aquella visita y le rogó que le enseñara la ciencia mágica. Don Illán le dijo que adivinaba que era deán, hombre de buena posición y buen porvenir, y que temía ser olvidado por él. El deán le prometió que nunca olvidaría aquella merced y que estaría siempre a sus órdenes. Ya arreglado el asunto, explicó don Illán que las artes mágicas no podían aprenderse sino en un lugar apartado, y tomándolo por la mano, lo llevó a una pieza contigua en cuyo piso había una gran argolla de hierro. Antes le dijo a una sirvienta que trajese perdices para la cena, pero que no las pusiera a asar hasta que la mandara. Levantaron la argolla entre los dos y descendieron por una escalera de piedra bien labrada, hasta que al deán le pareció que habían bajado tanto que el lecho del Tajo estaba sobre ellos. Al pie de la escalera había una celda y luego una biblioteca. Revisaron los libros y en eso estaban cuando entraron dos hombres, con una carta para el deán, escrita por el Obispo, su tío, en la que le hacía saber que estaba muy enfermo y que si quería encontrarlo vivo no demorase. Al deán lo contrariaron mucho estas nuevas, lo uno por la dolencia de su tío, lo otro, por tener que interrumpir los estudios. Optó por escribir una disculpa y la mandó al Obispo. A los tres días llegaron unos hombres de luto con otras cartas para el deán, en las que se leía que el Obispo había fallecido, que estaban eligiendo sucesor, y que esperaban por la gracia de Dios que lo elegirían a él. Decían también que no se molestara en venir, puesto que parecía mucho mejor que lo eligieran en su ausencia.

A los diez días vinieron dos escuderos muy bien vestidos, que se arrojaron a sus pies y besaron sus manos y lo saludaron Obispo. Cuando don Illán vio estas cosas, se dirigió con mucha alegría al nuevo prelado y le dijo que agradecía al Señor que tan buenas nuevas llegaran a su casa. Luego le pidió el decanazgo vacante para uno de sus hijos.

El Obispo le hizo saber que había reservado el decanazgo para su propio hermano, pero que había determinado favorecerlo y que partiesen juntos para Santiago. Fueron para Santiago los tres, donde los recibieron con honores. A los seis meses el Obispo recibió mandaderos del Papa, que le ofrecía el Arzobispado de Tolosa, dejando en sus manos el nombramiento de sucesor. Cuando don Illán supo esto, le recordó la antigua promesa y le pidió ese título para su hijo. El Arzobispo le hizo saber que había reservado el obispado para su propio tío, hermano de su padre, pero que había determinado favorecerlo y que partiesen juntos para Tolosa. Don Illán tuvo que asentir.

Fueron para Tolosa los tres, donde los recibieron con honores y misas. A los dos años el Arzobispo recibió mandaderos del Papa, que le ofrecía el capelo de Cardenal, dejando en sus manos el nombramiento de sucesor. Cuando don Illán supo esto le recordó su antigua promesa y le pidió ese título para su hijo. El Cardenal le hizo saber que había reservado el Arzobispado para su propio tío, hermano de su madre, pero que había determinado favorecerlo y que partiesen juntos para Roma. Don Illán tuvo que asentir. Fueron para Roma los tres, donde los recibieron con honores y misas y procesiones. A los cuatro años murió el Papa y el Cardenal fue elegido para el Papado por todos los demás. Cuando don Illán supo esto, besó los pies de Su Santidad, le recordó la antigua promesa y le pidió el Cardenalato para su hijo. El Papa lo amenazó con la cárcel, diciéndole que bien sabía él que no era más que un brujo y que en Toledo había sido profesor de artes mágicas. El miserable don Illán dijo que iba a volver a España y le pidió algo para comer durante el camino. El Papa no accedió. Entonces don Illán dijo con una voz sin temblor:

—Pues tendré que comerme las perdices que para esta noche encargué. —La sirvienta se presentó y don Illán le dijo que las asara. A estas palabras, el Papa volvió a hallarse en la celda subterránea, solamente deán de Santiago, y tan avergonzado de su ingratitud que no atinaba a disculparse. Don Illán dijo que bastaba con esa prueba, le negó su parte de las perdices y lo acompañó hasta la calle, donde le deseó feliz viaje y lo despidió con gran cortesía.

DON JUAN MANUEL
Libro de los Enxiemplos (1575);
versión de Jorge Luis Borges,
en *La Historia Universal de la Infamia* (1935)

JOSEFINA LA CANTORA
O EL PUEBLO DE LOS RATONES

FRANZ KAFKA, escritor austríaco, nacido en Praga, en 1883; muerto en Viena, en 1924. En todos sus libros aparece el tema de la soledad; en casi todos repite el procedimiento de la infinita y minuciosa postergación. Su obra comprende: *Der Prozess* (1925); *Das Schloss* (1926); *Amerika* (1927) y numerosos relatos.

Nuestra cantora se llama Josefina. Quien no la ha oído no conoce la potencia del canto. No hay nadie a quien no arrebate su canto: esto debe valorarse porque nuestra raza, en general, no ama la música. La quietud es nuestra música más querida. Nuestra vida es difícil, y no podemos –ni siquiera cuando tratamos de desprendernos de todos los cuidados diarios– elevarnos hasta cosas tan lejanas como la música.

Sin embargo, no nos quejamos: no llegamos a tanto, consideramos que nuestra mayor virtud es una astucia práctica, que por cierto necesitamos con extrema urgencia, y con la sonrisa de esa astucia solemos consolarnos de todo, hasta de añorar la dicha que tal vez produce la música (pero esto no sucede). Pero Josefina es la excepción: ama la música y también sabe comunicarla: es única, y cuando nos deje desaparecerá la música de nuestra vida, quién sabe hasta cuándo.

Suelo preguntarme qué sucede realmente con esa música. Puesto que somos nulos para ese arte, cómo comprendemos el canto de Josefina (pero Josefina niega nuestra comprensión, tal vez sólo creamos comprenderla). La respuesta más simple sería que es tan grande la belleza de este canto, que hasta los sentidos más torpes no pueden resistirla, pero esa respuesta no satisface. Si así fuera debería tenerse, de inmediato y siempre ante ese canto, la sensación de que en esa garganta resuena algo que nunca se oyó antes y que podemos oír porque Josefina, y sólo ella, nos capacita para oírlo. Pero justamente, según mi opinión, no sucede así, no siento eso y no he notado que otro sintiera algo parecido. En círculos íntimos, confesamos abiertamente que el canto de Josefina no es nada extraordinario como canto.

¿Es siquiera un canto? A pesar de que no sentimos la música tenemos tradiciones de canto. En los antiguos tiempos de nuestro pueblo hubo canto, las leyendas lo cuentan y hasta se han conservado canciones que, por cierto, ya nadie puede cantar. Tenemos, pues, cierta noción de canto: a esta noción no corresponde el arte de Josefina. ¿Y es arte, en verdad, o siquiera canto? ¿No es, tal vez, chillido? Por cierto, todos sabemos chillar; es nuestra peculiar expresión vital y no una habilidad artística. Muchos de nosotros chillamos sin darnos cuenta, sin saber siquiera que chillar es una de nuestras características. Si la verdad fuera que Josefina no canta sino chilla, o apenas sobrepasa nuestro común chillido (quizá no alcance su fuerza a la de cualquier trabajador que silba todo el día además de su trabajo), si todo esto, repito, fuera cierto, se refutaría así lo que Josefina presenta como su arte; pero entonces habría que resolver el enigma de su gran efecto.

Porque no sólo es un chillido lo que ella emite. Si uno se aleja un poco cuando Josefina canta en medio de otras voces, y uno trata de reconocer la de ella, no se oye sino un chillido vulgar que apenas se distingue por su delicadeza o debilidad. Pero si uno está ante Josefina, no sólo es eso: para sentir su arte es necesario verla además de oírla, y aunque su canto se redujera a nuestro cotidiano chillido, he aquí lo extraño: que uno se prepare solemnemente para hacer un acto vulgar. Cascar una nuez, no es, por cierto, un arte difícil, y por eso nadie osaría convocar un público y para divertirlo se pondría a cascar nueces. Pero si alguien lo hace y tiene éxito, algo habrá en su ejecución por encima de ese arte, dado que todos lo poseemos, y hasta podría convenir al efecto del nuevo cascador mostrarse menos hábil en cascar nueces que la mayoría de nosotros.

Tal vez acontece lo mismo con el canto de Josefina: admiramos en ella lo que no admiramos en nosotros; por lo demás, ella está fundamentalmente de acuerdo con nosotros. Yo estaba presente una vez en que alguien, como suele suceder, se refirió tímidamente al chillido popular, y eso bastó para irritar a Josefina. Nunca he visto una sonrisa tan desdeñosa y arrogante como la suya; ella, que en su exterior es la delicadeza personificada (notable por eso hasta en nuestro pueblo, tan rico en tales tipos femeninos); ella, con su gran sensibilidad, advirtió que esa sonrisa era vulgar y se dominó, pero negó toda relación entre su arte y el chillido común. Por los de opinión contraria no tiene sino desprecio y, probablemente, odio inconfesado. Esto no es vanidad, pues tales opositores, entre los que de algún modo me cuento, no la admiramos menos que la multitud, pero a Josefina no le basta la admiración; requiere una admiración especial. Cuando uno está frente a ella, la comprende (sólo desde lejos la atacan: ante ella se sabe que lo que chilla no es chillido).

Ya que chillar es uno de nuestros hábitos inconscientes, podría suponerse que también chilla el auditorio de Josefina. Nos sentimos satisfechos por su arte, y chillamos cuando estamos satisfechos; pero su auditorio no chilla, está mudo, calla como si participara en la ansiada paz de la que nuestro chillar nos aparta. ¿Nos extasía su canto o el solemne silencio que rodea su débil voz? Ocurrió, una vez, que una ratita cualquiera se puso inocentemente a chillar mientras Josefina cantaba. Ahora bien: ese chillido era idéntico al que nos hacía oír Josefina. En el escenario, los chillidos aún débiles, pese a la maestría de la cantora; en el público los chillidos involuntarios; era imposible distinguir. Y, sin embargo, silbamos y siseamos en seguida para silenciar a la intrusa, aun cuando no era menester, pues ella misma, al darse cuenta, se hubiera arrastrado fuera, de miedo y vergüenza, mientras Josefina entonaba su chillido triunfal y se enardecía, con los brazos extendidos y el cuello estirado.

Por lo demás, ella siempre es así. Cualquier pequeñez, cualquier contingencia, cualquier contrariedad, un crujido del piso, un rechinar de dientes, un defecto de la iluminación, le parecen apropiados para dar realce a su canto. Según ella, todos los oídos son sordos, y aunque no le faltan aprobación y entusiasmo, hace ya mucho que ha renunciado a ser realmente comprendida. Por eso le convienen las interrupciones y molestias: todo lo que desde afuera se opone a la pureza de su canto y que, en lucha fácil o hasta sin lucha, se vence con sólo afrontarlo, puede contribuir a despertar a la multitud y a enseñarle, si no comprensión, un respeto religioso.

Si le sirven así las cosas chicas, ¡cuánto más las grandes! Nuestra vida es muy inquieta: cada día nos trae sorpresas, temores, esperanzas, sustos: sería imposible soportarla sin el apoyo de los camaradas; pero aun así es muy difícil. A veces, miles de espaldas tambalean bajo una carga destinada a uno solo. Entonces Josefina cree que llegó su hora. Pronto se halla listo el débil ser, con el pecho vibrando de un modo alarmante, como si reuniera toda su poca fuerza en el canto, como si se desnudara y se entregara por entero a la protección de los espíritus buenos, como si al estar arrobada dentro del canto le quedara tan poca vida fuera de la música, que un leve hálito frío pudiera matarla. Y viendo esto los presentes solemos decir: «Ni siquiera puede chillar bien; es espantoso cómo se violenta, no para cantar –no hablemos ya de cantar– sino para alcanzar más o menos el chillido usual». Así nos parece y, sin embargo, esta impresión inevitable es fugaz y muy pronto nos sumergimos en la sensación de la multitud que, conteniendo el aliento, escucha tímidamente, en cálida proximidad.

Y para reunir en torno a ella esta multitud de nuestro pueblo, tan errabundo, a Josefina casi siempre le basta echar la cabeza hacia atrás, poner los ojos en alto y entreabrir la boca: signos que anuncian su intención de cantar. Puede hacer esto donde se le ocurra, aunque sea en un rincón elegido al azar. En seguida cunde la noticia y empieza a acudir la procesión de sus devotos. Pero a veces surgen impedimentos, pues Josefina canta de preferencia en tiempos de excitación, cuando los cuidados y las necesidades nos dispersan por múltiples caminos y entonces, pese a la mejor voluntad del mundo, no podemos reunirnos tan pronto como Josefina lo desea. Y ella permanece algún tiempo en su gran actitud, sin suficiente número de oyentes, y entonces se pone verdaderamente rabiosa, patea el suelo, blasfema de modo poco virginal y hasta muerde. Pero tal conducta ni siquiera daña su fama; en vez de tratar de refrenar sus exageradas pretensiones, todos tratan de satisfacerla secretamente; envían mensajeros por todos los caminos para traer oyentes y se los ve apresurando con sus gestos a los que llegan. Esta faena prosigue hasta reunir un número pasable.

¿Qué impulsa al pueblo a tomarse tanta molestia por Josefina? Es un problema no más fácil de resolver que el mismo canto de Josefina. Se dirá que el pueblo es incondicionalmente adicto de Josefina a causa de su canto. Pero no es este el caso: nuestro pueblo es incapaz de una adhesión incondicional. Es un pueblo que, sobre todo, ama la astucia inocua, la charla infantil e inocente que apenas mueve los labios. Eso lo sabe la misma Josefina, y lo combate con todas las fuerzas de su débil garganta.

Claro está que no debemos ir tan lejos con tales reflexiones. El pueblo está sometido a Josefina, pero hasta cierto punto. Por ejemplo: es incapaz de reírse de ella. Llega a admitir que en Josefina hay mucho de ridículo; pese a todas las miserias de nuestra vida, reímos fácilmente; una leve risa nos es peculiar. Pero de Josefina no nos reímos. Muchas veces me parece que el pueblo concibe su relación con Josefina como si este ser frágil, necesitado de indulgencia, notable de algún modo, según ella misma por el canto, estuviera confiado a él. El motivo no es claro para nadie, pero el hecho es indiscutible. No hay que reírse de lo que nos ha sido confiado. Sería faltar a un deber. La mayor malignidad de que son capaces los más malignos consiste en decir: «La risa se nos acaba cuando vemos a Josefina».

Así cuida el pueblo a Josefina, como un padre cuida al hijo que le tiende la mano, no se sabe si para pedir o para exigir. Podría pensarse que nuestro pueblo es incapaz de esos deberes paternales; pero los llena ejemplarmente, a lo menos en este caso; ningún individuo sería capaz de lo que hace el pueblo en conjunto.

Por cierto, la diferencia de fuerzas entre todo el pueblo y un indivi-duo es inmensa. Basta que el pueblo hospede a su protegido con el calor de su proximidad para que éste se halle seguro. Claro está que nadie se atreve a tratar estas cosas con Josefina. «La protección de ustedes me tie-ne sin cuidado», dice ella. «Tienes razón; más bien somos nosotros quie-nes deberíamos cuidarnos de ti», pensamos para nuestros adentros. Y además, no hay contradicción si ella se nos rebela; son únicamente modos y gratitud infantiles, y modo del padre es no tenerlos en cuenta.

Hay otra cosa más difícil de explicar, en las relaciones del pueblo con Josefina. Josefina piensa al contrario que es ella quien protege al pueblo. Y parecería, en efecto, que su canto nos salva de malas situaciones polí-ticas o económicas; cuando no ahuyenta la desgracia, nos da siquiera la fuerza para soportarla. Josefina no lo afirma exactamente, pues habla poco, y es silenciosa si se la compara con nosotros. Pero esta afirma-ción brilla en sus ojos y se puede leer en su boca cerrada (entre noso-tros muy pocos pueden tener la boca cerrada; ella la tiene).

A cada mala noticia –y hay períodos en que las malas noticias abun-dan diariamente, y entre ellas también las falsas y las semiverdaderas– se alza Josefina de inmediato (ella que, en general, se arrastra cansadamen-te por el suelo), se yergue, estira el cuello y trata de dominar con la mira-da su rebaño, como un pastor ante la tormenta. Es verdad que hay niños con pretensiones análogas, pero esas pretensiones no dejan de tener en Josefina más fundamento que en los niños... No nos salva ni nos da ninguna fuerza, por supuesto, y es fácil darse por salvador *a posteriori* de este pueblo tan acostumbrado a la desgracia, nada indulgente consigo mismo, rápido en tomar decisiones, buen conocedor de la muerte, tan sólo temeroso en apariencia, dentro de la atmósfera de temeridad en que siempre vive y, además, tan fecundo como arriesgado; es fácil –digo– hacer el salvador *a posteriori* de este pueblo que siempre supo salvarse a sí mis-mo de uno u otro modo, aunque sea mediante sacrificios que hacen tem-blar de espanto al investigador histórico (en general, descuidamos por completo la investigación histórica). Y sin embargo, es verdad que en situaciones angustiosas escuchamos mejor que otras veces la voz de Josefina.

Las amenazas suspendidas sobre nosotros nos vuelven más quietos, más modestos, más dóciles al mandato de Josefina; con gusto nos reu-nimos, con gusto nos amontonamos, sobre todo porque el motivo es ahora muy distinto de la tortura dominante. Es como si bebiéramos rápi-damente en común –sí, hay que apurarse: esto lo olvida Josefina dema-siadas veces– todavía una copa de paz antes del combate. Resulta menos un concierto de canto que un mitin popular y un mitin, por cierto, en el cual todos permanecemos mudos, salvo Josefina. La hora es demasiado seria para perderla en charlas.

Naturalmente, estas circunstancias no satisfacen a Josefina. A pesar de toda su inquietud y nerviosidad, hay cosas que muchas veces ella no ve (la ciega su engreimiento) y también, sin gran esfuerzo, se le pueden hacer preterir muchas más, pues de esto se encarga un enjambre de aduladores. Pero, cantar inadvertida, en segundo orden, o en un rincón de una asamblea popular, eso nunca.

Lo cual no sucede, pues su arte no pasa inadvertido. Aunque en el fondo estamos ocupados en otra cosa, y no sólo a causa del canto guardamos silencio, y muchos ni siquiera la miran, hundiendo el hocico en el pellejo del vecino, y Josefina allá arriba parece agitarse en vano, es indudable que algo de su chillido nos alcanza. Este chillido que se eleva sobre el obligado silencio general, es casi un mensaje del pueblo al individuo. El tenue chillar de Josefina, en medio de las graves decisiones, es casi como la miserable existencia de nuestro pueblo en medio del tumulto enemigo. Josefina se afirma y se abre camino hasta nosotros. Reconforta pensar que se afirma esa ninguna voz, esa ninguna destreza.

Si pudiera existir entre nosotros un verdadero artista del canto, no lo soportaríamos en tales momentos. De una manera unánime, rechazaríamos su concierto como una insensatez. Esperemos que Josefina no descubra que el solo hecho de oírla nosotros es una prueba en contra de su canto. Ella, sin duda, lo vislumbra. Por eso niega con tanto ardor que la escuchamos; sin embargo, vuelve siempre a cantar, a diluirse en su chillido, más allá de esta sospecha.

Pero siempre tendrá un consuelo: la escuchamos quizá del mismo modo con que se escucha a un artista del canto. Y Josefina consigue efectos que un gran artista trataría en vano de alcanzar y que corresponden, precisamente, a sus precarios medios vocales. Esto se debe, sobre todo, a nuestro modo de vivir.

En nuestro pueblo se ignora la juventud. Apenas se conoce una mínima niñez. Es cierto que garantizamos a los niños una libertad especial, que debemos reconocer su derecho a cierta negligencia y a cierta travesura y ayudarlos un poco; nada más plausible que tales exigencias: todos las reconocen; pero nada menos admisible en la realidad a nuestra vida, y los esfuerzos que hacemos en tal sentido son efímeros.

Entre nosotros, en cuanto un niño puede corretear un poco y enterarse de lo que lo rodea, ya tiene que ganarse la vida como un adulto.

Los distritos en que vivimos dispersos, por razones económicas, son demasiado grandes. Nuestros enemigos son tan numerosos y los peligros que nos acechan tan incalculables, que no podemos mantener a los niños alejados de esta lucha por la vida. Si no lucharan, ellos también morirían. A estas causas tristes se añade otra, muy relevante: la fecundidad de nuestra raza. Una generación empuja a la otra; LOS NIÑOS NO TIENEN TIEMPO de ser niños. En los demás pueblos, los niños son criados con especial esmero y aunque se erijan escuelas y de ellas salgan torrentes, siempre, durante algún tiempo, son los mismos niños quienes se forman allí. Nosotros no tenemos escuelas, y de nuestro pueblo, a cortísimos intervalos, manan bandadas incontables de niños, siseando o pipiando hasta que pueden chillar; revolcándose o rodando bajo la presión del montón, hasta que pueden andar solos; arrollando torpemente con su masa todo lo que encuentran, hasta que pueden ver. Y no como los niños de las escuelas, que siempre son los mismos. No, siempre nuevos, sin fin, sin interrupción. Apenas aparece un niño ya no es niño, y lo empujan los nuevos hocicos, indistinguibles su multitud y premura. Por bello que esto sea y por mucho que otros nos envidien, no nos es permitido dar a nuestros niños una verdadera niñez. Eso trae consecuencias: una perpetua y arraigada puerilidad penetra nuestro pueblo. En contraste directo con nuestra mejor condición, que es el entendimiento práctico, obramos muchas veces del modo más tonto, justamente como los niños, derrochadores irreflexivos y generosos. Y aunque nuestra alegría ya no puede conservar la fuerza de la alegría infantil, algo nos queda, sin duda. Hace tiempo que Josefina aprovecha esta puerilidad.

Pero nuestro pueblo no sólo es infantil; también es prematuramente viejo. No tenemos juventud, somos adultos en seguida, y permaneceremos adultos durante tanto tiempo que cierta desesperación y cierto cansancio dejan su huella en el carácter aplicado y optimista de nuestro pueblo. Esa es tal vez la causa de nuestra falta de musicalidad. Somos demasiado viejos para la música: su agitación, su vuelo no convienen a nuestra pesadez. Cansados, la rechazamos con el gesto: nos hemos reducido a chillar. Nos bastan unos pocos chillidos, de tiempo en tiempo. Es posible que no haya talentos musicales entre nosotros, pero, de haberlos, el carácter de nuestras gentes los suprimiría antes de la madurez. Josefina, en cambio, puede chillar o cantar o como ella quiera llamarlo. Eso no nos molesta. Lo soportamos bien. Si hay alguna música en los sonidos que emite, esa música es mínima. Una cierta tradición musical se conserva de este modo, sin que nos pese.

En sus conciertos, tan sólo los muy jóvenes se interesan por la cantante, la miran con asombro cuando ella mueve los labios y expulsa el aire entre los menudos incisivos, embelesada con sus propios tonos. Languidece y utiliza este caimiento para destacar nuevas habilidades cada vez menos comprensibles, hasta para ella misma. Pero la multitud se mantiene recogida y en suspenso. Soñamos en las escasas treguas de la lucha; es como si a uno se le aflojaran las piernas, es como si pudiéramos, una vez, echarnos y relajarnos en la cálida cama del pueblo. Y en medio del sueño, de vez en cuando, se oye el chillar de Josefina. Ella dice que es chispeante. A nosotros nos parece fastidioso. En esta música hay algo de nuestra pobre y corta niñez, algo de la dicha perdida que ya no encontraremos. Pero también hay algo de nuestra activa vida presente, de su vivacidad pequeña, incomprensible y, sin embargo, tan pertinaz. Todo esto no se expresa con una gran voz, sino muy despacio. Bisbiseando en confianza, muchas veces con ronquera, a fuerza de chillidos, por mortecinos que sean, puesto que así es la lengua de nuestro pueblo, sólo que muchos chillan toda la vida y ni siquiera lo advierten. Aquí, al contrario, el chillido está liberado de las ataduras de la vida cotidiana y nos libera también, aunque sea por un momento.

En verdad, nos apenaría dejar de oír estos conciertos. Pero de esto a la afirmación de Josefina de que su música infunde nuevas fuerzas, hay una gran distancia. Hablo, bien entendido, del común de las gentes y no de algunos partidarios incondicionales. «¿Cómo podría ser de otro modo?» dicen con arrogancia estos últimos. «¿Cómo podría explicarse la gran concurrencia, sobre todo en momentos de grave e inmediato peligro y que ha estorbado, más de una vez, nuestra oportuna defensa contra ese mismo peligro?» Por desgracia, esto último es verdad, y no es precisamente un título de gloria para Josefina, sobre todo si consideramos que muchas veces el enemigo dispersó nuestras reuniones, matando a muchos de los nuestros, y que Josefina, la culpable de todo –tal vez atrajo al enemigo con su chillar–, se reservó siempre el lugar más seguro y desapareció la primera, con la complicidad de sus partidarios. Todos lo sabemos, y sin embargo, nos apresuramos a rodearla cada vez que vuelve a cantar. De aquí podría deducirse que Josefina está por encima de la ley, que se le permite hacer lo que quiere, aunque perjudique a la comunidad, y que todo se le perdona. Si así fuera, se explicarían las pretensiones de Josefina. Hasta podría verse en esta libertad que le da su pueblo, en este regalo extraordinario y, por cierto, contrario a las leyes, nunca otorgado a otro, el reconocimiento de que su pueblo –como ella afirma–

no la entiende, se asombra y pasma ante su arte y, sintiéndose indigno de ella, trata de compensar con un favor supremo que llega a la muerte, las penas que le causa con su incomprensión. Así como el arte de Josefina está fuera del alcance general, el pueblo coloca también fuera del poder de sus órdenes a la persona de Josefina y a sus caprichos: en lo pequeño, tal vez así suceda, tal vez el pueblo capitule demasiado pronto ante Josefina. Pero no es su adicto incondicional.

Desde hace mucho, quizá desde el principio de su carrera, Josefina lucha para que no la obliguen a trabajar; deberían eximirla, por lo tanto, de toda preocupación económica. Un entusiasta fácil –entre nosotros hubo algunos– podría pensar que el solo hecho de formular pretensión semejante, la justifica. Pero así no lo entiende nuestro pueblo y rechaza con calma la pretensión de la cantora. Tampoco se esfuerza mucho en refutar los fundamentos de la demanda. Josefina, por ejemplo, hace notar que los esfuerzos del trabajo dañan la voz; que el trabajo la priva de toda posibilidad de descansar después del canto y de fortalecerse para la próxima función; que en esa forma se agota por completo y no puede alcanzar su capacidad máxima.

El pueblo la escucha y pasa a otro asunto. Este pueblo, tan fácil de conmover, sabe también mostrarse insensible. El rechazo es a veces tan terminante que la misma Josefina se sorprende y parece entrar en razón. Entonces trabaja como es debido, canta lo mejor que puede. Pero luego vuelve a la carga.

En el fondo se ve claro que Josefina no desea de verdad lo que pretende. Es razonable, no le teme al trabajo –temor desconocido entre nosotros– y además, si le otorgaran lo que exige, seguiría viviendo como de costumbre: el trabajo no le impediría cantar; el canto no sería más bello. Lo que Josefina desea es el reconocimiento público, unánime, imperecedero, de su arte. Esto, aunque todo lo demás parezca accesible, fracasa tenazmente. Quizá le hubiera convenido encarar la cuestión por otro lado; quizá ella misma reconoce el error. Pero no puede echarse atrás. Le parecería una deslealtad consigo misma; está obligada a seguir hasta la victoria o la muerte.

Si fuera verdad que tiene enemigos, podrían divertirse con esta lucha; pero no tiene enemigos, y aun cuando la critican, esta lucha no divierte a nadie. El pueblo se muestra en fría actitud de juez. En el rechazo del pueblo, como en la pretensión de Josefina, lo significativo no es el asunto sino el hecho de que seamos implacables con una persona a quien, por otra parte, protegemos paternalmente.

Si en vez del pueblo se tratara de un individuo, podría creerse que éste había ido cediendo ante los ardientes pedidos de Josefina, hasta cansarse al fin y poner coto a las concesiones; se podría creer también que han accedido a todas sus exigencias para provocar una última exigencia desaforada y poder rechazarla. Pero el pueblo no necesita de tales astucias y su veneración por Josefina es sincera y probada; además, la vanidad de Josefina es tan fuerte que hasta un niño hubiera previsto el resultado; sin embargo, puede ser que, dada la idea que Josefina se ha hecho del asunto, tales suposiciones estén también en juego y añadan amargura a su dolor. Pero aunque ella suponga esas cosas, no se deja espantar, y en los últimos tiempos aguzó la lucha; si antes luchaba de palabra, ahora empieza a usar otros medios, según ella, más eficaces, pero según nosotros más peligrosos para ella misma.

Muchos creen que Josefina se pone tan apremiante porque se está sintiendo vieja, la voz muestra fallas, y le parece urgente librar el último combate para ser definitivamente reconocida. No lo creo. Josefina no sería ella si esto fuera verdad. Para ella no hay ni vejez ni debilitamiento de la voz. Cuando pretende algo no es por motivos superficiales sino por lógica íntima. Extiende la mano hacia la corona más alta; si dependiera de ella, la colgaría más alto aun.

Este desprecio por las dificultades externas no le impide emplear los medios más indignos. Su derecho le parece indiscutible. Juzga, además, que los medios dignos fracasarían en este mundo. Quizá por eso mismo ha desplazado la lucha hacia otro terreno, menos importante para ella. Su séquito ha hecho circular dichos suyos, según los cuales es capaz de cantar de tal modo que diera placer a todo el pueblo. Pero, añade Josefina, no hay que adular al vulgo: las cosas han de quedar como están.

Así, por ejemplo, se difundió el rumor de que Josefina tiene intención, si no la complacen, de abreviar los trinos. Yo no entiendo nada de trinos y nunca los he notado en su canto. Pero Josefina quiere abreviar los trinos, no suprimirlos, sólo abreviarlos. Ha publicado su amenaza; yo, por mi parte, no he notado ninguna diferencia entre sus recitales de ahora y los de antes. El pueblo escucha como siempre, sin manifestarse en cuanto a los trinos, y no ha cambiado su conducta hacia las pretensiones de Josefina. El modo de pensar de Josefina, como su figura, tiene algo de gracioso. Así, por ejemplo, como si su decisión respecto a los trinos fuera demasiado implacable, declaró después que en lo sucesivo volvería a cantar sus trinos completos. Pero en el otro concierto lo repensó y resolvió que los grandes trinos se habían acabado y no volverían sino por una decisión favorable a ella. El pueblo sigue benévolo, pero inaccesible, como un adulto preocupado que no escucha las palabras de un niño.

Pero Josefina no cede. Hace poco afirmó que en el trabajo se había hecho una lastimadura que le impedía estar de pie durante el canto; como sólo se puede cantar de pie, ahora debe abreviar sus cantos. Aunque renquea y se deja sostener por su séquito, nadie cree en su lastimadura; aun teniendo en cuenta la especial sensibilidad de su cuerpo, no hay que olvidar que Josefina pertenece a un pueblo de trabajadores; si por cada raspadura en la piel nos pusiéramos a renquear, todo el pueblo andaría con muletas. Pero que la lleven como inválida, que se exhiba en ese estado lamentable, no importa; el pueblo oye agradecido su canto y no hace mucho caso de la abreviación de los trinos. Como no puede cojear perpetuamente, inventa otras cosas: cansancio, debilidad, mal humor. Estamos condenados a ver al séquito de Josefina suplicándole cantos. La consuelan, la halagan, la llevan casi en andas al lugar elegido. Al fin consiente, con lágrimas inexplicables; pero cuando va a empezar, con los brazos no abiertos como otras veces, sino colgantes –lo que hace que parezcan más cortos–, cuando quiere entonar, un estremecimiento involuntario la interrumpe y se desploma ante nuestra vista. Luego se domina con energía y canta, creo que más o menos como siempre; quizá el que note los más finos matices, distinga una ligera excitación que la favorece. Al final parece menos cansada que antes: camina segura, si es lícito hablar así de su huidizo pataleo, y se aleja rechazando toda ayuda de sus cortesanos y desafiando con mirada fría la multitud respetuosa que le abre paso.

Sin embargo, la última vez que se esperaba su canto, Josefina desapareció. Ahora no sólo la busca su séquito; muchos se enrolan en la busca; Josefina ha desaparecido, no quiere cantar ni quiere que se lo pidan; ahora nos ha abandonado por completo.

Es extraño lo mal que calcula esa astuta, tan mal que uno creería que no calcula, sino que está llevada por la corriente de su destino, que en nuestro mundo sólo puede ser triste. Ella misma se aparta del canto, ella misma destruye el poder que había conseguido. ¿Cómo logró ese poder, ya que tan mal conoce a su pueblo? Se oculta y no canta; pero el pueblo, tranquilo, sin desilusión visible, señoril, una masa descansando en sí misma, que formalmente, aunque la apariencia sea contraria, sólo puede dar regalos, nunca recibirlos, ni aun de Josefina, este pueblo –repito– sigue su camino. Pero Josefina debe de estar en decadencia. Pronto vendrá el momento en que sonará su último chillido y quede muda para siempre. Josefina es un episodio en la historia eterna de nuestro pueblo, y este pueblo superará la pérdida. No nos será fácil; ¿cómo serán posibles las asambleas en completo silencio? Pero, ¿no eran silenciosas también con Josefina? ¿Era su chillar efectivo, notablemente más fuerte y vivaz de lo que será en el recuerdo? ¿Acaso, en vida, era más que un mero recuerdo? ¿O habremos enaltecido el canto de Josefina porque era imperdible?

Quizá nosotros no perdamos mucho; pero Josefina, redimida de los afanes terrestres, a los que, según ella, están predestinados los elegidos, se perderá jubilosa entre la innumerable multitud de los seres de nuestro pueblo, y pronto, ya que no nos interesa la historia, entrará, como todos sus hermanos, en la exaltada liberación del olvido.

FRANZ KAFKA
Ein Hungerkünstler (1924)

ANTE LA LEY

Hay un guardián ante la Ley. A ese guardián llega un hombre del campo que pide ser admitido a la Ley. El guardián le responde que ese día no puede permitirle la entrada. El hombre reflexiona, y pregunta si luego podrá entrar. «Es posible», dice el guardián, «pero no ahora». Como la puerta de la Ley sigue abierta y el guardián está a un lado, el hombre se agacha para espiar. El guardián se ríe y le dice: «Fíjate bien: soy muy fuerte. Y soy el más subalterno de los guardianes. Adentro no hay una sala que no esté custodiada por su guardián, cada uno más fuerte que el anterior. Ya el tercero tiene un aspecto que yo mismo no puedo soportar». El hombre no ha previsto esas trabas. Piensa que la Ley debe ser accesible a todos los hombres, pero al fijarse en el guardián con su capa de piel, su gran nariz aguda y su larga y deshilachada barba de tártaro, resuelve que más vale esperar. El guardián le da un banco y lo deja sentarse junto a la puerta. Ahí, pasa los días y los años. Intenta muchas veces ser admitido y fatiga al guardián con sus peticiones. El guardián entabla con él diálogos limitados y lo interroga acerca de su hogar y de otros asuntos, pero de una manera impersonal, como de señor importante, y siempre acaba repitiendo que no puede pasar todavía. El hombre, que se había equipado de muchas cosas para su viaje, va despojándose de todas ellas para sobornar al guardián. Éste no las rehúsa, pero declara: «Acepto para que no te figures que has omitido algún empeño». En los muchos años el hombre no deja de mirarlo. Se olvida de los otros y piensa que *éste* es la única traba que lo separa de la Ley. En los primeros años maldice a gritos su perverso destino; con la vejez la maldición decae en quejumbre. El hombre se vuelve infantil, y como en su vigilia de años ha llegado a reconocer las pulgas en la capa de piel, acaba por pedirles que lo socorran y que intercedan con el guardián. Al fin se le nublan los ojos y no sabe si éstos lo engañan o si se ha oscurecido el mundo. Apenas si percibe en la sombra una claridad que fluye inmortalmente de la puerta de la Ley. Ya no le queda mucho que vivir. En su agonía los recuerdos forman una sola pregunta, que no ha propuesto aún al guardián. Como no puede incorporarse, tiene que llamarlo por señas. El guardián se agacha profundamente, pues la disparidad de las estaturas ha aumentado muchísimo. «¿Qué pretendes ahora?», dice el guardián, «eres insaciable». «Todos se esfuerzan por la Ley», dice el hombre. «¿Será posible que en los años que espero nadie haya querido entrar sino yo?» El guardián entiende que el hombre se está acabando, y tiene que gritarle para que le oiga: «Nadie ha querido entrar por aquí, porque a ti solo estaba destinada esta puerta. Ahora voy a cerrarla».

FRANZ KAFKA
Ein Landarzt (1919)

«EL CUENTO MÁS HERMOSO
DEL MUNDO»

RUDYARD KIPLING, ilustre novelista, cuentista, poeta, épico. Nació en Bombay, en 1865; murió en Inglaterra, en 1936. Recibió el premio Nobel de literatura, en 1907. De su vasta obra, mencionaremos: *Plain Tales from the Hills* (1887); *The Light that Failed* (1891); *The Seven Seas* (1896); *Stalky and Co.* (1899); *Kim* (1901); *The Five Nations* (1903); *Actions and Reactions* (1909); *A Diversity of Creatures* (1917); *The Years Between* (1918); *Debits and Credits* (1926); *Limits and Renewals* (1935); *Something of Myself* (1937).

Se llamaba Charlie Mears; era hijo único de madre viuda; vivía en el norte de Londres y venía al centro todos los días, a su empleo en un banco. Tenía veinte años y estaba lleno de aspiraciones. Lo encontré en una sala de billares, donde el marcador lo tuteaba. Charlie, un poco nervioso, me dijo que estaba ahí como espectador; le insinué que volviera a su casa.

Fue el primer jalón de nuestra amistad. En vez de perder tiempo en las calles con los amigos, solía visitarme, de tarde; hablando de sí mismo, como corresponde a los jóvenes, no tardó en confiarme sus aspiraciones: eran literarias. Quería forjarse un nombre inmortal, sobre todo a fuerza de poemas, aunque no desdeñaba mandar cuentos de amor y de muerte a los diarios de la tarde. Fue mi destino estar inmóvil, mientras Charlie Mears leía composiciones de muchos centenares de versos y abultados fragmentos de tragedias que, sin duda, conmoverían el mundo. Mi premio era su confianza total; las confesiones y problemas de un joven son casi tan sagrados como los de una niña. Charlie nunca se había enamorado, pero deseaba enamorarse en la primera oportunidad; creía en todas las cosas buenas y en todas las cosas honrosas, pero no me dejaba olvidar que era un hombre de mundo, como cualquier empleado de banco que gana veinticinco chelines por semana. Rimaba *amor* y *dolor*, *bella* y *estrella*, candorosamente seguro de la novedad de esas rimas. Tapaba con apresuradas disculpas y descripciones los grandes huecos incómodos de sus dramas, y seguía adelante, viendo con tanta claridad lo que pensaba hacer, que lo consideraba ya hecho, y esperaba mi aplauso.

Me parece que su madre no lo alentaba; sé que su mesa de trabajo era un ángulo del lavabo. Esto me lo contó casi al principio, cuando me saqueaba mi biblioteca y poco antes de suplicarme que le dijera la verdad sobre sus esperanzas de «escribir algo realmente grande, usted sabe». Quizá lo alenté demasiado, porque una tarde vino a verme, con los ojos llameantes, y me dijo, trémulo:

—¿A usted no le molesta... puedo quedarme aquí y escribir toda la tarde? No lo molestaré, le prometo. En casa de mi madre no tengo donde escribir.

—¿Qué pasa? —pregunté, aunque lo sabía muy bien.

—Tengo una idea en la cabeza, que puede convertirse en el mejor cuento del mundo. Déjeme escribirlo aquí. Es una idea espléndida.

Imposible resistir. Le preparé una mesa; apenas me agradeció y se puso a trabajar en seguida. Durante media hora la pluma corrió sin parar. Charlie suspiro. La pluma corrió más despacio, las tachaduras se multiplicaron, la escritura cesó. El cuento más hermoso del mundo no quería salir.

—Ahora parece tan malo –dijo lúgubremente–. Sin embargo, era bueno mientras lo pensaba. ¿Dónde está la falla?

No quise desalentarlo con la verdad. Contesté:

—Quizá no estés en ánimo de escribir.

—Sí, pero cuando leo este disparate...

—Léeme lo que has escrito –le dije.

Lo leyó. Era prodigiosamente malo. Se detenía en las frases más ampulosas, a la espera de algún aplauso; porque estaba orgulloso de esas frases, como es natural.

—Habría que abreviarlo –sugerí cautelosamente.

—Odio mutilar lo que escribo. Aquí no se puede cambiar una palabra, sin estropear el sentido. Queda mejor leído en voz alta que mientras lo escribía.

—Charlie, adoleces de una enfermedad alarmante y muy común. Guarda ese manuscrito y revísalo dentro de una semana.

—Quiero acabarlo en seguida. ¿Qué le parece?

—¿Cómo juzgar un cuento a medio escribir? Cuéntame el argumento.

Charlie me lo contó. Dijo todas las cosas que su torpeza le había impedido trasladar a la palabra escrita. Lo miré, preguntándome si era posible que no percibiera la originalidad, el poder de la idea que le había salido al encuentro. Con ideas infinitamente menos practicables y excelentes se habían infatuado muchos hombres. Pero Charlie proseguía serenamente, interrumpiendo la pura corriente de la imaginación con muestras de frases abominables que pensaba emplear. Lo escuché hasta el fin. Era insensato abandonar esa idea a sus manos incapaces, cuando yo podía hacer tanto con ella. No todo lo que sería posible hacer, pero muchísimo.

—¿Qué le parece? –dijo al fin–. Creo que lo titularé *La Historia de un Buque*.

—Me parece que la idea es bastante buena; pero todavía estás lejos de poder aprovecharla. En cambio yo...

—¿A usted le serviría? ¿La quiere? Sería un honor para mí –dijo Charlie en seguida.

Pocas cosas hay más dulces en este mundo que la inocente, fanática, destemplada, franca admiración de un hombre más joven. Ni siquiera una mujer ciega de amor imita la manera de caminar del hombre que adora, ladea el sombrero como él o intercala en la conversación sus dichos predilectos. Charlie hacía todo eso. Sin embargo, antes de apoderarme de sus ideas, yo quería apaciguar mi conciencia.

—Hagamos un arreglo. Te daré cinco libras por el argumento –le dije.

Instantáneamente, Charlie se convirtió en empleado de banco:

—Es imposible. Entre camaradas, si me permite llamarlo así, y hablando como un hombre de mundo, no puedo. Tome el argumento, si le sirve. Tengo muchos otros.

Los tenía —nadie lo sabía mejor que yo—, pero eran argumentos ajenos.

—Míralo como un negocio entre hombres de mundo —repliqué—. Con cinco libras puedes comprar una cantidad de libros de versos. Los negocios son los negocios, y puedes estar seguro que no abonaría ese precio si...

—Si usted lo ve así —dijo Charlie, visiblemente impresionado con la idea de los libros.

Cerramos trato con la promesa de que me traería periódicamente todas las ideas que se le ocurrieran, tendría una mesa para escribir y el incuestionable derecho de infligirme todos sus poemas y fragmentos de poemas. Después le dije:

—Cuéntame cómo te vino esta idea.

—Vino sola.

Charlie abrió un poco los ojos .

—Sí, pero me contaste muchas cosas sobre el héroe que tienes que haber leído en alguna parte.

—No tengo tiempo para leer, salvo cuando usted me deja estar aquí, y los domingos salgo en bicicleta o paso el día entero en el río. ¿Hay algo que falta en el héroe?

—Cuéntamelo otra vez y lo comprenderé claramente. Dices que el héroe era pirata. ¿Cómo vivía?

—Estaba en la cubierta de abajo de esa especie de barco de que le hablé.

—¿Qué clase de barco?

—Eran esos que andan con remos, y el mar entra por los agujeros de los remos, y los hombres reman con el agua hasta la rodilla. Hay un banco entre las dos filas de remos, y un capataz con un látigo camina de una punta a otra del banco, para que trabajen los hombres.

—¿Cómo lo sabes?

—Está en el cuento. Hay una cuerda estirada, a la altura de un hombre, amarrada a la cubierta de arriba, para que se agarre el capataz cuando se mueve el barco. Una vez, el capataz no da con la cuerda y cae entre los remeros; el héroe se ríe y lo azotan. Está encadenado a su remo, naturalmente.

—¿Cómo está encadenado?

—Con un cinturón de hierro, clavado al banco, y con una pulsera atándolo al remo. Está en la cubierta de abajo, donde van los peores, y la luz entra por las escotillas y los agujeros de los remos. ¿Usted no se imagina la luz del sol filtrándose entre el agujero y el remo, y moviéndose con el barco?

—Sí, pero no puedo imaginar que tú te lo imagines.

—¿De qué otro modo puede ser? Escúcheme, ahora. Los remos largos de la cubierta de arriba, están movidos por cuatro hombres en cada banco; los remos intermedios, por tres, los de más abajo, por dos. Acuérdese de que en la cubierta inferior no hay ninguna luz, y que todos los hombres ahí se enloquecen. Cuando en esa cubierta muere un remero, no lo tiran por la borda: lo despedazan, encadenado, y tiran los pedacitos al mar, por el agujero del remo.

—¿Por qué? —pregunté asombrado, menos por la información que por el tono autoritario de Charlie Mears.

—Para ahorrar trabajo y para asustar a los compañeros. Se precisan dos capataces para subir el cuerpo de un hombre a la otra cubierta, y si dejan solos a los remeros de la cubierta de abajo, éstos no remarían y tratarían de arrancar los bancos, irguiéndose a un tiempo en sus cadenas.

—Tienes una imaginación muy previsora. ¿Qué has estado leyendo sobre galeotes?

—Que yo me acuerde, nada. Cuando tengo oportunidad remo un poco. Pero tal vez he leído algo, si usted lo dice.

Al rato salió en busca de librerías y me pregunté cómo, un empleado de banco, de veinte años, había podido entregarme, con pródiga abundancia de pormenores, datos con absoluta seguridad, ese cuento de extravagante y ensangrentada aventura, motín, piratería y muerte, en mares sin nombre. Había empujado al héroe por una desesperada odisea, lo había rebelado contra los capataces, le había dado una nave que comandar, y después su isla «por ahí en el mar, usted sabe»; y, encantado con las modestas cinco libras, había salido a comprar los argumentos de otros hombres, para aprender a escribir. Me quedaba el consuelo de saber que su argumento era mío, por derecho de compra, y creía poder aprovecharlo de algún modo.

Cuando nos volvimos a ver estaba ebrio, ebrio de los muchos poetas que le habían sido revelados. Sus pupilas estaban dilatadas, sus palabras se atropellaban y se envolvía en citas, como un mendigo en la púrpura de los emperadores. Sobre todo, estaba ebrio de Longfellow.

—¿No es espléndido? ¿No es soberbio? —me gritó luego de un apresurado saludo—. Oiga esto:

> *Wouldst thou – so the helmsman answered,*
> *Know the secret of the sea?*
> *Only those who brave its dangers*
> *Comprehends its mystery.*[1]

¡Demonio!

–*Only those who brave its danger comprehend its mystery* –repitió veinte veces, caminando de un lado a otro, olvidándome.

–Pero yo también puedo comprenderlo –dijo–. No sé cómo agradecerle las cinco libras. Oiga esto:

> *I remember the black wharves and the slips*
> *And the sea-tides tossing free;*
> *And the Spanish sailors with bearded lips,*
> *And the beauty and mystery of the ships,*
> *And the magic of the sea.*[2]

Nunca he afrontado peligros, pero me parece que entiendo de todo eso.

–Realmente, parece que dominas el mar. ¿Lo has visto alguna vez?

–Cuando era chico estuvimos en Brighton. Vivíamos en Coventry antes de venir a Londres. Nunca lo he visto...

> *When descends on the Atlantic*
> *The gigantic*
> *Storm, wind of the Equinox.*[3]

Me tomó por el hombro y me zamarreó, para que comprendiera la pasión que lo sacudía.

–Cuando viene esa tormenta –prosiguió– todos los remos del barco se rompen, y los mangos de los remos deshacen el pecho de los remeros. A propósito, ¿usted ya hizo mi argumento?

–No, esperaba que me contaras algo más. Dime cómo conoces tan bien los detalles del barco. Tú no sabes nada de barcos.

1. –¿Quieres –dijo el timonel– /saber el secreto del mar? / Sólo quienes afrontan sus peligros / comprenden su misterio.

2. Recuerdo los embarcaderos negros, las ensenadas, / la agitación de las mareas, / y los marineros españoles, de labios barbudos, / y la belleza y el misterio de las naves / y la magia del mar.

3. Cuando baja sobre el Atlántico / el titánico / viento huracanado del Equinoccio.

–No me lo explico. Es del todo real para mí hasta que trato de escribirlo. Anoche, en cama, estuve pensando, después de concluir *Treasure Island*. Inventé una porción de cosas para el cuento.

–¿Qué clase de cosas?

–Sobre lo que comían los hombres: higos podridos y habas negras y vino en un odre de cuero que se pasaban de un banco a otro.

–¿Tan antiguo era el barco?

–Yo no sé si era antiguo. A veces me parece tan real como si fuera cierto. ¿Le aburre que le hable de eso?

–En lo más mínimo. ¿Se te ocurrió algo más?

–Sí, pero es un disparate. –Charlie se ruborizó algo.

–No importa; dímelo.

–Bueno, pensaba en el cuento, y al rato salí de la cama y apunté en un pedazo de papel las cosas que podían haber grabado en los remos, con el filo de las esposas. Me pareció que eso le daba más realidad. Es tan real, para mí, usted sabe.

–¿Tienes el papel?

–Sí, pero a qué mostrarlo. Son unos cuantos garabatos. Con todo, podrían ir en la primera hoja del libro.

–Ya me ocuparé de esos detalles. Muéstrame lo que escribían tus hombres.

Sacó del bolsillo una hoja de carta, con un solo renglón escrito, y yo la guardé.

–¿Qué se supone que esto significa en inglés?

–Ah, no sé. Yo pensé que podía significar: «Estoy cansadísimo». Es absurdo –repitió– pero esas personas del barco me parecen tan reales como nosotros. Escriba pronto el cuento; me gustaría verlo publicado.

–Pero todas las cosas que me has dicho darían un libro muy extenso.

–Hágalo, entonces. No tiene más que sentarse y escribirlo.

–Dame tiempo. ¿No tienes más ideas?

–Por ahora, no. Estoy leyendo todos los libros que compré. Son espléndidos.

Cuando se fue, miré la hoja de papel con la inscripción. Después... pero me pareció que no hubo transición entre salir de casa y encontrarme discutiendo con un policía, ante una puerta marcada «Entrada Prohibida» en un corredor del Museo Británico. Lo que yo exigía, con toda la cortesía posible, era «el hombre de las antigüedades griegas». El policía todo lo ignoraba, salvo el reglamento del museo, y fue necesario explorar todos los pabellones y escritorios del edificio. Un señor de edad interrumpió su almuerzo y puso término a mi busca tomando la hoja de papel entre el pulgar y el índice y mirándola con desdén.

–¿Qué significa esto? Veamos –dijo–; si no me engaño es un texto en griego sumamente corrompido, redactado por alguien –aquí me clavó los ojos– extraordinariamente iletrado.

Leyó con lentitud:

–Pollock, Erkmann, Tachnitz, Hennicker, cuatro nombres que me son familiares.

–¿Puede decirme lo que significa ese texto?

–He sido... muchas veces... vencido por el cansancio en este menester. Eso es lo que significa.

Me devolvió el papel; huí sin una palabra de agradecimiento, de explicación o de disculpa.

Mi distracción era perdonable. A mí, entre todos los hombres, me había sido otorgada la oportunidad de escribir la historia más admirable del mundo, nada menos que la historia de un galeote griego, contada por él mismo. No era raro que los sueños le parecieran reales a Charlie. Las Parcas, tan cuidadosas en cerrar las puertas de cada vida sucesiva, se habían distraído esta vez, y Charlie miró, aunque no lo sabía, lo que a nadie le había sido permitido mirar, con plena visión, desde que empezó el tiempo. Ignoraba enteramente el conocimiento que me había vendido por cinco libras; y perseveraría en esa ignorancia, porque los empleados de banco no comprenden la metempsicosis, y una buena educación comercial no incluye el conocimiento del griego. Me suministraría –aquí bailé, entre los mudos dioses egipcios, y me reí en sus caras mutiladas– materiales que darían certidumbre a mi cuento: una certidumbre tan grande que el mundo lo recibiría como una insolente y artificiosa ficción. Y yo, sólo yo sabría que era absoluta y literalmente cierto. Esa joya estaba en mi mano para que yo la puliera y cortara. Volví a bailar entre los dioses del patio egipcio, hasta que un policía me vio y empezó a acercarse.

Sólo había que alentar la conversación de Charlie, y eso no era difícil; pero había olvidado los malditos libros de versos. Volvía, inútil como un fonógrafo recargado, ebrio de Byron, de Shelley o de Keats. Sabiendo lo que el muchacho había sido en sus vidas anteriores, y desesperadamente ansioso de no perder una palabra de su charla, no pude ocultarle mi respeto y mi interés. Los tomó como respeto por el alma actual de Charlie Mears, para quien la vida era tan nueva como lo fue para Adán, y como interés por sus lecturas; casi agotó mi paciencia, recitando versos, no suyos, sino ajenos. Llegué a desear que todos los poetas ingleses desaparecieran de la memoria de los hombres. Calumnié las glorias más puras de la poesía, porque desviaban a Charlie de la narración directa y lo estimulaban a la imitación; pero sofrené mi impaciencia hasta que se agotó el ímpetu inicial de entusiasmo y el muchacho volvió a los sueños.

–¿Para qué le voy a contar lo que yo pienso, cuando esos tipos escribieron para los ángeles? –exclamó una tarde–. ¿Por qué no escribe algo así?

–Creo que no te portas muy bien conmigo –dije conteniéndome.

–Ya le di el argumento –dijo con sequedad, prosiguiendo la lectura de Byron.

–Pero quiero detalles.

–¿Esas cosas que invento sobre ese maldito barco que usted llama galera? Son facilísimas. Usted mismo puede inventarlas. Suba un poco la llama, quiero seguir leyendo.

Le hubiera roto en la cabeza la lámpara del gas. Yo podría inventar si supiera lo que Charlie ignoraba que sabía. Pero como detrás de mí estaban cerradas las puertas, tenía que aceptar sus caprichos y mantener despierto su buen humor. Una distracción momentánea podía estorbar una preciosa revelación. A veces dejaba los libros –los guardaba en mi casa, porque a su madre le hubiera escandalizado el gasto de dinero que representaban– y se perdía en sueños marinos. De nuevo maldije a todos los poetas de Inglaterra. La mente plástica del empleado de banco estaba recargada, coloreada y deformada por las lecturas, y el resultado era una red confusa de voces ajenas como el zumbido múltiple de un teléfono de oficina, en la hora más atareada.

Hablaba de la galera –de su propia galera, aunque no lo sabía– con imágenes de *La Novia de Abydos*. Subrayaba las aventuras del héroe con citas del *Corsario* y agregaba desesperadas y profundas reflexiones morales de *Caín* y de *Manfredo*, esperando que yo las aprovechara. Sólo cuando hablábamos de Longfellow esos remolinos se enmudecían, y yo sabía que Charlie decía la verdad, tal como la recordaba.

–¿Esto qué te parece? –le dije una tarde en cuanto comprendí el ambiente más favorable para su memoria, y antes que protestara leí casi íntegra la *Saga del Rey Olaf*.

Escuchaba atónito, golpeando con los dedos el respaldo del sofá, hasta que llegué a la canción de Einar Tamberskelver y a la estrofa:

> Einar, then arrow taking
> From the loosened string,

> *Answered: That was Norway breaking*
> *'Neath thy hand, O King.*[1]

Se estremeció de puro deleite verbal.

—¿Es un poco mejor que Byron? —aventuré.

—¡Mejor! Es *cierto*. ¿Cómo lo sabría Longfellow?

Repetí una estrofa anterior:

> *What was that? said Olaf, standing*
> *On the quaerter-deck,*
> *Something heard I like the stranding*
> *Of a shattered wreck.*[2]

—¿Cómo podía saber cómo los barcos se destrozan, y los remos saltan y hacen z-zzzp contra la costa? Anoche apenas... Pero siga leyendo, por favor, quiero volver a oír «*The Skerry of Shrieks*».

—No, estoy cansado. Hablemos. ¿Qué es lo que sucedió anoche?

—Tuve un sueño terrible sobre esa galera nuestra. Soñé que me ahogaba en una batalla. Abordamos otro barco, en un puerto. El agua estaba muerta, salvo donde la golpeaban los remos. ¿Usted sabe cuál es mi sitio en la galera?

Al principio hablaba con vacilación, bajo un hermoso temor inglés de que se rieran de él.

—No, es una novedad para mí —respondí humildemente y ya me latía el corazón.

—El cuarto remo a la derecha, a partir de la proa, en la cubierta de arriba. Éramos cuatro en ese remo, todos encadenados. Me recuerdo mirando el agua y tratando de sacarme las esposas antes de que empezara la pelea. Luego nos arrimamos al otro barco, y sus combatientes nos abordaron, y se rompió mi banco, y quedé inmóvil, con los tres compañeros encima y el remo grande atravesado sobre nuestras espaldas.

—¿Y?

Los ojos de Charlie estaban encendidos y vivos. Miraba la pared, detrás de mi asiento.

---

1. Einar, sacando la flecha / de la aflojada cuerda, / dijo: Era Noruega la que se quebraba / bajo tu mano, Rey.

2. ¿Qué fue eso?, dijo Olaf, erguido / en el puente de mando, / un ruido como de barco / roto contra la costa.

–No sé cómo peleamos. Los hombres me pisoteaban la espalda y yo estaba quieto. Luego, nuestros remeros de la izquierda –atados a sus remos, ya sabe– gritaron y empezaron a remar hacia atrás. Oía el chirrido del agua, giramos como un escarabajo y comprendí, sin necesidad de ver, que una galera iba a embestirnos con el espolón, por el lado izquierdo. Apenas pude levantar la cabeza y ver su velamen sobre la borda. Queríamos recibirla con la proa; pero era muy tarde. Sólo pudimos girar un poco, porque el barco de la derecha se nos había enganchado y nos detenía. Entonces, vino el choque. Los remos de la izquierda se rompieron cuando el otro barco, el que se movía, les metió la proa. Los remos de la cubierta de abajo reventaron las tablas del piso, con el cabo para arriba, y uno de ellos vino a caer cerca de mi cabeza.

–¿Cómo sucedió eso?

–La proa de la galera que se movía los empujaba para adentro y había un estruendo ensordecedor en las cubiertas inferiores. El espolón nos agarró por el medio y nos ladeamos, y los hombres de la otra galera desengancharon los garfios y las amarras, y tiraron cosas en la cubierta de arriba –flechas, alquitrán ardiendo o algo que quemaba–, y nos empinamos, más y más, por el lado izquierdo, y el derecho se sumergió, y di vuelta la cabeza y vi el agua inmóvil cuando sobrepasó la borda, y luego se encurvó y derrumbó sobre nosotros, y recibí el golpe en la espalda, y me desperté.

–Un momento, Charlie. Cuando el mar sobrepasó la borda, ¿qué parecía?

Tenía mis razones para preguntarlo. Un conocido mío había naufragado una vez en un mar en calma y había visto el agua horizontal detenerse un segundo antes de caer en la cubierta.

–Parecía una cuerda de violín, tirante, y parecía durar siglos –dijo Charlie.

Precisamente. El otro había dicho: «Parecía un hilo de plata estirado sobre la borda, y pensé que nunca iba a romperse». Había pagado con todo, salvo la vida, esa partícula de conocimiento, y yo había atravesado diez mil leguas para encontrarlo y para recoger ese dato ajeno. Pero Charlie, con sus veinticinco chelines semanales, con su vida reglamentada y urbana, lo sabía muy bien. No era un consuelo para mí, que una vez en sus vidas, hubieran tenido que morir para aprenderlo. Yo también debí morir muchas veces, pero detrás de mí, para que no empleara mi conocimiento, habían cerrado las puertas.

–¿Y entonces? –dije tratando de alejar el demonio de la envidia.

–Lo más raro, sin embargo, es que todo ese estruendo no me causaba miedo ni asombro. Me parecía haber estado en muchas batallas, porque así se lo repetí a mi compañero. Pero el canalla de capataz no quería desatarnos las cadenas y darnos una oportunidad de salvación. Siempre decía que nos daría la libertad después de una batalla. Pero eso nunca sucedía, nunca.

Charlie movió la cabeza tristemente.

–¡Qué canalla!

–No hay duda. Nunca nos daba bastante comida y a veces teníamos tanta sed que bebíamos agua salada. Todavía me queda el gusto en la boca.

–Cuéntame algo del puerto donde ocurrió el combate.

–No soñé sobre eso. Sin embargo, sé que era un puerto; estábamos amarrados a una argolla en una pared blanca y la superficie de la piedra, bajo el agua, estaba recubierta de madera, para que no se astillara nuestro espolón cuando la marea nos hamacara.

–Eso es interesante. El héroe mandaba la galera ¿no es verdad?

–Claro que sí, estaba en la proa y gritaba como un diablo. Fue el hombre que mató al capataz.

–¿Pero ustedes se ahogaron todos juntos, Charlie?

–No acabo de entenderlo –dijo perplejo–. Sin duda la galera se hundió con todos los de a bordo, pero me parece que el héroe siguió viviendo. Tal vez se pasó al otro barco. No pude ver eso, naturalmente; yo estaba muerto.

Tuvo un ligero escalofrío y repitió que no podía acordarse de nada más.

No insistí, pero para cerciorarme de que ignoraba el funcionamiento de su alma, le di la *Transmigración* de Mortimer Collins y le reseñé el argumento.

–Qué disparate –dijo con franqueza, al cabo de una hora–; no comprendo ese enredo sobre el Rojo Planeta Marte y el Rey, y todo lo demás. Déme el libro de Longfellow.

Se lo entregué y escribí lo que pude recordar de su descripción del combate naval, consultándolo a ratos para que corroborara un detalle o un hecho. Contestaba sin levantar los ojos del libro, seguro, como si todo lo que sabía estuviera impreso en las hojas. Yo le interrogaba en voz baja, para no romper la corriente, y sabía que ignoraba lo que decía, porque sus pensamientos estaban en el mar, con Longfellow.

–Charlie –le pregunté–, cuando se amotinaban los remeros de las galeras, ¿cómo mataban a los capataces?

–Arrancaban los bancos y se los rompían en la cabeza. Eso ocurrió durante una tormenta. Un capataz, en la cubierta de abajo, se resbaló y cayó entre los remeros. Suavemente, lo estrangularon contra el borde, con las manos encadenadas; había demasiada oscuridad para que el otro capataz pudiera ver. Cuando preguntó qué sucedía, lo arrastraron también y lo estrangularon; y los hombres fueron abriéndose camino hasta arriba, cubierta por cubierta, con los pedazos de los bancos rotos colgando y golpeando. ¡Cómo vociferaban!

–¿Y qué pasó después?

–No sé. El héroe se fue, con pelo colorado, barba colorada, y todo. Pero antes capturó nuestra galera, me parece.

El sonido de mi voz lo irritaba. Hizo un leve ademán con la mano izquierda como si lo molestara una interrupción.

–No me habías dicho que tenía el pelo colorado, o que capturó la galera –dije al cabo de un rato.

Charlie no alzó los ojos.

–Era rojo como un oso rojo –dijo distraído–. Venía del norte; así lo dijeron en la galera cuando pidió remeros, no esclavos: hombres libres. Después, años y años después, otro barco nos trajo noticias suyas, o él volvió...

Sus labios se movían en silencio. Repetía, absorto, el poema que tenía ante los ojos.

–¿Dónde había ido?

Casi lo dije en un susurro, para que la frase llegara con suavidad a la sección del cerebro de Charlie que trabajaba para mí.

–A las Playas, Las Largas y Prodigiosas Playas –respondió al cabo de un minuto.

–¿A Furdurstrandi? –pregunté, temblando de pies a cabeza.

–Sí, a Furdurstrandi –pronunció la palabra de un modo nuevo–. Y yo vi, también...

La voz se apagó.

–¿Sabes lo que has dicho? –grité con imprudencia.

Levantó los ojos, despierto.

–No –dijo secamente–. Déjeme leer en paz. Oiga esto:

> But Othere, the old sea captain,
> He neither paused nor stirred
> Till the king listened, and then
> Once more took up his pen
> And wrote down every word.

206

And to the King of the Saxons
In witness of the truth.
Raising his noble head,
He stretched his brown hand and said,
Behold this walrus tooth.[1]

—¡Qué hombres habrán sido esos para navegarse los mares sin saber cuándo tocarían tierra!

—Charlie —rogué—, si te portas bien un minuto o dos, haré que nuestro héroe valga tanto como Othere.

—Es de Longfellow el poema. No me interesa escribir. Quiero leer.

Ahora estaba inservible; maldiciendo mi mala suerte, lo dejé.

Imagínense ante la puerta de los tesoros del mundo, guardada por un niño —un niño irresponsable y holgazán, jugando a cara o cruz —de cuyo capricho depende el don de la llave, y comprenderán mi tormento. Hasta esa tarde, Charlie no había hablado de nada que no correspondiera a las experiencias de un galeote griego. Pero ahora (o mienten los libros) había recordado alguna desesperada aventura de los vikingos, del viaje de Thorfin Karlsefne a Vinland, que es América, en el siglo nueve o diez. Había visto la batalla en el puerto; había referido su propia muerte. Pero esta otra inmersión en el pasado era aún más extraña. ¿Habría omitido una docena de vidas y oscuramente recordaba ahora un episodio de mil años después? Era un enredo inextricable y Charlie Mears, en su estado normal, era la última persona del mundo para solucionarlo. Sólo me quedaba vigilar y esperar, pero esa noche me inquietaron las imaginaciones más ambiciosas. Nada era imposible si no fallaba la detestable memoria de Charlie.

Podía volver a escribir la *Saga de Thorfin Karlsefne*, como nunca la habían escrito, podía referir la historia del primer descubrimiento de América, siendo yo mismo el descubridor. Pero yo estaba a la merced de Charlie y mientras él tuviera a su alcance un ejemplar de *Clásico para Todos*, no hablaría. No me atreví a maldecirlo abiertamente, apenas me atrevía a estimular su memoria, porque se trataba de experiencias de hace mil años narra-

1. Pero Othere, el viejo capitán, / no se detuvo ni se movió / hasta que el rey escuchó, y entonces / volvió a tomar la pluma / y transcribió cada palabra. / Y al Rey de los Sajones, / como prueba de la verdad, / levantando la noble cara, / estiró la curtida mano y dijo: / mire este colmillo de morsa.

das por la boca de un muchacho contemporáneo, y a un muchacho lo afectan todos los cambios de la opinión y aunque quiera decir la verdad tiene que mentir.

Pasé una semana sin ver a Charlie. Lo encontré en Gracechurch Street con un libro Mayor encadenado a la cintura. Tenía que atravesar el Puente de Londres y lo acompañé. Estaba muy orgulloso de ese libro Mayor. Nos detuvimos en la mitad del puente para mirar un vapor que descargaba grandes lajas de mármol blanco y amarillo. En una barcaza que pasó junto al vapor, mugió una vaca solitaria. La cara de Charlie se alteró; ya no era la de un empleado de banco, sino otra, desconocida y más despierta. Estiró el brazo sobre el parapeto del puente y, riéndose muy fuerte, dijo:

—Cuando bramaron *nuestros* toros, los Skroelings huyeron.

La barcaza y la vaca habían desaparecido detrás del vapor antes de que yo encontrara palabras.

—Charlie, ¿qué te imaginas que son Skroelings?

—La primera vez en la vida que oigo hablar de ellos. Parece el nombre de una nueva clase de gaviotas. ¡Qué preguntas se le ocurren a usted! —contestó—. Tengo que verme con el cajero de la compañía de ómnibus. Me espera un rato y almorzamos juntos en algún restaurante. Tengo una idea para un poema.

—No, gracias. Me voy. ¿Estás seguro que no sabes nada de Skroelings?

—No, a menos que esté inscrito en el «Clásico» de Liverpool.

Saludó y desapareció entre la gente.

Está escrito en la Saga de Eric el Rojo o en la de Thorfin Karlsefne que hace novecientos años, cuando las galeras de Karlsefne llegaron a las barracas de Leif, erigidas por éste en la desconocida tierra de Markland, era tal vez Rhode Island, los Skroelings –sólo Dios sabe quiénes eran– vinieron a traficar con los vikingos y huyeron porque los aterró el bramido de los toros que Thorfin había traído en las naves. ¿Pero qué podía saber de esa historia un esclavo griego? Erré por las calles, tratando de resolver el misterio, y cuanto más lo consideraba, menos lo entendía. Sólo encontré una certidumbre; y esa me dejó atónito. Si el porvenir me deparaba algún conocimiento íntegro, no sería el de una de las vidas del alma en el cuerpo de Charlie Mears, sino el de muchas, muchas existencias individuales y distintas, vividas en las aguas azules en la mañana del mundo.

Examiné después la situación.

Me parecía una amarga injusticia que me fallara la memoria de Charlie cuando más la precisaba. A través de la neblina y el humo alcé la mirada, ¿sabían los señores de la Vida y la Muerte lo que esto significaba para mí?

Eterna fama, conquistada y compartida por uno solo. Me contentaría —recordando a Clive, mi propia moderación me asombró— con el mero derecho de escribir un solo cuento, de añadir una pequeña contribución a la literatura frívola de la época. Si a Charlie le permitieran una hora —sesenta pobres minutos— de perfecta memoria de existencias que habían abarcado mil años, yo renunciaría a todo el provecho y la gloria que podría valerme su confesión. No participaría en la agitación que sobrevendría en aquel rincón de la tierra que se llama «el mundo». La historia se publicaría anónimamente. Haría creer a otros hombres que ellos la habían escrito. Ellos alquilarían ingleses de cuello duro para que la vociferaran al mundo. Los moralistas fundarían una nueva ética, jurando que habían apartado de los hombres el temor de la muerte. Todos los orientalistas de Europa la apadrinarían verbosamente, con textos en pali y en sánscrito. Atroces mujeres inventarían impuras variantes de los dogmas que profesarían los hombres, para instrucción de sus hermanas. Disputarían las iglesias y las religiones. Al subir a un ómnibus preví las polémicas de media docena de sectas, igualmente fieles a la «Doctrina de la verdadera Metempsicosis en sus aplicaciones a la Nueva Era y al Universo»; y vi también a los decentes diarios ingleses dispersándose, como hacienda espantada, ante la perfecta simplicidad de mi cuento. La imaginación recorrió cien, doscientos, mil años de futuro. Vi con pesar que los hombres mutilarían y pervertirían la historia; que las sectas rivales la deformarían hasta que el mundo occidental, aferrado al temor de la muerte y no a la esperanza de la vida, la descartaría como una superstición interesante y se entregaría a alguna fe ya tan olvidada que pareciera nueva. Entonces modifiqué los términos de mi pacto con los Señores de la Vida y de la Muerte. Que me dejaran saber, que me dejaran escribir esa historia, con la conciencia de registrar la verdad, y sacrificaría el manuscrito y lo quemaría. Cinco minutos después de redactada la última línea, lo quemaría. Pero que me dejaran escribirlo, con entera confianza.

No hubo respuesta. Los violentos colores de un aviso del casino me impresionaron, ¿no convendría poner a Charlie en manos de un hipnotizador? ¿Hablaría de sus vidas pasadas? Pero Charlie se asustaría de la publicidad, o ésta lo haría intolerable. Mentiría por vanidad o por miedo. Estaría seguro en mis manos.

—Son cómicos, ustedes los ingleses —dijo una voz. Dándome vuelta, me encontré con un conocido, un joven bengalí que estudiaba derecho, un tal Grish Chunder, cuyo padre lo había mandado a Inglaterra para educarlo. El viejo era un funcionario hindú, jubilado: con una renta de cinco libras esterlinas al mes, lograba dar a su hijo doscientas libras esterlinas al año y plena licencia en una ciudad donde fingía ser un príncipe y contaba cuentos de los brutales burócratas de la India, que oprimían a los pobres.

Grish Chunder era un joven y obeso bengalí, escrupulosamente vestido de levita y pantalón claro, con sombrero alto y guantes amarillos. Pero yo lo había conocido en los días en que el brutal gobierno de la India pagaba sus estudios universitarios y él publicaba artículos sediciosos en el *Sachi Durpan* y tenía amores con las esposas de sus condiscípulos de catorce años de edad.

—Eso es muy cómico —dijo señalando el cartel—. Voy a Northbrook Club. ¿Quieres venir conmigo?

Caminamos juntos un rato.

—No estás bien —me dijo—. ¿Qué te preocupa? Estás silencioso.

—Grish Chunder, ¿eres demasiado culto para creer en Dios, no es verdad?

—Aquí sí. Pero cuando vuelva tendré que propiciar las supersticiones populares y cumplir ceremonias de purificación, y mis esposas ungirán ídolos.

—Y adornarán con *tulsi* y celebrarán el *purohit*, y te reintegrarán en la casta y otra vez harán de ti, librepensador avanzado, un buen *khuttri*. Y comerás comida *desi*, y todo te gustará, desde el olor del patio hasta el aceite de mostaza en tu cuerpo.

—Me gustará muchísimo —dijo con franqueza Grish Chunder—. Una vez hindú, siempre hindú. Pero me gusta saber lo que los ingleses piensan que saben.

—Te contaré una cosa que un inglés sabe. Para ti es una vieja historia.

Empecé a contar en inglés la historia de Charlie; pero Grish Chunder me hizo una pregunta en hindustani, y el cuento prosiguió en el idioma que más le convenía. Al fin y al cabo, nunca hubiera podido contarse en inglés. Grish Chunder me escuchaba, asintiendo de tiempo en tiempo, y después subió a mi departamento, donde concluí la historia.

—*Beshak* —dijo filosóficamente—. *Lekin darwaza band hai.* (Sin duda; pero está cerrada la puerta.) He oído, entre mi gente, estos recuerdos de vidas previas. Es una vieja historia entre nosotros, pero que le suceda a un inglés —a un *Mlechh* lleno de carne de vaca—, un descastado... Por Dios, esto es rarísimo.

—¡Más descastado serás tú, Grish Chunder! Todos los días, comes carne de vaca. Pensemos bien las cosas. El muchacho recuerda sus encarnaciones.

–¿Lo sabe? –dijo tranquilamente Grish Chunder, sentado en la mesa, hamacando las piernas. Ahora hablaba en inglés.

–No sabe nada. ¿Acaso te contaría si lo supiera? Sigamos.

–No hay nada que seguir. Si lo cuentas a tus amigos, dirán que estás loco y lo publicarán en los diarios. Supongamos, ahora, que los acuses por calumnia.

–No nos metamos en eso, por ahora. ¿Hay una esperanza de hacerlo hablar?

–Hay una esperanza. Pero *si* hablara, todo este mundo –*instanto*– se derrumbaría en tu cabeza. Tú sabes, esas cosas están prohibidas. La puerta está cerrada.

–¿No hay ninguna esperanza?

–¿Cómo puede haberla? Eres cristiano y en tus libros está prohibido el fruto del árbol de la Vida, o nunca morirías. ¿Cómo van a temer la muerte si todos saben lo que tu amigo no sabe que sabe? Tengo miedo de los azotes, pero no tengo miedo de morir porque sé lo que sé. Ustedes no temen los azotes, pero temen la muerte. Si no la temieran, ustedes los ingleses se llevarían el mundo por delante en una hora, rompiendo los equilibrios de las potencias y haciendo conmociones. No sería bueno, pero no hay miedo. Se acordará menos y menos y dirá que es un sueño. Luego se olvidará. Cuando pasé el Bachillerato en Calcuta, esto estaba en la crestomatía de Wordsworth, *Arrastrando nubes de gloria*, ¿te acuerdas?

–Esto parece una excepción.

–No hay excepciones a las reglas. Unas parecen menos rígidas que otras, pero son iguales. Si tu amigo contara tal y tal cosa, indicando que recordaba todas sus vidas anteriores o una parte de su vida anterior, en seguida lo expulsarían del banco. Lo echarían, como quien dice, a la calle y lo enviarían a un manicomio. Eso lo admitirás, mi querido amigo.

–Claro que sí, pero no estaba pensando en él. Su nombre no tiene por qué aparecer en la historia.

–Ah, ya lo veo, esa historia nunca se escribirá. Puedes probar.

–Voy a probar.

–Por tu honra y por el dinero que ganarás, por supuesto.

–No, por el hecho de escribirla. Palabra de honor.

–Aun así no podrás. No se juega con los dioses. Ahora es un lindo cuento. No lo toques. Apresúrate, no durará.

–¿Qué quieres decir?

–Lo que digo. Hasta ahora no ha pensado en una mujer.

–¿Cómo crees? –Recordé algunas de las confidencias de Charlie.

–Quiero decir que ninguna mujer ha pensado en él. Cuando eso llegue: *bus –hogya–* se acabó. Lo sé. Hay millones de mujeres aquí. Mucamas, por ejemplo. Te besan detrás de la puerta.

La sugestión me incomodó. Sin embargo, nada más verosímil.

Grish Chunder sonrió.

–Sí, también muchachas lindas, de su sangre y no de su sangre. Un solo beso que devuelva y recuerde, lo sanará de estas locuras, o...

–¿O qué? Recuerda que no sabe que sabe.

–Lo recuerdo. O, si nada sucede, se entregará al comercio y a la especulación financiera, como los demás. Tiene que ser así. No me negarás que tiene que ser así. Pero la mujer vendrá primero, me parece.

Golpearon a la puerta; entró Charlie. Le habían dejado la tarde libre, en la oficina; su mirada denunciaba el propósito de una larga conversación, y tal vez poemas en los bolsillos. Los poemas de Charlie eran muy fastidiosos, pero a veces lo hacían hablar de la galera.

Grish Chunder lo miró agudamente.

–Disculpe –dijo Charlie, incómodo–. No sabía que estaba con visitas.

–Me voy –dijo Grish Chunder.

Me llevó al vestíbulo, al despedirse:

–Éste es el hombre –dijo rápidamente–. Te repito que nunca contará lo que esperas. Sería muy apto para ver cosas. Podríamos fingir que era un juego –nunca he visto tan excitado a Grish Chunder– y hacerle mirar el espejo de tinta en la mano. ¿Qué te parece? Te aseguro que puede ver todo lo que el hombre puede ver. Déjame buscar la tinta y el alcanfor. Es un vidente y nos revelará muchas cosas.

–Será todo lo que tú dices, pero no voy a entregarlo a tus dioses y a tus demonios.

–No le hará mal; un poco de mareo al despertarse. No será la primera vez que habrás visto muchachos mirar el espejo de tinta.

–Por eso mismo no quiero volver a verlo. Más vale que te vayas, Grish Chunder.

Se fue, repitiendo que yo perdía mi única esperanza de interrogar el porvenir.

Esto no importó, porque sólo me interesaba el pasado y para ello de nada podían servir muchachos hipnotizados consultando espejos de tinta.

–Qué negro desagradable –dijo Charlie cuando volví–. Mire, acabo de escribir un poema; lo escribí en vez de jugar al dominó después de almorzar. ¿Se lo leo?

—Lo leeré yo.

—Pero usted no le da la entonación adecuada. Además, cuando usted los lee, parece que las rimas estuvieran mal.

—Léelo en voz alta, entonces. Eres como todos los otros.

Charlie me declamó su poema; no era muy inferior al término medio de su obra. Había leído sus libros con obediencia, pero le desagradó oír que yo prefería a Longfellow incontaminado de Charlie.

Luego recorrimos el manuscrito, línea por línea. Charlie esquivaba todas las objeciones y todas las correcciones, con esta frase:

—Sí, tal vez quede mejor, pero usted no comprende a dónde voy.

En eso, Charlie se parecía a muchos poetas.

En el reverso del papel había unos apuntes a lápiz.

—¿Qué es eso? —le pregunté.

—No son versos ni nada. Son unos disparates que escribí anoche, antes de acostarme. Me daba trabajo buscar rimas y los escribí en verso libre.

Aquí están los *versos libres* de Charlie:

We pulled for you when the wind was against us and the sails were low.
Will you never let us go?

We ate bread and onions when you took towns, or ran aboard quickly when you were beaten back by the foe.

The captains walked up and down the deck in fair weather singing songs, but we were below.

We fainted with our chind on the oars and you did not see that we were idle fot we still swung to and fro.
Will you never let us go?

The salt made the oar-handles like shark skin; our knees were cut to the bone with salt cracks; our hair was stuck to our foreheads; and our lips were cut to our gums, and you whipped us because we could not row.
Will you never let us go?

But in a little time we shall run out of the portholes as the water runs along the oar blade, and though you tell the others to row after us you will never catch us till you catch the oar-thresh and tie up the winds in the belly of the sail. Aho!
Will you never let us go![1]

---

1. Hemos remado con el viento en contra y con las velas bajas. / *¿Nunca nos soltaréis?*

–Algo así podrían cantar en la galera, usted sabe. ¿Nunca va a concluir ese cuento y darme parte de las ganancias?

–Depende de ti. Si desde el principio me hubieras hablado un poco más del héroe, ya estaría concluido. Eres tan impreciso.

–Sólo quiero darle la idea general... el andar de un lado para otro, y las peleas, y los demás. ¿Usted no puede suplir lo que falta? Hacer que el héroe salve de los piratas a una muchacha y se case con ella o algo por el estilo.

–Eres un colaborador realmente precioso. Supongo que al héroe le ocurrieron algunas aventuras antes de casarse.

–Bueno, hágalo un tipo muy hábil, una especie de canalla –que ande haciendo tratados y rompiéndolos–, un hombre de pelo negro que se oculte detrás del mástil, en las batallas.

–Los otros días dijiste que tenía el pelo colorado.

–No puedo haber dicho eso. Hágalo moreno, por supuesto. Usted no tiene imaginación.

Como yo había descubierto en ese instante los principios de la memoria imperfecta que se llama imaginación, casi me reí, pero me contuve, para salvar el cuento.

–Es verdad; tú sí tienes imaginación. Un tipo de pelo negro en un buque de tres cubiertas –dije.

–No, un buque abierto, como un gran bote.

Era para volverse loco.

–Tu barco está descrito y construido con techos y cubiertas; así lo has dicho.

Comimos pan y cebolla cuando os apoderabais de las ciudades; corrimos a bordo cuando el enemigo os rechazaba.

Los capitanes cantaban en la cubierta cuando el tiempo era hermoso; nosotros estábamos abajo.

Nos desmayábamos con el mentón en los remos; no veíais que estábamos ociosos, porque nos hamacaba la nave. *¿Nunca nos soltaréis?*

Con la sal, los cabos de los remos eran ásperos como la piel de los tiburones; el agua salada nos ajaba las rodillas hasta los huesos; el pelo se nos pegaba en la frente; nuestros labios deshechos mostraban las encías. Nos azotabais porque no seguíamos remando.. / *¿Nunca nos soltaréis?*

Pero en breve nos iremos por los escobenes como el agua que se va por el remo y aunque los otros remen detrás, no nos agarrarán hasta que agarren lo que aventan los remos y hasta que aten los vendavales en el hueco de la vela. *¡Nunca nos soltaréis!*

–No, no ese barco. Ése era abierto, o semiabierto, porque... Claro, tiene razón. Usted me hace pensar que el héroe es el tipo de pelo colorado. Claro, si es el de pelo colorado, el barco tiene que ser abierto, con las velas pintadas.

Ahora se acordará, pensé, que ha trabajado en dos galeras, una griega, de tres cubiertas, bajo el mando del «canalla» de pelo negro; otra, un *dragón* abierto de vikingo, bajo el mando del hombre «rojo como un oso rojo», que arribó a Markland. El diablo me impulsó a hablar.

–¿Por qué «claro», Charlie?

–No sé. ¿Usted se está riendo de mí?

La corriente había sido rota. Tomé una libreta y fingí hacer muchos apuntes.

–Da gusto trabajar con un muchacho imaginativo, como tú –dije al rato–. Es realmente admirable cómo has definido el carácter del héroe.

–¿Le parece? –contestó ruborizándose–. A veces me digo que valgo más que lo que mi ma... que lo que la gente piensa.

–Vales muchísimo.

–Entonces ¿puedo mandar un artículo sobre Costumbres de los Empleados de Banco, al *Tit-Bits,* y ganar una libra esterlina de premio?

–No era, precisamente, lo que quería decir. Quizá valdría más esperar un poco y adelantar el cuento de la galera.

–Sí, pero no llevará mi firma. *Tit-Bits* publicará mi nombre y mi dirección, si gano. ¿De qué se ríe? Claro que los publicarían.

–Ya sé. ¿Por qué no vas a dar una vuelta? Quiero revisar las notas de nuestro cuento.

Este vituperable joven que se había ido, algo ofendido y desalentado, había sido tal vez remero del *Argos,* e innegablemente, esclavo o compañero de Thorfin Karlsefne. Por eso le interesaban profundamente los concursos del *Tit-Bits.* Recordando lo que me había dicho Grish Chunder, me reí fuerte. Los Señores de la Vida y la Muerte nunca permitirían que Charlie Mears hablara plenamente de sus pasados, y para completar su revelación yo tendría que recurrir a mis invenciones precarias, mientras él hacía su artículo sobre empleados de banco.

Reuní mis notas; las leí: el resultado no era satisfactorio. Volví a releerlas. No había nada que no hubiera podido extraerse de libros ajenos, salvo quizá la historia de la batalla en el puerto. Las aventuras de un vikingo habían sido noveladas ya muchas veces; la historia de un galeote griego tampoco era nueva y, aunque yo escribiera las dos, ¿quién podría confirmar o impugnar la veracidad de los detalles? Tanto me valdría redactar un cuento del porvenir. Los Señores de la Vida y de la Muerte eran tan astutos como lo había insinuado Grish Chunder. No dejarían pasar nada que pudiera inquietar o apaciguar el ánimo de los hombres. Aunque estaba convencido de eso, no podía abandonar el cuento. El entusiasmo alternaba con la depresión, no una vez, sino muchas en las siguientes semanas. Mi ánimo variaba con el sol de marzo con las nubes indecisas. De noche, o en la belleza de una mañana de primavera, creía poder escribir esa historia y conmover a los continentes. En los atardeceres lluviosos percibí que podría escribirse el cuento, pero que no sería otra cosa que una pieza de museo apócrifa, con falsa pátina y falsa herrumbre. Entonces maldije a Charlie de muchos modos, aunque la culpa no era suya.

Parecía muy atareado en certámenes literarios; cada semana lo veía menos a medida que la primavera inquietaba la tierra. No le interesaban los libros ni hablar de ellos y había un nuevo aplomo en su voz. Cuando nos encontramos, yo no proponía el tema de la galera, era Charlie el que lo iniciaba, siempre pensando en el dinero que podría producir su escritura.

—Creo que merezco a lo menos el veinticinco por ciento —dijo con hermosa franqueza—. He suministrado todas las ideas, ¿no es cierto?

Esa avidez era nueva en su carácter. Imaginé que la había adquirido en la City, que había empezado a influir en su acento, desagradablemente.

—Cuando la historia esté concluida, hablaremos. Por ahora, no consigo adelantar. El héroe rojo y el héroe moreno son igualmente difíciles.

Estaba sentado junto a la chimenea, mirando las brasas.

—No veo cuál es la dificultad. Es clarísimo para mí —contestó—. Empecemos por las aventuras del héroe rojo, desde que capturó mi barco en el sur y navegó a las Playas.

Me cuidé muy bien de interrumpirlo. No tenía ni lápiz ni papel, y no me atreví a buscarlos para no cortar la corriente. La voz de Charlie descendió hasta el susurro y refirió la historia de la navegación de una galera hasta Furdurstrandi, de las puestas de sol en el mar abierto, vistas bajo la curva de la vela, tarde tras tarde, cuando el espolón se clavaba en el centro del disco declinante «y navegábamos por ese rumbo, porque no teníamos otro», dijo Charlie. Habló del desembarco en una isla y de la exploración de sus bosques, donde los marineros mataron a tres hombres que dormían bajo los pinos. Sus fantasmas, dijo Charlie, siguieron a nado la galera, hasta que los hombres de a bordo echaron suertes y arrojaron al agua a uno de los suyos, para aplacar a los dioses desconocidos que habían ofendido. Cuando escasearon las provisiones se alimentaron de algas marinas y se les hincharon las piernas, y el capitán, el hombre de pelo rojo, mató a dos remeros amotinados, y al cabo de un año entre los bosques levaron anclas rumbo a la patria y un incesante viento los condujo con tanta fidelidad que todas las noches dormían. Esto, y mucho más, contó Charlie. A veces era tan baja la voz que las palabras resultaban imperceptibles. Hablaba de su jefe, el hombre de pelo rojo, como un pagano habla de su dios; porque él fue quien los alentaba y los mataba imparcialmente, según más le convenía; y él fue quien empuñó el timón durante tres noches entre hielo flotante, cada témpano abarrotado de extrañas fieras que «querían navegar con nosotros», dijo Charlie, «y las rechazábamos con los remos».

Cedió una brasa y el fuego, con su débil crujido, se desplomó atrás de los barrotes.

—Caramba —dijo con un sobresalto—. He mirado el fuego, hasta marearme. ¿Qué iba a decir?

—Algo sobre la galera.

—Ahora recuerdo. Veinticinco por ciento del beneficio, ¿no es verdad?

—Lo que quieras, cuando el cuento esté listo.

—Quería estar seguro. Ahora debo irme. Tengo una cita.

Me dejó.

Menos iluso, habría comprendido que ese entrecortado murmullo junto al fuego, era el canto de cisne de Charlie Mears. Lo creí preludio de una revelación total. Al fin burlaría a los Señores de la Vida y la Muerte.

Cuando volvió, lo recibí con entusiasmo. Charlie estaba incómodo y nervioso, pero los ojos le brillaban.

—Hice un poema —dijo.

Y luego, rápidamente:

—Es lo mejor que he escrito. Léalo.

Me lo dejó y retrocedió hacia la ventana.

Gemí, interiormente. Sería tarea de una media hora criticar, es decir alabar, el poema. No sin razón gemí, porque Charlie, abandonado el largo metro preferido, había ensayado versos más breves, versos con un evidente motivo. Esto es lo que leí:

> *The day is most fair, the cheery wind*
> *Halloos behind the hill,*
> *Where he bends the wood as seemeth good,*
> *And the sapling to his will!*

Riot, o wind; there is that in my blood
That would not have thee still!
She gave me herself, O Earth, O Sky;
Grey sea, she is mine alone!
Let the sullen boulders hear my cry,
And rejoice tho'they be but stone!
Mine! I have won her, O good brown earth,
Make merry! 'Tis hard on Spring;
Make merry; my love is doubly worth
All worship your fields can bring!
Let the hind that tills you feel my mirth
At the early harrowing![1]

–El verso final es irrefutable –dije con miedo en el alma. Charlie sonrió sin contestar.

Red cloud of the sunset, tell it abroad;
I am Victor. Greet me, O Sun,
Dominant master and absolute lord
Over the soul of one![2]

–¿Y? –dijo Charlie, mirando sobre mi hombro. Silenciosamente, puso una fotografía sobre el papel. La fotografía de una muchacha de pelo crespo y boca entreabierta y estúpida.

–¿No es... no es maravilloso? –murmuró, ruborizado hasta las orejas–. Yo no sabía, yo no sabía... vino como un rayo.

–Sí, vino como un rayo. ¿Eres muy feliz, Charlie?

–¡Dios mío... ella... me quiere!

1. El día es hermoso, el viento jocundo / grita detrás de la colina, / donde doblega el bosque, a su antojo / y el renuevo, a su voluntad. / Amotínate, oh Viento, que hay algo en mi sangre / que rima con tu frenesí. // Hizo don de sí misma, oh Tierra, oh Cielo; / ¡mar gris, es toda mía! / ¡que los hoscos peñascos oigan mi grito / y se alegren aunque sean de piedra! // ¡Mía! La he ganado, ¡oh, buena tierra parda, / regocíjate, la Primavera está próxima!; / regocíjate, mi amor vale dos veces / y el culto que puedan rendirle vuestros campos / que el labriego que te ara sienta / mi dicha al madrugar para el trabajo.

2. Roja nube del ocaso, revélalo: Soy vencedor; / salúdame, oh Sol / amo total y señor absoluto / sobre el alma de Ella.

Se sentó, repitiendo las últimas palabras. Miré la cara lampiña, los estrechos hombros ya agobiados por el trabajo de escritorio y pensé dónde, cuándo y cómo había amado en sus vidas anteriores.

Después la describió, como Adán debió describir ante los animales del Paraíso, la gloria y la ternura y la belleza de Eva. Supe, de paso, que estaba empleada en una cigarrería, que le interesaba la moda y que ya le había dicho cuatro o cinco veces que ningún otro hombre la había besado.

Charlie hablaba y hablaba; yo, separado de él por millares de años, consideraba los principios de las cosas. Ahora comprendí por qué los Señores de la Vida y la Muerte cierran tan cuidadosamente las puertas detrás de nosotros. Es para que no recordemos nuestros primeros amores. Si no fuera así, el mundo quedaría despoblado en menos de un siglo.

—Ahora volvamos a la historia de la galera —le dije aprovechando una pausa.

Charlie miró como si lo hubieran golpeado.

—¡La galera! ¿Qué galera? ¡Santos cielos, no me embrome! Esto es serio. Usted no sabe hasta qué punto.

Grish Chunder tenía razón. Charlie había probado el amor, que mata el recuerdo, y el cuento más hermoso del mundo nunca se escribiría.

RUDYARD KIPLING
Many Inventions (1893)

HISTORIA DE ABDULA, EL MENDIGO CIEGO

Las Mil y Una Noches, famosa compilación de cuentos árabes hecha en El Cairo, a mediados del siglo XV. Europa la conoció gracias al orientalista francés Antoine Galland. En inglés hay versiones de Lane, de Burton y de Payne; en español de Rafael Cansinos Assens.

... El mendigo ciego que había jurado no recibir ninguna limosna que no estuviera acompañada de una bofetada, refirió al Califa su historia:

—Comendador de los Creyentes, he nacido en Bagdad. Con la herencia de mis padres y con mi trabajo, compré ochenta camellos que alquilaba a los mercaderes de las caravanas que se dirigían a las ciudades y a los confines de nuestro dilatado imperio.

Una tarde que volvía de Bassorah con mi recua vacía, me detuve para que pastaran los camellos; los vigilaba, sentado a la sombra de un árbol, ante una fuente, cuando llegó un derviche que iba a pie a Bassorah. Nos saludamos, sacamos nuestras provisiones y nos pusimos a comer fraternalmente. El derviche, mirando mis numerosos camellos, me dijo que no lejos de ahí, una montaña recelaba un tesoro tan infinito que aun después de cargar de joyas y de oro los ochenta camellos, no se notaría mengua en él. Arrebatado de gozo me arrojé al cuello del derviche y le rogué que me indicara el sitio, ofreciendo darle en agradecimiento un camello cargado. El derviche entendió que la codicia me hacía perder el buen sentido y me contestó:

—Hermano, debes comprender que tu oferta no guarda proporción con la fineza que esperas de mí. Puedo no hablarte más del tesoro y guardar mi secreto. Pero te quiero bien y te haré una proposición más cabal. Iremos a la montaña del tesoro y cargaremos los ochenta camellos; me darás cuarenta y te quedarás con otros cuarenta, y luego nos separaremos, tomando cada cual su camino.

Esta proposición razonable me pareció durísima; veía como un quebranto la pérdida de los cuarenta camellos y me escandalizaba que el derviche, un hombre harapiento, fuera no menos rico que yo. Accedí, sin embargo, para no arrepentirme hasta la muerte de haber perdido esta ocasión.

Reuní los camellos y nos encaminamos a un valle, rodeado de montañas altísimas, en el que entramos por un desfiladero tan estrecho que sólo un camello podía pasar de frente.

El derviche hizo un haz de leña con las ramas secas que recogió en el valle, lo encendió por medio de unos polvos aromáticos, pronunció palabras incomprensibles, y vimos, a través de la humareda, que se abría la montaña y que había un palacio en el centro. Entramos, y lo primero que se ofreció a mi vista deslumbrada fueron unos montones de oro sobre los que se arrojó mi codicia como el águila sobre la presa, y empecé a llenar las bolsas que llevaba.

El derviche hizo otro tanto; noté que prefería las piedras preciosas al oro y resolví copiar su ejemplo. Ya cargados mis ochenta camellos, el derviche, antes de cerrar la montaña, sacó de una jarra de plata una cajita de madera de sándalo que, según me hizo ver, contenía un pomada, y la guardó en el seno.

Salimos; la montaña se cerró; nos repartimos los ochenta camellos y valiéndome de las palabras más expresivas le agradecí la fineza que me había hecho; nos abrazamos con sumo alborozo y cada cual tomó su camino.

No había dado cien pasos cuando el numen de la codicia me acometió. Me arrepentí de haber cedido mis cuarenta camellos y su carga preciosa, y resolví quitárselos al derviche, por buenas o por malas. El derviche no necesita esas riquezas –pensé–; conoce el lugar del tesoro; además, está hecho a la indigencia.

Hice parar mis camellos y retrocedí corriendo y gritando para que se detuviera el derviche. Lo alcancé.

–Hermano –le dije–, he reflexionado que eres un hombre acostumbrado a vivir pacíficamente, sólo experto en la oración y en la devoción, y que no podrás nunca dirigir cuarenta camellos. Si quieres creerme, quédate solamente con treinta; aun así te verás en apuros para gobernarlos.

–Tienes razón –me respondió el derviche–. No había pensado en ello. Escoge los diez que más te acomoden, llévatelos y que Dios te guarde.

Aparté diez camellos que incorporé a los míos; pero la misma prontitud con que había cedido el derviche, encendió mi codicia. Volví de nuevo atrás y le repetí el mismo razonamiento, encareciéndole la dificultad que tendría para gobernar los camellos, y me llevé otros diez. Semejante al hidrópico que más sediento se halla cuanto más bebe, mi codicia aumentaba a la condescendencia del derviche. Logré, a fuerza de besos y de bendiciones, que me devolviera todos los camellos de su carga de oro y de pedrería. Al entregarme el último de todos, me dijo:

–Haz buen uso de estas riquezas y recuerda que Dios, que te las ha dado, puede quitártelas si no socorres a los menesterosos, a quienes la misericordia divina deja en el desamparo para que los ricos ejerciten su caridad y merezcan, así, una recompensa mayor en el Paraíso.

La codicia me había ofuscado de tal modo el entendimiento que, al darle gracias por la cesión de mis camellos, sólo pensaba en la cajita de sándalo que el derviche había guardado con tanto esmero.

Presumiendo que la pomada debía encerrar alguna maravillosa virtud, le rogué que me la diera, diciéndole que un hombre como él, que había renunciado a todas las vanidades del mundo, no necesitaba pomadas.

En mi interior estaba resuelto a quitársela por la fuerza pero, lejos de rehusármela, el derviche sacó la cajita del seno, y me la entregó.

Cuando la tuve en las manos, la abrí; mirando la pomada que contenía, le dije:

–Puesto que tu bondad es tan grande, te ruego que me digas cuáles son las virtudes de esta pomada.

–Son prodigiosas –me contestó–. Frotando con ella el ojo izquierdo y cerrando el derecho, se ven distintamente todos los tesoros ocultos en las entrañas de la tierra. Frotando el ojo derecho, se pierde la vista de los dos.

Maravillado, le rogué que me frotase con la pomada el ojo izquierdo.

El derviche accedió. Apenas me hubo frotado el ojo, aparecieron a mi vista tantos y tan diversos tesoros, que volvió a encenderse mi codicia. No me cansaba de contemplar tan infinitas riquezas, pero como me era preciso tener cerrado y cubierto con la mano el ojo derecho, y esto me fatigaba, rogué al derviche que me frotara con la pomada el ojo derecho, para ver más tesoros.

–Ya te dije –me contestó– que si aplicas la pomada al ojo derecho, perderás la vista.

–Hermano –le repliqué sonriendo–, es imposible que esta pomada tenga dos cualidades tan contrarias y dos virtudes tan diversas.

Largo rato porfiamos; finalmente el derviche, tomando a Dios por testigo de que me decía la verdad, cedió a mis instancias. Yo cerré el ojo izquierdo, el derviche me frotó con la pomada el ojo derecho. Cuando los abrí, estaba ciego.

Aunque tarde, conocí que el miserable deseo de riquezas me había perdido y maldije mi desmesurada codicia. Me arrojé a los pies del derviche.

–Hermano –le dije–, tú que siempre me has complacido y que eres tan sabio, devuélveme la vista.

–Desventurado –me respondió–, ¿no te previne de antemano y no hice todos los esfuerzos para preservarte de esta desdicha? Conozco, sí, muchos secretos, como has podido comprobar en el tiempo que hemos estado juntos, pero no conozco el secreto capaz de devolverte la luz. Dios te había colmado de riquezas que eras indigno de poseer; te las ha quitado para castigar tu codicia.

Reunió mis ochenta camellos y prosiguió con ellos su camino, dejándome solo y desamparado, sin atender a mis lágrimas y a mis súplicas. Desesperado, no sé cuántos días erré por esas montañas; unos peregrinos me recogieron.

El libro de las Mil y Una Noches

EL CIERVO ESCONDIDO

LIEHTSÉ, filósofo chino de la escuela taoísta. Floreció hacia el siglo IV, antes de la Era Cristiana.

Un leñador de Cheng se encontró en el campo con un ciervo asustado y lo mató. Para evitar que otros lo descubrieran, lo enterró en el bosque y lo tapó con hojas y ramas. Poco después olvidó el sitio donde lo había ocultado y creyó que todo había ocurrido en un sueño. Lo contó, como si fuera un sueño, a toda la gente. Entre los oyentes hubo uno que fue a buscar al ciervo escondido y lo encontró. Lo llevó a su casa y dijo a su mujer:

—Un leñador soñó que había matado un ciervo y olvidó dónde lo había escondido y ahora yo lo he encontrado. Ese hombre sí que es un soñador.

—Tú habrás soñado que viste un leñador que había matado un ciervo. ¿Realmente crees que hubo un leñador? Pero como aquí está el ciervo, tu sueño debe ser verdadero —dijo la mujer.

—Aun suponiendo que encontré al ciervo por un sueño —contestó el marido—, ¿a qué preocuparse averiguando cuál de los dos soñó?

Aquella noche el leñador volvió a su casa, pensando todavía en el ciervo, y realmente soñó, y en el sueño soñó el lugar donde había ocultado el ciervo y también soñó quién lo había encontrado. Al alba fue a casa del otro y encontró al ciervo. Ambos discutieron y fueron ante un juez, para que resolviera el asunto. El juez le dijo al leñador:

—Realmente, mataste un ciervo y creíste que era un sueño. Después soñaste realmente y creíste que era verdad. El otro encontró al ciervo y ahora te lo disputa, pero su mujer piensa que soñó que había encontrado un ciervo. Pero como aquí está el ciervo, lo mejor es que se lo repartan.

El caso llegó a oídos del rey de Cheng y el rey de Cheng dijo:

—¿Y ese juez no estará soñando que reparte un ciervo?

LIEHTSÉ

LA ESPERANZA

VILLIERS DE L'ISLE ADAM, escritor francés, nacido en Saint-Brieux, en 1840; murió en París, en 1889. La literatura fantástica le debe novelas, cuentos y obras de teatro. Es autor de *Isis* (1862); *Claire Lenoir* (1866); *La Révolte* (1870); *Contes Cruels* (1883); *Axel* (1885); *L'Amour Suprème* (1886); *L'Ève Future* (1886); *Le secret de l'échafaud* (1888); *Histoires Insolites* (1888).

Al atardecer, el venerable Pedro Argüés, sexto prior de los dominicos de Segovia, tercer Gran Inquisidor de España, seguido de un fraile redentor (encargado del tormento) y precedido por dos familiares del Santo Oficio provistos de linternas, descendió a un calabozo. La cerradura de una puerta maciza chirrió; el Inquisidor penetró en un hueco mefítico, donde un triste destello del día, cayendo desde lo alto, dejaba percibir, entre dos argollas fijadas en los muros, un caballete ensangrentado, una hornilla, un cántaro. Sobre un lecho de paja sujeto por grillos, con una argolla de hierro en el pescuezo, estaba sentado, hosco, un hombre andrajoso, de edad indescifrable.

Este prisionero era el rabí Abarbanel, judío aragonés, que –aborrecido por sus préstamos usurarios y por su desdén de los pobres– diariamente había sido sometido a la tortura durante un año. Su fanatismo, «duro como su piel», había rehusado la abjuración.

Orgulloso de una filiación milenaria –porque todos los judíos dignos de ese nombre son celosos de su sangre–, descendía talmúdicamente de la esposa del último juez de Israel: hecho que había mantenido su entereza en lo más duro de los incesantes suplicios.

Con los ojos llorosos, pensando que la tenacidad de esta alma hacía imposible la salvación, el venerable Pedro Argüés, aproximándose al tembloroso rabino, pronunció estas palabras:

–Hijo mío, alégrate: tus trabajos van a tener fin. Si en presencia de tanta obstinación me he resignado a permitir el empleo de tantos rigores, mi tarea fraternal de corrección tiene límites. Eres la higuera reacia, que por su contumaz esterilidad está condenada a secarse... pero sólo a Dios toca determinar lo que ha de suceder a tu alma. ¡Tal vez la infinita clemencia lucirá para ti en el supremo instante! ¡Debemos esperarlo! Hay ejemplos.. ¡Así sea! Reposa, pues, esta noche en paz. Mañana participarás en el auto de fe; es decir, serás llevado al quemadero, cuya brasa premonitoria del fuego eterno no quema, ya lo sabes, más que a distancia, hijo mío. La muerte tarda por lo menos dos horas (a menudo tres) en venir, a causa de las envolturas mojadas y heladas con las que preservamos la frente y el corazón de los holocaustos. Seréis cuarenta y dos solamente. Considera que, colocado en la última fila, tienes el tiempo necesario para invocar a Dios, para ofrecerle este bautismo de fuego, que es el del Espíritu Santo. Confía, pues, en la Luz y duerme.

Dichas estas palabras, el Inquisidor ordenó que desencadenaran al desdichado y lo abrazó tiernamente. Lo abrazó luego el fraile redentor y, muy bajo, le rogó que le perdonara los tormentos. Después lo abrazaron los familiares, cuyo beso, ahogado por las cogullas, fue silencioso. Terminada la ceremonia, el prisionero se quedó solo, en las tinieblas.

El rabí Abarbanel, seca la boca, embotado el rostro por el sufrimiento, miró sin atención precisa la puerta cerrada. «¿Cerrada?...» Esta palabra despertó en lo más íntimo de sus confusos pensamientos un sueño. Había entrevisto un instante el resplandor de las linternas por la hendidura entre el muro y la puerta. Una esperanza mórbida lo agitó. Suavemente, deslizando el dedo con suma precaución, atrajo la puerta hacia él. Por un azar extraordinario, el familiar que la cerró había dado la vuelta a la llave un poco antes de llegar al tope, contra los montantes de piedra. El pestillo, enmohecido, no había entrado en su sitio y la puerta había quedado abierta.

El rabino arriesgó una mirada hacia afuera.

A favor de una lívida oscuridad, vio un semicírculo de muros terrosos en los que había labrados unos escalones; y en lo alto, después de cinco o seis peldaños, una especie de pórtico negro que daba a un vasto corredor del que no le era posible entrever, desde abajo, más que los primeros arcos.

Se arrastró hasta el nivel del umbral. Era realmente un corredor, pero casi infinito. Una luz pálida, con resplandores de sueño, lo iluminaba. Lámparas suspendidas de las bóvedas azulaban a trechos el color deslucido del aire; el fondo estaba en sombras. Ni una sola puerta en esa extensión. Por un lado, a la izquierda, troneras con rejas, troneras que por el espesor del muro dejaban pasar un crepúsculo que debía ser el del día, porque se proyectaba en cuadrículas rojas sobre el enlosado. Quizá allá lejos, en lo profundo de las brumas, una salida podía dar la libertad. La vacilante esperanza del judío era tenaz, porque era la última.

Sin titubear se aventuró por el corredor, sorteando las troneras, tratando de confundirse con la tenebrosa penumbra de las largas murallas. Se arrastraba con lentitud, conteniendo los gritos que pugnaban por brotar cuando lo martirizaba una llaga.

De repente un ruido de sandalias que se aproximaba lo alcanzó en el eco de esta senda de piedra. Tembló, la ansiedad lo ahogaba, se le nublaron los ojos. Se agazapó en un rincón y, medio muerto, esperó.

Era un familiar que se apresuraba. Pasó rápidamente con una tenaza en la mano, la cogulla baja, terrible, y desapareció. El rabino, casi suspendidas las funciones vitales, estuvo cerca de una hora sin poder iniciar un movimiento. El temor de una nueva serie de tormentos, si lo apresaban, le hizo pensar en volver al calabozo. Pero la vieja esperanza le murmuraba en el alma ese divino *tal vez,* que reconforta en las peores circunstancias. Un milagro lo favorecía. ¿Cómo dudar? Siguió, pues, arrastrándose hacia la evasión posible. Extenuado de dolores y de hambre, temblando de angustia, avanzaba. El corredor parecía alargarse misteriosamente. Él no acababa de avanzar; miraba siempre la sombra lejana, donde *debía* existir una salida salvadora.

De nuevo resonaron unos pasos, pero esta vez más lentos y más sombríos. Las figuras blancas y negras, los largos sombreros de bordes redondos, de dos inquisidores, emergieron de lejos en la penumbra. Hablaban en voz baja y parecían discutir algo muy importante, porque las manos accionaban con viveza.

Ya cerca, los dos inquisidores se detuvieron bajo la lámpara, sin duda por un azar de la discusión. Uno de ellos, escuchando a su interlocutor, se puso a mirar al rabino. Bajo esta incomprensible mirada, el rabino creyó que las tenazas mordían todavía su propia carne; muy pronto volvería a ser una llaga y un grito.

Desfalleciente, sin poder respirar, las pupilas temblorosas, se estremecía bajo el roce espinoso de la ropa. Pero, cosa a la vez extraña y natural: los ojos del inquisidor eran los de un hombre profundamente preocupado de lo que iba a responder, absorto en las palabras que escuchaba; estaban fijos y miraban al judío, sin verlo.

Al cabo de unos minutos los dos siniestros discutidores continuaron su camino a pasos lentos, siempre hablando en voz baja, hacia la encrucijada de donde venía el rabino. No lo habían visto. Esta idea atravesó su cerebro: ¿No me ven porque estoy muerto? Sobre las rodillas, sobre las manos, sobre el vientre, prosiguió su dolorosa fuga, y acabó por entrar en la parte oscura del espantoso corredor.

De pronto sintió frío sobre las manos que apoyaba en el enlosado; el frío venía de una rendija bajo una puerta hacia cuyo marco convergían los dos muros. Sintió en todo su ser como un vértigo de esperanza. Examinó la puerta de arriba abajo, sin poder distinguir bien, a causa de la oscuridad que la rodeaba. Tentó: nada de cerrojos ni cerraduras. ¡Un picaporte! Se levantó. El picaporte cedió bajo su mano y la silenciosa puerta giró.

La puerta se abría sobre jardines, bajo una noche de estrellas. En plena primavera, la libertad y la vida. Los jardines daban al campo, que se prolongaba hacia la sierra, en el horizonte. Ahí estaba la salvación. ¡Oh, huir! Correría toda la noche, bajo esos bosques de limoneros, cuyas fragancias lo buscaban. Una vez en las montañas, estaría a salvo. Respiró el aire sagrado, el viento lo reanimó, sus pulmones resucitaban. Y para bendecir otra vez a su Dios, que le acordaba esta misericordia, extendió los brazos, levantando los ojos al firmamento. Fue un éxtasis.

Entonces creyó ver la sombra de sus brazos retornando sobre él mismo; creyó sentir que esos brazos de sombra lo rodeaban, lo envolvían, y tiernamente lo oprimían contra su pecho. Una alta figura estaba, en efecto, junto a la suya. Confiado, bajó la mirada hacia esta figura, y se quedó jadeante, enloquecido, los ojos sombríos, hinchadas las mejillas y balbuceando de espanto. Estaba en brazos del Gran Inquisidor, del venerable Pedro Argüés, que lo contemplaba, llenos los ojos de lágrimas y con el aire del pastor que encuentra la oveja descarriada.

Mientras el rabino, los ojos sombríos bajo las pupilas, jadeaba de angustia en los brazos del Inquisidor y adivinaba confusamente que todas las fases de la jornada no eran más que un suplicio previsto, el de la esperanza, el sombrío sacerdote, con un acento de reproche conmovedor y la vista consternada, le murmuraba al oído, con una voz debilitada por los ayunos:

–¡Cómo, hijo mío! ¿En vísperas, tal vez, de la salvación, querías abandonarnos?

VILLIERS DE L'ISLE ADAM
Nouveaux Contes Cruels (1888)

LOS CABALLOS DE ABDERA

LEOPOLDO LUGONES, escritor argentino, nacido en Río Seco, provincia de Córdoba, en 1874; muerto en el Tigre, provincia de Buenos Aires, en 1838. Ejerció con felicidad la lírica, la biografía, la historia, los estudios homéricos y la ficción. De su vasta obra, que ha rebasado los límites del país y del continente, citaremos los siguientes títulos: *Las Montañas del Oro* (1897); *Los Crepúsculos del Jardín* (1905); *El Imperio Jesuístico* (1905); *Lunario Sentimental* (1909); *Odas Seculares* (1910); *Historia de Sarmiento* (1911); *El Payador* (1916); *El Libro de los Paisajes* (1917); *Mi Beligerancia* (1917); *La Torre de Casandra* (1919); *Nuevos Estudios Helénicos* (1928); *La Grande Argentina* (1930); *Roca* (1938).

Abdera, la ciudad tracia del Egeo, que actualmente es Balastra y que no debe ser confundida con su tocaya bética, era célebre por sus caballos.

Descollar en Tracia por sus caballos, no era poco; ella descollaba hasta ser única. Los habitantes todos tenían a gala la educación de tan noble animal, y esta pasión cultivada a porfía durante largos años, hasta formar parte de las tradiciones fundamentales, había producido efectos maravillosos. Los caballos de Abdera gozaban de fama excepcional, y todas las poblaciones tracias, desde los cicones hasta los bisaltos, eran tributarios en esto de los bistones, pobladores de la mencionada ciudad. Debe añadirse que semejante industria uniendo el provecho a la satisfacción, ocupaba desde el rey hasta el último ciudadano.

Estas circunstancias habían contribuido también a intimar las relaciones entre el bruto y sus dueños, mucho más de lo que era y es habitual para el resto de las naciones; llegando a considerarse las caballerizas como un ensanche del hogar y extremándose las naturales exageraciones de toda pasión, hasta admitir caballos en la mesa.

Eran verdaderamente notables corceles, pero bestias al fin. Otros dormían en cobertores de biso; algunos pesebres tenían frescos sencillos, pues no pocos veterinarios sostenían el gusto artístico de la raza caballar, y el cementerio equino ostentaba entre pompas burguesas, ciertamente recargadas, dos o tres obras maestras. El templo más hermoso de la ciudad estaba consagrado a Arión, el caballo que Neptuno hizo salir de la tierra con un golpe de su tridente; y creo que la moda de rematar las proas en cabezas de caballo, tiene igual proveniencia; siendo seguro en todo caso, que los bajorrelieves hípicos fueron el ornamento más común de toda aquella arquitectura. El monarca era quien se mostraba más decidido por los corceles, llegando hasta tolerar a los suyos verdaderos crímenes que los volvieron singularmente bravíos; de tal modo que los nombres de Podargos y de Lampón figuraban en las fábulas sombrías; pues es del caso decir que los caballos tenían nombres como personas.

Tan amaestrados estaban aquellos animales, que las bridas eran innecesarias, conservándolas únicamente como adornos, muy apreciados desde luego por los mismos caballos. La palabra era el medio usual de comunicación con ellos; y observándose que la libertad favorecía el desarrollo de sus buenas condiciones, dejábanlos todo el tiempo no requerido por la albarda o el arnés, en libertad de cruzar a sus anchas las magníficas praderas formadas en el suburbio, a la orilla del Kossínites para su recreo y alimentación.

A son de trompa los convocaban cuando era menester y así para el trabajo como para el pienso eran exactísimos. Rayaba en lo increíble su habilidad para toda clase de juegos de circo y hasta de salón, su bravura en los combates, su discreción en las ceremonias solemnes. Así, el hipódromo de Abdera tanto como sus compañías de volatines; su caballería acorazada de bronce y sus sepelios, habían alcanzado tal renombre, que de todas partes acudía gente a admirarlos: mérito compartido por igual entre domadores y corceles.

Aquella educación persistente, aquel forzado despliegue de condiciones, y para decirlo todo en una palabra, aquella humanización de la raza equina iban engendrando un fenómeno que los bistones festejaban como otra gloria nacional. La inteligencia de los caballos comenzaba a desarrollarse pareja con su conciencia, produciendo casos anormales que daban pábulo al comentario general.

Una yegua había exigido espejos en su pesebre, arrancándolos con los dientes de la propia alcoba patronal y destruyendo a coces los de tres paneles cuando no le hicieron el gusto. Concedido el capricho daba muestras de coquetería perfectamente visible.

Balios, el más bello potro de la comarca, un blanco elegante y sentimental que tenía dos campañas militares y manifestaba regocijo ante el recitado de hexámetros heroicos, acababa de morir de amor por una dama. Era la mujer de un general, dueño del enamorado bruto, y por cierto no ocultaba el suceso. Hasta se creía que halagaba su vanidad, siendo esto muy natural, por otra parte, en la ecuestre metrópoli.

Señalábanse igualmente casos de infanticidio, que aumentando en forma alarmante, fue necesario corregir con la presencia de viejas mulas adoptivas; un gusto creciente por el pescado y por el cáñamo cuyas plantaciones saqueaban los animales; y varias rebeliones aisladas que hubo de corregirse, siendo insuficiente el látigo, por medio del hierro candente. Esto último fue en aumento, pues el instinto de rebelión progresaba a pesar de todo.

Los bistones, más encantados cada vez con sus caballos, no paraban mientes en eso. Otros hechos más significativos produjéronse de allí a poco. Dos o tres atalajes habían hecho causa común contra un carretero que azotaba su yegua rebelde. Los caballos resistíanse cada vez más al enganche y al yugo, de tal modo que empezó a preferirse el asno. Había animales que no aceptaban determinado apero; mas como pertenecían a los ricos, se defería a su rebelión comentándola mimosamente a título de capricho.

Un día los caballos no vinieron al son de la trompa, y fue menester constreñirlos por la fuerza; pero los subsiguientes no se reprodujo la rebelión.

Al fin ésta ocurrió cierta vez que la marea cubrió la playa de pescado muerto, como solía suceder. Los caballos se hartaron de eso, y se los vio regresar al campo suburbano con lentitud sombría.

Medianoche era cuando estalló el singular conflicto.

De pronto un trueno sordo y persistente conmovió el ámbito de la ciudad. Era que todos los caballos se habían puesto en movimiento a la vez para asaltarla, pero esto se supo luego, inadvertido al principio en la sombra de la noche y la sorpresa de lo inesperado.

Como las praderas de pastoreo quedaban entre las murallas, nada pudo contener la agresión; y añadido a esto el conocimiento minucioso que los animales tenían de los domicilios, ambas cosas acrecentaron la catástrofe.

Noche memorable entre todas, sus horrores sólo aparecieron cuando el día vino a ponerlos en evidencia, multiplicándolos aún.

Las puertas reventadas a coces yacían por el suelo dando paso a feroces manadas que se sucedían casi sin interrupción. Había corrido sangre, pues no pocos vecinos cayeron aplastados bajo el casco y los dientes de la banda en cuyas filas causaron estragos también las armas humanas.

Conmovida de tropeles, la ciudad oscurecíase con la polvareda que engendraban; y un extraño tumulto formado por gritos de cólera o de dolor, relinchos variados como palabras a los cuales mezclábase uno que otro doloroso rebuzno, y estampidos de coces sobre las puertas atacadas, unía su espanto al pavor visible de la catástrofe. Una especie de terremoto incesante hacía vibrar el suelo con el trote de la masa rebelde, exaltado a ratos como en ráfaga huracanada por frenéticos tropeles sin dirección y sin objeto; pues habiendo saqueado todos los plantíos de cáñamo, y hasta algunas bodegas que codiciaban aquellos corceles pervertidos por los refinamientos de la mesa, grupos de animales ebrios aceleraban la obra de destrucción. Y por el lado del mar era imposible huir. Los caballos, conociendo la misión de las naves, cerraban el acceso al puerto.

Sólo la fortaleza permanecía incólume y empezábase a organizar en ella la resistencia. Por lo pronto cubríase de dardos a todo caballo que cruzaba por allí, y cuando caía cerca era arrastrado al interior como vitualla.

Entre los vecinos refugiados circulaban los más extraños rumores. El primer ataque no fue sino un saqueo. Derribadas las puertas, las manadas introducíanse en las habitaciones, atentas sólo a las colgaduras suntuosas con que intentaban revestirse, a las joyas y objetos brillantes. La oposición a sus designios fue lo que suscitó su furia.

Otros hablaban de monstruosos amores, de mujeres asaltadas y aplastadas en sus propios lechos con ímpetu bestial; y hasta se señalaba a una noble doncella que sollozando narraba entre dos crisis su percance: el despertar en la alcoba a la media luz de la lámpara, rozados sus labios por la innoble jeta de un potro negro que respingaba de placer el belfo enseñando su dentadura asquerosa; su grito de pavor ante aquella bestia convertida en fiera, con el resplandor humano y malévolo de sus ojos incendiados de lubricidad; el mar de sangre con que la inundara al caer atravesado por la espada de un servidor...

Mencionábase varios asesinatos en que las yeguas se habían divertido con saña femenil, despachurrando a mordiscos a las víctimas. Los asnos habían sido exterminados, y las mulas subleváronse también, pero con torpeza inconsciente, destruyendo por destruir, y particularmente encarnizadas contra los perros. El tronar de las carreras locas seguía estremeciendo la ciudad, y el fragor de los derrumbes iba aumentando. Era urgente organizar una salida, por más que el número y la fuerza de los asaltantes la hiciera singularmente peligrosa, si no se quería abandonar la ciudad a la más insensata destrucción.

Los hombres empezaron a armarse; mas, pasado el primer momento de licencia, los caballos habíanse decidido a atacar también.

Un brusco silencio precedió al asalto. Desde la fortaleza distinguían el terrible ejército que se congregaba, no sin trabajo, en el hipódromo.

Aquello tardó varias horas, pues cuando todo parecía dispuesto, súbitos corcovos y agudísimos relinchos cuya causa era imposible discernir, desordenaban profundamente las filas.

El sol declinaba ya, cuando se produjo la primera carga. No fue, si se permite la frase, más que una demostración, pues los animales se limitaron a pasar corriendo frente a la fortaleza. En cambio, quedaron acribillados por las saetas de los defensores.

Desde el más remoto extremo de la ciudad, lanzáronse otra vez, y su choque contra las defensas fue formidable. La fortaleza retumbó entera bajo aquella tempestad de cascos, y sus recias murallas dóricas quedaron, a decir verdad, profundamente trabajadas.

Sobrevino un rechazo, al cual sucedió muy luego un nuevo ataque.

Los que demolían eran caballos y mulos herrados que caían a docenas; pero sus filas cerrábanse con encarnizamiento furioso, sin que la masa pareciera disminuir. Lo peor era que algunos habían conseguido vestir sus bardas de combate en cuya malla de acero se embotaban los dardos. Otros llevaban jirones de tela vistosa, otros, collares; y pueriles en su mismo furor, ensayaban inesperados retozos.

De las murallas los conocían. ¡Dinos, Aethon, Ameteo, Xanthos! Y ellos saludaban, relinchando gozosamente, enarcaban la cola, cargando en seguida con fogosos respingos. Uno, un jefe ciertamente, irguióse sobre sus corvejones, caminó así un trecho manoteando gallardamente al aire como si danzara un marcial balisteo, contorneando el cuello con serpentina elegancia, hasta que un dardo se le clavó en medio del pecho...

Entre tanto el ataque iba triunfando. Las murallas empezaban a ceder.

Súbitamente una alarma paralizó a las bestias. Unas sobre otras, apoyándose en ancas y lomos, alargaron sus cuellos hacia la alameda que bordeaba la margen del Kossínites; y los defensores volviéndose hacia la misma dirección, contemplaron un tremendo espectáculo.

Dominando la arboleda negra, espantosa sobre el cielo de la tarde, una colosal cabeza de león miraba hacia la ciudad. Era una de esas fieras antediluvianas cuyos ejemplares, cada vez más raros, devastaban de tiempo en tiempo los montes Ródopes. Mas nunca se había visto nada tan monstruoso, pues aquella cabeza dominaba los más altos árboles, mezclando a las hojas teñidas de crepúsculo las greñas de su melena.

Brillaban claramente sus enormes colmillos, percibíase sus ojos fruncidos ante la luz, llegaba en el hálito de la brisa su olor bravío. Inmóvil entre la palpitación del follaje, herrumbrada por el sol casi hasta dorarse su gigantesca crin, alzábase ante en el horizonte como uno de esos bloques en que el pelasgo, contemporáneo de las montañas, esculpió sus bárbaras divinidades.

Y de repente empezó a andar, lento como el océano. Oíase el rumor de la fronda que su pecho apartaba, su aliento de fragua que iba sin duda a estremecer la ciudad cambiándose en rugido.

A pesar de su fuerza prodigiosa y de su número, los caballos sublevados no resistieron semejante aproximación. Un solo ímpetu los arrastró por la playa, en dirección a la Macedonia, levantando un verdadero huracán de arena y de espuma, pues no pocos disparábanse a través de las olas.

En la fortaleza reinaba el pánico. ¿Qué podrían contra semejante enemigo? ¿Qué gozne de bronce resistiría a sus mandíbulas? ¿Qué muro a sus garras...?

Comenzaban ya a preferir el pasado riesgo (al fin era una lucha contra bestias civilizadas), sin aliento ni para flechar sus arcos, cuando el monstruo salió de la alameda.

No fue un rugido lo que brotó de sus fauces, sino un grito de guerra humano, el bélico «¡alalé!» de los combates, al que respondieron con regocijo triunfal los «hoyohei» y los «hoyotohó» de la fortaleza.

¡Glorioso prodigio!

Bajo la cabeza del felino, irradiaba luz superior el rostro de un numen; y mezclados soberbiamente con la flava piel, resaltaban su pecho marmóreo, sus brazos de encina, sus muslos estupendos.

Y un grito, un solo grito de libertad, de reconocimiento, de orgullo, llenó la tarde:

—¡Hércules, es Hércules que llega!

LEOPOLDO LUGONES
Las fuerzas extrañas (1906)

¿QUIÉN SABE?

GUY DE MAUPASSANT, cuentista francés, nacido en el castillo de Miromesnil, en 1850, muerto en Auteuil, en 1893. Ha escrito varias novelas y doscientos quince cuentos. Entre sus libros, citaremos: *La Maison Tellier* (1881); *Les Soeurs Rondoli* (1884); *Bel Ami* (1885);

Contes du Jour et de la Nuit (1885); *Monsieur Parent* (1888); *Le Horla* (1887); *La Main Gauche* (1889); *Notre Coeur* (1890); *Le Lit* (1895). Todos han sido traducidos.

I

¡Dios mío! ¡Dios mío! ¿Escribiré al fin lo que me ha pasado? ¿Podré? ¿Seré capaz? ¡Es tan extraño, tan inexplicable, tan incomprensible!

Si no estuviera seguro de lo que he visto, seguro de que en mis razonamientos no ha habido ningún desmayo, ningún error en mis comprobaciones, ningún hiato en la inflexible serie de mis observaciones, me creería un simple alucinado, juguete de una extraña visión. Al fin de todo, ¿quién sabe?

Estoy ahora en un sanatorio; pero he ingresado voluntariamente, por prudencia, por miedo. Una sola persona conoce la historia. El médico de aquí. Voy a escribirla. ¿Por qué? Para librarme de ella, porque la siento como una intolerable pesadilla.

He sido siempre un solitario, un soñador, una especie de filósofo aislado, benévolo, satisfecho con poco, sin amargura para los hombres, sin rencor para el cielo.

He vivido solo, continuamente, a causa de la incomodidad que la presencia de otros me inspira. ¿Cómo explicarlo? No sé. No rehúyo la sociedad, el diálogo, las cenas con los amigos, pero al rato de estar con ellos, hasta con los más familiares, me cansan, me fatigan, me irritan, y siento un deseo creciente de que se vayan o de irme, de estar solo. Este deseo es una irresistible necesidad. Si durara la presencia de las personas con quienes estoy, si me obligaran, no ya a escuchar sino simplemente a seguir oyendo sus conversaciones, me sobrevendría, sin duda alguna, un accidente.

Me agrada de tal modo la soledad, que ni siquiera puedo soportar que otros duerman bajo mi techo; no puedo vivir en París, porque allí agonizaría indefinidamente. Muero moralmente y me martiriza también el cuerpo y los nervios esa inmensa muchedumbre que pulula, que vive a mi alrededor, hasta cuando duerme. Ah, el sueño de los otros me es todavía más penoso que su palabra. Y nunca puedo descansar cuando presiento, cuando siento, del otro lado de una pared, existencias interrumpidas por esos regulares eclipses de la razón.

Algunos están capacitados para vivir hacia afuera, otros para vivir hacia adentro; en cuanto a mí, pronto se me agota la atención exterior, y cuando alcanza a su límite, siento en todo el cuerpo y en toda la inteligencia un malestar intolerable.

De ahí mi afecto por los objetos inanimados que tienen, para mí, la importancia de seres, y la transformación de mi casa en un pequeño mundo que yo habitaba solitaria y activamente, rodeado de cosas, de muebles, de adornos familiares, amables para mí como rostros. La había llenado poco a poco y me sentía satisfecho, contento como entre los brazos de una mujer cuya caricia habitual es una serena y dulce necesidad.

Había hecho construir esa casa en un bello jardín que la alejaba de los caminos y en las afueras de una ciudad, capaz de ofrecerme la compañía que a veces necesitaba.

Los sirvientes dormían en un edificio alejado, atrás de la huerta. El oscuro amparo de las noches, en el silencio de mi casa perdida, escondida, ahogada bajo las hojas de los grandes árboles, me era tan grato y apacible, que yo solía acostarme muy tarde, para prolongar ese goce.

Aquel día, habían representado *Sigurd* en el teatro de la ciudad. Era la primera vez que oía ese hermoso drama musical y fantástico, y me había agradado intensamente. Volvía a pie, la cabeza llena de frases sonoras y la vista poblada de bellas imágenes. Era una noche muy oscura: me costaba distinguir el camino, y estuve a punto de caer en la zanja. Desde las barreras hasta casa hay, más o menos, un kilómetro, tal vez un poco más, unos veinte minutos de marcha lenta. Era la una de la mañana, la una o la una y media; el cielo se aclaró un poco más y apareció la luna creciente.

Divisé a lo lejos el oscuro bulto de mi jardín y no sé por qué la idea de entrar ahí me produjo un extraño malestar. Caminé más despacio. La noche era suave. El grupo de árboles parecía una tumba donde estuviera sepultada mi casa. Abrí el portón y entré a la larga avenida de sicomoros que se dirigía a la casa, arqueada como un túnel, atravesando céspedes oscuros, manchados pálidamente de flores. Cerca de la casa sentí una extraña inquietud. Me detuve. No se oía nada. El aire estaba inmóvil entre las hojas. ¿Qué me ocurre? Hace años que vivo aquí, sin que me toque la menor inquietud. No tenía miedo, nunca tuve miedo, de noche. La presencia de un vagabundo, de un ladrón, me hubiera enardecido y lo hubiera enfrentado sin vacilar. Por lo demás, estaba alarmado. Tenía mi revólver. No lo saqué; quería resistir a ese miedo que surgía en mí.

¿Qué era? ¿Un presentimiento? ¿El misterioso presentimiento que se apodera de los hombres que están por ver lo inexplicable? A medida que avanzaba sentía un estremecimiento y cuando estuve frente al muro, a las persianas cerradas de mi casa, sentí que tendría que esperar unos minutos antes de abrir la puerta y de entrar. Entonces, me senté en un banco debajo de las ventanas de la sala. Me quedé, un poco trémulo, la cabeza apoyada contra la pared, los ojos fijos en la sombra del follaje. Durante esos primeros momentos no observé nada insólito a mi alrededor. Me zumbaban los oídos; pero no era el habitual zumbido de las arterias: era un ruido muy particular, muy confuso, que debía de provenir del interior de la casa. A través de la pared distinguí ese ruido, más bien una inquietud que un ruido, un vago desplazarse de muchas cosas, como si arrastraran suavemente todos mis muebles. Dudé un rato de la fidelidad de mi oído; pero acercándome a una ventana llegué a la certidumbre de que algo incomprensible y anormal ocurría en mi casa. No tenía miedo, pero estaba –¿cómo expresarlo?– despavorido de asombro. No amartillé el revolver. Presentí que era inútil. Esperé. Esperé largamente. No podía resolverme a nada. Ansioso, con el ánimo lúcido, esperé, oyendo siempre el ruido que aumentaba con una intensidad violenta, que parecía transformarse en un sordo trueno de impaciencia, de ira, de misterioso motín. Luego, bruscamente avergonzado de mi cobardía, hice girar dos veces la llave en la cerradura y entré. Sonó el portazo como una detonación; toda mi casa respondió con un formidable tumulto. Fue tan súbito, tan terrible, tan ensordecedor, que retrocedí algunos pasos. Aun sintiéndolo inútil, saqué el revólver. Volví a esperar. Ah, muy poco. Percibí un ruido de extraordinarias pisadas en los peldaños de la escalera, en la madera, en las alfombras, pisadas, no de zapatos, no humanas, sino de muletas, muletas de madera, muletas de hierro, que vibraban como címbalos. Vi de golpe, en el umbral de la puerta, un sillón, mi gran sillón de lectura, que salía contoneándose. Se fue por el jardín. Otros lo seguían, los de la sala, luego los bajos divanes, deslizándose como cocodrilos, luego todas las sillas, con saltos de cabras, y los taburetes trotando como conejos.

¡Qué emoción! Tuve que hacerme a un lado ante ese brusco desfile de muebles. Todos iban saliendo, unos tras otros, con rapidez o lentitud, según el tamaño o el peso. Mi piano, mi gran piano de cola, pasó como un caballo desbocado, con un rumor de música en el flanco. Los objetos menudos se deslizaban sobre la granza como hormigas; los cepillos, la cristalería, las copas, donde la luz de la luna encendía fosforescencias de luciérnaga, los géneros, se arrastraban, se desplegaban como pulpos marinos. Vi mi escritorio, una curiosa pieza del siglo XVIII, que contenía todas las cartas que he recibido, toda la historia de mi corazón, la vieja historia que me ha hecho sufrir tanto. También guardaba fotografías.

Súbitamente perdí el miedo. Me arrojé sobre el escritorio. Lo agarré como se agarra a un ladrón, a una mujer que huye. Pero era incontenible su ímpetu. A pesar de mis esfuerzos y de mi enojo, no pude detener su fuga; me derribó. Luego me arrastró por la granza; los otros muebles me pisaron, me magullaron; me arrollaron como una carga de caballería a un jinete caído.

Loco de espanto, pude alcanzar los bordes del camino y guarecerme entre los árboles. Vi desaparecer los objetos mínimos, los más modestos, los más ignorados. Luego escuché a lo lejos, en mi casa, que ahora tenía una sonoridad de objeto vacío, un ensordecedor estampido de puertas que se cerraban. Las oí golpearse, de arriba abajo, hasta la última, la que yo mismo –insensato– había abierto para facilitar esta fuga.

Volví corriendo a la ciudad. En las calles, recuperé mi sangre fría. Fui a un hotel conocido. Dije que había perdido las llaves de la quinta y que avisaran a la gente de casa que yo estaba ahí.

Pasé la noche en vela. A las siete llegó mi mucamo. Aterrado, me anunció que había sucedido una gran desgracia.

–¿Qué ha pasado? –le pregunté.

–Han robado todos los muebles del señor. Todo, todo, hasta los más pequeños objetos.

Esta noticia me alegró, quién sabe por qué. Me sentía seguro de mí mismo, capaz de disimular, de no revelar a nadie lo que había visto, de esconderlo, de enterrarlo en mi conciencia como un horrible secreto. Contesté:

–Entonces, serán los mismos que me robaron las llaves. Hay que avisar inmediatamente a la policía. –Esperamos, luego salimos juntos. La pesquisa duró cinco meses. No se descubrió nada. Ni el más pequeño objeto, ni el más leve rastro de ladrones. Si hubiera dicho mi secreto... si lo hubiera dicho... me habrían encerrado, no a los ladrones, a mí, al hombre que había visto semejante cosa.

Supe callar. Pero no amueblé mi casa; era inútil; hubiera recomenzado; siempre. No quise volver a casa; no volví, no quise verla.

Fui a París, a un hotel. Consulté médicos, sobre mi estado nervioso. Me aconsejaron viajar. Seguí el consejo.

II

Empecé por una excursión a Italia. El sol me hizo bien. Durante seis meses, erré de Génova a Venecia, de Venecia a Florencia, de Florencia a Roma, de Roma a Nápoles. Luego recorrí Sicilia, tierra admirable por su naturaleza y por sus monumentos, reliquias de los griegos y de los norman-dos. Pasé al África, atravesé pacíficamente ese gran desierto amarillo y tranquilo, donde erran camellos, gacelas y árabes vagabundos, ese desier-to cuyo aire transparente y ligero ignora de noche y de día las obsesiones.

Regresé a Francia por Marsella, y pasé a la alegría provenzal, me entris-teció la disminuida claridad del cielo. Sentí, de vuelta al continente, la impresión de un enfermo que se cree curado y a quien un dolor sordo anuncia que persiste el foco de su mal.

Luego volví a París. Al cabo de un mes, me aburría. Era otoño y qui-se emprender, antes del invierno, una excursión a través de Normandía, que me era desconocida.

Empecé, naturalmente, por Rouen y durante ocho días erré distraí-do, encantando, entusiasmado, en esa ciudad medieval, en ese sorpren-dente museo de monumentos góticos. Una tarde, a eso de las cuatro, al bajar por una calle inverosímil, donde corre un arroyo negro como tin-ta, llamado *Eau de Robec*, mi atención, absorta por la fisonomía extra-ña y antigua de las casas, se detuvo en una serie de tiendas de antigüe-dades que se seguían de puerta en puerta.

En el fondo de los negros comercios se amontonaban los arcones esculpidos, las porcelanas de Rouen, de Nevers, de Moustiers, las esta-tuas pintadas, los cristos, las vírgenes, los santos, los adornos de iglesia, las casullas, las capas pluviales, hasta vasos sagrados y un viejo tabernáculo de madera dorada, del que se había ido el Señor.

Mi ternura de coleccionista se despertó en esa ciudad de anticuario. Iba de tienda en tienda, atravesando los puentes de tablas, sobre la féti-da corriente de *Eau de Robec*.

Uno de mis más hermosos armarios estaba al borde de una arcada abarrotada de objetos y que parecía la entrada de un cementerio de mue-bles antiguos. Me acerqué temblando, temblando de tal modo que no me atreví a tocarlo. Estiré la mano, vacilé. Era en verdad el mío: el arma-rio Luis XIII, reconocible por todo aquel que lo hubiera visto una vez. Mirando un poco más lejos, hacia las más sombrías honduras de esa gale-ría, divisé tres de mis sillones cubiertos de tapicerías neerlandesas. Luego, aún más lejos, mis dos mesas Enrique II, tan raras que de París venían a verlas. Avancé, paralítico de emoción, pero avancé, porque soy valien-te, avancé como un caballero de las épocas tenebrosas penetrando en un antro de sortilegios. Encontré, uno a uno, todo lo que me había perte-necido: mis arañas, mis libros, mis cuadros, mis telas, mis armas, todo, salvo el escritorio lleno de cartas.

Seguí, bajando a galerías oscuras, para subir después a los pisos superiores. Estaba solo. Llamé, no me contestaron. Estaba solo; no había nadie, en esa casa vasta y tortuosa como un laberinto.

Vino la noche y tuve que sentarme, en la oscuridad, en una de mis sillas, porque no quería irme. De tiempo en tiempo, golpeaba inútilmente las manos.

Habría pasado una hora, cuando oí pasos, pasos ligeros, lentos, no sé dónde. Estuve por huir; pero, decidiéndome, volví a llamar y vi una luz en la pieza vecina.

—¿Quién está ahí? —dijo una voz.

Respondí:

—Un comprador.

Me contestaron:

—Es tarde para meterse en las tiendas.

Insistí:

—Hace una hora que espero.

—Puede volver mañana.

—Mañana no estaré en Rouen.

No me atreví a avanzar y él no se acercaba.

Veía siempre la luz de su lámpara iluminando un tapiz en el que dos ángeles volaban sobre los muertos en un campo de batalla. Ese tapiz también era mío. Dije:

—Y bien, ¿usted no viene?

Respondió:

—Lo espero.

Me levanté y fui hacia él. En medio de una enorme pieza había un hombrecito muy pequeño y muy gordo, gordo y aborrecible.

Tenía una barba rala, despareja y amarillenta. No tenía un pelo en la cabeza. La cara era arrugada e hinchada, los ojos imperceptibles.

Discutí el precio de tres sillas que me pertenecían; las pagué inmediatamente: una suma cuantiosa. Le di el número de mi habitación del hotel. Me las entregarían a las nueve del día siguiente. El hombre me acompañó hasta la puerta con mucha gentileza. Luego, en la Comisaría Central, referí al comisario el robo de los muebles y mi descubrimiento reciente.

Por telégrafo pidió informes al tribunal que había fallado en el asunto del robo y me pidió que aguardara la respuesta. Una hora después, llegó la contestación, del todo satisfactoria para mí.

—Haré arrestar a ese hombre. Lo interrogaré en seguida —me dijo—. Quizá malicie algo y haga desaparecer algún objeto de su propiedad. Lo espero dentro de un par de horas, después de la cena. El hombre estará aquí; en su presencia, lo someteré a un nuevo interrogatorio.

—Perfectamente, señor. Le agradezco mucho.

Fui a cenar al hotel; comí mejor de lo que hubiera creído; a pesar de todo, estaba bastante contento; el culpable estaba en nuestro poder. A la hora convenida me encontré con el comisario.

—No dieron con el hombre. Mis agentes lo han buscado en vano.

—¡Ah!

Me sentía desfallecer.

—Pero, ¿dieron ustedes con la casa?

—Por supuesto. La tendremos bajo vigilancia, hasta que vuelva. El hombre ha desaparecido.

—¿Ha desaparecido?

—Suele pasar las noches en casa de una vecina. Mueblera, también. Una bruja, la vieja Bidoin. No lo vio esta noche; no puede darnos ningún dato. Hay que esperar hasta mañana.

Me fui. Las calles de Rouen me parecieron siniestras, inquietantes, embrujadas.

Dormí mal, con pesadillas antes de cada despertar.

Al día siguiente, no quise parecer ni inquieto ni apresurado. Esperé hasta las diez para ir a la comisaría.

El hombre no había aparecido. La tienda estaba cerrada.

El comisario me dijo:

—Hice todas las diligencias necesarias. El tribunal está enterado; iremos juntos a esa tienda. Usted me indicará lo que es suyo.

Un cupé nos llevó. Un cerrajero y los agentes abrieron la puerta. Al entrar, no vi ni el armario, ni los sillones, ni las mesas, ni nada de cuanto había amueblado mi casa.

El comisario, atónito, me miraba con desconfianza.

—Dios mío —le dije—, la desaparición de los muebles coincide extrañamente con la del mueblero.

Sonrió:

—Es verdad. Usted hizo mal en comprar y en pagar ayer muebles suyos.

—Eso le dio la alarma.

Proseguí:

—Lo inexplicable es que el lugar que ayer ocupaban mis muebles, ahora está ocupado por otros.

–Tuvo cómplices y la noche entera. Esta casa debe comunicar con la de los vecinos. No tema, señor: tomaré con empeño el asunto. No tardará en caer el malhechor, ya que vigilamos la madriguera.

Permanecí en Rouen quince días. El hombre no volvió.

El decimosexto día, a la mañana, recibí de mi jardinero, esta asombrosa carta:

Señor, tengo el honor de informar al señor que anoche ha sucedido algo que nadie entiende, ni siquiera la policía. Todos los muebles están de vuelta, sin que falte uno, todos, hasta el objeto más diminuto. La casa está ahora como estaba la víspera del robo. Es para volverse loco. Eso sucedió en la noche del viernes al sábado. Los caminos están deshechos, como si hubieran arrastrado todo, del portón a la casa. Así estaba el día de la desaparición. Esperamos al señor, de quien soy el humilde servidor.

RAUDIN, Felipe.

Mostré la carta al comisario de Rouen.

–Es una restitución habilísima –dijo–. No hagamos nada. Atraparemos al hombre uno de estos días.

III

Pero no lo atraparon. Nunca lo atraparán. Y ahora lo temo, como si fuera un animal feroz, que me persiguiera.

Aunque lo esperen en su casa, no lo encontrarán. Yo sólo puedo encontrarlo. Y no quiero.

Y si vuelve, si vuelve a su tienda, ¿quién probará que mis muebles estaban ahí? Sólo hay mi testimonio, y me doy cuenta que empiezan a no creerme.

Así, la vida era intolerable. No podía guardar el secreto de lo que había visto. No podía seguir viviendo como todos, bajo el temor de que tales cosas se repitieran.

Vine a ver al médico que dirige este sanatorio y le referí todo. Después de un largo interrogatorio me dijo:

–¿Consentiría usted, señor, en permanecer algún tiempo aquí?

–Encantado, señor.

–¿Usted dispone de medios?

–Sí, señor.

–¿Quiere usted un pabellón aislado?

–Sí, señor.

–¿Desea usted recibir amigos?

–No, señor, a nadie.

El hombre de Rouen puede atreverse, por venganza, a perseguirme aquí...

IV

Hace tres meses que estoy solo. Estoy más o menos tranquilo. Sólo tengo un temor. Si el hombre de Rouen enloqueciera, si lo trajeran aquí...

No hay seguridad, ni en las cárceles.

GUY DE MAUPASSANT
L'Inutile Beauté (1899)

LA SOMBRA DE LAS JUGADAS

En uno de los cuentos que integran la serie de los *Mabinogion*, dos reyes enemigos juegan al ajedrez, mientras en un valle cercano sus ejércitos luchan y se destrozan. Llegan mensajeros con noticias de la batalla; los reyes no parecen oírlos e, inclinados sobre el tablero de plata, mueven las piezas de oro. Gradualmente se aclara que las vicisitudes del combate siguen las vicisitudes del juego. Hacia el atardecer, uno de los reyes derriba el tablero, porque le han dado jaque mate y poco después un jinete ensangrentado le anuncia: Tu ejército huye, has perdido el reino.

EDWIN MORGAN

EL GATO

H. A. MURENA, nacido en Buenos Aires. Ha publicado: *Primer Testamento* (relatos, 1946); *La Vida Nueva* (poesía, 1951); *El juez* (teatro, 1953); *El Pecado Original de América* (ensayos, 1954); *La Fatalidad de los Cuerpos* (novela, 1955); *El Centro del Infierno* (relatos, 1956); *Las*

Leyes de la Noche (novela, 1958); *El Círculo de los Paraísos* (poesía, 1958); *El Escándalo y el Fuego* (poesía, 1959); *Homo Atomicus* (ensayo, 1961); *Relámpago de la Duración* (poesía, 1962); *Ensayos Sobre Subversión* (ensayos, 1963); *El Demonio de la Armonía* (poesía, 1964).

¿Cuánto tiempo llevaba encerrado?

La mañana de mayo velada por la neblina en que había ocurrido aquello le resultaba tan irreal como el día de su nacimiento, ese hecho acaso más cierto que ninguno, pero que sólo atinamos a recordar como una increíble idea. Cuando descubrió, de improviso, el dominio secreto e impresionante que el otro ejercía sobre ella, se decidió a hacerlo. Se dijo que quizá iba a obrar en nombre de ella, para librarla de una seducción inútil y envilecedora. Sin embargo, pensaba en sí mismo, seguía un camino iniciado mucho antes. Y aquella mañana, al salir de esa casa, después que todo hubo ocurrido, vio que el viento había expulsado la neblina, y, al levantar la vista ante la claridad enceguecedora, observó en el cielo una nube negra que parecía una enorme araña huyendo por un campo de nieve. Pero lo que nunca olvidaría era que a partir de ese momento el gato del otro, ese gato del que su dueño se había jactado de que jamás lo abandonaría, empezó a seguirlo, con cierta indiferencia, con paciencia casi ante sus intentos iniciales por ahuyentarlo, hasta que se convirtió en su sombra.

Encontró esa pensionsucha, no demasiado sucia ni incómoda, pues aún se preocupaba por ello. El gato era grande y musculoso, de pelaje gris, en partes de un blanco sucio. Causaba la sensación de un dios viejo y degradado, pero que no ha perdido toda la fuerza para hacer daño a los hombres; no les gustó, lo miraron con repugnancia y temor, y, con la autorización de su accidental amo, lo echaron. Al día siguiente, cuando regresó a su habitación, encontró al gato instalado allí; sentado en el sillón, levantó apenas la cabeza, lo miró y siguió dormitando. Lo echaron por segunda vez, y volvió a meterse en la casa, en la pieza, sin que nadie supiera cómo. Así ganó la partida, porque desde entonces la dueña de la pensión y sus acólitos renunciaron a la lucha.

¿Se concibe que un gato influya sobre la vida de un hombre, que consiga modificarla?

Al principio él salía mucho; los largos hábitos de una vida regalada hacían que aquella habitación, con su lamparita de luz amarillenta y débil, que dejaba en la sombra muchos rincones, con sus muebles sorprendentemente feos y desvencijados si se los miraba bien, con las paredes cubiertas por un papel listeado de colores chillones, le resultaba poco tolerable. Salía y volvía más inquieto; andaba por las calles, andaba, esperando que el mundo le devolviera una paz ya prohibida. El gato no salía nunca. Una tarde que él estaba apurado por cambiarse y presenció desde la puerta cómo limpiaba la habitación la sirvienta, comprobó que ni siquiera en ese momento dejaba la pieza: a medida que la mujer avanzaba con su trapo y su plumero, se iba desplazando hasta que se instalaba en un lugar definitivamente limpio; raras veces había descuidos, y entonces la sirvienta soltaba un chistido suave, de advertencia, no de amenaza, y el animal se movía. ¿Se resistía a salir por miedo de que aprovecharan la ocasión para echarlo de nuevo o era un simple reflejo de su instinto de comodidad? Fuera lo que fuese, él decidió imitarlo, aunque para forjarse una especie de sabiduría con lo que en el animal era miedo o molicie.

En su plan figuraba privarse primero de las salidas matutinas y luego también de las de la tarde; y, pese a que al principio le costó ciertos accesos de sorda nerviosidad habituarse a los encierros, logró cumplirlo. Leía un librito de tapas negras que había llevado en el bolsillo; pero también se paseaba durante horas por la pieza, esperando la noche, la salida. El gato apenas si lo miraba; al parecer tenía suficiente con dormir, comer y lamerse con su rápida lengua. Una noche muy fría, sin embargo, le dio pereza vestirse y no salió; se durmió en seguida. Y a partir de ese momento todo le resultó sumamente fácil, como si hubiese llegado a una cumbre desde la que no tenía más que descender. Las persianas de su cuarto sólo se abrieron para recibir la comida; su boca, casi únicamente para comer. La barba le creció, y al cabo puso también fin a las caminatas por la habitación.

Tirado por lo común en la cama, mucho más gordo, entró en un período de singular beatitud. Tenía la vista casi siempre fija en las polvorientas rosetas de yeso que ornaban el cielo raso, pero no las distinguía, porque su necesidad de ver quedaba satisfecha con los cotidianos diez minutos de observación de las tapas del libro. Como si se hubieran despertado en él nuevas facultades, los reflejos de la luz amarilla de la bombita sobre esas tapas negras le hacían ver sombras tan complejas, matices tan sutiles que ese solo objeto real bastaba para saturarlo, para sumirlo en una especie de hipnotismo. También su olfato debía haber crecido, pues los más leves olores se levantaban como grandes fantasmas y lo envolvían, lo hacían imaginar vastos bosques violáceos, el sonido de las olas contra las rocas. Sin saber por qué comenzó a poder contemplar agradables imágenes: la luz de la lamparita –eternamente encendida– menguaba hasta desvanecerse, y, flotando en los aires, aparecían mujeres cubiertas por largas vestimentas, de rostro color sangre o verde pálido, caballos de piel intensamente celeste...

El gato, entretanto, seguía tranquilo en su sillón.

Un día oyó frente a su puerta voces de mujeres. Aunque se esforzó, no pudo entender qué decían, pero los tonos le bastaron. Fue como si tuviera una enorme barriga fofa y le clavaran en ella un palo, y sintiera el estímulo, pero tan remoto, pese a ser sumamente intenso, que comprendiese que iba a tardar muchas horas antes de poder reaccionar. Porque una de las voces correspondía a la dueña de la pensión, pero la otra era la de *ella*, que finalmente debía haberlo descubierto.

Se sentó en la cama. Deseaba hacer algo, y no podía.

Observó al gato: también él se había incorporado y miraba hacia la persiana, pero estaba muy sereno. Eso aumentó su sensación de impotencia.

Le latía el cuerpo entero, y las voces no paraban. Quería hacer algo. De pronto sintió en la cabeza una tensión tal que parecía que cuando cesara él iba a deshacerse, a disolverse.

Entonces abrió la boca, permaneció un instante sin saber qué buscaba con ese movimiento, y al fin maulló, agudamente, con infinita desesperación, maulló.

H. A. MURENA

HISTORIA DE ZORROS

NIU CHIAO, letrado y poeta chino, del siglo IX. Su obra abarca treinta libros.

Wang vio dos zorros parados en las patas traseras y apoyados contra un árbol. Uno de ellos tenía una hoja de papel en la mano y se reían como compartiendo una broma.

Trató de espantarlos, pero se mantuvieron firmes y él disparó contra el del papel; lo hirió en el ojo y se llevó el papel. En la posada, refirió su aventura a los otros huéspedes. Mientras estaba hablando, entró un señor, que tenía un ojo lastimado. Escuchó con interés el cuento de Wang y pidió que le mostrara el papel. Wang ya iba a mostrárselo, cuando el posadero notó que el recién llegado tenía cola. ¡Es un zorro!, exclamó y en el acto el señor se convirtió en un zorro y huyó.

Los zorros intentaron repetidas veces recuperar el papel, que estaba cubierto de caracteres ininteligibles; pero fracasaron. Wang resolvió volver a su casa. En el camino se encontró con toda su familia que se dirigía a la capital. Declararon que él les había ordenado ese viaje, y su madre le mostró la carta en que le pedía que vendiera todas las propiedades y se juntara con él en la capital. Wang examinó la carta y vio que era una hoja en blanco. Aunque ya no tenía techo que los cobijara, Wang ordenó: Regresemos.

Un día apareció un hermano menor que todos habían tenido por muerto. Preguntó por las desgracias de la familia y Wang le refirió toda la historia. Ah, dijo el hermano, cuando Wang llegó a su aventura con los zorros, ahí está la raíz de todo el mal. Wang mostró el documento. Arrancándoselo, su hermano lo guardó con apuro. Al fin he recobrado lo que buscaba, exclamó y, convirtiéndose en zorro, se fue.

NIU CHIAO

LA EXPIACIÓN

SILVINA OCAMPO, escritora argentina, nacida en Buenos Aires. Autora de: *Viaje Olvidado* (1937); *Enumeración de la patria* (1942); *Espacios métricos* (1945); *Sonetos del jardín* (1948); *Autobiografía de Irene* (1948); *Poemas de amor desesperado* (1949); *Los nombres* (1953); *La Furia* (1960); *Las invitadas* (1961); *Lo amargo por dulce* (1962).

Antonio nos llamó a Ruperto y a mí al cuarto del fondo de la casa. Con voz imperiosa ordenó que nos sentáramos. La cama estaba tendida. Salió al patio para abrir la puerta de la pajarera, volvió y se echó en la cama.

–Voy a mostrarles una prueba –nos dijo.

–¿Van a contratarme en un circo? –le pregunté.

Silbó dos o tres veces y entraron en el cuarto Favorita, la María Callas y Mandarín, que es coloradito. Mirando el techo fijamente volvió a silbar con un silbido más agudo y trémulo. ¿Era esa la prueba? ¿Por qué nos llamaba a Ruperto y a mí? ¿Por qué no esperaba que llegara Cleóbula? Pensé que toda esa representación serviría para demostrar que Ruperto no era ciego, sino más bien loco; que en algún momento de emoción frente a la destreza de Antonio lo demostraría. El vaivén de los canarios me daba sueño. Mis recuerdos volaban en mi mente con la misma persistencia. Dicen que en el momento de morir uno revive su vida: yo la reviví esa tarde con remoto desconsuelo.

Vi, como pintado en la pared, mi casamiento con Antonio a las cinco de la tarde, en el mes de diciembre.

Hacía calor ya, y cuando llegamos a nuestra casa, desde la ventana del dormitorio donde me quité el vestido y el tul de novia, vi con sorpresa un canario.

Ahora me doy cuenta de que era el mismo Mandarín que picoteaba la única naranja que había quedado el árbol del patio.

Antonio no interrumpió sus besos al verme tan interesada en ese espectáculo. El ensañamiento del pájaro con la naranja me fascinaba. Contemplé la escena hasta que Antonio me arrastró temblando a la cama nupcial, cuya colcha, entre los regalos, había sido para él fuente de felicidad y para mí terror durante las vísperas de nuestro casamiento. La colcha de terciopelo granate llevaba bordado un viaje en diligencia. Cerré los ojos y apenas supe lo que sucedió después. El amor es también un viaje; durante muchos días fui aprendiendo sus lecciones, sin ver ni comprender en qué consistían las dulzuras y suplicios que prodiga. Al principio, creo que Antonio y yo nos amábamos parejamente, sin dificultad, salvo la que nos imponía mi conciencia y su timidez.

Esta casa diminuta que tiene un jardín igualmente diminuto está situada en la entrada del pueblo. El aire saludable de las montañas nos rodea: el campo queda cerca y lo vemos al abrir las ventanas.

Teníamos ya una radio y una heladera. Nuestros amigos frecuentaban nuestra casa en los días de fiesta o para festejar alguna fecha de familia. ¿Qué más podíamos pedir? Cleóbula y Ruperto nos visitaban más a menudo porque eran nuestros amigos de infancia. Antonio se había enamorado de mí, ellos lo sabían. No me había buscado, no me había elegido; era más bien yo la que lo había elegido a él. Su única ambición era ser amado por su mujer, conservar su fidelidad. Poca importancia le daba al dinero.

Ruperto se sentaba en un rincón y sin preámbulos, mientras afinaba la guitarra, pedía un mate, o bien una naranjada cuando hacía calor. Yo lo consideraba como uno de los tantos amigos o parientes que forman, casi podría decir, parte de los muebles de una casa y que uno advierte sólo cuando están estropeados o colocados en distinto lugar del habitual.

«Son cantores los canarios», decía Cleóbula invariablemente, pero si hubiera podido matarlos con una escoba lo hubiera hecho porque los detestaba. ¡Qué hubiera dicho al verlos hacer tantas pruebas ridículas sin que Antonio les ofreciera ni una hojita de lechuga ni una vainilla!

Yo alcanzaba el mate o el vaso de naranjada a Ruperto, mecánicamente, bajo la sombra del parral, donde siempre se sentaba, en una silla de Viena, como un perro en su rincón. Yo no lo consideraba como una mujer considera a un hombre, yo no observaba la más elemental coquetería para recibirlo. Muchas veces, después de haberme lavado la cabeza, con el pelo mojado, recogido con horquillitas, como un esperpento, o bien con el cepillo de dientes en la boca y con dentífrico en los labios, o con las manos llenas de espuma de jabón en el momento de lavar la ropa, con el delantal recogido en la cintura, barrigona como una mujer encinta, lo hacía pasar abriéndole la puerta de la calle, sin mirarlo siquiera. Muchas veces, en mi descuido, creo que me vio salir del cuarto de baño envuelta en una toalla turca, arrastrando las chancletas como una vieja o como una mujer cualquiera.

Chusco, Albahaca y Serranito volaron al recipiente que contenía pequeñas flechas con espinas. Llevando las flechas volaban afanosos a otros recipientes que contenían un líquido oscuro donde humedecían la punta diminuta de las flechas. Parecían pajaritos de juguete, palilleros baratos, adornos de sombrero de una tatarabuela.

Cleóbula, que no es maliciosa, había advertido, y me lo dijo, que Ruperto me miraba con demasiada insistencia. «¡Qué ojos!», repetía sin cesar. «¡Qué ojos!»

—He conseguido conservar los ojos abiertos cuando duermo –musitó Antonio–; es una de las pruebas más difíciles que he logrado en mi vida.

Me sobresalté al oír su voz. ¿Era esa la prueba? Después de todo, ¿qué había de extraordinario en ella?

—Como Ruperto –dije con voz extraña.

—Como Ruperto –repitió Antonio–. Los canarios, más fácilmente que mis párpados, obedecen mis órdenes.

Los tres estábamos en ese cuarto en penumbra como en penitencia. Pero ¿qué relación podía haber entre sus ojos abiertos durante el sueño y las órdenes que impartía a los canarios? No era de extrañar que Antonio me dejara de algún modo perpleja: ¡era tan distinto de los otros hombres!

Cleóbula también me había asegurado que mientras Ruperto afinaba la guitarra sus miradas me recorrían desde la punta del pelo hasta la punta de los pies, que una noche al quedar dormido en el patio, medio borracho, sus ojos habían quedado fijos en mí. En consecuencia perdí la naturalidad, tal vez la falta de coquetería. Para mi ilusión, Ruperto me miraba a través de una suerte de antifaz en el que se engarzaban sus ojos de animal, esos ojos que no cerraba ni para dormir. Como al vaso de naranjada o al mate que yo le servía, con una misteriosa fijeza me clavaba sus pupilas cuando tenía sed, Dios sabe con qué intención. Ojos que miraran tanto no existían en toda la provincia, en todo el mundo; un brillo azul y profundo como si el cielo se hubiera metido en ellos los diferenciaba de los otros, cuyas miradas parecían apagadas o muertas. Ruperto no era un hombre: era un par de ojos, sin cara, sin voz, sin cuerpo; así me parecía, pero así no lo sentía Antonio. Durante muchos días en que mi inconsciencia llegó a exasperarlo, por cualquier nimiedad me hablaba de mal modo o me infligía trabajos penosos, como si en lugar de ser su mujer yo hubiera sido su esclava. La transformación en el carácter de Antonio me afligió.

¡Qué extraños son los hombres! ¿En qué consistía la prueba que quería mostrarnos? Lo del circo no había sido una broma.

Al poco tiempo de casarnos, muchas veces dejaba de ir a su trabajo, pretextando un dolor de cabeza o un inexplicable malestar en el estómago. ¿Todos los maridos eran iguales?

En el fondo de la casa la enorme pajarera llena de canarios que Antonio había cuidado siempre con afán, estaba abandonada. Por las mañanas cuando yo tenía tiempo limpiaba la pajarera, colocaba alpiste, agua y lechuga en los recipientes blancos y cuando las hembras estaban por tener cría, preparaba los niditos. Antonio se había ocupado siempre de estas cosas, pero ya no demostraba ningún interés en hacerlo ni en que yo lo hiciera.

¡Hacía dos años que nos habíamos casado! ¡Ni un hijo! En cambio ¡cuánta cría habían tenido los canarios!

Un olor a almizcle y a cedrón llenó el cuarto. Los canarios olían a gallina, Antonio a tabaco y a sudor, pero Ruperto últimamente no olía sino a alcohol. Me decían que se emborrachaba. ¡Qué sucio estaba el cuarto! Alpiste, miguitas de pan, hojas de lechuga, colillas y ceniza estaban diseminados en el piso.

Desde la infancia Antonio se había dedicado, en los momentos libres, a amaestrar animales; primero usó de su arte, pues era un verdadero artista, con un perro, con un caballo, luego con un zorrino operado, que llevó durante un tiempo en su bolsillo; después, cuando me conoció y porque me agra-

249

daban, se le ocurrió amaestrar canarios. En los meses de noviazgo, para conquistarme, me había enviado con ellos papelitos con frases de amor o flores atadas con una cintita. De la casa donde él habitaba a la mía se extendían quince largas cuadras: los alados mensajeros iban de una casa a la otra sin vacilar. Por increíble que parezca llegaron a colocar flores en mi pelo y un papelito dentro del bolsillo de mi blusa.

Que los canarios colocaran flores en mi pelo y papelitos en mi bolsillo ¿no era más difícil que las tonterías que estaban haciendo con las benditas flechas?

En el pueblo, Antonio llegó a gozar de un gran prestigio. «Si hipnotizaras a las mujeres como a los pájaros, nadie resistiría a tus encantos», le decían sus tías con la esperanza de que el sobrino se casara con alguna millonaria. Como dije anteriormente, Antonio no se interesaba por el dinero. Desde los quince años había trabajado de mecánico y tenía lo que deseaba tener, lo que me ofreció con su casamiento. Nada nos faltaba para ser felices. Yo no podía comprender por qué Antonio no buscaba un pretexto para alejar a Ruperto. Cualquier motivo hubiera servido para ese fin, aunque más no fuera una reyerta por cuestiones de trabajo o de política que, sin llegar a una riña a puñetazos o con armas, hubiera vedado la entrada de ese amigo a nuestra casa. Antonio no dejaba traslucir ninguno de sus sentimientos, salvo en ese cambio de carácter que yo supe interpretar. Contrariando mi modestia, advertí que los celos que yo podía inspirar enajenaban a un hombre que había sido siempre, a mi juicio, el ejemplo de la normalidad.

Antonio silbó, se quitó la camiseta. Su torso desnudo parecía de bronce. Me estremecí al verlo. Recuerdo que antes de casarme me ruboricé frente a una estatua muy parecida a él. ¿Acaso no lo había visto nunca desnudo? ¡Por qué me asombraba tanto!

Pero el carácter de Antonio sufrió otro cambio que en parte me tranquilizó: de inerte se volvió extremadamente activo, de melancólico se volvió, aparentemente, alegre. Su vida se llenó de misteriosas ocupaciones, de un ir y venir que denotaba un interés extremo por la vida. Después de la cena, ni siquiera encontrábamos un momento de solaz para oír la radio, o para leer los diarios, o para no hacer nada, o para conversar unos instantes sobre los acontecimientos del día. Los domingos y días de fiesta tampoco eran un pretexto para permitirnos un descanso; yo que soy como un espejo de Antonio, contagiada por su inquietud, iba y venía por la casa, ordenando roperos ya ordenados, o lavando fundas impecables, por una imperiosa necesidad de contemporizar con las enigmáticas ocupaciones de mi marido. Un redoblamiento de amor y de solicitud por los pájaros ocupó parte de sus días.

Arregló nuevas dependencias de la pajarera; el arbolito seco, que ocupaba el centro, fue reemplazado por otro, más grande y más gracioso, que la embellecía.

Abandonando las flechas dos canarios empezaron a pelear: las plumitas volaron por el cuarto, la cara de Antonio se oscureció de cólera. ¿Sería capaz de matarlos? Cleóbula me había dicho que era cruel. «Tiene cara de llevar un cuchillo en el cinto», había aclarado.

Antonio ya no permitía que yo limpiara la pajarera. En aquellos días él ocupó un cuarto que servía de depósito en los fondos de la casa y abandonó nuestra cama matrimonial. En una cama turca, donde mi hermano solía dormir la siesta cuando venía de visita, Antonio pasaba las noches sin dormir, lo sospecho, pues hasta el alba yo oía sus pasos incansables sobre las baldosas. A veces se encerraba horas enteras en ese cuarto maldito.

Uno por uno los canarios dejaron caer de sus picos las pequeñas flechas, se posaron sobre el respaldo de una silla y modularon un canto suave. Antonio se incorporó y mirando a María Callas, al que siempre había llamado «La reina de la desobediencia», dijo una palabra que no tiene sentido para mí. Los canarios volvieron a revolotear.

A través de los vidrios pintados de la ventana yo trataba de atisbar sus movimientos. Me lastimé una mano intencionadamente, con un cuchillo; de ese modo me atreví a golpear a su puerta. Cuando me abrió, salió volando una bandada de canarios que volvió a la pajarera. Antonio curó mi herida pero, como si hubiera sospechado que era un pretexto para llamar su atención, me trató con sequedad y desconfianza. En aquellos días hizo un viaje de dos semanas, en un camión, no sé dónde, y volvió con una bolsa llena de plantas.

Miré de soslayo mi falda manchada. Los pájaros son tan chiquitos y tan sucios. ¿En qué momento me habían ensuciado? Los observé con odio: me gusta estar limpia aun en la penumbra de un cuarto.

Ruperto, ignorando la mala impresión que causaban sus visitas, venía con la misma frecuencia y con los mismos hábitos. A veces, cuando yo me retiraba del patio para evitar sus miradas, mi marido con algún pretexto me hacía volver. Pensé que de algún modo le agradaba aquello que tanto le desagradaba. Las miradas de Ruperto me parecían ya obscenas: me desnudaban bajo la sombra del parral, me ordenaban actos inconfesables cuando a la caída de la tarde una brisa fresca acariciaba mis mejillas. Antonio, en cambio, nunca me miraba o fingía no mirarme, según me lo aseguraba Cleóbula. No haberlo conocido, no haberme casado con él, ni conocido sus caricias, para volver a encontrarlo, a descubrirlo, a entregarme a él, fue durante un tiempo uno de mis deseos más ardientes. ¿Pero quién recupera lo que ya perdió?

Me incorporé, me dolían las piernas. No me gusta estar quieta tanto tiempo. ¡Qué envidia tengo a los pájaros que vuelan! Pero los canarios me dan pena. Parece que sufrieran cuando obedecen.

Antonio no trataba de evitar las visitas de Ruperto, por el contrario, las fomentaba. Durante los días de carnaval llegó al extremo de invitarlo a quedarse en nuestra casa, una noche en que se demoró hasta muy tarde. Tuvimos que alojarlo en el cuarto que Antonio ocupaba provisionalmente. Aquella noche, como la cosa más natural del mundo, volvimos a dormir juntos, mi marido y yo, en la cama de matrimonio. Mi vida se encauzó de nuevo desde aquel momento en su antigua normalidad; así lo creí, al menos.

Vislumbré en un rincón, debajo de la mesa de luz, el famoso muñeco. Pensé que podría recogerlo. Como si hubiese hecho un ademán, Antonio me dijo:

—No te muevas.

Recordé aquel día en que al acomodar los cuartos, en la semana de carnaval, descubrí, para mal de mis pecados, arrumbado sobre el armario de Antonio, ese muñeco hecho de estopa, con grandes ojos azules, de un material blando, como de género, con dos círculos oscuros en el centro, imitando las pupilas. Vestido de gaucho hubiera servido de adorno en nuestro dormitorio. Riendo se lo mostré a Antonio, que me lo quitó de las manos con fastidio.

—Es un recuerdo de la infancia —me dijo—. No me gusta que toques mis cosas.

—¿Qué mal hago en tocar un muñeco con el cual jugabas en tu infancia? Conozco niños que juegan con muñecos, ¿acaso te da vergüenza? ¿No eres un hombre ya? —le dije.

—No tengo que dar ninguna explicación. Lo mejor será que te calles.

Antonio, malhumorado, colocó el muñeco de nuevo sobre el armario y no me dirigió la palabra durante varios días. Pero volvimos a abrazarnos como en nuestros mejores tiempos.

Pasé la mano por mi frente húmeda. ¿Se me habrían deshecho los rulos? No había ningún espejo en el cuarto, por suerte, pues no hubiera resistido la tentación de mirarme en lugar de mirar los canarios que me parecían tan tontos.

A menudo Antonio se encerraba en el cuarto del fondo y advertí que dejaba abierta la puerta de la pajarera para que entrara por la ventana alguno de los pajaritos. Llevada por la curiosidad, una tarde lo espié, subida sobre una silla, pues la ventana quedaba muy alta (lo que naturalmente no me permitía mirar hacia adentro del cuarto cuando yo pasaba por el patio).

Miraba el torso desnudo de Antonio. ¿Era mi marido o una estatua? Acusaba a Ruperto de loco, pero él era más loco tal vez. ¡Cuánto dinero había gastado en la compra de canarios, en vez de comprarme una máquina de lavar!

Un día pude entrever al muñeco acostado en la cama. Un enjambre de pajaritos lo rodeaban. El cuarto se había transformado en una especie de laboratorio. En un recipiente de barro había un montón de hojas, de tallos, de cortezas oscuras; en otro, unas flechitas hechas con espinas; en otro, un líquido brillante castaño. Me pareció que yo había visto estos objetos en sueños, y para salir de mi perplejidad conté la escena a Cleóbula, que me respondió:

—Así son los indios: usan flechas con curare.

No le pregunté lo que quería decir curare. Ni sabía si me lo decía con desdén o con admiración.

—Se dedican a las brujerías. Tu marido es un indio —y al ver mi asombro, interrogó—: ¿No lo sabes?

Sacudí la cabeza con fastidio. Mi marido era mi marido. No había pensado que pudiera pertenecer a otra raza ni a otro mundo que el mío.

—¿Cómo lo sabes? —interrogué con vehemencia.

—¿No has mirado sus ojos, sus pómulos salientes? ¿No adviertes lo ladino que es? Mandarín, la misma María Callas, son más francos que él. Esa reserva, esa manera de no contestar cuando se le pregunta algo, ese modo que tiene de tratar a las mujeres, ¿no bastan para demostrarte que es un indio? Mi madre está enterada de todo. Lo sacaron de un campamento cuando tenía cinco años. Tal vez eso fue lo que te gustó en él: ese misterio que lo distingue de los otros hombres.

Antonio traspiraba y el sudor hacía brillar su torso. ¡Tan buen mozo y perdiendo el tiempo! Si me hubiera casado con Juan Leston, el abogado, o con Roberto Cuentas, el tenedor de libros, no hubiera padecido tanto, seguramente. Pero, ¿qué mujer sensible se casa por interés? Dicen que hay hombres que amaestran pulgas, ¿de qué sirve?

Perdí la confianza en Cleóbula. Sin duda decía que mi marido era indio para afligirme o para hacerme perder la confianza en él; pero al hojear un libro de historia donde había láminas con campamentos indios, e indios a caballo, con boleadoras, encontré una similitud entre Antonio y esos hombres desnudos, con plumas. Advertí simultáneamente que lo que me había atraído en Antonio era tal vez la diferencia que había entre él y mis hermanos y los amigos de mis hermanos, el color bronceado de la piel, los ojos rasgados y ese aire ladino que Cleóbula mencionaba con perverso deleite.

—¿Y la prueba? —interrogué.

Antonio no me respondió. Fijamente miraba los canarios que volvieron a revolotear. Mandarín se apartó de sus compañeros y permaneció solo en la penumbra modulando un canto parecido al de las calandrias.

Mi soledad comenzó a crecer. A nadie comunicaba mis inquietudes.

Para Semana Santa, por segunda vez, Antonio insistió en que Ruperto se quedara de huésped en nuestra casa. Llovía, como suele llover para Semana Santa: fuimos con Cleóbula a la iglesia para hacer el Viacrucis.

—¿Cómo está el indio? —me preguntó Cleóbula con insolencia.

—¿Quién?

—El indio, tu marido —me respondió—. En el pueblo todo el mundo lo llama así.

—Me gustan los indios; aunque mi marido no lo fuera, me seguirían gustando —le respondí, tratando de seguir mis oraciones.

Antonio estaba en actitud de oración. ¿Había rezado alguna vez? Para el día de nuestro casamiento mi madre le pidió que comulgara; Antonio no quiso complacerla.

Mientras tanto la amistad de Antonio con Ruperto se estrechaba. Una suerte de camaradería, de la que yo estaba en cierto modo excluida, los vinculaba de una manera que me pareció veraz. En aquellos días Antonio hizo gala de sus poderes. Para entretenerse, mandó mensajes a Ruperto, hasta su casa, con los canarios. Decían que jugaban al truco por medio de ellos, pues una vez intercambiaron algunos naipes españoles. ¿Se burlaban de mí? Me fastidió el juego de esos dos hombres grandes y resolví no tomarlos en serio. ¿Tuve que admitir que la amistad es más importante que el amor? Nada había desunido a Antonio y a Ruperto; en cambio Antonio, injustamente, en cierto modo, se había alejado de mí. Sufrí en mi orgullo de mujer. Ruperto siguió mirándome. Todo aquel drama ¿sólo había sido una farsa? ¿Añoraba el drama conyugal, ese martirio al que me habían abocado los celos de un marido enloquecido durante tantos días?

Seguíamos amándonos, a pesar de todo.

En un circo Antonio podía ganar dinero con sus pruebas, ¿por qué no? La María Callas inclinó la cabecita para un lado, luego para el otro, y se posó en el respaldo de una silla.

Una mañana, como si me anunciara el incendio de la casa, Antonio entró en mi cuarto y me dijo:

—Ruperto está muriendo. Me mandaron llamar. Salgo para verlo.

Esperé a Antonio hasta mediodía, distraída con los quehaceres domésti-
cos. Volvió cuando yo estaba lavándome el pelo.

—Vamos —me dijo—, Ruperto está en el patio. Lo salvé.

—¿Cómo? ¿Fue una broma?

—Ninguna. Lo salvé, con la respiración artificial.

Apresuradamente, sin comprender nada, recogí mi pelo, me vestí, salí al
patio. Ruperto, inmóvil, de pie junto a la puerta miraba ya sin ver las bal-
dosas del patio. Antonio le arrimó una silla para que se sentara.

Antonio no me miraba, miraba el techo como conteniendo la respiración. De improviso Mandarín voló junto a Antonio y le clavó una de
las flechas en un brazo. Aplaudí: pensé que debía hacerlo para conten-
tar a Antonio. Era sin embargo una prueba absurda. ¡Por qué no utili-
zaba su ingenio para sanar a Ruperto!

Aquel día fatal Ruperto al sentarse se cubrió la cara con las manos.

¡Cómo había cambiado! Miré su cara inanimada, fría, sus manos oscuras.

¡Cuándo me dejarían sola! Tenía que hacerme los rulos con el pelo moja-
do. Interrogué a Ruperto disimulando mi fastidio:

—¿Qué ha sucedido?

Un largo silencio que hacía resaltar el canto de los pájaros tembló en el
sol. Ruperto respondió por fin:

—Soñé que los canarios picoteaban mis brazos, mi cuello, mi pecho; que
no podía cerrar mis párpados para proteger mis ojos. Soñé que mis brazos y
que mis piernas pesaban como sacos de arena. Mis manos no podían espan-
tar esos picos monstruosos que picoteaban mis pupilas. Dormía sin dormir,
como si hubiera ingerido un narcótico. Cuando desperté de ese sueño, que no
era sueño, vi la oscuridad: sin embargo oí cantar a los pájaros y oí los ruidos
habituales de la mañana. Haciendo un gran esfuerzo llamé a mi hermana,
que acudió. Con voz que no era mía, le dije: «Tienes que llamar a Antonio
para que me salve». «¿De qué?», interrogó mi hermana. No pude articular
otra palabra. Mi hermana salió corriendo, y acompañada de Antonio volvió
media hora después. ¡Media hora que me pareció un siglo! Lentamente, a
medida que Antonio movía mis brazos, recuperé la fuerza pero no la vista.

—Voy a hacerles una confesión —murmuró Antonio, y agregó lenta-
mente—, pero sin palabras.

Favorita siguió a Mandarín y clavó una flechita en el cuello de Antonio,
María Callas sobrevoló un momento sobre su pecho donde le clavó otra
flechita. Los ojos de Antonio, fijos en el techo cambiaron, se hubiera
dicho, de color. ¿Antonio era un indio? ¿Un indio tiene los ojos azules?
De algún modo sus ojos se parecieron a los de Ruperto.

–¿Qué significa todo esto? –musité.

–¿Qué está haciendo? –dijo Ruperto, que no comprendía nada.

Antonio no respondió. Inmóvil como una estatua recibía las flechas de aspecto inofensivo que los canarios le clavaban. Me acerqué a la cama y lo zarandeé.

–Contéstame –le dije–. Contéstame. ¿Qué significa todo esto?

No me respondió. Llorando lo abracé, echándome sobre su cuerpo; olvidando todo pudor lo besé en la boca, como sólo podría hacerlo una estrella de cine. Un enjambre de canarios revoloteó sobre mi cabeza.

Aquella mañana Antonio miraba a Ruperto con horror. Ahora yo comprendía que Antonio era doblemente culpable: para que nadie descubriera su crimen, me había dicho y había dicho después a todo el mundo:

–*Ruperto se ha vuelto loco. Cree que está ciego, pero ve como cualquiera de nosotros.*

Como la luz se había alejado de los ojos de Ruperto, el amor se alejó de nuestra casa. Se hubiera dicho que aquellas miradas eran indispensables para nuestro amor. Las reuniones en el patio carecían de animación. Antonio cayó en una tenebrosa tristeza. Me explicaba:

–*Peor que la muerte es la locura de un amigo. Ruperto ve pero cree que está ciego.*

Pensé con despecho, tal vez con celos, que la amistad en la vida de un hombre era más importante que el amor.

Cuando dejé de besar a Antonio y aparté mi cara de la suya, advertí que los canarios estaban a punto de picotear sus ojos. Le tapé la cara con mi cara y con mi cabellera, que es espesa como un manto. Ordené a Ruperto que cerrara la puerta y ventanas para que el cuarto quedara en completa oscuridad, esperando que los canarios se durmieran. Me dolían las piernas. ¿El tiempo que habré quedado en esa postura? No lo sé. Lentamente comprendí la confesión de Antonio. Fue una confesión que me unió a él con frenesí, con el frenesí de la desdicha. Comprendí el dolor que él había soportado para sacrificar y estar dispuesto a sacrificar tan ingeniosamente, con esas dosis tan infinitesimales de curare y con esos monstruos alados que obedecían sus caprichosas órdenes como enfermeros, los ojos de Ruperto, su amigo, y los de él, para que no pudieran mirarme, pobrecitos, nunca más.

SILVINA OCAMPO
Las invitadas (1961)

DONDE ESTÁ MARCADA LA CRUZ

EUGENE GLADSTONE O'NEILL, dramaturgo norteamericano, nacido en Nueva York, en 1888; muerto en Boston, en 1953. En la Argentina, en Centroamérica, en el mar, llevó una vida azarosa y aventurera. En 1936 obtuvo el premio Nobel de literatura. Ha escrito numerosas obras teatrales, entre ellas: *Beyond the Horizon* (1919); *The Emperor Jones* (1920); *Anna Christie* (1922); *The Great God Brown* (1925); *Strange Interlude* (1928). Hay traducciones de sus obras.

Personajes

CAPITÁN ISAÍAS BARTLETT.
DANIEL BARTLETT, su hijo.
SUSANA BARTLETT, su hija.
DOCTOR HIGGINS.
SILAS HORNE, piloto.
CATES, contramaestre de la goleta *Mary Allen*.
JIMMY KANAKA, arponero.
(Los tres últimos no hablan.)

ACTO ÚNICO

La escena representa el camarote del capitán Bartlett: un cuarto edificado como un mirador en lo alto de su casa, situada en una elevación de la costa de California. El interior del cuarto está arreglado como un camarote de capitán. A la izquierda, un ojo de buey. En el fondo, a la izquierda, un aparador con un farol. En el fondo, al centro, una puerta que da a las escaleras que conducen a la parte baja de la casa. A la derecha de la puerta, contra la pared, una cama de marino, con una frazada. En la pared de la derecha, cinco ojos de buey. Exactamente abajo, un banco de madera. Frente al banco una mesa larga, con dos sillas de respaldo derecho, una enfrente y la otra a la izquierda. En el piso, una alfombra común de color oscuro. En mitad del techo, una claraboya que se extiende desde la parte delantera del techo hasta la punta izquierda de la mesa. En la extremidad derecha de la claraboya cuelga una brújula de cámara. La luz de la bitácora proyecta en el piso la vaga sombra redonda de la brújula de cámara.

La obra se desarrolla en las primeras horas de una noche clara y ventosa del otoño de 1990. La luz de la luna movida por el viento, que se

queja contra los tercos ángulos de la vieja casa, se arrastra fatigada-
mente por los ojos de buey y descansa como polvo cansado en manchas
circulares sobre el piso y la mesa. Una insistente monotonía de olas que
truenan, amortiguada y lejana, sube desde la playa.

Después que el telón se levanta, la puerta del fondo se abre lentamente
y los hombros y la cabeza de Daniel Bartlett aparecen sobre el umbral.
Echa un vistazo y, viendo que no hay nadie, asciende los escalones que le
faltan y entra. Hace un signo a alguien que está en la oscuridad, debajo: «Suba, nomás, doctor», dice. El doctor Higgins lo sigue, y cerrando la
puerta, mira con gran curiosidad a su alrededor. Es un hombre delgado,
mediano, de aspecto profesional, de unos treinta y cinco años. Daniel
Bartlett es muy alto, huesudo y desgarbado. Le han amputado el brazo
derecho hasta el hombro y la manga de ese lado cuelga flojamente o pega
contra el cuerpo cuando se mueve. Representa más que los treinta años
que tiene. Los hombros parecen agobiados por la cabeza maciza, con melena negra y enmarañada. La cara es larga, huesuda y cetrina; con ojos
negros muy hundidos, nariz aguileña, boca de labios finos, ancha, som-
breada por un bigote descuidado y cerdoso. La voz es baja y profunda,
de tono penetrante, hueco, metálico. Usa chaqueta gruesa y pantalones
de cordero y metidos en latas botas cerradas por cordones.

DANIEL: ¿Ve bien, doctor?

HIGGINS (en el tono demasiado indiferente que delata una incomodidad
interior): Sí... perfectamente... no se moleste. Brilla tanto la luna...

DANIEL: Felizmente. (Caminando despacio hacia la mesa.) Él ya no quiere luz... últimamente... sólo la que viene de la claraboya.

HIGGINS: ¿Él? Ah... ¿Usted quiere decir su padre?

DANIEL: ¿Qué otro si no?

HIGGINS (un poco asombrado, mirando alrededor con extrañeza): ¿Supongo
que todo esto quiere parecerse al camarote de un barco?

DANIEL: Sí, como le previne.

HIGGINS (sorprendido): ¿Me previno? ¿Por qué prevenirme? Me parece
muy natural... muy interesante este capricho.

DANIEL (significativamente): Interesante, puede ser.

HIGGINS: ¿Y vive aquí arriba, usted me dijo?... ¿Nunca baja?

DANIEL: Nunca... desde hace tres años. Mi hermana le sube la comida.
(Se sienta en la silla, a la izquierda de la mesa.) Hay un farol en ese
aparador, doctor. Tráigalo y siéntese. Vamos a encender luz. Discúlpeme por haberlo traído a esta pieza en el techo... pero aquí nadie
nos oye; y viendo con sus propios ojos la vida de loco que lleva...

Lo que yo quiero es ponerlo en posesión de todos los hechos... ¡eso mismo, hechos!... y para eso se necesita luz. Sin luz, hasta los hechos... aquí arriba... se vuelven sueños... sueños, doctor.

HIGGINS *(con una sonrisa de alivio trae el farol)*: Es verdad, esta pieza es medio fantástica...

DANIEL *(pasando por alto esta observación)*: Él no va a notar esta luz. Tiene los ojos demasiado ocupados... allá afuera. *(Extiende el brazo izquierdo en un amplio gesto, hacia el mar.)* Y si nota... bueno, que baje. Tarde o temprano usted tendrá que verlo. *(Prende un fósforo y enciende el farol.)*

HIGGINS: ¿Dónde esta...él?

DANIEL *(señalando hacia arriba)*: Arriba, en la toldilla. ¡Siéntese, hombre! No va a venir... por ahora.

HIGGINS *(sentándose en la punta de la silla frente a la mesa)*: ¿El techo también lo arregló como si fuera un barco?

DANIEL: Ya se lo dije. Igual que una cubierta. El timón, la brújula, la luz de bitácora, la escalera de cámara... ahí *(la señala)*, un puente para caminar de arriba abajo y hacer de vigía. Si el viento no soplara tan fuerte usted lo sentiría ahora... de arriba abajo... toda la santa noche. *(Con una brusca aspereza.)* ¿No le dije que estaba loco?

HIGGINS *(con tono profesional)*: No me sorprende. A todos les he oído lo mismo desde que estoy en el hospicio. ¿Usted dice que sólo camina de noche... ahí arriba?

DANIEL: Sólo de noche, sí *(Torvamente.)* Las cosas que quiere ver no se pueden ver a la luz del día... sueños y cosas de esas...

HIGGINS: Pero ¿qué es lo que quiere ver? ¿Alguien lo sabe? ¿Habla de eso?

DANIEL *(impaciente)*: ¡Todo el mundo sabe lo que el viejo está esperando! Está esperando el barco.

HIGGINS: ¿Qué barco?

DANIEL: Su barco... La *Mary Allen*... el nombre de mi difunta madre.

HIGGINS: Pero... no entiendo... ¿El barco se ha retrasado mucho... o qué pasa?

DANIEL: Se perdió en un temporal, frente a las islas Célebes, con toda la tripulación... hace tres años.

HIGGINS *(maravillado)*: ¡Ah! *(Después de una pausa.)* Pero a pesar de todo, su padre conserva la esperanza...

DANIEL: No hay esperanza ni nada que conservar. El barco fue avistado con la quilla al aire, deshecho, por la ballenera *John Slocum*. Eso fue a las dos semanas de la tormenta. Mandaron un bote para leer el nombre...

HIGGINS: ¿Y su padre nunca supo...?

DANIEL: Fue el primero en saberlo, naturalmente. Lo sabe demasiado, si eso es lo que usted me pregunta. *(Se inclina hacia el doctor, intensamente.)* Lo sabe, doctor, lo sabe... pero no quiere creerlo. No puede creerlo... y seguir viviendo.

HIGGINS *(impaciente)*: Vamos al grano, Bartlett. Usted no me ha traído aquí para complicar las cosas aún más ¿no es cierto? Veamos los hechos de que me habló. Los necesitaré para prescribirle un tratamiento adecuado cuando lo tengamos en el hospicio.

DANIEL *(baja ansiosamente la voz)*: ¿Y se lo llevará esta noche... con toda seguridad?

HIGGINS: A los veinte minutos de irme de aquí vuelvo con el coche. Tenga la seguridad.

DANIEL: ¿Y conoce bien el camino hasta aquí arriba?

HIGGINS: Es claro que sí... Pero no comprendo por qué...

DANIEL: Le dejaremos abierta la puerta de calle. Usted suba, nomás. Mi hermana y yo estaremos aquí... con él. Usted comprende... ninguno de los dos sabe nada de esto. Las autoridades han recibido quejas... no de nosotros, acuérdese... pero de alguien. Que él no sospeche...

HIGGINS: Sí, sí... pero todavía no... ¿Acaso opondría resistencia?

DANIEL: No, no. Está tranquilo, siempre... Demasiado tranquilo, pero podría hacer algo...

HIGGINS: Cuente conmigo. No sospechará; pero traeré dos enfermeros para el caso que... *(Se interrumpe y prosigue en un tono llano.)* Y ahora... si usted me hace el favor. Pasemos a los hechos del caso, Bartlett.

DANIEL *(moviendo la cabeza sombríamente)*: Hay casos en que los hechos... Bueno, he aquí los hechos. Mi padre era capitán de una ballenera, como lo había sido mi abuelo. El último viaje que emprendió fue hace siete años. Pensaba estar ausente dos años. Cuatro pasaron antes de que lo viéramos otra vez. Su barco naufragó en el Océano Índico. Él y otros seis pudieron hacer tierra en un islote del borde del archipiélago: una isla pelada como el diablo, doctor. Después de siete días de remar en un bote abierto. Nunca se supo nada del resto de la tripulación... Seguramente se los comieron los tiburones. De los seis que arribaron a la isla con mi padre sólo tres estaban vivos cuando unas canoas malayas los recogieron locos de sed y de hambre. Esos cuatro hombres llegaron, finalmente, a San Francisco. *(Con mucho énfasis.)* Eran mi padre; Silas Horne, el piloto; Cates, el contramaestre, y Jimmy Kanaka, un arponero hawaiano. ¡Esos cuatro! *(Con una risa forzada.)* Ahí tiene los hechos. Todos los diarios de la época refieren la historia de mi padre.

HIGGINS: Pero ¿qué les pasó a los otros tres que estaban en la isla?

DANIEL: Muertos de inanición, tal vez. Se enloquecieron y se tiraron al mar, tal vez. Esa es la historia que contaron. Otra circuló por lo bajo: muertos y comidos, tal vez. Pero perdidos... desaparecidos... Eso, indudablemente. Así es la cosa. Por lo demás... ¿quién sabe? ¿Y qué importa?

HIGGINS *(con un estremecimiento)*: Creo que importa... y mucho.

DANIEL *(ferozmente)*: ¡Estamos frente a los hechos! *(Con una carcajada.)* Y aquí tiene algunos más. Mi padre trajo a los tres a esta casa: a Horne, y a Cates, y a Jimmy Kanaka. Casi no lo reconocimos a mi padre. Había estado en el infierno... y se le notaba. Tenía el pelo blanco. Pero usted ya verá... pronto. Y los otros... estaban medio raros, también... locos, si le parece *(con otra carcajada)*. Hasta aquí, los hechos. Aquí se acaban... y los sueños empiezan.

HIGGINS *(vacilante)*: Parecería... que basta con los hechos.

DANIEL: Espere. *(Prosigue deliberadamente.)* Un día, mi padre me mandó a buscar y delante de los otros me contó el sueño. Yo sería el heredero de su secreto. El segundo día en la isla, me dijo, descubrieron en un abra el casco perdido de un prau malayo... Un prau de guerra como los que usaban los piratas. Había estado pudriéndose ahí... Dios sabe desde cuándo. La tripulación se había perdido... Dios sabe dónde, porque en la isla no había el menor rastro de seres humanos. Los kanakas se tiraron desde cubierta... Usted sabe que son unos verdaderos diablos para andar debajo del agua... y encontraron, en dos cofres *(se inclina para atrás en la silla y sonríe irónicamente)*: ¡Adivine, doctor!

HIGGINS *(con otra sonrisa)*: Un tesoro, naturalmente.

DANIEL *(inclinándose hacia adelante y apuntando el índice acusadoramente, a su interlocutor)*: ¡Ya ve! ¡El principio de la credulidad está en usted, también! *(Se echa hacia atrás con una risa ahogada.)* Claro que sí. Un tesoro, naturalmente. ¿Qué otra cosa? Lo sacaron a tierra y... ya puede adivinar lo demás, también... Diamantes, esmeraldas, alhajas de oro... innumerables, desde luego. ¿A qué limitar el caudal de los sueños? *(Se ríe irónicamente, como de sí mismo.)*

HIGGINS *(profundamente interesado)*: ¿Y después?

DANIEL: Empezaron a enloquecerse... hambre, sed y lo demás... y empezaron a olvidarse. Ah, se olvidaron de un montón de cosas... y quizá fue una suerte. Pero mi padre comprendió lo que les pasaba y les ordenó que, mientras aún sabían lo que hacían... adivine otra vez, doctor *(ríe irónicamente).*

HIGGINS: ¿Enterraron el tesoro?

DANIEL *(irónicamente)*: Fácil, ¿no es verdad? E hicieron un mapa... el eterno sueño, usted ve... con un palo tiznado, y mi padre lo guardó. Fueron recogidos completamente locos, como le dije, por unos malayos. *(Abandona el tono burlón, y adopta otra vez uno tranquilo y deliberado.)* Pero el mapa no es un sueño, doctor. Estamos volviendo a los hechos. *(Mete la mano en el bolsillo y saca un papel mal doblado.)* Aquí está. *(Lo despliega sobre la mesa.)*

HIGGINS *(estirando el pescuezo con avidez)*: ¡Diablos! Esto es interesante. Supongo que el tesoro se encuentra...

DANIEL: Donde está marcada la cruz.

HIGGINS: Éstas son las firmas, ¿no? ¿y esa marca?

DANIEL: Es de Jimmy Kanaka. No sabía escribir.

HIGGINS: ¿Y debajo? Ésta es la suya ¿no es verdad?

DANIEL: Como heredero del secreto. Todos firmamos la mañana que zarpó la goleta *Mary Allen,* en busca del tesoro. Mi padre hipotecó la casa para fletarla *(se ríe).*

HIGGINS: ¿El barco que está esperando todavía...? ¿El que perdió hace tres años?

DANIEL: La *Mary Allen,* sí. Los otros tres hombres partieron con ella. Solamente mi padre y el piloto, sabían, más o menos, la posición de la isla, y yo... como heredero. Está *(vacila y frunce las cejas)...* no importa. Guardaré el absurdo secreto. Mi padre quería ir con ellos... pero mi madre estaba muriéndose. Yo tampoco me animé a dejarla.

HIGGINS: Entonces ¿usted también quería ir? ¿Usted creía en el tesoro?

DANIEL: Por supuesto *(ríe).* ¿Qué iba a hacer? Yo creí, hasta la muerte de mamá. Entonces «él» se enloqueció, se volvió loco del todo. Entonces construyó este camarote... para esperar... y con el tiempo se fue dando cuenta de que yo dudaba cada vez más. Entonces, como prueba definitiva, me dio una cosa que él había guardado a escondidas de todos ellos... Una muestra de lo mejor del tesoro *(ríe).* ¡Mire! *(Saca del bolsillo un pesado brazalete con piedras incrustadas y lo gira sobre la mesa, junto al farol.)*

HIGGINS *(tomándolo con ávida curiosidad; como despecho de sí mismo)*: ¿Legítimas?

DANIEL *(ríe)*: Usted quiere creer, también. No... Vidrio y latón... Baratijas malayas...

HIGGINS: ¿Usted las hizo examinar?

DANIEL: Sí, como un tonto. *(Guarda el brazalete en el bolsillo y sacude la cabeza como aliviándose de un peso.)* Ahora ya sabe por qué está loco... Esperando ese barco... y por qué, al fin, he tenido que pedirle que se lo lleve donde estará bien. La hipoteca... el precio de ese barco... ha vencido. Mi hermana y yo vamos a tener que mudarnos. No podemos llevarlo con nosotros. Ella está por casarse. Tal vez lejos de la vista del mar, pueda...

HIGGINS *(convencionalmente).*–Esperemos lo mejor. Yo comprendo muy bien su situación. *(Se levanta, sonriendo.)* Y le agradezco el interesante relato. Ya sabré cómo adaptarme a él cuando delire con el tesoro.

DANIEL *(sombríamente)*: Siempre está tranquilo... Demasiado tranquilo. Sólo camina de arriba abajo... vigilando...

HIGGINS: Bueno, ya tengo que irme. ¿Usted cree que es mejor llevarlo esta noche?

DANIEL *(persuasivamente)*: Sí, doctor. Los vecinos... claro que están lejos... pero, mi hermana... usted comprende...

HIGGINS: Ya veo. Tiene que ser doloroso para ella. Bueno... *(Va hasta la puerta, que DANIEL le abre.)* Volveré luego. *(Comienza a bajar.)*

DANIEL *(urgentemente)*: No nos falle, doctor. Y suba nomás. Él estará aquí *(Cierra la puerta y camina en puntas de pie hacia la escalera de cámara. Sube unos cuantos escalones y se detiene un rato a escuchar algún ruido de arriba. Luego atraviesa hacia la mesa bajando la mecha del farol y se sienta, el mentón en la mano, mirando sombríamente hacia adelante. La puerta del fondo se abre con lentitud y DANIEL se levanta de un salto y con una voz espesa de miedo, dice:)* ¿Quién anda ahí? *(La puerta se abre del todo y aparece SUSANA BARTLETT. Sube a la pieza y cierra la puerta detrás de ella. Es una mujer alta y esbelta, de 25 años, con una cara pálida, triste, encuadrada en una masa de oscuro pelo rojo. El pelo es la única nota de color. Sus labios llenos son pálidos; el azul de los ojos, grisáceo. La voz es baja y melancólica. Tiene un batón oscuro y lleva sandalias.)*

SUSANA: Soy yo, nomás. ¿De qué te asustas?

DANIEL *(desvía la mirada y vuelve a caer sobre la silla)*: No es nada. Yo no sabía... creí que estabas en tu pieza.

SUSANA *(se acerca a la mesa)*: Estaba leyendo. Oí que alguien bajaba las escaleras y salía. ¿Quién era? *(Con un brusco terror.)* ¿No era papá?

DANIEL: No. Está arriba... vigilando... como siempre.

SUSANA *(sentándose, insistentemente)*: ¿Quién era?

DANIEL *(evasivamente)*: Un hombre... un conocido.

SUSANA: ¿Qué hombre? ¿Quién era? Me estás ocultando algo. Dime.

DANIEL *(alzando desafiante la mirada)*: Un médico.

SUSANA *(alarmada)*: ¡Ah! *(Con brusca intuición.)* ¡Lo trajiste aquí arriba... para que yo no supiera!

DANIEL *(obstinadamente)*: No. Lo hice subir para que viera cómo están las cosas, para consultarlo sobre papá.

SUSANA *(como asustada de la probable repuesta)*: ¿Es uno de esos... del asilo? ¡Oh, Daniel! Espero que no hayas...

DANIEL *(interrumpiéndola con voz ronca)*: ¡No, no! Tranquilízate.

SUSANA: Eso sería... el último horror.

DANIEL *(desafiador)*: ¿Por qué? Siempre repites eso. ¿Qué más horrible que las cosas, como ahora están? Yo creo que sería mejor para él estar lejos... donde no pudiera ver el mar. Olvidará esa absurda idea de esperar un barco perdido y un tesoro que no existió *(Como tratando de convencerse, vehemente.)* ¡Así lo creo!

SUSANA *(con reproche)*: No lo crees, Daniel. Tú sabes muy bien que se morirá si le falta el mar.

DANIEL *(amargamente)*: Y tú sabes muy bien que el viejo Smith está por ejecutar la hipoteca. ¿Eso no es nada? No podemos pagar. Ayer vino y habló conmigo. Sabe que esta casa es ya como suya. Habla como si fuéramos sus inquilinos, ¡el maldito!, y juró que nos ejecutaría inmediatamente, salvo que...

SUSANA *(ansiosamente)*: ¿Qué?

DANIEL *(con voz opaca)*: Salvo que a papá se lo lleven.

SUSANA *(angustiada)*: ¡Ah! pero, ¿por qué?, ¿por qué? ¿Qué puede interesarle papá?

DANIEL: El valor de la propiedad, nuestra casa, que es suya, de Smith. Los vecinos tienen miedo. Pasan por el camino de noche volviendo al pueblo, a sus granjas. Lo ven a él arriba... caminando de arriba abajo... agitando los brazos contra el cielo; tienen miedo. Hablan de quejarse. Dicen que hay que internarlo, para su bien. Hasta murmuran que esta casa está embrujada. El viejo Smith teme por su propiedad. Piensa que él es capaz de incendiar la casa...

SUSANA (*desesperadamente*): Pero le dijiste que eso es una tontería ¿no es verdad? ¿Que papá está tranquilo, siempre tranquilo?

DANIEL: A qué decirles nada... Cuando están convencidos de lo contrario... Cuando temen. (*SUSANA esconde la cara en sus manos. Después de una pausa, DANIEL susurra con voz ronca*): Yo mismo he tenido miedo... a veces.

SUSANA: ¡Oh, Daniel! ¿De qué?

DANIEL (*violentamente*): De él, y de ese mar al que está implorando. ¡De ese maldito mar que me impuso cuando yo era chico... el mar que me robó mi brazo, el mar que hizo de mí esta cosa rota que soy!

SUSANA (*rogando*): No puedes culparlo a papá... de tu desgracia.

DANIEL: Me arrancó de la escuela y me metió en su barco, ¿no es cierto? ¿Qué sería yo sino un marinero ignorante como él si le hubiera hecho el gusto? No. ¡No es culpable el mar que burló sus propósitos llevándose mi brazo y luego tirándome a tierra... otro de sus desechos!

SUSANA (*con sollozo*): Estás amargado, Daniel... y cruel. Ha pasado ya tanto tiempo. ¿Por qué no tratas de olvidarlo?

DANIEL (*amargamente*): ¡Olvidarlo! ¡Es fácil hablar! Cuando Tom vuelva de este viaje te casarás y estarás libre de todo esto con la vida por delante, mujer de un capitán, como nuestra madre. Buena suerte.

SUSANA (*suplicante*): Y tú vendrás con nosotros, Daniel... y papá también... y entonces...

DANIEL: ¿Vas a cargar a tu joven marido con un loco y un lisiado? (*Ferozmente.*) ¡No, no, yo no! (*Vengativamente.*) ¡Y él tampoco! (*Pasando bruscamente a un tono significativo, con deliberación.*) Tengo que quedarme aquí. Tres cuartas partes de mi libro están listas... ¡del libro que me libertará! Pero yo sé, yo siento, tan seguro como que estamos aquí los dos, que debo terminarlo aquí. No podría vivir para mí fuera de esta casa donde nació. (*Mirándola fijamente.*) ¡Aquí me quedaré a pesar del Infierno! (*SUSANA solloza sin esperanza. Después de una pausa, DANIEL continúa:*) El viejo Smith me dijo que yo podía vivir aquí indefinidamente sin pagar, como cuidador... si...

SUSANA (*temerosamente, como un eco*): ¿Si...?

DANIEL (*mirándola, con voz dura*): Si yo lo mando donde ya no se perjudique a sí mismo... ni a los demás.

SUSANA (*horrorizada*): ¡No, no, Daniel! ¡Por nuestra madre muerta!

DANIEL (*luchando*): ¿Dije que lo había hecho? ¿Por qué me miras así?

SUSANA: ¡Daniel, por nuestra madre!

DANIEL (*atemorizado*): ¡Basta! ¡Basta! Está muerta... y en paz. ¿A él entregarías otra vez esa alma cansada, para que la golpee y la hiera?

SUSANA: ¡Daniel!...

DANIEL (*agarrándose la garganta, como para estrangular algo dentro de él, roncamente*).. ¡Susana! ¡Ten piedad! (*Su hermana lo mira con un temeroso presentimiento. DANIEL se calma con un esfuerzo y continúa más deliberadamente.*) Smith dijo que me dará dos mil al contado, si le vendo la casa, y que me dejará sin pagar alquiler, como cuidador.

SUSANA (*con desprecio*): ¡Dos mil! Cómo, si además de la hipoteca vale...

DANIEL: No es lo que vale. Pero es lo que puedo conseguir al contado, para mi libro... ¡para la libertad!

SUSANA: ¡Por eso quiere que a papá se lo lleven, el muy canalla! Debe conocer el testamento que hizo papá...

DANIEL: Me deja la casa. Sí, lo sabe, yo se lo dije.

SUSANA (*opacamente*): ¡Ah, qué viles son los hombres!

DANIEL (*persuasivamente*): Si se hiciera... si se hiciera, te digo... la mitad del dinero sería para ti, para tu dote. Es justo.

SUSANA (*horrorizada*): ¡Los dineros de Judas! ¿Crees que podría tocarlos?

DANIEL (*persuasivamente*): Sería lo justo. Yo te lo daría.

SUSANA: ¡Dios mío, Daniel! ¿Estás tratando de sobornarme?

DANIEL: No. Te corresponde. (*Con una sonrisa torcida.*) Te olvidas que soy el heredero del tesoro, también, y que puedo permitirme el lujo de ser generoso... (*Se ríe.*)

SUSANA (*alarmada*): ¡Daniel! Estás raro. Estás enfermo, Daniel. No hablarías así si estuvieras bien. ¡Ah, tenemos que alejarnos de aquí, tú, papá y yo! Que Smith nos ejecute. Algo nos quedará después de liquidar la hipoteca; y nos mudaremos a otra casita... cerca del mar para que papá...

DANIEL (*ferozmente*): Pueda seguir su descabellado juego conmigo, murmurándome sueños en el oído, señalando el mar, burlándose de mí con baratijas como ésta. (*Saca el brazalete del bolsillo. La vista del brazalete lo enfurece; lo tira a un rincón, exclamando con una voz terrible*): ¡No, no! ¡Ya es demasiado tarde para soñar! ¡Demasiado tarde! ¡Esta noche he dejado atrás los sueños... para siempre!

SUSANA (*lo mira y bruscamente comprende que lo temido por ella ha sucedido al fin; dejando caer la cabeza en los brazos estirados, con una larga queja*): ¡Entonces ya lo hiciste! ¡Lo has vendido! ¡Daniel, estás maldito!

DANIEL (*con un vistazo aterrorizado al techo*): ¡Ssh! ¿Qué estás diciendo? Él estará mejor... lejos del mar.

SUSANA *(opacamente)*: Lo has vendido.

DANIEL *(agitado)*: ¡No! ¡No! *(Saca el mapa del bolsillo.)* ¡Oye, Susana! Por Dios, ¡óyeme! Mira. ¡El mapa de la isla! *(Lo despliega sobre la mesa.)* Y el tesoro... donde está marcada la cruz. *(Se atraganta y sus palabras son incoherentes.)* Hace años que lo llevo conmigo. ¿No es eso nada? No sabes lo que significa. Se interpone entre mi libro y yo. Se ha interpuesto entre la vida y yo... ¡volviéndome loco! Él me enseñó a aguardar y a esperar con él... aguardar y esperar... día tras día. Hizo que yo dudara de mi cerebro y que no creyera a mis ojos... ¡Cuando la esperanza murió... cuando yo supe que todo era un sueño... no pude matarla dentro de mí! *(Con los ojos salidos de las órbitas.)* ¡Dios me perdone, si sigo creyendo todavía! Y eso es una locura... una locura, ¿entiendes?

SUSANA *(mirándolo con horror)*: ¡Y por eso... lo odias!

DANIEL: No, no lo odio... *(En un brusco arrebato.)* Sí, ¡lo odio! Me ha robado el cerebro. Tengo que librarme, entiendes, de él y de su locura.

SUSANA *(aterrorizada, suplicando)*: ¡Daniel! ¡No! Hablas como si...

DANIEL: ¿Como si estuviera loco? Tienes razón, pero ya no lo estaré más. ¡Fíjate! *(Abre el farol y prende fuego al mapa. Cuando vuelve a cerrar la linterna, ésta vacila, se apaga. Mira fascinado quemarse el papel, mientras habla.)* Fíjate cómo me libro y dejo de estar loco. Y ahora a los hechos, como dijo el doctor. Lo que te dije de él era mentira. Era un médico del asilo. ¡Fíjate cómo arde! ¡Hay que arrasarla bien!... esta venenosa locura. Sí, yo te mentí... fíjate... ya se acabó... la última chispa... y el otro igual que había es el que Silas Horne llevó consigo al fondo del mar. *(Deja que la ceniza caiga al suelo y la aplasta con el pie.)* ¡Se acabó! Estoy libre... ¡al fin! *(Tiene la cara muy pálida pero sigue con tranquilidad.)* Sí, lo vendí, si quieres... para salvar mi alma. Ahora vienen del asilo para llevárselo. *(Hay un grito fuerte, ahogado, desde arriba: ¡Barco a la vista! y un ruido de pasos. Se entreabre la trampa de acceso a la escala de cámara. Una corriente de aire atraviesa la habitación. DANIEL y SUSANA se incorporan bruscamente y se quedan como petrificados. El capitán BARTLETT baja pesadamente las escaleras.)*

DANIEL *(con un estremecimiento)*: ¡Dios mío! ¿Habrá oído?

SUSANA *(se lleva un dedo a los labios)*: ¡Chiist!...

(Entra el capitán BARTLETT. Se parece muchísimo a su hijo, pero la cara es más severa y más formidable, la figura más robusta, erguida y muscular. Tiene una melena canosa, un bigote cerdoso, blanco, contrastan-

do con el color del cuero curtido de la cara arrugada. Pobladas cejas grises sombrean la obsesa mirada de los feroces ojos oscuros. Usa un pesado saco azul cruzado, pantalones de la misma tela y botas de goma hasta la rodilla.)

BARTLETT *(en un estado de loco entusiasmo, avanza hacia su hijo y lo señala con un dedo acusador.* DANIEL *retrocede un paso):* ¿Creyéndome loco, eh? ¿Loco desde hace tres años, eh? Desde que esos imbéciles del *Slocum* propalaron la mentira del naufragio del *Mary Allen.*

DANIEL *(ahogándose, tartamudeando):* No, padre, yo...

BARTLETT: ¡No mientas! Tú, a quien yo había hecho heredero, tratando de hacerme a un lado. ¡Tratando de arrumbarme detrás de las rejas de la cárcel para los locos!

SUSANA: Papá, ¡no!

BARTLETT *(ordenándoles que se callen, con un amplio ademán):* Tú no, muchacha. Tú eres como tu madre...

DANIEL: Papá, ¿puedes creer que yo?...

BARTLETT *(triunfalmente):* ¡Veo en tus ojos que mientes! ¡Me he estado fijando en ellos! ¡Maldito seas!

SUSANA: Papá, ¡no!

BARTLETT: Déjame hacer, muchacha. Él creía, ¿no es cierto? ¿Y no es un traidor... riéndose de mí, y diciendo que todo es mentira, riéndose de él mismo, también por creer en los sueños, como él los llama?

DANIEL *(conciliadoramente):* Estás equivocado, papá. Yo creo.

BARTLETT *(triunfante):* ¡Ah! ¡Ahora crees! ¿Quién no le va a creer a sus propios ojos?

DANIEL *(perplejo):* ¿Ojos?

BARTLETT: ¿No la has visto, entonces? ¿No oíste cuando la avisté?

DANIEL *(confundido):* Oí un grito. Pero avisar, ¿qué...? Ver, ¿qué?

BARTLETT *(severamente):* Ese es tu castigo, Judas... *(Desahogándose.)* La *Mary Allen,* ciego, imbécil, que ha vuelto de los mares del Sur... ¡que ha vuelto como yo juré que volvería!

SUSANA *(tratando de apaciguarlo):* Papá, tranquilízate, no es nada.

BARTLETT *(no haciéndole caso, con los ojos fijos hipnóticamente en los del hijo):* Dobló el cabo hará media hora... La *Mary Allen...* cargada de oro, como yo juré que estaría... con todas las velas desplegadas... sin una avería, llegando a destino, como yo juré que llegaría... ¡demasiado tarde para traidores, muchacho, demasiado tarde!... soltando el ancla justo cuando la avisté.

DANIEL *(con una mirada rara en los ojos que están fijos en los del padre)*: ¡La *Mary Allen!* Pero ¿cómo lo sabes?

BARTLETT: ¡No he de conocer a mi propio barco! ¡Tú eres el loco!

DANIEL: Pero de noche... alguna otra goleta...

BARTLETT: ¡No es otra, te digo! La *Mary Allen*... patente a la luz de la luna. Y oye esto ¿recuerdas la señal que combinamos con Silas Horne, si llegaba de noche?

DANIEL *(lentamente)*: Una luz colorada y verde en la punta del palo mayor.

BARTLETT *(triunfalmente)*: ¡Entonces, asómate, si te animas! *(Se acerca al ojo de buey.)* De aquí lo puedes ver claro. *(Ordenándole.)* ¿Vas a creer a tus ojos? Mira... ¡y llámame loco después! *(Daniel mira por el ojo de buey y vuelve asombrado, como alelado.)*

DANIEL *(lentamente)*: Una luz verde y colorada en el palo mayor. Sí... Claro como el día.

SUSANA *(con una mirada de preocupación)*: Déjenme ver. *(Se acerca al ojo de buey.)*

BARTLETT *(a su hijo, con feroz satisfacción)*: ¡Ah! ahora ves claro... pero ya es demasiado tarde para ti. *(DANIEL lo mira como poseído.)* Y desde arriba los vi bien a Horne, y a Cates, y a Jimmy Kanaka. Estaban en la cubierta, a la luz de la luna, mirándome. ¡Ven!

(Avanza hacia la escala de cámara seguido por DANIEL. Suben los dos. SUSANA vuelve del ojo de buey, perpleja y asustada. Mueve tristemente la cabeza. Arriba la voz de BARTLETT grita: ¡Mary Allen, hooo! seguido como un eco por el mismo grito de DANIEL. SUSANA se cubre el rostro con las manos, temblando. DANIEL baja por la escala de cámara, con los ojos enloquecidos y victoriosos.)

SUSANA *(entrecortadamente)*: Está muy mal esta noche, Daniel. Hiciste bien en seguirle la corriente. Es lo mejor.

DANIEL *(furioso)*: ¿Seguirle la corriente? ¿Qué diablos quieres decir con eso?

SUSANA *(señalando el ojo de buey)*: No hay nada allí, Daniel. No hay ningún barco anclado.

DANIEL: ¡Estás loca... o ciega! La *Mary Allen* está ahí a la vista de cualquiera con las señales colorada y verde. Esos imbéciles mintieron al decir que había naufragado. Y yo he sido un imbécil también.

SUSANA: Pero Daniel, si no hay nada. *(Va otra vez al ojo de buey.)* Ningún barco. Fíjate.

DANIEL: ¡Lo he visto, te digo! Desde arriba se ve bien. *(La deja y vuelve a su asiento, junto a la mesa, SUSANA lo sigue, suplicando atemorizada.)*

SUSANA: ¡Daniel! No tienes que dejarte... Estás nervioso y temblando, Daniel. *(Le pone una mano tranquilizadora en la frente.)*

DANIEL *(rechazándola ásperamente)*: Ciega, imbécil.

(BARTLETT vuelve a la habitación. Su cara está transfigurada con el éxtasis de un sueño que se ha cumplido.)

BARTLETT: Están arreando un bote... los tres... Horne y Cates y Jimmy Kanaka. Están remando hacia la orilla. Oigo el ruido de los remos. ¡Oigan! *(Una pausa.)*

DANIEL *(excitado)*: ¡Ya oigo!

SUSANA *(que se ha sentado junto a su hermano; con cauteloso murmullo)*: Es el viento y el mar lo que oyes, Daniel. ¡Por favor!

BARTLETT *(bruscamente)*: ¡Oigan! Han desembarcado. Han vuelto como yo juré que iban a volver. Estarán subiendo ahora por el sendero.

(Se queda en una actitud de rígida atención. DANIEL se estira hacia adelante en la silla. El sonido del viento y del mar cesan de golpe, y hay un grave silencio. Un denso resplandor verde inunda lentamente la habitación, semejante a un líquido de rítmicas oleadas, como de grandes profundidades del mar, apenas penetradas de luz.)

DANIEL *(agarrando la mano de su hermana, ahogándose)*: ¡Fíjate cómo cambia la luz! ¡Verde y oro! *(Se estremece.)* ¡Muy al fondo del mar! ¡Hace años que estoy ahogado! ¡Sálvame! ¡Sálvame!

SUSANA *(palmeándole la mano, para tranquilizarlo)*: No es más que la luz de la luna, Daniel. No ha cambiado nada. Tranquilízate, hermano, no es nada.

(La luz verde se intensifica, más y más.)

BARTLETT *(con un canturreo monótono)*: Se mueven lentamente... lentamente. Son pesadísimos... los dos cofres. ¡Oigan! Están abajo, en la puerta, ¿oyen?

DANIEL *(poniéndose bruscamente en pie)*: ¡Oigo! Dejé la puerta abierta.

BARTLETT: ¿Para ellos?

DANIEL: Para ellos.

SUSANA *(estremeciéndose)*: ¡Chisst! *(El ruido de una puerta golpeada se oye desde abajo.)*

DANIEL *(a su hermana)*: Ahí tienes. ¿Oíste?

SUSANA: Una persiana que se golpea con el viento.

DANIEL: No hay viento.

BARTLETT: ¡Ya suben! ¡Fuerza, muchachos! ¡Son pesadísimos… pesadísimos! *(El chapoteo de pies descalzos suena abajo, después sube las escaleras.)*

DANIEL: ¿Los oyes, ahora?

SUSANA: Son las ratas. No es nada, Daniel.

BARTLETT *(abalanzándose a la puerta y abriéndola de par en par)*: Entren muchachos, entren… ¡Dios los bendiga… están de vuelta!

(Las formas de SILAS HORNE, CATES y JIMMY KANAKA emergen sin ruido en la pieza, desde las escaleras. Los dos últimos llevan pesados cofres con incrustaciones. HORNE es un viejo esquinado, de nariz de loro, con pantalones grises de algodón y una camiseta abierta sobre el pecho peludo. JIMMY es un malayo alto, nervudo, bronceado y joven. No usa más que un taparrabos. CATES es bajo, gordo, y viste pantalones de tela ordinaria y una chaqueta blanca, de marinero, manchada de herrumbre. Todos están descalzos. Chorrea agua de sus ropas podridas y empapadas. Sus cabellos están enmarañados, entretejidos con algas viscosas. Sus ojos, mientras se desplazan silenciosamente en el cuarto, están muy abiertos, pero como si no vieran nada. Su carne, a la luz verde, sugiere la putrefacción. Sus cuerpos se hamacan flojamente, desganadamente, rítmicamente, como si siguieran el movimiento de las grandes corrientes submarinas.)

DANIEL *(adelantando un paso hacia ellos)*: Mira. *(Frenéticamente.)* ¡Bienvenidos, muchachos!

SUSANA *(tomándole del brazo)*: Siéntate, Daniel. Si no es nada. No hay nadie aquí. Papá, ¡siéntate!

BARTLETT *(sonriendo, burlonamente y poniéndose un dedo sobre los labios)*: Aquí no, muchachos, aquí no… no delante de él. *(Señala al hijo.)* No tiene derecho ahora. Vengan. El tesoro es para nosotros. Nos iremos los tres con él. Vengan. *(Va hacia la escala de cámara. Los tres lo siguen. Al pie de la escala HORNE pone su ondulante mano sobre el hombro de BARTLETT, y con la otra le tiende un pedazo de papel. BARTLETT lo toma y ríe triunfalmente.)* Bien hecho… para él… ¡Bien hecho! *(Sale. Las figuras lo siguen hamacándose rítmicamente.)*

DANIEL *(con frenesí)*: Espérenme. *(Se lanza hacia la escala.)*

SUSANA *(tratando de sujetarlo)*: ¡Daniel, no! *(La rechaza y sube por la escalera. Golpea contra la trampa, que parece haber sido cerrada para mantenerlo abajo. SUSANA, histéricamente, corre enloquecida hacia la puerta del fondo).* ¡Socorro! ¡Socorro!

(Al acercarse a la puerta, aparece el doctor HIGGINS, subiendo apresurado por la escalera.)

HIGGINS *(nervioso)*: Un momento, señorita. ¿Qué sucede?

SUSANA *(con dificultad)*: ¡Mi padre... allá arriba!

HIGGINS: No veo... ¿dónde está mi linterna? ¡Ah! *(Proyecta su luz sobre la cara aterrorizada de SUSANA, luego por todo el cuarto. El resplandor verde desaparece. Se oyen otra vez el viento y el mar. Entra la clara luz de la luna por los ojos de buey. HIGGINS se precipita por la escalera de cámara. DANIEL sigue golpeando la parte baja de la trampa.)* A ver, Bartlett. Déjeme probar a mí.

DANIEL *(baja mirando opacamente al doctor)*: La han cerrado. No puedo subir.

HIGGINS *(mira para arriba, la voz asombrada)*: ¿Qué le pasa, Bartlett? Está abierta. *(Empieza a subir.)*

DANIEL *(como previniéndole)*: ¡Cuidado, hombre! ¡Cuidado con ellos!

HIGGINS *(desde arriba)*: ¿Ellos? ¿Quiénes? No hay nadie aquí *(De pronto alarmado.)* Vengan. ¡Ayúdenme un poco! ¡Se ha desmayado! *(DANIEL sube lentamente. SUSANA atraviesa la escena y enciende el farol, con el que vuelve al pie de la escala de cámara. Hay ruido de forcejeo, arriba. Reaparecen trayendo el cuerpo del capitán BARTLETT.)*

HIGGINS: ¡Con cuidado! *(Lo acuestan en la cama del fondo. SUSANA pone el farol en el suelo, junto a la cama. HIGGINS se inclina para auscultarlo. Se levanta, después, moviendo la cabeza.)* Siento...

SUSANA *(opacamente)*: ¿Muerto?

HIGGINS *(asintiendo)*: A mi juicio le falló el corazón. *(Tratando de consolarla.)* Quizá es mejor así, ya que...

DANIEL *(como en una visión)*: Horne le entregó algo. ¿Usted lo vio?

SUSANA *(retorciéndose las manos)*: Oh, Daniel, estate quieto. Se ha muerto. *(A HIGGINS, con lamentable súplica.)* Haga el favor, váyase... váyase...

HIGGINS: ¿No puedo serles útil en algo?

SUSANA: Váyase... por favor... (*HIGGINS saluda fríamente y se va. DANIEL se va acercando al cuerpo de su padre como atraído por una irresistible fascinación.*)

DANIEL: ¿No viste? Horne le entregó algo.

SUSANA (*sollozando*): ¡Daniel! ¡Daniel! ¡Déjalo! ¡No lo toques, Daniel! ¡Déjalo!

(*Pero el hermano no le hace caso. Sigue mirando la mano derecha de su padre, que cuelga a un costado de la cama. Se abalanza sobre ella y abriendo con mucho esfuerzo los dedos rígidos se apodera de una pelotita de papel.*)

DANIEL (*agitándola sobre su cabeza con un grito de triunfo*): Mira. (*Se inclina y la despliega a la luz del farol.*) ¡El mapa de la isla! ¡Fíjate! ¡No lo he perdido al fin! ¡Queda todavía una oportunidad... mi oportunidad! (*Con grave decisión insensata.*) ¡Cuando hayamos vendido la casa iré... y lo encontraré! ¡Fíjate! ¡Fíjate!, está escrito de su puño y letra: «El tesoro está sepultado donde está marcada la cruz».

SUSANA (*tapándose la cara con las manos*): ¡Dios mío! ¡Dios mío! Vamos, Daniel. ¡Vámonos!

TELÓN

EUGENE O'NEILL
The Moon for the Caribees (1923)

LA ÚLTIMA VISITA DEL CABALLERO
ENFERMO

GIOVANNI PAPINI, cuentista y polemista italiano. Nació en Florencia, en 1871; muerto en Florencia, en 1956. Traductor de Berkeley, de Bergson, de Boutroux, de James y de Schopenhauer. Autor de: *Il tragico quotidiano* (1906); *Vita de Nessuno* (1912); *Un Uomo Finito* (1912); *L'uomo Carducci* (1918); *L'Europa Occidentale contro la Mitteleuropa* (1918); *Sant'Agostino* (1931).

Nadie supo jamás el verdadero nombre de aquel a quien todos llamaban el Caballero Enfermo. No ha quedado de él, después de su impensada desaparición, más que el recuerdo de sus sonrisas y un retrato de Sebastiano del Piombo, que lo representa envuelto en una pelliza, con una mano enguantada que cae blandamente como la de un ser dormido. Alguno de los que más lo quisieron –yo estoy entre esos pocos– recuerda también su cutis de un pálido amarillo, transparente, la ligereza casi femenina de los pasos y la languidez habitual de los ojos.

Era, verdaderamente, un *sembrador de espanto*. Su presencia daba un color fantástico a las cosas más sencillas; cuando su mano tocaba algún objeto, parecía que éste ingresara al mundo de los sueños... Nadie le preguntó nunca cuál era su enfermedad y por qué no se cuidaba. Vivía andando siempre, sin detenerse, día y noche. Nadie supo nunca dónde estaba su casa, nadie le conoció padres o hermanos. Apareció un día en la ciudad y, después de algunos años, otro día, desapareció.

La víspera de este día, a primera hora de la mañana, cuando apenas el cielo empezaba a iluminarse, vino a despertarme a mi cuarto. Sentí la caricia de su guante sobre mi frente y lo vi ante mí, con la sonrisa que parecía el recuerdo de una sonrisa y los ojos más extraviados que de costumbre. Me di cuenta, a causa del enrojecimiento de los párpados, que había pasado toda la noche velando y que debía haber esperado la aurora con gran ansiedad porque sus manos temblaban y todo su cuerpo parecía presa de fiebre.

–¿Qué le pasa? –le pregunté–. ¿Su enfermedad lo hace sufrir más que otros días?

–¿Mi enfermedad? –respondió–. ¿Usted cree, como todos, que yo *tengo* una enfermedad? ¿Que se trata de una enfermedad *mía*? ¿Por qué no decir que yo *soy una enfermedad*? Nada me pertenece. ¡Pero yo soy de alguien y hay alguien a quien pertenezco!

Estaba acostumbrado a sus extraños discursos y por eso no le contesté. Se acercó a mi cama y me tocó otra vez la frente con su guante.

–No tiene usted ningún rastro de fiebre –continuó diciéndome–, está usted perfectamente sano y tranquilo. Puedo, pues, decirle algo que tal vez lo espantará; puedo decirle quién soy. Escúcheme con atención, se lo ruego, porque tal vez no podré repetirle las mismas cosas y es, sin embargo, necesario que las diga al menos una vez.

Al decir esto se tumbó en un sillón y continuó con voz más lata:

–No soy un hombre real. No soy un hombre como los otros, un hombre con huesos y músculos, un hombre generado por hombres. Yo soy

–y quiero decirlo a pesar de que tal vez no quiera creerme– yo no soy más que la figura de un sueño. Una imagen de Shakespeare es, con respecto a mí, literal y trágicamente exacta: *¡yo soy de la misma sustancia de que están hechos los sueños!* Existo porque hay *uno* que me sueña, hay *uno* que duerme y sueña y me ve obrar y vivir y moverme y en este momento sueña que yo digo todo esto. Cuando ese uno empezó a soñarme, yo empecé a existir; cuando se despierte cesaré de existir. Yo soy una imaginación, una creación, un huésped de sus largas fantasías nocturnas. El sueño de este *uno* es tan intenso que me ha hecho visible incluso a los hombres que están despiertos. Pero el mundo de la vigilia no es el mío. Mi verdadera vida es la que discurre lentamente en el alma de mi durmiente creador.

»No se figure que hablo con enigmas o por medio de símbolos. Lo que le digo es la verdad, la sencilla y tremenda verdad.

»Ser el actor de un sueño no es lo que más me atormenta. Hay poetas que han dicho que la vida de los hombres es la sombra de un sueño y hay filósofos que han sugerido que la realidad es una alucinación. En cambio, yo estoy preocupado por otra idea. ¿Quién es el que sueña? ¿Quién es ese *uno,* ese desconocido ser que me ha hecho surgir de repente y que al despertarse me borrará? ¡Cuántas veces pienso en ese dueño mío que duerme, en ese creador mío! Sus sueños deben de ser tan vivos y tan profundos que pueden proyectar sus imágenes hasta hacerlas aparecer como cosas reales. Tal vez el mundo entero no es más que el producto de un entrecruzarse de sueños de seres semejantes a él. Pero no quiero generalizar. Me basta la tremenda seguridad de ser yo la imaginaria criatura de un vasto soñador.

»¿Quién es? Tal es la pregunta que me agita desde que descubrí la materia de que estoy hecho. Usted comprende la importancia que tiene para mí este problema. De su respuesta depende mi destino. Los personajes de los sueños disfrutan de una libertad bastante amplia y por eso mi vida no está determinada del todo por mi origen sino también por mi albedrío. En los primeros tiempos me espantaba pensar que bastaba la más pequeña cosa para despertarlo, es decir, para aniquilarme. Un grito, un rumor, podían precipitarme en la nada. Temblaba a cada momento ante la idea de hacer algo que pudiera ofenderlo, asustarlo, y por lo tanto, despertarlo. Imaginé durante algún tiempo que era una especie de divinidad evangélica y procuré llevar la más virtuosa vida del mundo. En otro momento creí que estaba en el sueño de un sabio y pasé largas noches velando, inclinado sobre los números de las estrellas y las medidas del mundo y la composición de los mortales.

»Finalmente me sentí cansado y humillado al pensar que debía servir de espectáculo a ese dueño desconocido e incognoscible. Comprendí que esta ficción de vida no valía tanta bajeza. Anhelé ardientemente lo que antes me causaba horror, esto es, que despertara. Traté de llenar mi vida con espectáculos horribles que lo despertaran. Todo lo he intentado para obtener el reposo de la aniquilación, todo lo he puesto en obra para interrumpir esta triste comedia de mi vida aparente, para destruir esta ridícula larva de vida que me hace semejante a los hombres. No dejé de cometer ningún delito, ninguna cosa mala me fue ignorada, ningún terror me hizo retroceder. Me parece que aquel que me sueña no se espanta de lo que hace temblar a los demás hombres. O disfruta con la visión de lo más horrible o no le da importancia y no se asusta. Hasta hoy no he conseguido despertarlo y debo todavía arrastrar esta innoble vida, irreal y servil.

»¿Quién me liberará, pues, de mi soñador? ¿Cuándo despuntará el alba que lo llamará a su trabajo? ¿Cuándo sonará la campana, cuándo cantará el gallo, cuándo gritará la voz que debe despertarlo? Espero hace tiempo mi liberación. Espero con tanto deseo el fin de este sueño, del que soy una parte tan monótona.

»Lo que hago en este momento es la última tentativa. Le digo a mi soñador que yo soy un sueño, quiero que él sueñe que sueña. Esto pasa también a los hombres. ¿No es verdad? ¿No ocurre que se despiertan cuando se dan cuenta de que sueñan? Por esto he venido a verlo y le he hablado y desearía que mi soñador se diese cuenta en este momento de que yo no existo como hombre real y entonces dejaré de existir, hasta como imagen irreal. ¿Cree que lo conseguiré? ¿Cree que a fuerza de repetirlo y de gritarlo despertaré sobresaltado a mi propietario invisible?

Al pronunciar estas palabras, el Caballero Enfermo se quitaba y se ponía el guante de la mano izquierda. Parecía esperar de un momento a otro algo maravilloso y atroz.

—¿Cree usted que miento? —dijo—. ¿Por qué no puedo desaparecer, por qué no tengo libertad para concluir? ¿Soy tal vez parte de un sueño que no acabará nunca? ¿El sueño de un eterno soñador? Consuéleme un poco, sugiérame alguna estratagema, alguna intriga, algún fraude que me suprima. ¿No tiene piedad de este aburrido espectro?

Como yo seguía callado, él me miró y se puso en pie. Me pareció mucho más alto que antes y observé que su piel era un poco diáfana.

Se veía que sufría enormemente. Su cuerpo se agitaba, como un animal que trata de escurrirse de una red. La mano enguantada estrechó la mía; fue la última vez. Murmurando algo en voz baja, salió de mi cuarto y sólo *uno* ha podido verlo desde entonces.

GIOVANNI PAPINI
Il tragico quotidiano (1906)

RANI

CARLOS PERALTA, escritor argentino. Autor de un libro satírico, *Manual del gorila;* otro de ensayos, en preparación. Ha sido secretario de redacción o director de varias revistas, colaborando en ellas y en otras publicaciones. Firma su trabajo en sátira y humorismo con el seudónimo Carlos del Peral. Ha hecho numerosas traducciones y trabaja actualmente en libros cinematográficos.

Entre don Pedro el carnicero y yo sólo cabían, por el momento, unas relaciones bastante restringidas. Nuestras vidas eran muy distintas. Para él, existir era cercenar infatigablemente animales en la fétida frescura de la carnicería; para mí, arrancar numerosas hojas de un bloc barato y ponerlas en la máquina de escribir. Casi todos nuestros actos diarios se sujetaban a un ritual distinto. Yo lo visitaba para pagarle mi cuenta, pero no asistía a la fiesta de compromiso de su hija, por ejemplo. Tampoco habría tenido inconveniente alguno en hacerlo, llegado el caso. Sin embargo, lo que más me interesaba no eran las actitudes privadas que yo pudiera tomar sino la búsqueda en general del estrechamiento de las relaciones entre los hombres, de un mayor intercambio entre esos rituales.

Estos pensamientos me ocupaban distraídamente cuando advertí que el dependiente salía llevando a duras penas una canasta con un cuarto de res.

–¿Eso será para el restaurante de la vuelta? –pregunté.

–No. Es para ahí enfrente, el 4.º B.

–Tendrán «frigidaire» –dijo un fantasma verbal femenino que se apoderó de mí.

–Todos los días llevan lo mismo –contestó don Pedro.

–No me diga. ¿Comen todo eso?

–Y si no se lo comen, peor para ellos, ¿no le parece? –dijo el carnicero.

En seguida me enteré de que en el 4.º B vivía un matrimonio solo. El hombre era bajito y «de marrón». La mujer debía de ser muy perezosa, porque siempre recibía al dependiente desaliñada. Aparte de eso y del cuarto de res, que por lo visto era su único vicio, eran gente ordenada. Nunca volvían a su casa después del anochecer, a eso de las ocho en verano y a las cinco en invierno. Una vez, le había contado el portero a don Pedro, habían debido celebrar una fiesta muy ruidosa, porque dos vecinos se quejaron. Parecía que un gracioso había estado imitando voces de animales.

–¡Shhh! –dijo don Pedro llevando a los labios un trágico dedo manchado de sangre. Entró un hombre de marrón: indudablemente el mismo que consumía dos vacas semanales o por lo menos una, si una digna consorte lo ayudaba. Apresurado, no me vio. Sacó la cartera y empezó a contar billetes grandes, muy nuevos.

–Cuatro mil –dijo–. Seiscientos... dos. Aquí tiene.

–Hola, Carracido –le dije–. ¿Se acuerda de mí? –Lo había conocido años antes. Era abogado–: Parece que somos vecinos.

–¿Qué dice, Peralta? ¿Cómo le va? ¿Vive cerca? –preguntó con su vieja cordialidad administrativa.

–Al lado de su casa. A usted le va bien, por lo visto. ¿Comiendo mucho, no?

–No –dijo–. Yo con cualquier cosita me arreglo. Y además, usted comprende, el hígado.

–¿Y entonces, cómo...?

–Ah, ¿usted lo dice por la carne? No, eso es otra cosa. –Pareció ensombrecerse y luego profirió una especie de risa falsa, parecida a la tos–. Tengo mucho que hacer. Adiós, amigo. Véngase una tardecita, temprano, un sábado, o un domingo, a casa. Yo vivo ahí en el 860, 4.º B. –Vaciló–. Sabe, me gustaría charlar con usted. –Juraría que hubo en su voz un elemento suplicante, que me intrigó.

–Voy a ir –le contesté–. Hasta el sábado.

Don Pedro lo siguió con la mirada.

–Vaya a saber qué le ocurre –dijo–. Cada familia es un mundo.

Años pasan sin que uno vea algún antiguo compañero del colegio, de la universidad, de un lugar donde ha trabajado: ese día me encontré con dos. Primero Carracido, después Gómez Campbell. Con el último fui a tomar café en el Boston, y le conté que había visto a Carracido. Lo recordó y no le gustó el recuerdo: era evidente.

—No me gusta ese tipo —dijo después—. Es un bicho lleno de líos y de vueltas.

—A mí me parece inofensivo —comenté.

Calló mientras el mozo servía el café.

—Yo lo conocí hace muchos años —dijo—. Antes de entrar en el Ministerio estaba en el Banco de Créditos. Ya se había casado. Fíjese que tuve que denunciarlo porque se había llevado un montón de dinero a las carreras. Casi lo echan, pero era amigo del gerente y pudo devolver lo que faltaba y se salvó. Después lo nombraron asesor en el Ministerio: pelechó el hombre. También, creo, recibió una herencia.

Este Gómez Campbell, todavía no le he dicho, era bastante canalla.

—Yo, palabra —siguió Gómez—, me alegré y fui a felicitarlo. ¿Sabe lo que me dijo? «Cállese, hipócrita», así me calificó. A mí, que iba el primero a saludarlo, con los brazos abiertos, con la mayor estima. Y eso no puede ser. El hombre tiene que saber olvidar las rencillas y las pequeñeces. Y si no sabe, como este Carracido, más tarde o más temprano lo castigan. —Hizo una pausa para recalcar la severidad de su admonición: Por él conseguí el puesto, después de mucho andar. Y ahora, sabe, creo que le va mal con la mujer. Ella anda por su lado y él por el suyo. Se ve que es demasiado linda y le queda grande; y como la herencia era del suegro, un montón de casas, se la tiene que aguantar.

La orquesta destruía alegremente un valsecito.

—Por mí, que reviente —concedió Gómez Campbell—. Y vea lo que son las cosas: ha andado haciendo papelones con todas las empleadas del Ministerio. La mujer no le llevará el apunte, claro.

Pronto nos despedimos. En seguida se agotó ese encuentro fortuito sostenido por el vilipendio y la curiosidad. Gómez Campbell me dio la mano fríamente y se perdió en Florida. Cada vez me resultaba más apasionante Carracido, gran carnívoro, don Juan, casado con mujer hermosa y presumiblemente infiel, bastante carrerista y algo ladrón. La verdad, nunca conocemos a nadie.

El sábado pensé en ir temprano, pero no pude. Me había propuesto terminar un cuento que debía entregar el lunes (tal vez este mismo) y no lo logré. Me bañé, me cambié de ropa, me sentí un poco frustrado y fui hasta el 860, 4.º B. Eran las siete y media. Carracido me recibió muy correcto, pero un poco inquieto, abriendo la puerta muy gradualmente.

—Hola —dijo—. No lo esperaba. Se le ha hecho un poco tarde.

–Hombre, si tiene otra cosa que hacer, lo dejamos para mañana o pasado.

–No –dijo con genuina cordialidad–. No, pase. Un segundo, que llamo a mi mujer.

Los muebles eran de diversos estilos, pero no se acomodaban con mal gusto. Lo único chocante era el quillango que cubría el diván, rasgado a lo largo como con un cuchillo y casi partido en dos. Por otra parte, las patas del diván estaban demasiado abiertas hacia afuera. Acaricié el quillango y lo dejé al oír la voz de Carracido.

–Esta es Rani –dijo.

La miré fascinado. Todo lo que se diga será poco. No sé, no creo haber visto nunca una mujer más hermosa, unos ojos verdes más intensos, un andar más ponderable y delicado. Me levanté y le di la mano, sin dejar de mirarla en los ojos. Bajó levemente los párpados y se sentó a mi lado en el diván, silenciosa, sonriente, con una fácil gracia felina. Haciendo un esfuerzo aparté de ella la vista y miré hacia la ventana, pero sin dejar de recordar esas piernas que se movían con la suavidad y el empuje de las olas. Afuera, sólo manchaba el azul blando del atardecer de Buenos Aires una rápida nube que en ese preciso instante pasaba del cobrizo al morado. Un ruido incongruente me distrajo: Carracido tamborileaba con las uñas sobre la mesa a la velocidad de un tren expreso. Lo miré y se detuvo.

–Rani, ya debe estar listo tu baño –dijo.

–Sí, querido –respondió ella amorosamente, estirando la mano, cerrada y apretada, sobre el quillango.

–Rani –insistió Carracido.

«Orden tácita», pensé. «Está celoso; quiere que se vaya.»

La mujer se levantó y desapareció por una puerta. Antes volvió la cabeza y me miró.

–Podríamos ir a tomar un trago al bar –sugirió Carracido. Me dio rabia y le dije:

–Lástima. Se está bien aquí. Preferiría quedarme, si no le molesta.

Vaciló, pero su cordialidad volvió y también ese aire de súplica que yo había visto antes, esa vocación de perro.

–Bueno, sí –dijo–. Tal vez, después de todo, sea mejor. Sabe Dios lo que es mejor. –Fue hasta el aparador, trajo una botella y dos vasos. Antes de sentarse, miro el reloj.

«Gómez Campbell tiene razón», –me dije.–. «Éste debe sobrellevar los caprichos de la señora con más naturalidad que un buey.»

Y en ese momento empezó el ronroneo. Primero lento, bajo, profundo; después más violento. Era un ronroneo, pero ¡qué ronroneo! Me parecía tener la cabeza dentro de una colmena. Y no podía haberme mareado con una copa.

—No es nada —dijo solícitamente Carracido—. Después pasa.

El ronroneo partía de las habitaciones interiores. Lo siguió un estallido sonoro que me puso en pie instantáneamente.

—¿Qué fue eso? —grité, avanzando hacia la puerta.

—Nada, nada —respondió él con firmeza, poniéndose en el paso.

No le contesté; lo aparté con tal violencia que cayó hacia un lado, sobre un sillón.

—¡No grite! —dijo estólidamente. Y después—: ¡No se asuste! —Yo ya había abierto la puerta. Al principio no vi nada; luego, una forma sinuosa se me acercó en la oscuridad.

Era un tigre. Un enorme tigre, totalmente fuera de lugar, rayado, pavoroso y avanzando. Retrocedí; como en un sueño, sentí que Carracido me tomaba del brazo. Volví a empujarlo, esta vez hacia adelante, llegué a la puerta de entrada, abrí y me metí en el ascensor. El tigre se detuvo delante de mí. Tenía en el lustroso cuello el collar de amatistas de Rani. Me cubrí los ojos para no ver sus ojos verdes, y apreté el botón.

El tigre me siguió por la escalera, a grandes saltos. Volví a subir y él subió. Bajé, y esta vez se cansó del juego; lanzó un triunfante resoplido y salió a la calle. Volví al departamento.

—¿Por qué no me hizo caso? —dijo Carracido—. ¡Ahora se ha ido, imbécil! —Se sirvió un vaso lleno de whisky y lo bebió de un trago. Lo imité. Carracido apoyó la cabeza en sus brazos y sollozó.

—Yo soy un hombre tranquilo —hipó—. Me casé con Rani sin soñar que de noche se convertía en tigre.

Se disculpaba. Era increíble pero se disculpaba.

—No sabe usted lo que fueron los primeros tiempos, cuando vivíamos en las afueras... —empezó, como cualquiera que cuenta una confidencia.

—¡Qué me importa dónde vivieron! —exclamé exasperado—. Hay que llamar a la policía, al zoológico, al circo. ¡No se puede dejar un tigre suelto en la calle!

—No, pierda cuidado. Mi señora no hace daño a nadie. A veces asusta un poco a la gente. No se queje —agregó ya un poco borracho—; yo le dije a usted que viniera temprano. Y lo peor es que no sé qué hacer; el mes pasado tuve que malvender un terreno para pagarle al carnicero...

Bebió como una bestia dos o tres vasos seguidos.

—Dicen que hay un hindú, aquí en Buenos Aires... un mago... lo voy a ver uno de estos días; tal vez pueda hacer algo.

Calló y siguió sollozando suavemente.

Fumé un rato largo. Imaginé, qué pesadilla, algunas escenas habituales de su vida. Rani desvencijando el diván, porque ningún retozo le estaba permitido. Rani devorando la carne cruda en algún momento de la noche, o deslizando su largo cuerpo entre el mobiliario. Y Carracido, allí, mirándola... ¿cuándo dormiría?

—Bumburumbum —dijo Carracido, definitivamente borracho. Dejó caer la cabeza al costado, inerte, como una cosa. Paulatinamente, un tranquilo ronquido reemplazó su llanto. Por fin había vuelto al mundo sencillo de los oficios, los escritos, los expedientes. Debajo del sillón había un huesecito.

Me quedé hasta que llegó el día. Yo también debí dormir. A eso de las siete tocaron el timbre. Abrí; era Rani. Venía despeinada, con la ropa en desorden, las uñas sucias. Parecía confusa y avergonzada. Volví la cabeza para no herirla, la dejé entrar, salí y me fui. Tenía razón don Pedro: cada familia es un mundo.

Después me mudé de barrio. Muchos meses más tarde, es curioso cómo se encadenan las cosas que uno, para no desesperar, cree casuales, volví a encontrarme con Gómez Campbell, una noche en un bar de Rivadavia al cinco mil, frente a la plaza. Le conté la historia: tal vez él me creyó loco, y cambió el tema. Salimos, caminando en silencio por la plaza, y vimos a Carracido con un perrazo enorme. Un perro grande, verdad, pero manso y tranquilo, con un collar de amatistas. Juraría que me miró con sus anchos ojos verdes. Su dueño no nos había visto.

—¡El hindú! —exclamé—. Pobre Carracido, parece que su problema se alivió un poco. ¿Vamos a ver al matrimonio?

—Dejá —dijo Gómez Campbell, disgustado y atemorizado—. No lo saludes. A mí no me gustan estas cosas. Yo soy un tipo derecho. Con esos individuos lo mejor es no meterse.

En vano le dije que consideraba perjudicial esa distancia que se mantiene entre hombre y hombre en Buenos Aires, ese desagrado por las rarezas de los demás, en vano le aconsejé comprensión y tolerancia. Creo que ni me oyó.

CARLOS PERALTA

PUNTO MUERTO

BARRY PEROWNE. Ninguna información relativa a este autor hemos logrado. Lo sabemos contemporáneo; lo sospechamos inglés.

Annixter sintió por el hombrecillo un cariño de hermano. Le puso un brazo sobre sus hombros, un poco por cariño y otro poco para no caerse. Había estado bebiendo concienzudamente desde las siete de la tarde anterior. Era casi medianoche, y las cosas estaban algo confusas. En el vestíbulo no cabía el estruendo de la caliente música; dos escalones más abajo, había muchas mesas, mucha gente y mucho ruido. Annixter no tenía la menor idea de cómo se llamaba ese lugar, ni cuándo, ni cómo había ido. Desde las siete de la víspera había estado en tantos lugares...

—En un santiamén —dijo Annixter, apoyándose pesadamente el hombrecillo—, una mujer nos da un puntapié, o el destino nos da un puntapié. En realidad es la misma cosa: una mujer y el destino. ¿Y qué? Uno cree que todo se acabó, y sale y cavila. Se sienta, y bebe y cavila, y al final se encuentra con que ha estado incubando la mejor idea de su vida. Y así se empieza —dijo Annixter—, y esa es mi filosofía, ¡cuanto más fuerte le pegan al dramaturgo, tanto mejor trabaja!

Gesticulaba con tal vehemencia que se hubiera desplomado si el hombrecillo no lo hubiera contenido. El hombrecillo era de fiarse, su puño era firme. Su boca también era firme: una línea recta, descolorida. Usaba anteojos hexagonales, sin aro, un sombrero duro de fieltro, un pulcro traje gris. Parecía pálido y relamido junto al congestionado Annixter.

Desde el mostrador, la muchacha del guardarropa los miraba indiferente.

—¿No le parece —dijo el hombrecillo—, que es hora de volver a su casa? Me enorgullece que usted me haya contado el argumento de su pieza, pero...

—¡Tenía que contárselo a alguien —dijo Annixter—, o me iba a estallar la cabeza! ¡Ah, muchacho, qué drama! ¿Qué asesinato, eh? Ese final...

Su plena y deslumbrante perfección lo asombró de nuevo. Se quedó serio, meditando, hamacándose, y de repente buscó a tientas la mano del hombrecillo, y la apretó calurosamente.

—Siento no poder quedarme —dijo Annixter—. Tengo que hacer.

Se puso el sombrero abollado, inició un movimiento un tanto elíptico a través del vestíbulo, embistió las puertas dobles, las abrió con las dos manos, y se sumió en la noche.

Su imaginación exaltada la veía llena de luces, parpadeando y guiñando en la oscuridad. *Cuarto Sellado* de James Annixter. No. *Cuarto Reservado* de James... No, no. *Cuarto Azul,* de James Annixter...

Dio unos pasos, absorto, dejó la acera, y un taxi que doblaba hacia el lugar que él acababa de dejar, patinó con las ruedas trabadas y chirriantes en la húmeda calzada.

Annixter sintió un golpe violento en el pecho, y todas las luces que había estado viendo explotaron en su rostro.

Y ya no hubo más luces.

James Annixter, el dramaturgo, fue atropellado anoche por un taxi, al salir de «Casa Habana». Después de ser atendido en el hospital por conmoción cerebral y lesiones leves, se reintegró a su domicilio.

En el vestíbulo de «Casa Habana» no cabía el estruendo de la cálida música; dos escalones más abajo, muchas mesas, mucha gente, y mucho ruido. La muchacha del guardarropa miró a Annixter, asombrada, al parche de la frente, al brazo izquierdo en cabestrillo.

–¡Caramba! –dijo la muchacha–, ¡no esperaba verlo tan pronto por acá!

–¿Entonces se acuerda de mí? –dijo Annixter, sonriendo.

–A la fuerza –dijo la muchacha–. ¡Me dejó sin dormir toda la noche! Oí esas frenadas chirriantes justo al salir usted. ¡Luego una especie de choque! –Se estremeció– Y seguí oyéndolo toda la noche. Lo oigo todavía, después de una semana. ¡Es horrible!

–Es usted muy sensible –dijo Annixter.

–Tengo demasiada imaginación –concedió la muchacha del guardarropa–. Sabía que era usted antes de correr a la puerta y verlo allí tendido en la calle. El hombre que hablaba con usted estaba parado en la puerta. «Santo cielo!», le dije, «¿es su amigo?»

–¿Y él, qué dijo? –preguntó Annixter.

–«No es mi amigo», dijo. «Es alguien que acabo de encontrar.» Raro, ¿no?

Annixter se humedeció los labios.

–¿Qué quiere decir? *Era* alguien con quien acababa de encontrarse.

–Sí, pero un hombre con el que habían bebido juntos –dijo la muchacha–, muerto delante de él, porque él debió verlo; salió detrás suyo. Podía pensarse que a lo menos se interesaría. Pero cuando el conductor del taxi empezó a llamar testigos de su inocencia, miré por el hombre, ¡había desaparecido!

Annixter cambio una mirada con Ransome, su representante, que lo acompañaba. Una mirada ansiosa y perpleja. Pero sonrió luego a la muchacha del guardarropa.

—Muerto delante de él —dijo Annixter—, no. Sólo un tanto vapuleado, eso es todo.

No era necesario explicar cuán curioso, cuán extravagante, había sido el efecto de aquel «vapuleo» en su mente.

—Si se hubiera visto, ahí en el suelo iluminado con las luces del taxi.

—¡Ah, de nuevo esa imaginación suya! —dijo Annixter. Titubeó un instante y luego hizo la pregunta que había venido a hacer, la pregunta que tenía para él tan profunda importancia.

—Ese hombre con quien yo hablaba, ¿quién era?

La encargada del guardarropa los miró y sacudió la cabeza.

—Nunca lo había visto antes, y no he vuelto a verlo después.

Annixter sintió como si le hubieran golpeado en la cara.

Había esperado, esperado desesperadamente otra respuesta.

Ransome le puso la mano en el brazo, conteniéndolo.

—Ya que estamos aquí, beberemos algo.

Bajaron dos gradas para entrar en la sala donde la banda trompeteaba. Un mozo los condujo a una mesa y Ransome pidió algo.

—Es inútil importunar a la muchacha —dijo Ransome—. No conoce al hombre, es evidente. Mi consejo es: no te preocupes. Piensa en otra cosa. Date tiempo. Después de todo no hace más que una semana desde...

—¡Una semana! —dijo Annixter—. ¡Y lo que he hecho en una semana! Los dos primeros actos, y el tercero justo hasta ese punto muerto. ¡La culminación del asunto, la solución, la escena eje del drama! ¡Si la hubiera hecho, Bill, todo el drama, lo mejor que he hecho de mi vida, estaría concluido en dos días, si no hubiera sido por esto —se golpeó la frente—, ese punto muerto, esa maldita jugarreta de la memoria!

—Tuviste una buena sacudida.

—¿Eso? —dijo Annixter despectivamente. Bajó la vista sobre el brazo en cabestrillo—, ni siquiera lo sentí; ni me preocupó. Me desperté en la ambulancia con mi pieza tan clara en la mente como en el momento en que el taxi me atropelló; más, tal vez, porque estaba completamente lúcido y sabía lo que valía. Una fija ¡algo que no puede errar!

—Si hubieras descansado —dijo Randsome—, como el médico dijo, en vez de sentarte en cama a escribir día y noche.

—Tenía que escribirlo. ¿Descansar? —dijo Annixter, con risa ronca—. No se descansa cuando se tiene una cosa así. Se vive para eso, cuando uno es un autor dramático. Eso *es* vivir. He vivido ocho vidas, en esos ocho personajes, en los últimos cinco días. He vivido tan plenamente en ellos, Bill, que sólo al querer escribir esa última escena comprendí lo que había perdido. ¡Todo mi drama! ¡Sólo eso! ¿Cómo Cynthia fue herida en ese cuarto sin ventanas en el que se había encerrado con llave? ¿Cómo hizo el asesino para entrar? Docenas de escritores, mejores que yo, han tratado el tema del cuarto cerrado y nunca tan convincentemente; nunca lo han resuelto. Yo lo tenía, ¡ayúdame, Dios mío!, lo tenía: sencillo, perfecto, deslumbrantemente claro cuando se ha visto una vez. ¡Y ese es el drama, el telón se levanta en ese cuarto hermético y cae en él! ¡Esa era mi revelación! He pasado dos días y dos noches, Bill, tratando de recuperar esa idea. No quiere volver. Soy un escritor experimentado; conozco mi oficio, podría acabar mi pieza, pero sería como las demás ¡imperfecta, falsa! ¡No sería *mi pieza*! Pero por ahí anda un hombrecillo, en algún lugar de esta ciudad, un hombrecillo con lentes hexagonales, que posee mi idea. Que la posee porque yo se la he contado. ¡Voy a buscar a ese hombrecillo y a recuperar lo mío!

Si el caballero que en la noche del 27 de enero, en la «Casa Habana», escuchó con tanta paciencia a un escritor que le refirió un argumento, quisiera comunicarse con la dirección más abajo apuntada, oiría algo ventajoso para él.

Un hombrecillo que había dicho: «No es mi amigo; es alguien que acabo de encontrar».

Un hombrecillo que vio el accidente pero que no quiso esperar para servir de testigo.

La muchacha del guardarropa tenía razón. *Había* algo un poco raro en eso.

Los días siguientes, cuando el aviso no recibió respuesta, empezó a parecerle a Annixter más que un poco raro.

Su brazo ya no estaba en cabestrillo, pero no podía trabajar. Una y otra vez, se sentaba ante el manuscrito casi terminado, lo leía con prolija y torva atención, pensando: ¡*Debe* volver otra vez!, para encontrarse de nuevo ante ese punto muerto, ante ese muro, ante ese lapsus de la memoria. Abandonaba su trabajo y rondaba las calles; se metía en bares y cafés; andaba millas en ómnibus y subterráneos, especialmente en las horas de más afluencia. Vio miles de caras, pero no la cara del hombrecillo de lentes hexagonales.

Pensar en él fue la obsesión de Annixter. Era injusto, era enfurecedor, era una tortura el pensar que un pequeño y vulgar azar hacía que un ciudadano anduviera tranquilamente por ahí con el último eslabón de la famosa pieza de James Annixter, la mejor que había escrito, encerrada en su cabeza. Y sin darse cuenta de su valor: sin la imaginación necesaria, probablemente, para apreciar lo que tenía. ¡Y sin la menor idea, con toda seguridad, de lo que esto significaba para Annixter! ¿O tenía alguna idea? ¿No era, tal vez, tan vulgar como le pareció? ¿Había visto esos anuncios? ¿Estaba urdiendo algo para aplastar a Annixter?

Cuanto más pensaba Annixter, más se convencía de que la muchacha del guardarropa tenía razón. Había algo bastante raro en la actitud del hombrecillo, después del accidente.

La imaginación de Annixter giraba en torno del hombre que buscaba, tratando de escudriñar su mente, de encontrar razones por su desaparición después del accidente, por su descuido en responder los avisos.

Annixter tenía una activa imaginación dramática.

El hombrecillo que le pareció tan vulgar empezó a tomar una forma siniestra en la mente de Annixter.

Pero apenas se encontró con el hombrecillo, comprendió cuán absurdo era eso. Era ridículo. El hombrecillo era tan decente; sus hombros tan derechos; su traje gris tan pulcro; su fieltro negro tan bien colocado en la cabeza.

Las puertas del tranvía subterráneo acababan de cerrarse, cuando Annixter lo vio parado en la plataforma con una valijita en la mano, y un diario de la tarde bajo el otro brazo. La luz del coche brilló en su cara pálida y estirada; los lentes hexagonales resplandecieron. Se volvió hacia la salida mientras Annixter, arremetiendo las puertas semicerradas del coche, se apretujó entre ellas hasta la plataforma.

Estirando la cabeza para mirar sobre el gentío, Annixter se abrió paso a codazos, subió de dos en dos la escalera y puso la mano en el hombro del hombrecillo.

—Un momento —dijo Annixter—. Lo he estado buscando.

El hombrecillo se detuvo en el acto, al sentir la mano de Annixter. Luego se dio vuelta y lo miró. Tras los lentes hexagonales sus ojos eran pálidos, de un gris pálido. La nuca era una línea recta, casi descolorida.

Annixter sentía por el hombrecillo un cariño de hermano. El solo hecho de haberlo encontrado era un alivio tan grande como si una nube negra se hubiera alejado de su espíritu. Palmeó al hombrecillo cariñosamente.

—Tengo que hablar con usted —le dijo Annixter—. Sólo un momento. Vamos a algún lado.

–No puedo imaginar de qué tiene que hablarme –dijo el hombrecillo.

Se hizo un poco a un lado, para dar paso a una mujer. El gentío disminuía, pero todavía había gente que subía y bajaba la escalera. El hombrecillo miró a Annixter, interrogativamente cortés.

–Claro que no –dijo Annixter–, es algo tan estúpido. Se trata de aquel argumento.

–¿Argumento?

Annixter tuvo un débil sobresalto.

–Mire –dijo–, yo estaba borracho esa noche, ¡muy borracho! Pero recordando, tengo la impresión de que usted estaba completamente fresco. ¿No es así?

–Jamás en mi vida he estado borracho.

–¡Gracias a Dios! –dijo Annixter–. Entonces no tendrá dificultad en recordar el pequeño punto que quiero que recuerde.

–No entiendo –dijo el hombrecillo–. Estoy seguro de que usted me toma por otro. No tengo la menor idea de lo que me dice. No lo he visto jamás en mi vida. Disculpe. Buenas noches.

Se dio vuelta y empezó a subir la escalera. Annixter lo contempló azorado. No podía creer a sus oídos. Por un instante se quedó absorto, luego una oleada de ira y de sospecha barrió su asombro. Subió la escalera y agarró al hombrecillo por un brazo.

–Un momento –dijo Annixter–. Podía estar ebrio, pero...

–Me parece evidente –dijo el hombrecillo–. ¿Quiere quitarme la mano de encima?

Annixter se dominó.

–Disculpe –dijo–. Déjeme arreglar esto; dice que jamás me ha visto. Entonces, ¿entonces no estaba usted en «Casa Habana» el 27, entre las diez y las doce de la noche? ¿No bebió conmigo un par de copas, y escuchó el argumento de un drama que se me acababa de ocurrir?

El hombrecillo miró a Annixter fijamente.

–Jamás lo he visto; ya se lo he dicho.

–¿No vio que un taxi me atropelló? –prosiguió diciendo Annixter, ansioso–. ¿No le dijo a la muchacha del guardarropa: «No es un amigo, es alguien con quien me acabo de encontrar»?

–No sé de qué me habla –dijo el hombrecillo lacónicamente.

Se dispuso a retirarse, pero Annixter volvió a prendérsele del brazo.

–No sé –dijo Annixter entre dientes– nada de sus asuntos personales, ni quiero saber. Puede tener algún motivo para no desear servir de testigo en un accidente de tráfico. Puede tener algún motivo para proceder de ese modo. Ni lo sé ni me importa. Pero es un hecho. ¡Usted es el hombre a quien relaté mi drama! Quiero que me diga como yo se lo dije; tengo motivos, motivos personales, que me conciernen, solamente a mí. Quiero que me devuelvan mi cuento, es todo lo que quiero. No quiero saber quién es usted, ni nada de usted, *lo único que quiero es que me cuente ese cuento.*

—Pide un imposible —dijo el hombrecillo—, un imposible, porque nunca lo he oído.

—¿Se trata de dinero? Dígame cuánto quiere; se lo daré. ¡Ayúdeme, llegaré hasta a darle una participación en el drama! Eso significa dinero. Lo sé, porque conozco mi oficio. Y tal vez, tal vez —dijo Annixter, asaltado por una idea súbita—, usted también lo conoce, ¿eh?

—Usted está loco o borracho —dijo el hombrecillo. Con un brusco movimiento liberó su brazo y corrió por la escalera. Abajo se sentía retumbar un coche. La gente se atropellaba. El hombrecillo se metió entre la gente y se perdió con asombrosa celeridad.

Era pequeño, liviano y Annixter era pesado. Cuando éste llegó a la calle, no había rastros del hombrecillo.

Había desaparecido.

¿Tendría la idea, pensaba Annixter, de robarle el argumento? ¿Por alguna extraña casualidad, alimentaba el hombre la ambición fantástica de ser dramaturgo? ¿Había tal vez pregonado sus preciosos manuscritos, en vano, por todas las empresas? ¿Se le había aparecido el argumento de Annixter como un resplandor enloquecedor en la oscuridad del desengaño y el fracaso, como algo que podía robar impunemente porque le había parecido la inspiración casual de un borracho, que a la mañana siguiente olvidaría que había incubado algo más que un pasatiempo?

Bebió otra copa. Ya iban quince desde que el hombrecillo de los lentes hexagonales se le escapó, y iba llegando al grado en que perdía la cuenta de los lugares en que había bebido. Era el grado en que empezaba a mejorar y su mente a trabajar.

Imaginaba cómo se había sentido el hombrecillo al oír el argumento entre su hipo y cómo gradualmente lo había ido comprendiendo.

—¡Dios mío! —había pensado el hombrecillo—. Tengo que apropiármelo. Está ebrio o borracho como una cuba. ¡Mañana no recordará una palabra! Adelante, adelante, señor. ¡Siga hablando!

También era ridícula la idea de que de Annixter olvidara su pieza a la mañana siguiente; Annixter olvidaba otras cosas y hasta cosas importantes, pero nunca en su vida había olvidado el menor detalle dramático.

Salvo una vez porque un taxi lo había derribado. Annixter bebió otra copa. Le hacía falta. Ahora estaba en lo suyo. No había ningún hombrecillo de lentes hexagonales para iluminar ese punto oscuro. Tenía que hacerlo. ¡De algún modo!

Tomó otra copa. Ya había bebido muchas más. El bar estaba repleto y ruidoso, pero él no notaba el ruido, hasta que alguien le golpeó el hombro. Era Ransome.

Annixter se levantó, apoyándose con los nudillos en la mesa.

–Mira, Bill –dijo Annixter–. ¿Qué te parece? Un hombre olvida una idea, ¿ves? Quiere recuperarla, ¡la recupera! La idea viene de adentro para afuera, ¿verdad? Sale afuera, vuelve adentro. ¿Cómo es eso?

Se tambaleó, observando a Ransome.

–Mejor será que tomes un traguito –dijo Ransome–. Tengo que considerar bien eso.

–Yo –dijo Annixter–, ¡ya lo he considerado! –se encajó el sombrero deformado en la cabeza.– Hasta pronto, Bill. ¡Tengo mucho que hacer!

Salió haciendo eses en busca de la puerta y de su departamento. Fue José, su servidor, quien le abrió la puerta del departamento, unos veinte minutos después. José abrió la puerta mientras Annixter describía círculos infructuosamente alrededor de la cerradura.

–Buenas noches, señor –dijo José.

Annixter se quedó mirándolo.

–No le he dicho que se quede esta noche.

–No tenía motivos para salir, señor –explicó José.

Ayudó a Annixter a quitarse el abrigo.

–Me gusta una velada tranquila de vez en cuando.

–Tiene que irse de aquí –dijo Annixter.

–Gracias, señor –dijo José–. Pondré algunas cosas en una valija.

Annixter entró en su gran biblioteca, y se sirvió una copa. El manuscrito de su drama estaba sobre el escritorio. Annixter, tambaleándose un poco, con el vaso en la mano, se detuvo mirando incómodo a la descuidada pila de papel amarillo, pero no empezó su lectura. Esperó hasta oír girar la llave de José que salía, cerrando tras él la puerta de la calle, y entonces recogió el manuscrito, la jarra y el vaso y la cigarrera. Cargado con esto entró en el *hall*, y lo atravesó hasta la puerta del cuarto de José.

Por dentro, la puerta tenía un pasador, y el cuarto era el único sin ventana en el departamento: cosas que lo hacían el único posible para sus fines.

Con la mano encendió la luz.

Era un cuartito sencillo, pero Annixter notó, con una sonrisa, que la colcha y el almohadón en la usada silla de paja eran azules. *Cuarto Azul*, de James Annixter.

Era evidente que José había estado acostado en la cama, leyendo el diario de la tarde; el diario estaba sobre la colcha arrugada, y la almohada estaba hundida en parte. Junto a la cabecera de la cama, frente a la puerta, había una mesita cubierta de cepillos y de lienzos.

Annixter los tiró al suelo. Colocó encima de la mesa su manuscrito, la jarra, el vaso y los cigarrillos, y se dirigió a la puerta y le echó el cerrojo. Acercó la silla de paja a la mesa, se sentó y encendió un cigarrillo.

Se recostó en la silla fumando, dejando la mente tranquila en el ambiente deseado, el ambiente espiritual de Cynthia, la mujer de su drama, la mujer tan asustada que se había encerrado completamente, en un cuarto sin ventanas, un cuarto hermético.

—Así se sentó —se dijo Annixter—, justo como estoy sentado yo: en un cuarto sin ventanas, con la puerta cerrada con un pasador. Sin embargo, él la alcanzó. La alcanzó con un cuchillo, en un cuarto sin ventanas, con la puerta cerrada con un pasador. *¿Cómo lo hizo?*

Había una manera de hacerlo. Él, Annixter, había pensado en ese medio, lo había concebido, lo había inventado y olvidado. Su idea había creado las circunstancias. Ahora, deliberadamente reproducía las circunstancias, para recuperar la idea. Había puesto su persona en la posición de la víctima, para que su mente pudiera recuperar el procedimiento perdido. Todo estaba tranquilo: ni un sonido en el cuarto ni en el departamento. Annixter estuvo inmóvil por largo rato. Así quedó hasta que la intensidad de su concentración comenzó a flaquear. Se oprimió la frente con las palmas de las manos, y luego agarró la jarra. Se echó un buen trago. Casi había recobrado lo que buscaba, lo sentía cerca, casi al borde.

—Calma —se dijo—, tómalo con calma, descansa. Afloja. Ensaya de nuevo un instante.

Miró a su alrededor buscando algo que lo distrajera y tomó el diario de José.

A las primeras palabras que cayeron bajo su vista se le detuvo el corazón.

La mujer en cuyo cuerpo descubrieron tres puñaladas, las tres mortales, yacía en un cuarto sin ventana, cuya única puerta estaba cerrada por dentro con llave y pasador. Estas precauciones excesivas parece que eran habituales, y no hay duda de que temía constantemente por su vida, pues la policía la sabía chantajista contumaz y despiadada.

Al singular problema de las circunstancias del cuarto herméticamente cerrado se añade el problema de cómo el crimen puede haber estado oculto durante tanto tiempo, pues el médico estima, según las condiciones del cadáver, que debió cometerse hace doce o catorce días.

Hace doce o catorce días.

Annixter volvió a leer el resto de la historia; luego dejó caer el diario al suelo. Le latían las sienes con fuerza. Tenía el rostro lívido. ¿Doce o catorce días? Podía ser exacto. *Hacía trece noches justas que él estuvo en «Casa Habana» y contó a un hombrecillo de lentes hexagonales cómo matar a una mujer en un cuarto cerrado.*

Annixter quedó sin moverse un instante. Luego llenó un vaso. Era grande y le hacía falta. Sintió una curiosa sensación de asombro, de espanto. Él y el hombrecillo estaban en idéntico aprieto hace trece noches. Ambos ultrajados por una mujer. Como resultado, uno había concebido un drama de crimen. El otro había llevado el drama a la realidad.

–¡Y yo, esta noche, le ofrecía una participación! –pensó Annixter–. Le hablé de dinero en *efectivo.*

Se oyó una carcajada. Todo el dinero del mundo no haría confesar al hombrecillo que había visto alguna vez a Annixter, ese Annixter que le había contado el argumento de un drama en el que se mataba a una mujer en un cuarto cerrado. Porque él era la única persona del mundo que podía denunciarlo. Aun si no podía decirles, porque lo había olvidado, de qué manera el hombrecillo había cometido el crimen, podía poner sobre su pista a la policía, podía dar sus señas, para que lo localizaran. Y una vez sobre su pista, la policía buscaría los vínculos, casi inevitablemente, con el crimen.

Idea rara, que él, Annixter era probablemente la única amenaza, el único peligro, para el pulcro, pálido hombrecillo de lentes hexagonales. La única amenaza y, por supuesto, el hombrecillo lo sabía muy bien. Un peligro mortal desde el descubrimiento del asesinato en el cuarto cerrado. Ese descubrimiento se acababa de publicar esta noche y el hombrecillo pudo haber tomado la suya, la pista de Annixter.

Annixter había despachado a José. El criminal estaría por caer sobre Annixter, solo en el departamento, solo en el cuarto sin ventanas, con la puerta cerrada por dentro con llave y pasador, a sus espaldas.

Annixter sintió un súbito terror, salvaje, glacial.

Medio se levantó, pero demasiado tarde.

Demasiado tarde, porque en ese instante se deslizó la hoja del puñal, fina, penetrante y delicada, en sus pulmones, entre las costillas.

La cabeza de Annixter fue inclinándose lentamente hacia adelante hasta que su mejilla descansó sobre el manuscrito del drama. Sólo se oyó un sonido, un sonido raro, confuso, algo parecido a una risa.

Annixter, de pronto, había recordado.

BARRY PEROWNE

EL LOBO

CAYO PETRONIO ÁRBITRO, probable autor del *Satiricón*, vivió y murió en el siglo I del Imperio. Sobre este escritor no hay más datos que los proporcionados por Tácito. (*Anales*, libro XVI, capítulos XVII, XVIII, XIX). Del *Satiricón*, vasta novela de aventuras, quedan fragmentos en prosa y en verso.

Logré que uno de mis compañeros de hostería –un soldado más valiente que Plutón– me acompañara. Al primer canto del gallo emprendimos la marcha; brillaba la luna como el sol a mediodía. Llegamos a unas tumbas. Mi hombre se para; empieza a conjurar astros; yo me siento y me pongo a contar las columnas y a canturrear. Al rato me vuelvo hacia mi compañero y lo veo desnudarse y dejar la ropa al borde del camino. De miedo se me abrieron las carnes; me quedé como muerto: lo vi orinar alrededor de su ropa y convertirse en lobo.

Lobo, rompió a dar aullidos y huyó al bosque.

Fui a recoger su ropa y vi que se había transformado en piedra. Desenvainé la espada y temblando llegué a casa. Melisa se extrañó de verme llegar a tales horas. «Si hubieras llegado un poco antes», me dijo, «hubieras podido ayudarnos: un lobo ha penetrado en el redil y ha matado las ovejas; fue una verdadera carnicería; logró escapar, pero uno de los esclavos le atravesó el pescuezo con la lanza.»

Al día siguiente volví por el camino de las tumbas. En lugar de la ropa petrificada había una mancha de sangre.

Entré en la hostería; el soldado estaba tendido en un lecho. Sangraba como un buey; un médico estaba curándole el cuello.

PETRONIO
Satiricón, cap. LXII (siglo I)

EL BUSTO

MANUEL PEYROU, escritor argentino, nacido en San Nicolás de los Arroyos (Provincia de Buenos Aires). Autor de *La espada dormida* (1944): *El estruendo de las rosas* (1948); *La noche repetida* (1953); *Las Leyes del juego* (1959); *El árbol de Judas* (1961); *Acto y Ceniza* (1963).

Hizo el nudo de la corbata y, al mismo tiempo que tiraba hacia abajo para ajustarlo, apretó con dos dedos el género, de modo que a partir del lazo hiciera un doblez, un repliegue central, evitando la formación de pequeñas arrugas. Se puso el saco azul y verificó el efecto general. Estar impecable era para él una forma de la comodidad. Satisfecho –dignamente satisfecho–, salió y cerró con cuidado la puerta. No había podido asistir a la iglesia, pero esperaba llegar antes de las diez a la casa de su hermana. Era el día del casamiento de su sobrino mayor, quien más que un pariente era su amigo. Pasó frente a los porteros de las casas vecinas y les deseó con llaneza las buenas noches; era una elegante silueta, a pesar de sus años: alto, moreno, con el cabello ligeramente estriado de plata.

Las vitrinas del salón de los regalos exhibían algunas joyas costosas. Un collar de piedras combinadas difundía un pequeño arco iris sobre su estuche de fondo rojo; un anillo con un topacio, un par de aros brillantes y algunos otros meteoros artificiales y enanos fulgían bajo la luz de las lámparas. Verificó si el prendedor elegido por él para su flamante sobrina y los gemelos de brillantes para el novio habían sido bien colocados. Satisfecho, avanzó en busca de la nueva pareja.

–¡No me vas a decir que no es una cosa rara! –dijo de pronto su sobrino, sorprendiéndolo. Estaba en el mismo salón y no había notado su presencia.

—No sé a qué te refieres... —repuso, deteniéndose.

—Al busto... o lo que sea...

Siguió la mirada del joven y luego se acercó frunciendo las cejas. Su claro instinto le había enseñado a desdeñar el hábito porteño de reírse de lo que no se entiende.

—Sí, es raro... pero no me parece mal. Tiene algo del modo de Blumpel...

El sobrino no contestó. Se acercó unos pasos, dio una vuelta al pedestal que sostenía el busto y dijo:

—Me parece más horrible visto de frente...

—¿De frente? ¿Cuál es el frente? —Se detuvo y frunció el ceño—. Yo no creo que tenga frente. En todo caso, no me parece bien que atribuyas al autor una intención que probablemente ha estado lejos de alimentar.

—No sé, tío; pero me parece una intrusión, una presencia oscura en un lugar de cosas claras...

—Fantasías, hijo, fantasías. Siempre has sido muy imaginativo. Y siempre te olvidas de lo más importante. Por ejemplo: ¿quién te lo regaló?

—Aquí está la tarjeta. Nunca he oído ese nombre.

El tío tomó la tarjeta y la examinó cuidadosamente; la volvió del revés y luego miró de nuevo el anverso, con su habitual fruncimiento de cejas, como si fuera capaz de distinguir a simple vista las impresiones digitales o cualquier otra clase de indicio.

—¿No será un compañero de colegio, al que has olvidado? —le preguntó, devolviéndole el pequeño rectángulo de cartulina.

—No; me fijé en la lista que hice antes de mandar las invitaciones. No figura.

El tío se acercó al busto y lo miró a corta distancia.

—¿No habías visto esta chapita de bronce? —le preguntó—. Quizá no la advirtieron porque estaba tapada por un poco de tierra. Mira; dice: «El hombre de este siglo».

—Es cierto —repuso el joven—; no me había fijado. Pero, ¿a qué siglo se refiere? Y sea cual fuere, no me gusta. No sé explicártelo, pero no me gusta. Me gustaría tirarlo.

Eduardo Adhemar lo miró con aire tranquilo. Sintió crecer su densa, invariable ternura; siempre le había gustado ser el árbitro de las decisiones de sus parientes.

—No creo que debas hacer eso —dijo—. En todo caso —agregó, animándose con brusca inspiración—, podrías aprovechar la ocasión para hacer algo original. Y, de paso, aprovechar también el regalo...

Su animación estimuló al sobrino.

—Sí; pero no sé cómo... Es una cosa perfectamente inútil...

—Justamente por eso —repuso Eduardo Adhemar—: porque es inútil sirve para hacer un regalo.

El sobrino estaba impresionado por el busto. No creía que regalándolo podía quedar bien con nadie.

—Es una forma de provocación —dijo—. Y la gente ya lo ha visto aquí...

Adhemar era un diletante agradable y culto; disertaba superficialmente sobre cualquier cosa y se complacía en ello. Miró a su sobrino con un fruncimiento irónico en los labios.

—¿Por qué te empeñas en considerar este busto desde un punto de vista estético? —preguntó—. Te sugiero que lo examines como algo raro, misterioso. —El sobrino lo miró con un parpadeo—. Por ejemplo: imaginemos un ser que careció de posibilidad de realización. La Naturaleza —digamos— tenía cinco proyectos de caballo y eligió el que conocemos. Los otros cuatro han quedado en el misterio, pero no por eso pierden su interés. Quizá había uno con las patas larguísimas, que parecían zancos, y otro con el pelo largo, como una oveja, y otro con cola prensil, muy útil en la selva. Quizá esto sea el hombre que pudo ser. Te advierto que yo no lo veo así. Me gusta solamente como teoría. Yo prefiero imaginarlo en una calle oscura, saliendo de una puerta cochera; un ser informe para nuestro concepto actual, con dos pares de brazos y la nariz al costado, que habla con un ladrido y dice: «Perdón, yo soy el proyecto rechazado de hombre».

—Contestarías: «En el club veo todas las noches a sus congéneres».

—No digas tonterías —repuso Adhermar, que era muy juicioso cuando los demás se ponían imaginativos.

—Prefiero la idea del regalo —dijo su sobrino—. Pero, ¿a quién? Casi todos mis amigos están aquí y si aún no lo han observado, dentro de poco lo verán...

Eduardo Adhemar recordó:

—¡Ya sé! ¡Se lo mandas a Olegarito! No está aquí. Ayer se fue a la estancia y se casa dentro de quince días.

Cuando Eduardo Adhemar llegó quince días después a la casa de Olegario M. Banfield se había olvidado ya del asunto. Por eso, quizá —no era probable ningún otro motivo—, tuvo un sobresalto al encontrarse frente a frente con el busto, al pasar de un salón a otro, después de haber hecho la agradable comprobación de que los regalos recibidos por la pareja no eran tan costosos como los recibidos por sus sobrinos. El busto estaba en una esquina del salón, y sin embargo, parecía ser el centro de la decoración y de las luces. Adhemar saludó a dos o tres personas y se retiró.

Un mes después, ya entrado el verano, asistió a otra recepción; se casaba el hijo del presidente de la compañía. El ambiente de la Bolsa y de la Banca le molestaba un poco. Sabía que el presidente –un hombre muy meritorio, trabajador, pero sin tradición– se vanagloriaba de su amistad, y que la dueña de la casa iba a presentarlo con gran entusiasmo a una serie de burguesas ricas. Pero la tiranía de las conveniencias comerciales no le permitió pensar en evasivas. Llegó, pues, con su habitual corrección, que a veces brillaba en un ligero alarde juvenil –una flor, una corbata novedosa–, y su aire indudablemente distinguido. Saludó a los dueños de la casa y a los novios, y luego, sin dar tiempo a las presentaciones que ya afluían a la boca de la esposa del presidente, expresó, con una impaciencia casi infantil, su deseo de ver los regalos. Por una escalera bordeada de canastas de flores subieron al primer piso. El busto estaba en medio del amplio salón, bajo las plaquetas cristalinas de la araña.

En el curso del verano y luego, en el otoño, Eduardo Adhemar asistió a dos o tres casamientos más. En todos ellos encontró el busto. Espació después el cumplimiento de sus compromisos sociales y se limitó a concurrir de tarde en tarde, y a veces de noche al club.

Una noche desapacible, a principios de invierno, estaba cómodamente instalado tomando su whisky y leyendo el diario, cuando una conversación a sus espaldas lo hizo incorporarse a medias y escuchar. Dos socios hablaban animadamente. Por los escasos términos que logró percibir comprendió que se referían al busto. «Por suerte tuvieron tiempo de...» La frase quedó inconclusa porque un mozo pasó haciendo ruido con una bandeja llena de vasos. ¿Qué era lo que había que hacer a tiempo?, se preguntó Adhemar. Un rasgo de humorismo, una ocurrencia surgida en un instante de jovialidad, el día del casamiento de su sobrino, parecía haber tenido consecuencias imprevisibles. Él había puesto en movimiento algo, un hábito, una moda, una fuerza. No podía saber qué, pero se propuso averiguarlo. Desgraciadamente, no se hablaba con ninguno de los caballeros. Se habían distanciado el día de la renovación de la comisión directiva. Decidió estar atento en los días sucesivos por si lograba sorprender nuevas alusiones al busto. Una tarde llegó al salón en el momento en que terminaba una charla entre varios amigos. Creyó comprender que alguien había sostenido la existencia de numerosos bustos. Pero esa opinión fue victoriosamente rebatida por Pedrito Defferrari Marenco, el joven abogado y político que ya se perfilaba como uno de los nuevos valores del Partido Tradicional. Era un solo busto, del que todos se desprendían nerviosamente, apenas recibido. Adhemar, en una especie de vértigo, guardó silencio.

A partir de ese momento empezó a sentirse hondamente preocupado. Los motivos de su inquietud no respondían a un sentimiento egoísta; comprendió –sentado en su sillón habitual en el club hizo un minucioso análisis de su situación– que un impulso generoso, aunque todavía oscuro, estaba dominándolo en forma sorda y creciente. Empezó a pensar constantemente en su sobrino, en su felicidad, en su profesión, en los aspectos de su vida matrimonial. La pareja no había regresado aún de un largo viaje por Europa, y Adhemar experimentó verdadera angustia durante las semanas que faltaban para el arribo. Luego, cuando por fin éste se produjo, debió contener su impaciencia durante unos días. Una tarde convidó al joven a tomar un whisky en el club. Después de hablar de algunas minucias relacionadas con el viaje, exploró con cautela los temas que le interesaban. Todo estaba bien; su sobrino y su mujer eran felices, el dinero abundaba y la profesión de ingeniero era la vocación cumplida del joven. Adhemar sonrió imperceptiblemente, satisfecho, como un conspirador.

Pero dos o tres días después notó con alarma que empezaba a interesarse por el destino de Olegario Banfield, el amigo a quien su sobrino había regalado el busto. El problema era más difícil, porque su amistad con Banfield era reducida y no existían muchos pretextos para verlo. Empezó, sin embargo, a visitar a amigos comunes, con el propósito de obtener detalles; inventó innumerables subterfugios y excusas para lograr el conocimiento total de la vida del joven Olegario y de su esposa. Logró sus fines, por supuesto, y nuevamente quedó satisfecho. Más complicadas resultaron las siguientes investigaciones, porque a medida que avanzaba iba encontrando personas casi totalmente desconocidas. Recurrió entonces a una agencia de policía privada. Al principio, le resultó difícil vencer la suspicacia profesional del inspector Molina. Éste, un hombre avezado, pensó lógicamente en motivos sentimentales. Es normal que un caballero de gran fortuna tenga una aventura costosa y que ansíe una fidelidad relativa; también es normal que trate de obtener la certidumbre de esa fidelidad. Pero cuando las investigaciones debieron extenderse a diez o quince hogares recientemente constituidos el inspector terminó por aceptar las razones expuestas por Adhemar. Todo el trabajo –explicó el caballero– se haría con vistas a la formación de un archivo;

una gran empresa de crédito, cuya denominación convenía mantener en reserva por el momento, estaba haciendo un gigantesco registro moral y financiero del país. Adhemar notó en dos o tres ocasiones un dedo de ironía en el inspector, pero como el hombre cumplía su trabajo a conciencia olvidó en seguida toda preocupación. Por su parte, el inspector recibía una considerable mensualidad por sus actividades, de modo que también abandonó las consideraciones ajenas a su labor rutinaria y colaboró en la forma más eficaz.

Después de algún tiempo Adhemar advirtió que era imposible tener un cuadro de la vida de una persona, a partir de la posesión del busto, sin conocer su vida anterior. Sólo la comparación podía dar la nota exacta. Esto desplegó, complicó infinitamente las investigaciones. Para cooperar con el inspector el propio Adhemar se decidió a actuar. Durante días y noches mantuvo entrevistas, requirió informes, siguió largamente por las calles a personas desconocidas. Al cabo de unos meses, una noche de niebla en que recorría el barrio de la Recoleta, tuvo un sobresalto. Una forma ligera, una sombra casi, entrevista al volver el rostro, le hizo sospechar que él también era seguido. La sangre le golpeó en las sienes; un sentimiento de horror estuvo a punto de paralizarlo. Logró después apresurar el paso, dio dos o tres vueltas inesperadas –o que creyó inesperadas– en otras tantas esquinas y, finalmente, llegó a su casa. A las pocas horas se había calmado; él se había introducido en la vida de los demás: ¿tenía derecho a impedir que alguien atisbara en la suya? Pero no pensó más, porque estaba muy cansado; su estado físico y su ánimo habían decaído en las últimas semanas.

Durante un mes prosiguió su trabajo, siempre con la sensación de ser puntualmente observado, hasta que una molestia estomacal y una ligera punzada en el lado izquierdo del pecho lo obligaron a visitar al médico. No era nada de cuidado, explicó el facultativo. Dieta, supresión del alcohol, una serie de inyecciones y estaría como nuevo. Regresó a su departamento de la calle Arenales y se metió en la cama. Al día siguiente era su cumpleaños y deseaba estar bien para recibir a sus amigos. Pero al despertarse comprendió que su reunión había fracasado. Un fuerte dolor, reumático o lo que fuera, le impedía moverse. Llamó al médico y éste llegó a mediodía. Efectivamente, sus pequeñas molestias se habían complicado con un lumbago.

Permaneció todo el día en cama. El mucamo hizo pasar a dos o tres amigos que fueron a saludarlo; también llegaron algunos regalos. A las nueve de la noche aquél se retiró, después de solicitarle permiso para ir al cinematógrafo. Adhemar le sugirió que dejara la puerta entreabierta, por si aún llegaba algún amigo. Media hora después sintió unos golpes y un mensajero entró sin esperar contestación. Estaba curvado por un paquete de gran peso, que dejó en la mesa del *hall*. Luego avanzó hasta la cama y le entregó una carta y se retiró. En la habitación próxima el paquete era una sombra oscura. Doblegado por el dolor, sin poder incorporarse, Adhemar abrió la carta y sacó una tarjeta. Nunca había leído ese nombre. Sí; lo había leído: ¡la noche del casamiento de su sobrino, en la tarjeta que acompañaba al busto! Con ansiedad, estiró el brazo y tomó el teléfono. Acercó el auricular a su oído: estaba desconectado. Hizo dolorosamente, vanamente, un nuevo esfuerzo para incorporarse. Una opresión creciente, como una marea, le llenó el pecho y subió, subió.

Bajo el arco del *hall* la oscuridad se extendió como café derramado y avanzó en la habitación.

MANUEL PEYROU
La noche repetida (1953)

LA VERDAD SOBRE EL CASO
DE M. VALDEMAR

EDGAR ALLAN POE, escritor norteamericano. Nacido en Boston, en 1809; muerto en un hospital de Nueva York, en 1849. Inventó el género policial; renovó el género fantástico; ha influido en escritores tan diversos como Baudelaire y Chesterton, Conan Doyle y Paul Valéry. Es autor de: *The Narrative of Arthur Gordon Pym* (1838); *Tales of the Grotesque and the Arabesque* (1839); *Tales* (1845); *The Raven and other Poems* (1845); *Eureka* (1848). Estas obras han sido traducidas a casi todos los idiomas.

No me sorprende que el caso extraordinario de M. Valdemar haya provocado discusión. Lo contrario hubiera sido un milagro, en tales circunstancias. Nuestra resolución de no divulgar el asunto hasta completar su examen ha dado lugar a rumores exagerados o fragmentarios y ha suscitado, naturalmente, mucha incredulidad.

Es necesario, ahora, que yo exponga los *hechos* hasta donde los entiendo. Brevemente, son éstos:

Hace tres años que estudio los problemas del hipnotismo; hace nueve meses pensé que en los experimentos realizados hasta ahora, había una omisión evidente e inexplicable. Nadie había sido hipnotizado *in articulo mortis*. Faltaba saber, primero, si en ese estado el paciente era susceptible a la influencia hipnótica; segundo, si, en caso afirmativo, ese estado restringía o favorecía la sensibilidad hipnótica; tercero, hasta qué grado y por cuánto tiempo el hipnotismo podía detener el proceso de la muerte. Este último punto atrajo, particularmente, mi curiosidad.

En busca de un sujeto para el experimento, pensé en mi amigo M. Ernest Valdemar, el conocido compilador de la *Bibliotheca Forensica* y autor (bajo el seudónimo de Issachar Marx) de las versiones polacas de *Wallenstein* y de *Gargantúa*.

M. Valdemar, que residía en Harlem (New York) desde 1839, es (o era) notorio por su extremada flacura –las piernas se parecían mucho a las de John Randolph– y por la blancura de las patillas, en oposición al pelo renegrido que muchos tomaban por una peluca. Era, por su temperamento nervioso, un sujeto excelente para los ejercicios hipnóticos. Dos o tres veces yo había logrado fácilmente hacerlo dormir; pero no conseguí otros resultados que su temperamento me había inducido a esperar. Su voluntad nunca estuvo plenamente sometida y, en lo que se refiere a la *clarividencia*, no logré nada. Atribuí siempre mi fracaso al estado precario de su salud. Meses antes de que yo lo conociera, los médicos lo habían encontrado tísico. Solía hablar con toda serenidad de su próximo fin, como de algo que no podía evitarse ni lamentarse.

Cuando se me ocurrieron las ideas que he mencionado, era muy natural que pensara en M. Valdemar. Conocía demasiado bien la firme filosofía del hombre, para temer escrúpulos de su parte; y no tenía parientes en América que pudieran intervenir. Le hablé francamente del asunto; ante mi sorpresa, manifestó vivo interés. Digo *ante mi sorpresa*, pues, aunque se había sometido espontáneamente a mis experiencias, éstas nunca le habían interesado. La naturaleza del mal permitía calcular con cierta precisión la fecha de la muerte; convinimos que me avisaría veinticuatro horas antes del período que fijaran los médicos.

Hace ya siete meses que recibí, de puño y letra de M. Valdemar, el siguiente mensaje:

Mi querido Poe:
Puede venir *ahora*. D. y F. consideran que no pasaré de mañana a
la medianoche; me parece que su cálculo es justo.

VALDEMAR

Quince minutos después estaba en el dormitorio del moribundo. Hacía
diez días que no lo visitaba y su espantosa alteración me aterró. La cara
parecía de plomo; los ojos eran opacos y la extenuación era tan extrema que los pómulos habían roto la piel. La expectoración era abundante; el pulso débil. Conservaba, sin embargo, su integridad mental y
cierto vigor físico. Hablaba claramente; sin ayuda ingirió un calmante
y, cuando entré, se hallaba escribiendo unas notas en su libreta. Estaba
sentado en la cama, sostenido por almohadones. Lo cuidaban los doctores D. y F.

Después de estrechar la mano de Valdemar, hablé con los médicos;
me detallaron el estado del enfermo. Hacía dieciocho meses que el pulmón izquierdo se hallaba en un estado semióseo o cartilaginoso. La región
superior del pulmón derecho estaba, en parte, osificada; la región inferior era una masa de tubérculos purulentos que se interpenetraban. Había
algunas perforaciones profundas y, en cierto punto, estaban adheridas
las costillas. Estos fenómenos del lóbulo derecho eran de aparición rela-
tivamente reciente. La osificación había progresado con insólita rapidez.
Un mes antes no se notaba ningún síntoma y hacía pocos días que habían descubierto la adherencia. Además de la tisis, los médicos temían
un aneurisma de la aorta; los síntomas óseos no permitían un diagnóstico exacto. Ambos médicos opinaban que M. Valdemar moriría en la
medianoche del día siguiente (domingo). Eran las siete de la tarde del
sábado.

Al dejar al enfermo para conversar conmigo, los doctores D. y F. le
dieron el último adiós. No habían tenido el propósito de volver, pero, a
mi ruego, prometieron hacerlo el domingo, antes de medianoche.

Cuando se fueron, hablé abiertamente con M. Valdemar de su próximo fin, y en particular del experimento. Se mostró muy dispuesto, casi
impaciente, y me conminó a ensayarlo en seguida. Lo atendían un enfermero y una enfermera, temiendo un accidente súbito; pero no me atreví a ejecutar un experimento tan grave sin testigos más responsables que
esas personas. Debí renunciar a la operación hasta las ocho de la tarde
siguiente, cuando llegó un estudiante de medicina, el señor Teodoro
L. Yo había tenido el propósito de esperar a los médicos; pero las soli-

citaciones de M. Valdemar y mi convicción de que no había tiempo que perder, me hicieron proceder inmediatamente.

El señor L. accedió a tomar notas de cuanto sucediera; este informe compendia, o transcribe literalmente, esas notas.

Poco antes de las ocho, tomé la mano del enfermo y le pedí que formulara, lo más claramente posible, su voluntad de que lo hipnotizaran en ese estado. Respondió débilmente: Sí, quiero que me hipnoticen. En seguida agregó: Temo que hayan esperado demasiado.

Mientras hablaba inicié los pases que en ocasiones anteriores había ejecutado con éxito. El primer toque lateral de la mano sobre la frente fue notoriamente eficaz; pero, a pesar de todas mis tentativas, no hubo adelanto alguno hasta las diez, cuando llegaron los doctores D. y F. Brevemente les expliqué mi proyecto. No se opusieron, y como declararon que el paciente ya estaba en agonía, procedí sin demora, cambiando, sin embargo, los pases laterales por verticales y concentrando mi mirada en el ojo derecho de Valdemar.

El pulso era imperceptible; la respiración, estertórea, con intervalos de treinta segundos. Esa condición duró un cuarto de hora. Después, el pecho del moribundo exhaló un suspiro muy natural, pero profundísimo. Cesó la respiración estertórea; no disminuyeron los intervalos. Las piernas y los brazos del paciente estaban helados. A las once menos diez, advertí signos inequívocos de la influencia magnética. La oscilación vidriosa del ojo se transformó en esa expresión de penoso examen interno, que es privativo del sonámbulo. Bastaron unos toques laterales para que temblaran los párpados como en el sueño incipiente; pocos más, para que se cerraran los ojos. Esto no me satisfizo. Repetí vigorosamente los pases y empeñé toda mi voluntad, hasta paralizar los miembros del enfermo, después de colocarlos en una posición cómoda. Las piernas estaban bien estiradas; los brazos, algo extendidos hacia afuera; la cabeza, ligeramente elevada.

Ya era medianoche; pedí a los presentes que examinaran a M.Valdemar. Después de revisarlo, reconocieron que se hallaba en un estado excepcionalmente perfecto de trance magnético. Los dos médicos manifestaron gran interés. El doctor D. resolvió quedarse toda la noche; el doctor F. prometió regresar al alba. El señor L. y los enfermeros se quedaron.

Dejamos tranquilo a M. Valdemar hasta las tres de la mañana. Al acercarme lo hallé en la misma condición que al irse el doctor F; la posición era la misma; el pulso, tenue; la respiración, suave (sólo perceptible por la aplicación de un espejo a los labios). Los ojos estaban cerrados con naturalidad; los miembros estaban rígidos y fríos como el mármol. Con todo, la apariencia general no era la de un cadáver.

Me acerqué a M. Valdemar y traté que su brazo derecho siguiera el movimiento del mío, que evolucionaba suavemente sobre su cuerpo. Con M. Valdemar siempre había fracasado en ese experimento, y ahora no esperaba mejor resultado. Pero, a mi asombro, su brazo fue siguiendo, aunque débilmente, las evoluciones del mío. Resolví aventurar algunas palabras:

—Monsieur Valdemar —pregunté—, ¿duerme usted?

No contestó, pero percibí un temblor en los labios y repetí la interrogación una y otra vez. A la tercera, una vibración ligerísima recorrió todo el cuerpo; los párpados se abrieron hasta revelar una estría blanca; los labios se movieron con lentitud y dieron paso a estas palabras apenas perceptibles:

—Sí, ahora duermo. No me despierte, déjeme morir así.

Palpé los miembros y comprobé que no habían perdido la rigidez. Como antes, el brazo derecho seguía la dirección de mi mano. Volví a interrogar al sonámbulo:

—¿Sigue con el dolor en el pecho, monsieur Valdemar?

La contestación fue inmediata, apenas murmurada:

—¿Dolor?; no, estoy muriéndome.

No me pareció razonable seguir molestándolo y nada más se hizo o se dijo hasta que llegó el doctor F. al amanecer, y demostró un asombro sin límites al encontrar con vida al paciente. Le tomó el pulso, le aplicó un espejo a los labios, y luego me pidió que lo interrogara.

—¿Sigue durmiendo usted, M. Valdemar?

Pasaron algunos minutos sin que respondiera; durante el intervalo, el sonámbulo parecía reunir sus fuerzas para hablar. A la cuarta repetición, dijo, débilmente, casi imperceptiblemente:

—Sí, duermo: estoy muriéndome.

Los médicos aconsejaron que no se molestara a M. Valdemar hasta que sobreviniera la muerte, hecho que, según ellos, tardaría unos minutos. Resolví, sin embargo, hablarle una vez más y repetí mi pregunta.

Mientras hablaba hubo un cambio marcado en el rostro del sonámbulo. Los ojos giraron lentamente en las órbitas, las pupilas desaparecieron hacia arriba; la piel tomó un color cadavérico, menos parecido al pergamino que al papel blanco; y las manchas febriles que había en el centro de las mejillas, de pronto se *apagaron*. Uso esta palabra, porque su desaparición me recordó la brusca extinción de una vela. Al mismo tiempo el labio superior se apartó de los dientes, que antes había tapado; la mandíbula cayó con un golpe seco, dejando abierta la boca y descubriendo la lengua ennegrecida e hinchada. Ninguno de nosotros ignoraba los horrores del lecho de muerte; pero el aspecto de M. Valdemar era tan atroz, que todos retrocedimos.

Ahora llego a la parte increíble de mi relato. Sin embargo, prosigo. Ya no quedaba en M. Valdemar el más leve signo de vida; creyéndolo muerto, íbamos a confiarlo a los enfermeros, cuando observamos en la lengua un fuerte movimiento vibratorio. Esto duró un minuto, quizá. Luego, de las mandíbulas dilatadas e inmóviles, surgió una voz, una voz que sería una locura intentar describir. Es verdad que hay dos o tres adjetivos parcialmente aplicables: podría decirse, por ejemplo, que el sonido era áspero, y roto, y hueco; pero el horroroso conjunto es indescriptible, por la simple razón de que en los oídos humanos no ha rechinado nunca un acento igual.

Dos particularidades, sin embargo, me parecieron (y aún me parecen) típicas de la entonación; las enuncio porque pueden comunicar de algún modo su peculiaridad inhumana. En primer lugar, la voz parecía venir de muy lejos, o de una caverna profunda en el interior de la tierra. En segundo lugar, impresionaba al oído (temo, en verdad, que es imposible hacerme entender) como las materias gelatinosas y glutinosas impresionan al tacto.

He hablado de *sonido* y de *voz*. Quiero decir que el sonido era de nítida, de terrible silabación. M. Valdemar *habló*, en evidente respuesta a la pregunta que yo le había formulado, minutos antes. Le había preguntado, se recordará, si dormía. Ahora dijo:

—Sí; no, *he estado* durmiendo, y ahora, ahora *estoy muerto*.

Ninguno de los presentes negó, o trató de ocultar el inefable, tembloroso horror que esas pocas palabras, y esa voz, fueron capaces de infundir. El señor L. (el estudiante) se desmayó. Los enfermeros dejaron inmediatamente la pieza y no se logró que volvieran. No trataré de comunicar al lector lo que en ese momento sentí. Durante una hora nos dedicamos, en silencio, a reanimar a L. Cuando volvió en sí, reanudamos la investigación del estado de M. Valdemar.

Ese estado era el mismo, salvo que el espejo no se empañaba al ser aplicado a los labios. Falló una tentativa de sacarle sangre del brazo. Mencionaré, también, que ese miembro ya no estaba sujeto a mi voluntad. Ensayé inútilmente que siguiera la dirección de mi mano. La única indicación del influjo magnético era el movimiento vibratorio de la lengua, cada vez que lo interrogábamos. Parecía esforzarse por contestar, pero su volición era insuficiente. Si le hablaban los otros parecía del todo insensible, aunque traté de colocarlos en relación magnética con él. Creo haber referido lo necesario para que se comprenda el estado del sonámbulo en esa época. Conseguimos otros enfermeros, y a las diez salí de la casa con los dos médicos y con el señor L. Volvimos a la tarde. El estado de M. Valdemar era el mismo. Discutimos la posibilidad y conveniencia de despertarlo; pero no tardamos en rechazar ese propósito. Era innegable que el proceso magnético había detenido la muerte: lo que en general se llama muerte. Nos pareció evidente que despertar a M. Valdemar sería apresurar su instantánea, o por lo menos inmediata, extinción.

Desde esa tarde hasta el final de la semana pasada –*un intervalo de cerca de siete meses*– seguimos visitando diariamente a M. Valdemar acompañados por médicos, o por otros amigos. Durante ese largo intervalo el estado del sonámbulo no cambió. La vigilancia de los enfermeros era continua.

El viernes último resolvimos hacer lo posible para despertarlo. Recurrí a los pases acostumbrados. Éstos, durante un tiempo, fueron inútiles.

El primer síntoma de la vuelta a la vida fue un parcial descenso del iris. Inmediatamente después, desbordó por las mejillas un líquido seroso y amarillento, de olor acre y muy repulsivo.

Me sugirieron que tratara de influir en el brazo del paciente. Hice la tentativa y fallé. El doctor F. me aconsejó que lo interrogara. Lo hice, de esta manera:

–Monsieur Valdemar, ¿puede explicarme qué sensaciones y deseos tiene ahora?

Reaparecieron las manchas febriles de las mejillas; tembló la lengua, o más bien giró con violencia en la boca (aunque perduró la rigidez de los labios y de las mandíbulas) y, finalmente, irrumpió la voz horrorosa que ya he descrito:

–Por el amor de Dios, pronto-pronto-hágame morir; o pronto, despiérteme. *¡Le digo que estoy muerto!*

Perdí el aplomo y durante un momento no supe qué hacer. Primero traté de apaciguar al sonámbulo; pero mi descompuesta voluntad me hizo fracasar; entonces, intenté despertarlo. Vi que esa tentativa sería feliz y creo que todos se prepararon para asistir al despertar.

Para lo que de veras ocurrió, es imposible que un ser humano se preparara.

Mientras ejecuté los pases magnéticos entre gritos de ¡Muerto! ¡Muerto! que explotaban de la lengua y no de los labios de Valdemar, todo su cuerpo se encogió –en el término de un minuto o aun menos–, se desmenuzó y se *pudrió* debajo de mis manos. Sobre la cama, frente a todos nosotros, quedó una masa casi líquida, de inmunda, de abominable putrefacción.

EDGAR ALLAN POE
Tales (1845)

CÓMO DESCENDIMOS EN LA ISLA
DE LAS HERRAMIENTAS

FRANÇOIS RABELAIS, escritor satírico francés. Nacido en Chinon, *circa* de 1494; muerto en París, en 1553. Fue eclesiástico; ejerció la medicina en diversas ciudades del sur de Francia. Viajó por Francia y por Italia. Famoso por *Pantagruel y Gargantua* (1532-1564); publicó también: *Topographiae Antiquae Romae Epistola* (1534); *Supplicatio pro Apostasia* (1535); *La Sciomachie* (1549).

Levantamos nuestro velamen y en menos de dos días arribamos a la Isla de las Herramientas.

Era ésta una isla desierta y de nadie habitada. Había muchos árboles de los que pendían hoces, picos, serruchos, sierras, cinceles, martillos, tijeras, palas, virolas y berbiquíes.

De otros pendían dagas, puñales, espadas, cortaplumas, cuchillos, punzones, cimitarras, estoques, flechas, mandobles y navajas.

El que necesitaba cualquiera de estos objetos no tenía más que sacudir el árbol: caían enseguida como ciruelas, y al llegar a tierra encontraba una especie de yerba que se llamaba vaina y en ella se envainaban. Cuando caían era preciso precaverse para que no cayeran sobre la cabeza, los pies u otra parte del cuerpo. Caían de punta, para envainarse, con gran riesgo de herir a la gente.

Debajo de otros árboles vi ciertas especies de yerbas que crecían como picas, lanzas, jabalinas, alabardas, partesanas, rejones y asadores; crecían tanto que envolvían al árbol del que tomaban los hierros y las hojas convenientes para cada uno...

FRANÇOIS RABELAIS
Pantagruel, libro V (1564)

SREDNI VASHTAR

SAKI (H. H. Munro), escritor inglés, nació en Akyab (Birmania); murió en 1916, en el ataque de Beaumont Hamel. Su obra comprende: *The Rise of the Russian Empire* (1900); *Not So Stories* (1902); *When William Came* (1913); *Beasts and Super-Beasts* (1914); *The Stories of Saki* (1930).

Conradín tenía diez años y, según la opinión del médico, no iba a vivir cinco años más. El médico era suave, ineficaz, y no se lo tomaba en cuenta, pero su opinión estaba respaldada por la señora de Ropp, a quien debía tomarse en cuenta. La señora de Ropp, prima de Conradín, era su tutora, y representaba para él esos tres quintos del mundo que son necesarios, desagradables y reales; los otros dos quintos, en perpetuo antagonismo con los anteriores, estaban concentrados en su imaginación. Conradín suponía que de un día para otro iba a sucumbir a la dominante presión de las cosas necesarias: la enfermedad, las prohibiciones propias de los mimos y el interminable aburrimiento. Su imaginación, estimulada por la soledad, le impedía sucumbir.

La señora de Ropp, ni en los momentos de mayor franqueza, se confesaba que no quería a Conradín, aunque hubiera podido darse cuenta de que al contrariarlo «por su bien» cumplía con un deber que no era particularmente penoso. Conradín la odiaba con una desesperada sinceridad, que sabía disimular perfectamente. Las pocas diversiones que inventaba acrecían con la perspectiva de molestar a su tutora. La señora de Ropp estaba excluida del dominio de su imaginación como un objeto sucio, que no podía tener entrada.

En el triste jardín, vigilado por tantas ventanas listas a entreabrirse para recordarle la obligación de tomar una medicina o para decirle que no hiciera esto o aquello, encontraba poco encanto. Los escasos árboles frutales le estaban celosamente vedados; sin embargo, hubiera sido difícil descubrir un comprador que ofreciera diez chelines por su producción de todo el año. En un rincón, casi completamente escondida por un arbusto, había una casilla de herramientas abandonada; bajo su techo, Conradín halló un refugio, algo que participaba de los variados aspectos de un cuarto de juguetes y de una catedral. La había poblado de fantasmas familiares, algunos sacados de la historia, otros de su propia imaginación; pero la casilla ostentaba también dos huéspedes de carne y hueso. En un rincón vivía una gallina del Houdán, de áspero plumaje, a la que el chico dedicaba un cariño que casi no tenía otra salida. Más atrás, en la penumbra, había un cajón. Estaba dividido en dos compartimientos, uno de ellos con travesaños de fierro en el frente. Era la morada de un gran hurón de los pantanos; el muchacho de la carnicería se lo había dado de contrabando, con jaula y todo, por unas pocas monedas de plata. Conradín tenía mucho miedo de ese animal flexible y de garras afiladas, pero era su más preciado tesoro. Su presencia en la casilla era para Conradín una secreta y terrible felicidad; debía mantenerlo escondido de La Mujer (así denominaba a su prima). Un día, quién sabe cómo, urdió para la bestia un nombre maravilloso, y desde ese momento el hurón de los pantanos fue un dios y una religión.

A la religión condescendía La Mujer una vez por semana, en una iglesia de los alrededores; la acompañaba Conradín. Pero todos los jueves, en el musgoso y oscuro silencio de la casilla de herramientas, el niño oficiaba con místico y elaborado ceremonial ante el cajón de madera, santuario de Sredni Vashtar, el Gran Hurón. Adornaba su altar con flores coloradas y frutas escarlatas, pues era un dios que favorecía el impaciente lado feroz de las cosas (la religión de La Mujer, según Conradín, estaba dirigida en sentido opuesto). En las grandes fiestas, echaba ante el cajón nuez moscada en polvo. Necesitaba robar la nuez moscada; eso daba mayor valor a su ofrenda. Las fiestas eran variables y tenían por objeto celebrar algún acontecimiento pasajero. En ocasión de un agudo dolor de muelas que por tres días padeció la señora de Ropp, Conradín prolongó los festivales durante todo ese tiempo y casi llegó a persuadirse de que Sredni Vashtar era personalmente responsable del dolor.

La gallina del Houdán jamás intervino en el culto de Sredni Vashtar. Conradín había decidido que era anabaptista. No pretendía tener el más remoto conocimiento de lo que era un anabaptista, pero tenía una íntima esperanza de que fuera algo audaz y no muy respetable. Para Conradín, la señora de Ropp encarnaba la odiosa imagen de toda respetabilidad.

Después de un tiempo, las permanencias de Conradín en la casilla empezaron a llamar la atención de su tutora. «No puede ser bueno para él pasarse el día allí, cuando hace frío», decidió prontamente, y una mañana, a la hora del desayuno, anunció que la gallina del Houdán había sido vendida la noche anterior. Con sus ojos miopes escrutó a Conradín, esperando un ataque de rabia y de tristeza que estaba lista a reprimir con la fuerza de excelentes preceptos. Pero Conradín no dijo nada; no había nada que decir. Algo, en esa cara impávida y blanca, la tranquilizó. Esa tarde, a la hora del té, hubo tostadas: atención generalmente excluida con el pretexto de que «eran malas para Conradín», y también porque hacerlas daba trabajo.

—Creí que te gustaban las tostadas —exclamó con resentimiento la señora de Ropp, al observar que no las comía.

—A veces —dijo Conradín.

Esa tarde, en la casilla de las herramientas, hubo un cambio en el culto al dios del cajón. Hasta entonces, Conradín no había hecho más que cantar sus oraciones: ahora pidió un favor.

—Hazme un favor, Sredni Vashtar.

El favor no estaba especificado. Sredni Vashtar, que era un dios, no podía ignorarlo. Conradín miró hacia el otro rincón vacío y, conteniendo un sollozo, regresó al mundo que detestaba.

Todas las noches, en la bienvenida oscuridad de su dormitorio, todas las tardes, en la penumbra de la casilla, proseguía la amarga letanía de Conradín:

—Hazme un favor, Sredni Vashtar.

La señora de Ropp advirtió que no cesaban las visitas a la casilla; una tarde llevó a cabo una inspección más completa.

—¿Qué guardas en ese cajón cerrado con llave? —le preguntó—. Han de ser conejitos de la India. Los haré llevar.

Conradín apretó los labios, pero la mujer registró su dormitorio hasta descubrir la llave escondida, y en seguida bajó a la casilla a coronar su descubrimiento. Era una tarde lluviosa, y a Conradín le habían prohibido salir al jardín. Desde la última ventana del comedor podía verse la casilla; en esa ventana se instaló Conradín. Vio entrar a La Mujer y la imaginó abriendo la puerta del cajón sagrado y examinando con ojos miopes la espesa cama de paja donde estaba oculto su dios. Tal vez, con impaciencia torpe, estuviera tanteando la paja con el paraguas. Fervorosamente, Conradín articuló su última plegaria. Pero al rezar sentía la incredulidad. Sabía que La Mujer iba a aparecer de un momento a otro, con la sonrisa fruncida que él tanto detestaba; dentro de una o dos horas, el jardinero se llevaría a su prodigioso dios, no ya un dios, sino un simple hurón de color pardo, en un cajón.

Y sabía que La Mujer triunfaría siempre, como había triunfado hasta ahora, y que sus persecuciones y su tiranía irían debilitándolo poco a poco hasta que a él ya nada le importara, hasta que aconteciera lo previsto por el doctor. Y como un desafío, en el despecho de la derrota, empezó a gritar el himno a su ídolo amenazado:

> *Sredni Vashtar acometió:*
> *Sus pensamientos eran pensamientos rojos, sus dientes eran blancos.*
> *Sus enemigos pidieron la paz, pero Él les trajo muerte.*
> *Sredni Vashtar, el hermoso.*

De golpe dejó de cantar y se acercó a la ventana. La puerta de la casilla seguía abierta. Los minutos pasaban. Los minutos eran largos, pero pasaban. Miraba los gorriones que volaban y corrían por el césped. Los contó y volvió a contar, sin perder de vista la puerta. Una criada de expresión agria entró en la pieza y puso la mesa para el té. Conradín seguía esperando, vigilando. Gradualmente, la esperanza se deslizaba en su corazón; el triunfo empezó a brillar en sus ojos, hasta ahora sólo conocedores de la melancólica paciencia de la derrota. Con una exultación furtiva, volvió a gritar el peán de victoria y devastación. Sus ojos fueron recompensados. Por la puerta salió una larga bestia amarilla y parda, baja, con ojos deslumbrados por la luz del atardecer y oscuras manchas mojadas en la piel de las mandíbulas y del cuello. Conradín cayó de rodillas. El Gran Hurón de los Pantanos se dirigió a una de las acequias del jardín, bebió, atravesó un puente de tablas y se perdió entre los arbustos. Ése fue el tránsito de Sredni Vashtar.

—Está servido el té —dijo la criada de expresión agria—. ¿A dónde fue la señora?

—A la casilla —dijo Conradín.

Y mientras la criada salió a buscar a la señora, Conradín sacó de un cajón del aparador el tenedor de las tostadas y se puso a tostar el pan.

Y mientras lo tostaba y le ponía mucha manteca y lo saboreaba con lentitud, escuchaba los ruidos y silencios que caían en rápidos espasmos al otro lado de la puerta del comedor. Los chillidos tontos de la criada, el correspondiente coro de las cocinas, los correteos, las urgentes embajadas para pedir auxilio y, después de una pausa, los sagrados sollozos y el deslizado andar de quienes llevan una carga pesada.

—¿Quién se lo dirá al pobre chico? Yo no me atrevo —dijo una voz chillona.

Y mientras discutían el asunto entre ellas, Conradín se preparó otra tostada.

SAKI
The Toys of Peace (1919)

DONDE SU FUEGO NUNCA
SE APAGA

MAY SINCLAIR, escritora inglesa nacida en Cheshire, en 1870; muerta en Aylesbury, en 1946. Autora de: *The Divine Fire* (1904); *The Three Sisters* (1914); *Mary Oliver* (1919).

No había nadie en el huerto. Con prudencia, sin hacer ruido con la aldaba, Harriet Leigh salió por el portón de hierro. Siguió el camino hasta el cerco, donde, bajo el saúco en flor, la esperaba el teniente de marina Jorge Waring.

Años después, cuando pensaba en Jorge Waring, Harriet volvía a sentir el dulce y cálido olor de vino de la flor de saúco y cuando olía flores de saúco, reveía a Jorge Waring, con su hermosa cara de poeta o de músico, sus ojos negros y sus cabellos pardo oliva.

Waring le había pedido que se casaran y había consentido. Pero su padre se oponía y ella había venido para decírselo y para despedirse de él; su barco partía al día siguiente.

—Dice que somos demasiado jóvenes.

—¿Cuánto quiere que esperemos?

—Tres años.

—¡Todavía tres años antes de casarnos! ¡Estaremos muertos!

Lo abrazó para confortarlo. Él la abrazó más fuerte y después corrió a la estación, mientras ella volvía luchando con sus lágrimas.

—En tres meses estará de vuelta. Habrá que esperar.

Pero no volvió. Había muerto en un naufragio en el Mediterráneo. Harriet ya no temía una pronta muerte porque no podía seguir viviendo sin Jorge.

Harriet Leigh esperaba en la sala de su casita en Maida Vale, donde vivía desde la muerte de su padre. Estaba inquieta, no podía apartar los ojos del reloj; esperando las cuatro, la hora que había fijado Oscar Wade. Lo había rechazado el día antes y no estaba segura de que viniera.

Se preguntaba por qué lo recibía hoy, si ayer lo había rechazado definitivamente. No debería verlo, nunca. Le había explicado todo, claramente. Se evocaba, tiesa en la silla, enardecida por su propia integridad, mientras él la escuchaba, cabizbajo, avergonzado. De nuevo sentía el temblor de su voz, repitiendo que no podía, que debía comprenderla, que no cambiaría su decisión, que él tenía una esposa y que no debían olvidarlo.

Oscar respondió indignado:

—No necesito pensar en Muriel. Sólo vivimos juntos para guardar las apariencias.

—Y para guardar las apariencias debemos dejar de vernos. Oscar, por favor, váyase.

—¿Lo dice en serio?

—Sí. Ya no debemos vernos.

Oscar se había alejado, vencido. Lo veía cuadrando sus anchas espaldas para soportar el golpe. Le daba lástima. Había sido cruel sin necesidad. Ahora que había trazado un límite, ¿por qué no podían verse? Hasta ayer ese límite no era claro. Hoy quería pedirle que olvidara lo que le había dicho. Eran las cuatro y media. Las cinco. Ya había tomado el té y renunciado a verlo, cuando llegó. Vino como otras veces: con su paso mesurado y cauto, sus anchas espaldas erguidas con arrogancia. Era un hombre de unos cuarenta años, alto y ancho, de caderas estrechas y cuello corto, cara grande y cuadrada y rasgos hermosos. El bigote, muy corto, pardo rojizo, se erizaba sobre el labio superior. Sus ojos pequeños brillaban, pardos, rojizos, ansiosos y animales. Le gustaba pensar en él cuando estaban lejos pero siempre tenía un sobresalto al verlo. Físicamente distaba mucho de su ideal; era tan distinto de Jorge Waring...

Se sentó frente a ella. Hubo un silencio incómodo que interrumpió Oscar Wade.

—Harriet, usted me dijo que yo podía venir. —Parecía que quería echarle toda la responsabilidad.— Espero que me haya perdonado.

–Sí, Oscar. Lo he perdonado.

Le dijo que se lo demostrara yendo a cenar con él. Accedió sin saber por qué.

La llevó al restaurante Schubler. Oscar Wade comía como un *gourmet,* dando importancia a cada plato. A ella le gustaba su ostentosa generosidad: no tenía ninguna de las virtudes mezquinas.

Terminó la cena. Su congestión silenciosa decía lo que estaba pensando. Pero la acompañó hasta su casa y se despidió en el portón.

Harriet no sabía si alegrarse o entristecerse. Había gozado un momento de exaltación virtuosa, pero no hubo alegría en las semanas siguientes. Había renunciado a Oscar Wade, porque no la atraía mucho, y ahora lo deseaba con furia, con perversidad, porque había renunciado a él.

Cenaron juntos varias veces. Ya conocía de memoria el restaurante. Las paredes blancas con paneles de contornos dorados, los pilares blancos y dorados, las alfombras turcas, azul y carmesí, los almohadones de terciopelo carmesí, que se prendían a sus faldas, los destellos de plata y de cristalería de las mesas circulares. Y las caras de los clientes y las luces en las pantallas rojas. Y la cara de Oscar, roja por la cena. Siempre, cuando él se echaba hacia atrás de la silla, Harriet sabía en qué pensaba. Alzaba los párpados, pesados y la miraba, caviloso. Ahora sabía en qué iba a acabar todo. Pensaba en Jorge Waring y en su propia vida desilusionada. No lo había elegido a Oscar, realmente no lo había deseado, pero ya no podía dejarlo ir.

Estaba segura de lo que iba a ocurrir. Pero no sabía cuándo ni dónde. Ocurrió al final de una noche, cuando cenaron en una salita reservada. Oscar había dicho que no podía soportar el calor y el ruido del comedor. Ella subió adelante; por una empinada escalera con alfombra roja, hasta la puerta del segundo piso.

De tiempo en tiempo repitieron la furtiva aventura, en el cuarto del restaurante o en su casa, cuando no estaba la sirvienta. Pero no convenía arriesgarse.

Oscar se declaraba feliz. Harriet dudaba. Esto era el amor, lo que nunca había tenido, lo que había soñado y deseado con hambre y sed; ahora lo tenía. No estaba satisfecha. Siempre esperaba algo más, algún éxtasis que se anunciaba y no llegaba. Algo la repelía en Oscar; pero, como era su amante, no podía admitir que fuera un dejo de grosería. Para justificarse pensaba en sus buenas cualidades, su generosidad, su fuerza. Le hacía hablar de sus oficinas, de su fábrica, de sus máquinas, le pedía prestados los libros que él leía. Pero siempre que trataba de conversar con él, le hacía sentir que no era para eso que estaban juntos, que toda la conversación que un hombre necesita la tiene con sus amigos.

—Lo malo es que nos veamos de un modo tan fugaz; deberíamos vivir juntos; es lo único razonable —dijo Oscar.

Tenía un plan. Su suegra vendría a vivir con Muriel en octubre. Podría ir a París y encontrarse allí con Harriet.

En un hotel de la Rue de Rivoli, estuvieron dos semanas. Pasaron tres días locamente enamorados.

Cuando se despertaba encendía la luz y lo miraba dormir. El sueño lo volvía inocente y suave, ocultaba sus ojos, le afinaba la expresión de la boca.

Después empezó la reacción. Al final del décimo día, volviendo de Montmartre, Harriet estalló en un ataque de llanto. Cuando le preguntaron por qué, dijo, al azar, que el Hôtel Saint Pierre era horrible.

Con indulgencia, Oscar explicó su estado como de fatiga causada por una agitación continua.

Trató de creer que estaba deprimida, porque su amor era más puro y espiritual que el de Oscar; pero sabía perfectamente que había llorado de aburrimiento. Estaban enamorados, y se aburrían mutuamente. En la intimidad, no podían soportarse.

Al fin de la segunda semana, empezó a dudar de haberlo querido alguna vez.

En Londres, por un tiempo, volvieron a entusiasmarse. Lejos del esfuerzo artificial que les había impuesto París, quisieron persuadirse de que el antiguo régimen de aventura furtiva era más adecuado a sus temperamentos románticos.

Pero los perseguía el temor de que los descubrieran. Durante una corta enfermedad de Muriel, pensó con terror que ésta podía morir; ya nada le impediría casarse con Oscar; él seguía jurando que si estuviera libre se casaría con ella.

Después de la enfermedad la vida de Muriel fue preciosa para los dos: les impedía una unión permanente.

Sobrevino la ruptura.

Oscar murió tres años después. Fue un inmenso alivio para Harriet. Ahora ya nadie sabía su secreto. Sin embargo, en los primeros momentos, Harriet se decía que, Oscar muerto, estaría más cerca de ella que nunca. No recordaba que en vida casi nunca había deseado tenerlo cerca. Mucho antes de que pasaran veinte años, le pareció imposible haber conocido una persona como Oscar Wade. Schubler y el Hôtel Saint

Pierre ya no eran recuerdos importantes. Hubieran desentonado con la reputación de santidad que había adquirido. Ahora, a los cincuenta y dos años, era amiga y ayudante del Reverendo Clemente Farmer, Vicario de Santa María en Maida Vale.

Era secretaria del Hogar para Jóvenes Caídas, de Maida Vale y Kilburn. Su exaltación mayor sobrevenía cuando Clemente Farmer, el flaco y austero vicario, parecido a Jorge Waring, subía al púlpito y levantaba los brazos en la bendición. Pero el momento de su muerte fue el más perfecto. Estaba acostada, soñolienta, en la cama blanca, debajo del negro crucifijo con un Cristo de marfil. El sacerdote se movía tranquilamente en el cuarto, arreglando las velas, el misal del Santísimo Sacramento. Acercó una silla a la cama; esperó que despertara. Tuvo un instante de lucidez. Sintió que se estaba muriendo y que la muerte la hacía importante para Clemente Farmer.

–¿Estás lista? –preguntó.

–Todavía no. Creo que estoy asustada. Tranquilíceme.

Clemente Farmer encendió dos velas en el altar. Tomó el crucifijo de la pared y se acercó de nuevo a la cama.

–Ahora no tendrás miedo.

–No tengo miedo del más allá. Supongo que uno se acostumbra. Pero tal vez al principio sea terrible.

–La primera etapa en la otra vida, depende, en gran parte, de lo que pensamos en nuestros últimos momentos.

–Será en mi confesión.

–¿Se siente capaz de confesarse ahora? Después le daré la extremaunción y se quedará pensando en Dios.

Recordó su pasado. Allí encontró a Oscar Wade. Vaciló: ¿podría confesar lo de Oscar Wade? Estuvo por hacerlo, después comprendió que no era posible. No era necesario. Veinte años de su vida habían prescindido de él. Tenía otros pecados que confesar. Hizo una cuidadosa selección:

–Me sedujo demasiado la belleza del mundo, A veces no fui caritativa con mis pobres muchachas. En lugar de pensar en Dios, he pensado a menudo en los seres queridos. –Después recibió la extremaunción. Pidió al sacerdote que le tuviera la mano, para no sentir miedo; mucho tiempo la tuvo así hasta que él la oyó murmurar–: Esto es la muerte. Pero yo creía que era horrible y es la dicha, la dicha.

Harriet permaneció unas horas en el cuarto donde habían sucedido estas cosas. Su aspecto le era familiar, con algo de extraño, ahora, y de repugnante. El altar, el crucifijo, las velas encendidas, sugerían alguna horrible experiencia cuyos detalles no podía definir, pero que parecían tener alguna relación con el cuerpo amortajado en la cama, que ella no asociaba consigo misma. Cuando la enfermera vino y lo descubrió, vio que era el de una mujer de mediana edad. Su cuerpo vivo era el de una joven de treinta y dos años.

Su muerte no tenía pasado ni futuro, ningún recuerdo cortante ni coherente, ninguna idea de lo que iba a ser.

Luego, súbitamente, el cuarto empezó a alejarse de sus ojos, a partirse en zonas y haces que se dislocaban y eran arrojados a diversos planos. Se inclinaban en todas direcciones, se cruzaban y cubrían con una mezcla transparente de diferentes perspectivas, como reflejos en vidrios.

La cama y el cuerpo se deslizaron hacia cualquier parte, hasta perderse de vista. Ella estaba de pie ante la puerta, que era lo único que había quedado. La abrió y se encontró en la calle, cerca de un edificio gris amarillento, con una gran torre de techo de pizarra. Lo reconoció. Era la iglesia de Santa María, de Maida Vale. Oía los acordes del órgano. Abrió la puerta y entró.

Había vuelto a espacio y tiempo definidos, había recuperado una parte limitada de memoria coherente. Recordaba todos los detalles de la iglesia que eran, en cierto modo, permanentes y reales, ajustados a la imagen que ahora la poseía.

Sabía para qué había venido. El servicio había concluido. Caminó por la nave hasta el asiento habitual debajo del púlpito. Se arrodilló y se cubrió la cara con las manos. Entre sus dedos podía ver la puerta de la sacristía. La miró tranquilamente, hasta que se abrió y apareció Clemente Farmer con su sotana negra. Pasó muy cerca del banco donde estaba arrodillada, y la esperó en la puerta, porque tenía algo que decirle.

Se levantó y se aproximó a Farmer. Seguía esperándola y no se movió para darle paso. Se acercó tanto que los rasgos de él se confundieron. Entonces, se retiró un poco para verlo mejor y se halló ante la cara de Oscar Wade. Estaba quieto, horriblemente quieto, cortándole el paso.

Las luces de las naves laterales iban apagándose, una por una. Si no se escapaba quedaría encerrada con él en esa oscuridad. Consiguió, por fin, moverse y llegar a tientas a un altar. Cuando se dio vuelta, ya no estaba Oscar Wade.

Entonces recordó que Oscar Wade estaba muerto. Luego lo que había visto no era Oscar: era su fantasma. Había muerto. Había muerto hacía diecisiete años. Estaba libre de él para siempre...

Cuando salió al atrio de la iglesia vio que la calle había cambiado. No era la calle que recordaba. Se encontró en una recova con muchas vidrieras; la Rue de Rivoli en París. Ahí estaba la entrada del Hôtel Saint Pierre. Pasó por la puerta giratoria; cruzó el gris y sofocante vestíbulo que ya conocía; fue derecha a la gran escala de alfombra gris; subió los peldaños innumerables que giraban alrededor de la jaula del ascensor hasta un descanso que conocía y un largo corredor ceniciento alumbrado por una ventana opaca; allí sintió el horror del lugar.

Ya no se acordaba de la iglesia de Santa María. No se daba cuenta de ese curso retrógrado en el tiempo. Todo el espacio y todo el tiempo estaban ahí. Recordaba que debía caminar hacia la izquierda.

Pero había algo donde el corredor doblaba, en la ventana al final de todos los corredores. Si tomaba la derecha se salvaría; pero ahí se detenía el corredor: un muro liso. Tuvo que volver a la izquierda. Dobló por otro corredor, que era oscuro y secreto y depravado. Llegó a una puerta torcida, que dejaba pasar luz por la rendija. Distinguía, encima, el número: 107. Algo había sucedido ahí. Si entraba volvería a suceder. Detrás de la puerta estaba Oscar Wade esperándola. Oyó sus pasos mesurados, que se acercaban. Huyó, rápida y ciega, como un animal, oyendo los pies que la perseguían. La puerta giratoria la agarró y la arrojó a la calle. Lo extraño es que estaba fuera del tiempo. Borrosamente recordaba que alguna vez hubo alguna cosa llamada tiempo: no se lo imaginaba. Se daba cuenta de cosas que sucedían o que estaban por suceder. Las fijaba por el lugar que ocupaban y medía su duración por el espacio. Ahora pensaba: si tan sólo pudiera retroceder al lugar donde no sucedió.

Caminaba por un camino blanco, entre campos y colinas desdibujadas por la niebla. Cruzó el puente y vio la antigua casa gris, sobre el alto muro del jardín. Entró por el portón de hierro y se encontró en un gran salón de techo bajo, con las cortinas corridas, ante una cama. Era la cama de su padre. El cadáver extendido bajo la sábana, era el de su padre. Levantó la sábana: vio el rostro de Oscar Wade, quieto y suavizado por la inocencia del sueño y de la muerte. Lo miró, fascinada, con implacable felicidad. Oscar estaba muerto. Recordó que solía dormir así, en el Hôtel Saint Pierre, a su lado. Si estaba muerto, no volvería a suceder. Estaba salvada.

La cara muerta le daba miedo. Al descubrirla, notó un ligero movimiento. Levantó la sábana y estiró con fuerza, pero las manos empezaron a luchar y los dedos aparecieron por los bordes, tirándola hacia abajo. La boca se abrió. Los ojos se abrieron: toda la cara la miró en agonía y terror.

El cuerpo se irguió, con los ojos clavados en los de ella. Los dos se quedaron inmóviles, un instante, con miedo mutuo. Pudo escaparse y correr; se detuvo en el portón sin saber qué lado tomar. A la derecha, el puente y el camino la llevarían a la Rue de Rivoli y a los abominables corredores del Hôtel Saint Pierre; a la izquierda, el camino cruzaba la aldea.

Si pudiera retroceder aún, estaría segura, fuera del alcance de Oscar. Junto al lecho de muerte, había sido joven pero no bastante. Tenía que volver al lugar en que había sido más joven; sabía adonde encontrarlo; cruzó la aldea corriendo, por los galpones de una granja, por el almacén, por la fonda La Cabeza de la Reina, por el Correo, la iglesia y el cementerio, hasta el portón sur, en los muros del parque de su niñez.

Estas cosas parecían insustanciales, tras una capa de aire que brillaba sobre ellas como vidrio. Se dislocaron, flotaron lejos de ella, y en lugar del camino real y los muros del parque, vio una calle de Londres, de sucias fachadas blancas, y en lugar del portón, la puerta giratoria del restaurante Schubler.

Entró. La escena se impuso con la dura evidencia de la realidad. Fue hasta una mesa en un rincón, donde un hombre estaba solo. La servilleta le tapaba la boca. No estaba segura de la parte superior de la cara; la servilleta se deslizó. Vio que era Oscar Wade. Se dejó caer a su lado. Wade se le acercó; sintió el calor de la cara congestionada y el olor del vino.

—Yo sabía que vendrías.

Comió y bebió en silencio, postergando el abominable momento final. Al fin se levantaron y se afrontaron; el gran cuerpo de Oscar estaba ante ella, encima de ella, y casi sentía la vibración de su poder. La llevó hasta la escalera de alfombra roja y la obligó a subir. Pasó por la puerta blanca de la salita, con los mismos muebles, las cortinas de muselina, el espejo dorado sobre la chimenea, con los dos ángeles de porcelana, la mancha en la alfombra ante la mesa, el viejo e infame canapé, tras el biombo.

Se movieron por la salita, girando como fieras enjauladas, incómodos, enemigos, evitándose.

—Es inútil que te escapes. Lo que hicimos no podía terminar de otro modo.

—Pero terminó. Terminó para siempre.

–No. Debemos empezar otra vez. Y seguir, y seguir.

–Ah, no, todo menos eso. ¿No recuerdas cómo nos aburríamos?

–¿Recordar? ¿Te figuras que yo te tocaría, si pudiera evitarlo? Para eso estamos aquí. Tenemos que hacerlo.

–No. Me voy ahora mismo.

–No puedes. La puerta está con llave.

–Oscar, ¿por qué la cerraste?

–Siempre lo hicimos, ¿no recuerdas?

Ella volvió a la puerta; no pudo abrirla, la sacudió, la golpeó con las manos.

–Es inútil, Harriet. Si ahora sales, tendrás que volver. Lo podrás postergar una hora o dos, pero ¿qué es eso en la inmortalidad?

–Ya hablaremos de la inmortalidad cuando estemos muertos...

Se sentían atraídos uno a otro, moviéndose despacio, como en figuras de una danza monstruosa, con las cabezas echadas hacia atrás, las caras apartadas de la horrible proximidad. Algo atraía los pies de ambos, de uno al otro, aunque se arrastraban en contra.

De repente, sus rodillas flaquearon, cerró los ojos y se entregó en la oscuridad y el terror.

Después retrocedió en el tiempo, hasta la entrada del parque, donde Oscar no había estado nunca, donde no podría alcanzarla. Su memoria fue limpia y joven. Caminaba ahora por la senda en el campo, hasta donde la esperaba Jorge Waring. Llegó. El hombre que la esperaba era Oscar Wade.

–Te dije que era inútil escapar. Todos los caminos te traen, me encontrarás en cada vuelta, yo estoy en todos tus recuerdos.

–Mis recuerdos son inocentes. ¿Cómo pudiste tomar el lugar de mi padre y de Jorge Waring? ¿Tú?

–Porqué les tomé su lugar.

–Mi amor por ellos fue inocente.

–Tu amor por mí era parte de ese amor. Crees que el pasado afecta el porvenir; ¿no pensaste nunca que el porvenir afecta al pasado?

–Me iré lejos.

–Esta vez iré contigo.

El cerco, el árbol y el campo flotaron y se le perdieron de vista. Iba sola hacia la aldea, pero se daba cuenta de que Oscar Wade la acompañaba del otro lado del camino. Paso a paso, como ella, árbol por árbol.

Luego bajo sus pies hubo pavimento gris y lo cubría una recova: iban juntos por la Rue de Rivoli hacia el hotel. Ahora estaban sentados al borde de la cama deshecha. Sus brazos estaban caídos y sus cabezas miraban a lados opuestos; el amor les pesaba con el inevitable aburrimiento de su inmortalidad.

–¿Hasta cuándo? –dijo ella–. La vida no continúa para siempre. Moriremos.

–¿Morir? Hemos muerto. ¿No sabes dónde estamos? Esta es la muerte. Estamos muertos, estamos en el Infierno.

–Sí, no puede haber nada peor.

–Esto no es lo peor. Mientras nos queden fuerzas para huir, mientras podamos ocultarnos en nuestros recuerdos, no estaremos del todo muertos. Pero pronto habremos llegado al más lejano recuerdo y no habrá nada más allá. En el último infierno no huiremos más, no encontraremos más caminos, más pasajes, ni más puertas abiertas. Ya no necesitaremos buscarnos. En la última muerte estaremos encerrados en esta salita, tras esa puerta con llave. Yaceremos aquí, para siempre.

–¿Por qué? ¿Por qué? –gritó ella.

–Porque eso es todo lo que nos queda.

La oscuridad borró la salita. Ahora caminaba por un jardín, entre plantas más altas que ella. Tiró de unos tallos y no tenía fuerza para romperlos. Era una criatura. Se dijo que ahora estaba salvada. Tan lejos había retrocedido que de nuevo era chica. Llegó a un cantero de césped con un estanque circular rodeado de flores. Peces colorados nadaban en el agua. Al fondo del cantero había un huerto; allí iba a estar su madre. Había ido hasta el recuerdo más lejano; no había nada después.

Sólo el huerto, con el portón de hierro que daba al campo. Algo era diferente aquí; algo que la asustaba. Una puerta gris, en vez del portón de hierro. La empujó y estuvo en el último corredor del Hôtel Saint Pierre.

MAY SINCLAIR
Uncanny Stories

EL PAÑUELO QUE SE TEJE SOLO

La mitología malaya habla de un pañuelo, *sansistah kalah,* que se teje solo y cada año agrega una hilera de perlas finas, y cuando esté concluido ese pañuelo, será el fin del mundo.

W.W. SKEAT
Malay Magic (1900)

OLAF STAPLEDON, utopista inglés. Nacido en 1887; muerto en 1950. Autor de: *A Modern Theory of Ethics* (1915); *Last and First Men* (1930); *Last Men in London* (1932); *Star Maker* (1937); *Philosophy and Living* (1939).

En un cosmos inconcebiblemente complejo, cada vez que una criatura se enfrentaba con diversas alternativas, no elegía una sino todas, creando de ese modo muchas historias universales del cosmos. Ya que en ese mundo había muchas criaturas y que cada una de ellas estaba continuamente ante muchas alternativas, las combinaciones de esos procesos eran innumerables y a cada instante ese universo se ramificaba infinitamente en otros universos, y éstos, en otros a su vez.

OLAF STAPLEDON
Star Maker (1937)

UN TEÓLOGO EN LA MUERTE

MANUEL SWEDENBORG, teólogo, hombre de ciencia y místico sueco. Autor de: *Daedalus Hyperboreus* (1716); *Economia Regni Animales* (1704); *De Cœlo et Inferno* (1758); *Apocalypsis Revelata* (1766); *Thesaurus Bibliorum Emblematicus et Allegoricus* (1859-68). En dieciocho idiomas orientales y occidentales hay versiones de Swedenborg.

Los ángeles me comunicaron que cuando falleció Melanchton le fue suministrada en el otro mundo una casa ilusoriamente igual a la que había tenido en la tierra. (A casi todos los recién venidos a la eternidad les ocurre lo mismo y por eso creen que no han muerto.) Los objetos domésticos eran iguales: la mesa, el escritorio con sus cajones, la biblioteca. En cuanto Melanchton se despertó en ese domicilio, reanudó sus tareas literarias como si no fuera un cadáver y escribió durante unos días sobre la justificación por la fe. Como era su costumbre, no dijo una palabra sobre la caridad. Los ángeles notaron esa omisión y mandaron personas a interrogarlo. Melanchton les dijo: «He demostrado irrefutablemente que el alma puede prescindir de la caridad y que para ingresar en el cielo basta la fe». Esas cosas las decía con soberbia y no sabía que ya estaba muerto y que su lugar no era el cielo. Cuando los ángeles oyeron este discurso, lo abandonaron. A las pocas semanas, los muebles empezaron a afantasmarse, hasta ser invisibles, salvo el sillón, la mesa, las hojas de papel y el tintero. Además, las paredes del aposento se mancharon de cal, y el piso, de un barniz amarillo. Su misma ropa ya era mucho más ordinaria. Seguía, sin embargo, escribiendo, pero como persistía en la negación de la caridad, lo trasladaron a un taller subterráneo, donde había otros teólogos como él. Ahí estuvo unos días y empezó a dudar de su tesis y le permitieron volver. Su ropa era de cuero sin curtir, pero trató de imaginarse que lo anterior había sido una mera alucinación y prosiguió elevando la fe y denigrando la caridad. Un atardecer, sintió frío. Entonces recorrió la casa y comprobó que los demás aposentos ya no correspondían a los de su habitación en la tierra. Alguno contenía instrumentos desconocidos; otros se habían achicado tanto que era imposible entrar; otros no habían cambiado, pero sus ventanas y puertas daban a grandes médanos. La pieza del fondo estaba llena de personas que lo adoraban y que le repetían que ningún teólogo era tan sapiente como él. Esa adoración le agradó, pero como alguna de esas personas no tenía cara y otras parecían muertas, acabó por aborrecerlas y desconfiar. Entonces determinó escribir un elogio de la caridad, pero las páginas escritas hoy aparecían mañana borradas. Eso le aconteció porque las componía sin convicción.

Recibía muchas visitas de gente recién muerta, pero sentía vergüenza de mostrarse en un alojamiento tan sórdido. Para hacerles creer que estaba en el cielo, se arregló con un brujo de los de la pieza del fondo, y éste los engañaba con simulacros de esplendor y serenidad. Apenas las visitas se retiraban reaparecían la pobreza y la cal, y a veces un poco antes.

Las últimas noticias de Melanchton dicen que el brujo y uno de los hombres sin cara lo llevaron hacia los médanos y que ahora es como un sirviente de los demonios.

MANUEL SWEDENBORG
Arcana Coelestia (1749)

EL ENCUENTRO
(Cuento de la dinastía T'ang)

Ch'ienniang era la hija del señor Chang Yi, funcionario de Hunan. Tenía un primo llamado Wang Chu, que era un joven inteligente y bien parecido. Se habían criado juntos y, como el señor Chang Yi quería mucho al joven, dijo que lo aceptaría como yerno. Ambos oyeron la promesa y como ella era hija única y siempre estaban juntos, el amor creció día a día. Ya no eran niños y llegaron a tener relaciones íntimas. Desgraciadamente, el padre era el único en no advertirlo. Un día un joven funcionario le pidió la mano de su hija. El padre, descuidando u olvidando su antigua promesa, consintió. Ch'ienniang, desgarrada por el amor y por la piedad filial, estuvo a punto de morir de pena, y el joven estaba tan despechado que resolvió irse del país para no ver a su novia casada con otro. Inventó un pretexto y comunicó a su tío que tenía que irse a la capital. Como el tío no logró disuadirlo, le dio dinero y regalos y le ofreció una fiesta de despedida. Wang Chu, desesperado, no cesó de cavilar durante la fiesta y se dijo que era mejor partir y no perseverar en un amor sin ninguna esperanza.

Wang Chu se embarcó una tarde y había navegado unas pocas millas cuando cayó la noche. Le dijo al marinero que amarrara la embarcación y que descansaran. No pudo conciliar el sueño y hacia la medianoche oyó pasos que se acercaban. Se incorporó y preguntó: «¿Quién anda a estas horas de la noche?». «Soy yo, yo Ch'ienniang», fue la respuesta. Sorprendido y feliz, la hizo entrar en la embarcación. Ella le dijo que había esperado ser su mujer, que su padre había sido injusto con él y que no podía resignarse a la separación. También había temido que Wang Chu, solitario y en tierras desconocidas, se viera arrastrado al suicidio. Por eso había desafiado la reprobación de la gente y la cólera de los padres y había venido para seguirlo a donde fuera. Ambos, muy dichosos, prosiguieron el viaje a Szechuen.

Pasaron cinco años de felicidad y ella le dio dos hijos. Pero no llegaban noticias de su familia y Ch'ienniang pensaba diariamente en su padre. Ésta era la única nube en su felicidad. Ignoraba si sus padres vivían o no y una noche le confesó a Wang Chu su congoja: como era hija única se sentía culpable de una grave impiedad filial. «Tienes un buen corazón de hija y estoy contigo», respondió él. «Cinco años han pasado y ya no estarán enojados con nosotros. volvamos a casa.» Ch'ienniang se regocijó y se aprestaron para regresar con los niños.

Cuando la embarcación llegó a la ciudad natal, Wang Chu le dijo a Ch'ienniang: «No sé en qué estado de ánimo encontraremos a tus padres. Déjame ir solo a averiguarlo». Al avistar la casa, sintió que el corazón le latía. Wang Chu vio a su suegro, se arrodilló, hizo una reverencia y pidió perdón. Chang Yi lo miró asombrado y le dijo: «¿De qué hablas? Hace cinco años que Ch'ienniang está en cama y sin conciencia. No se ha levantado una sola vez».

«No estoy mintiendo», dijo Wang Chu. «Está bien y nos espera a bordo.»

Chang Yi no sabía qué pensar y mandó dos doncellas a ver a Ch'ienniang. A bordo la encontraron sentada, bien ataviada y contenta; hasta les mandó cariños a sus padres. Maravilladas, las doncellas volvieron y aumentó la perplejidad de Chang Yi. Entretanto la enferma había oído las noticias y parecía ya libre de su mal y había luz en sus ojos. Se levantó de la cama y se vistió ante el espejo. Sonriendo y sin decir una palabra, se dirigió a la embarcación. La que estaba a bordo iba hacia la casa y se encontraron en la orilla. Se abrazaron y los dos cuerpos se confundieron y sólo quedó una Ch'ienniang, joven y bella como siempre. Sus padres se regocijaron, pero ordenaron a los sirvientes que guardaran silencio, para evitar comentarios.

Por más de cuarenta años, Wang Chu y Ch'ienniang vivieron juntos y felices.

EL ESPEJO DE VIENTO-Y-LUNA

TSAO HSUE-KING, novelista chino, nacido en la provincia de Kiangsu, *circa* 1719; muerto en 1764. Diez años antes de su muerte empezó a escribir la vasta novela que ha determinado su gloria: *El Sueño del Aposento Rojo*. Como el *Kin Ping Mei* y otras novelas de la escuela realista, abunda en episodios oníricos y fantásticos. Hemos compulsado las versiones de Chi-Chen Wang y del doctor Franz Kuhn.

... En un año las dolencias de Kia Yui se agravaron. La imagen de la inaccesible señora Fénix gastaba sus días; las pesadillas y el insomnio, sus noches.

Una tarde un mendigo taoísta pedía limosna en la calle, proclamando que podía curar las enfermedades del alma. Kia Yui lo hizo llamar. El mendigo le dijo: «Con medicinas no se cura su mal. Tengo un tesoro que lo sanará si sigue mis órdenes». De su manga sacó un espejo bruñido de ambos lados; el espejo tenía la inscripción: *Precioso Espejo de Viento-y-Luna*. Agregó: «Este espejo viene del Palacio del Hada del terrible Despertar y tiene la virtud de curar los males causados por los pensamientos impuros. Pero guárdese de mirar en anverso. Sólo mire el reverso. Mañana volveré a buscar el espejo y a felicitarlo por su mejoría». Se fue sin aceptar las monedas que le ofrecieron.

Kia Yui tomó el espejo y miró según le había indicado el mendigo. Lo arrojó con espanto: el espejo reflejaba una calavera. Maldijo al mendigo; irritado, quiso ver el anverso. Empuñó el espejo y miró: desde su fondo, la señora Fénix, espléndidamente vestida, le hacía señas. Kia Yui se sintió arrebatado por el espejo y atravesó el metal y cumplió el acto de amor. Después, Fénix lo acompañó hasta la salida. Cuando Kia Yui se despertó, el espejo estaba al revés y le mostraba, de nuevo, la calavera. Agotado por la delicia del lado falaz el espejo, Kia Yui no resistió, sin embargo, a la tentación de mirarlo una vez más. De nuevo Fénix le hizo señas, de nuevo penetró en el espejo y satisficieron su amor. Esto ocurrió unas cuantas veces. La última, dos hombres lo apresaron al salir y lo encadenaron. «Los seguiré», murmuró, «pero déjenme llevar el espejo». Fueron sus últimas palabras. Lo hallaron muerto, sobre la sábana manchada.

TSAO HSUE-KIN (1719-1764)
Sueño del Aposento Rojo

SUEÑO INFINITO DE PAO YU

Pau Yu soñó que estaba en un jardín idéntico al de su casa. ¿Será posible, dijo, que haya un jardín idéntico al mío? Se le acercaron unas doncellas. Pao Yu se dijo atónito: ¿Alguien tendrá doncellas iguales a Hsi-Yen, a Pin-Erh y a todas las de la casa? Una de las doncellas exclamó: «Ahí está Pao Yu. ¿Cómo habrá llegado hasta aquí?». Pao Yu pensó que lo habían reconocido. Se adelantó y les dijo: «Estaba caminando; por casualidad llegué hasta aquí. Caminemos un poco». Las doncellas se rieron. «¡Qué desatino! Te confundimos con Pao Yu, nuestro amo, pero no eres tan gallardo como él». Eran doncellas de otro Pao Yu. «Queridas hermanas –les dijo–, yo soy Pao Yu. ¿Quién es vuestro amo?» «Es Pao Yu», contestaron. «Sus padres le dieron ese nombre, que está compuesto de los dos caracteres Pao (precioso) y Yu (jade), para que su vida fuera larga y feliz. ¿Quién eres tú para usurpar ese nombre?» Se fueron, riéndose.

Pao Yu quedó abatido. «Nunca me han tratado tan mal. ¿Por qué me aborrecerán estas doncellas? ¿Habrá, de veras, otro Pao Yu? Tengo que averiguarlo.» Trabajado por esos pensamientos, llegó a un patio que le pareció extrañamente familiar. Subió la escalera y entró en su cuarto. Vio a un joven acostado; al lado de la cama reían y hacían labores unas muchachas. El joven suspiraba. Una de las doncellas le dijo: «¿Qué sueñas, Pao Yu, estás afligido?». «Tuve un sueño muy raro. Soñé que estaba en un jardín y que ustedes no me reconocieron y me dejaron solo. Las seguí hasta la casa y me encontré con otro Pao Yu durmiendo en mi cama.» Al oír ese diálogo Pao Yu no pudo contenerse y exclamó: «Vine en busca de Pao Yu; eres tú». El joven se levantó y lo abrazó, gritando: «No era un sueño, tú eres Pao Yu». Una voz llamó desde el jardín: «¡Pao Yu!» Los dos Pao Yu temblaron. El soñado se fue; el otro le decía: «¡Vuelve pronto, Pao Yu!». Pao Yu se despertó. Su doncella Hsi-Yen le preguntó: «¿Qué sueñas Pao Yu, estás afligido?». «Tuve un sueño muy raro. Soñé que estaba en un jardín y que ustedes no me reconocieron...»

TSAO HSUE-KIN (1719-1764)
Sueño del Aposento Rojo

HISTORIA DE LOS DOS QUE SOÑARON

GUSTAV WEIL, orientalista alemán, nacido en Salzburgo, en 1808; muerto en Friburgo, en 1889. Tradujo al alemán los *Collares de oro,* de Samachari, y *Las mil y Una Noches.* Publicó una biografía de Mahoma, una introducción al Corán y una historia de los pueblos islámicos.

Cuentan los hombres dignos de fe (pero sólo Alá es omnisciente y poderoso y misericordioso y no duerme) que hubo en El Cairo un hombre poseedor de riquezas, pero tan magnánimo y liberal que todas las per-

dió, menos la casa de su padre, y que se vio forzado a trabajar para ganarse el pan. Trabajó tanto que el sueño lo rindió debajo de una higuera de
su jardín y vio en el sueño a un desconocido que le dijo:

–Tu fortuna está en Persia, en Isfaján; vete a buscarla.

A la madrugada siguiente se despertó y emprendió el largo viaje y
afrontó los peligros de los desiertos, de los idólatras, de los ríos, de las
fieras y de los hombres. Llegó al fin a Isfaján, pero en el recinto de esa
ciudad lo sorprendió la noche y se tendió a dormir en el patio de una
mezquita. Había, junto a la mezquita, una casa y por decreto de Dios
Todopoderoso una pandilla de ladrones atravesó la mezquita y se metió
en la casa, y las personas que dormían se despertaron y pidieron socorro.
Los vecinos también gritaron, hasta que el capitán de los serenos de aquel
distrito acudió con sus hombres y los bandoleros huyeron por la azotea.
El capitán hizo registrar la mezquita y en ella dieron con el hombre de
El Cairo y lo llevaron a la cárcel. El juez lo hizo comparecer y le dijo:

–¿Quién eres y cuál es tu patria?

El hombre declaró:

–Soy de la ciudad famosa de El Cairo y mi nombre es Yacub El
Magrebí.

El juez le preguntó:

–¿Qué te trajo a Persia?

El hombre optó por la verdad y le dijo:

–Un hombre me ordenó en un sueño que viniera a Isfaján, porque
ahí estaba mi fortuna. Ya estoy en Isfaján y veo que la fortuna que me
prometió ha de ser esta cárcel.

El juez se echó a reír.

–Hombre desatinado –le dijo–, tres veces he soñado con una casa en
la ciudad de El Cairo, en cuyo fondo hay un jardín y en el jardín, un
reloj de sol y después del reloj de sol, una higuera, y bajo la higuera
un tesoro. No he dado el menor crédito a esa mentira. Tú, sin embargo, has errado de ciudad en ciudad, bajo la sola fe de tu sueño. Que no
vuelva a verte en Isfaján. Toma estas monedas y vete.

El hombre las tomó y regresó a la patria. Debajo de la higuera de su
casa (que era la del sueño del juez) desenterró el tesoro. Así Dios le dio
bendición y lo recompensó y exaltó. Dios es el Generoso, el Oculto.

GUSTAV WEIL
Geschichte des Abbassidenchalifazts
in Aegypten (1860-62)

EL CASO DEL DIFUNTO MÍSTER ELVESHAM

H. G. WELLS, novelista, cuentista, enciclopedista. Nacido en Bromley, en 1866; muerto en Londres, en 1946. La literatura fantástica le debe muchos ejercicios coherentes. En esta disciplina, sus libros más admirables son: *The Time Machine* (1895); *The Island of Doctor Moreau* (1896); *The Plattner Story and Others* (1897); *The Invisible Man* (1897); *Tales of Space and Time* (1899); *The First Men in the Moon* (1901); *Twelve Stories and a Dream* (1903); *The Croquet Player* (1936).

Mi intención, al escribir este relato, no es precisamente la de ser creído, sino la de evitar la caída de una próxima víctima. Quizá mi desdicha le sirva de algo. Sé que mi caso es irreparable y estoy casi resignado a afrontarlo.

Mi nombre es Edward George Eden. Nací en Trentham, en Staffordshire. Mi padre era jardinero municipal. Perdí a mi madre cuando sólo tenía tres años y a mi padre a los cinco. Mi tío, George Eden, me adoptó. Era un hombre soltero, autodidacta, y había logrado cierto renombre como periodista. Costeó generosamente mis estudios y me infundió la voluntad de progresar en el mundo. Cuando murió, hace cuatro años, me dejó toda su fortuna, que ascendía a unas quinientas libras, después de pagados los impuestos. Yo tenía entonces dieciocho años. En el testamento me aconsejaba que empleara ese dinero en completar mi educación. Yo había elegido la carrera de medicina; y gracias a su generosidad póstuma y a mi buena suerte en un examen, pronto fui estudiante de medicina en la Universidad de Londres. En el año del principio de este relato yo me alojaba en una buhardilla, pobremente amueblada, atravesada de corrientes de aire, que daba a los fondos de la Universidad. Una tarde le llevé unos botines al remendón de Tottenham Court Road. Ésta fue la primera vez que encontré el viejito de la cara amarilla; al hombre con el cual mi vida está indisolublemente enredada. Al abrir la puerta de calle, vi que miraba, con incertidumbre evidente, el número de la casa. Sus ojos, de un azul aguado y rojos en el borde, tuvieron, al verme, una expresión de torpe amabilidad.

—No puede aparecer más oportunamente —me dijo—. Había olvidado el número de su casa. ¿Cómo le va, Mr. Eden?

Me sorprendió la familiaridad de su trato; yo nunca lo había visto. Me sentí un poco molesto de que me hubiera sorprendido con los botines debajo del brazo.

–Usted se estará preguntando quién diablos soy –me dijo, notando mi escasa cordialidad–. Permítame asegurarle que soy un amigo. Yo le he visto antes, aunque usted no me reconozca. ¿Dónde podríamos hablar?

Vacilé. No quería exponer la pobreza de mi cuarto a un desconocido.

–Quizá podríamos conversar mientras caminamos –le dije.

Miró a todos lados. Yo aproveché para deslizar los botines en el zaguán.

–Vea –agregó–. Venga a almorzar conmigo, Mr. Eden. Yo soy muy viejo, y con el ruido del tráfico no voy a conseguir que usted oiga mi voz.

Con una mano persuasiva y escuálida me tocó el brazo. No sé por qué me sentí un poco incómodo ante la invitación.

–Vamos –exclamó–. Hágame el gusto, aunque sea por respeto a mis canas.

Acepté finalmente; fuimos al restaurante de Blavitski. Tuve que andar con lentitud para acomodarme a su paso. Durante un excelente almuerzo, en el que fracasaron todas mis preguntas, pude estudiar su cara. Era afeitada, flaca y surcada de arrugas; los ajados labios caían sobre su dentadura postiza; el pelo era escaso y blanco; tenía las espaldas agobiadas y me pareció chico; casi todos los hombres me parecían chicos, entonces. Advertí que él me examinaba también, con cierta incomprensible codicia.

–Y ahora –dijo por fin– le explicaré la razón de mi visita. Debo decirle que soy viejo, muy viejo, y que poseo mucho dinero que no sé a quién dejar.

Pensé en el cuento del tío y resolví defender los restos de mis quinientas libras.

–He cavilado sobre el mejor empleo que podría darle a mi dinero y he llegado a esta conclusión: trataré de encontrar a un joven ambicioso, pobre, sano de cuerpo y alma, y le daré todo lo que tengo –me miró fijamente y repitió–: Todo lo que tengo. Se verá libre, para siempre, de las preocupaciones de la pobreza y podrá dirigir su vida como mejor le plazca.

Traté de simular indiferencia.

–Ah, ya veo –dije con transparente hipocresía–. Usted desea mi ayuda, mi ayuda profesional, para encontrar esa persona.

Me miró con tranquila sorna a través del humo del cigarrillo y reí al verme descubierto.

–Qué brillante carrera la de un hombre en esas circunstancias –exclamó–; me da envidia pensar que otro disfrutará de lo que durante tantos años he acumulado. Pero –agregó– le impondré algunas condiciones, como usted imaginará. Por ejemplo, ese individuo deberá tomar mi nombre. Quiero, además, enterarme de todas las circunstancias de su vida, y de la vida de sus mayores, antes de nombrarlo heredero.

Esto enfrió un poco mi entusiasmo.

—Y debo creer, entonces, que yo... que yo... —dije.

—Sí, ¡usted! —respondió, casi con brutalidad—. Usted, ¡usted!

No contesté una sola palabra. Mi imaginación se perdía en giros fantásticos. Sin embargo, no sentí la menor gratitud. No sabía qué decir, ni cómo decirlo.

—Pero, ¿por qué yo precisamente? —pregunté al fin.

Dijo que el profesor Hasler le había hablado de mí, como de un joven sano y honesto y que su propósito era dejar su dinero a una persona que reuniera esas condiciones.

Así acabó mi primer encuentro con el viejito.

Guardó mucha reserva, no me dio su nombre y después de unas preguntas se despidió y me dejó en la puerta de Blavitski. Noté que para pagar el almuerzo sacó del bolsillo un puñado de monedas de oro. Me intrigó su insistencia sobre la salud del posible heredero.

De acuerdo con el arreglo que hicimos, al día siguiente me presenté a la Royal Insurance Company para asegurar mi vida por una suma considerable. Durante una semana los médicos de la compañía me sometieron a continuos exámenes. El viejito no quedó satisfecho y pidió al famoso doctor Henderson un examen adicional. Pasaron unos cuantos días sin que viera al anciano. Una noche a eso de las nueve, se presentó en mi casa. Parecía más encorvado y sus mejillas se habían hundido un poco más. Su voz temblaba cuando habló:

—Estuve con el doctor Henderson. El examen ha resultado satisfactorio. Todo es enteramente satisfactorio. Esta gran noche, usted cenará conmigo y festejaremos su... —fue interrumpido por la tos—. Por lo demás usted no tendrá mucho que esperar —añadió enjugando sus labios con el pañuelo—. Ciertamente, no habrá mucho que esperar.

Salimos a la calle y tomamos un coche. Durante el viaje me reveló su identidad. Era nada menos que Egbert Elvesham, el gran filósofo, cuyo nombre me era familiar desde la niñez. Fuimos a un restaurante lujosísimo. Me desconcertaron las miradas despectivas que atrajo mi ropa gastada. Pronto renació mi confianza gracias al fuego del champaña. Mientras yo comía y bebía, el filósofo me observaba y en su expresión había alguna envidia.

—¡Cuánta vida hay en usted! —exclamó. Y luego, con un suspiro de alivio, agregó:

—No habrá que esperar mucho.

El mozo trajo los licores.

El anciano había sacado de la cartera un paquetito.

—Esta hora de la sobremesa —dijo— es la hora de las pequeñas cosas: he aquí una partícula de mi sabiduría inédita.

Abrió el paquetito y me dijo:

—Ponga en el Kummel un poco de este polvo rosado y verá cómo mejora el gusto.

Sus ojos grises me observaban con una inescrutable expresión. Me sorprendió que el maestro dedicara su sabiduría a mejorar el gusto de los licores. Fingí, sin embargo, un gran interés; estaba lo bastante borracho para esa adulación.

Repartió el polvo en los dos vasos, y, bruscamente, levantándose con inesperada dignidad, me presentó su copa. Lo imité; los vasos chocaron.

—Por una pronta sucesión.

—No, eso no —protesté—. Por una larga vida.

Bebimos, mirándonos en los ojos. Al apurar el Kummel sentí una intensa, rarísima sensación. La cabeza me dolió; imágenes de cosas semiolvidadas acudían y desaparecían. No noté el gusto del licor ni el aroma, solamente veía la intensidad de la mirada del profesor. Con un fuerte suspiro apoyó la copa sobre la mesa.

—¿Y bien? —preguntó.

—Es delicioso —exclamé, aunque no había percibido el sabor.

Sentí unas terribles punzadas en la cabeza, tuve que sentarme. Sin embargo, mi poder de percepción había aumentado como si viera todas las cosas en un espejo cóncavo. El anciano estaba nervioso. Sacó el reloj y le dirigió una ansiosa mirada.

—Las once y diez —exclamó— y esta noche tengo que... y el tren sale a las once y treinta de Waterloo. Tengo que irme enseguida.

Minutos más tarde nos despedíamos: él en el interior de un coche y yo afuera con esa absurda sensación de —¿cómo expresarlo?— ver y aun sentir a través de un telescopio invertido.

—No debí darle esa bebida —dijo el viejito—. Mañana le va a doler la cabeza. —Esperó un momento. Me dio un sobrecito abultado—: Tómelo con agua antes de acostarse; esto le despejará la cabeza. Otro apretón de manos. Prosperidad.

Ante la triste y vaga mirada que me dirigió, lo supuse bajo el influjo de la bebida.

Luego, con sobresalto, recordó algo. Hurgó en el bolsillo y sacó un paquete cilíndrico, del tamaño de un jabón de afeitar. Era blanco y tenía dos sellos rojos.

–Casi me olvido –dijo–. No lo abra hasta que yo venga mañana, pero tómelo ahora. –Era muy pesado.

–Muy bien –dije, mientras se alejaba el coche. Lo guardé en el bolsillo y eché a andar hacia mi hospedaje.

Recuerdo vívidamente mis sensaciones. Al bajar por Regent Street, estaba extrañamente convencido de que esa era la estación Waterloo. Casi entré al Politécnico como quien toma un tren. Me froté los ojos y la calle volvió a ser Regent Street. En ese instante me asaltaron varias reminiscencias fantásticas. Es aquí –pensé– donde hace treinta años vi por última vez a mi hermano. Me reí: hace treinta años no existía, y nunca tuve hermanos. Sin embargo el recuerdo angustioso de ese hermano seguía entristeciéndome. En Portland Road, se modificó mi locura. Empecé a recordar negocios desaparecidos y a comparar el aspecto pretérito de la calle con la actual. Pasó un ómnibus y el ruido era exactamente igual al de un tren. Me sobraban y me faltaban recuerdos. Ante la vidriera de Stevens, el embalsamador, traté vanamente de recordar qué nos vinculaba. Está claro –dije al rato–, Stevens me prometió dos ranas por la mañana.

Con dificultad llegué a mi casa. Mientras subía a mi cuarto procuré serenarme recordando los detalles de la cena; no pude evocar la figura del viejo: veía solamente sus manos; tenía, en cambio, visión total de mí mismo, sentado a la mesa, arrebatado, con los ojos brillantes y charlando aturdidamente.

Tengo que tomar esos otros polvos, pensé, esto se está poniendo imposible.

Busqué los fósforos y el candelabro, justamente en el lado en que no estaban y dudé de si mi cuarto quedaría a la izquierda o a la derecha. Estoy borracho, me dije tambaleándome superfluamente para corroborar esa afirmación.

Mi cuarto, a primera vista, me pareció desconocido. Sin embargo, ahí estaban los libros de anatomía y el espejo de siempre. Pero el cuarto era un poco irreal. Tuve la sensación de estar en un tren y de mirar por la ventanilla una estación desierta. Es un caso de clarividencia, pensé. Debo comunicarlo a la Psychical Research Society.

Puse el paquete sobre la mesa de luz y, sentado en la cama, empecé a sacarme los botines. La pieza me pareció transparente; entreví unas cortinas pesadas y un espejo espeso. Era como si a un tiempo estuviera en dos lugares distintos. Medio desvestido ya, derramé el polvo en el vaso con agua y lo tomé. Me tranquilice y me dormí.

Desperté sobresaltado, de un sueño lleno de animales extraños. Sentí un gusto raro en la boca, las piernas cansadas y una especie de incomodidad. Esperé que las sensaciones de la pesadilla se disiparan. Parecían aumentar. El cuarto estaba casi en tinieblas. Al principio no pude distinguir nada y quedé inmóvil tratando de acostumbrar mi vista a la oscuridad. Entonces creí percibir algo raro en las formas oscuras de los muebles. ¿Había cambiado de lugar la cama? Enfrente debían estar los libros pero en su lugar se levantaba algo pálido, algo que no quería parecerse a los libros. Era demasiado grande para ser mi camisa tirada en la silla.

Sobreponiéndome a un terror infantil, arrojé a un lado las cobijas y quise poner un pie fuera de la cama. En vez de llegar al suelo, mi pie sólo alcanzó el borde del colchón. Di otro paso, como quien dice, y me senté en el borde de la cama. A la derecha, sobre la silla rota, debían estar el candelabro y los fósforos. Estiré la mano; no había nada. Al retirar el brazo tropecé con una colgadura blanda y pesada; le di un tirón. Parecía una cortina colgada del techo de la cama.

Ya estaba plenamente despierto. Empecé a comprender que me hallaba en una pieza extraña. No supe cómo había penetrado ahí.

Era el alba. La vaga claridad que usurpaba el lugar de los libros era una ventana; contra la celosía distinguí el óvalo de un espejo. De pie, me sorprendió una misteriosa debilidad. Extendiendo manos temblorosas, caminé despacio hacia la ventana. Me lastimé la pierna contra una silla. Busqué alrededor del espejo; encontré una borla, tiré, y, con brusco ruido metálico, la persiana se abrió. Yo estaba ante un paisaje desconocido. Bajo el cielo lluvioso había remotas y borrosas colinas, árboles como manchas de tinta y, al pie de la ventana, un esquema de renegridos canteros y de senderos grises. Toqué la mesa de vestir; era de madera pulida; había algunos objetos encima; entre ellos, uno de forma de herradura, anguloso y liso; no encontré ni candelabro ni fósforos.

Miré de nuevo el cuarto; vagos espectros de los muebles emergían de las tinieblas. Había una enorme cama encortinada y en la chimenea se veía un resplandor de mármoles.

Apoyándome contra la mesa de vestir, cerré y abrí los ojos, y traté de pensar. Todo era demasiado real para ser un sueño. Imaginé que había un hiato en los recuerdos producidos por la extraña bebida; que había recibido mi herencia y que esa brusca felicidad me había privado de la memoria. Quizá esperando un poco, las cosas se aclararan para mí. Pero la cena con el viejo Elvesham aparecía detallada y vívida. El champaña, los mozos, el polvo rosado, los licores, yo juraría que todo eso era muy reciente. Entonces ocurrió algo trivial y al mismo tiempo tan horrible que tiemblo al recordarlo: dije en voz alta: «¿Cómo he llegado aquí?» y la voz no era mía. No era mía: era cascada, vieja, débil. Para darme valor, junté las manos y sentí arrugas de piel floja y nudos huesosos. «Sin duda», dije con esa horrible voz que de algún modo se había establecido en mi garganta, «sin duda esto es un sueño». Casi inmediatamente llevé los dedos a la boca. Habían desaparecido mis dientes. Solo había encías encogidas. Sentí un apasionado deseo de verme, de comprobar en todo su horror la transformación increíble. Fui hacia la chimenea, y busqué, tanteando, unos fósforos. Me agitó un acceso de tos; al encorvarme descubrí que mi cuerpo estaba envuelto en un grueso camisón de franela. No encontré fósforos. Sentí un intolerable frío en las piernas. Tosiendo y jadeando, lloriqueando acaso, me refugié en la cama. Estoy soñando, gemí, estoy soñando. Era una repetición senil. Me tapé los hombros con las cobijas; me tapé los oídos, puse la seca mano bajo la almohada y resolví dormir. Cerré los ojos, respiré con irregularidad y encontrándome desvelado repetí lentamente la tabla de multiplicar.

Pero no venía el sueño. Inexorablemente crecía la certidumbre de la realidad de mi cambio. Me encontré con los ojos bien abiertos, la tabla de multiplicar olvidada y los flacos dedos en las arrugadas encías. Realmente, yo era un viejo. Había caído de algún modo al fondo de mis años; me habían robado de algún modo el amor, la lucha, la fuerza y la esperanza. Imperceptiblemente, firmemente iba clareando el alba. Me incorporé, miré a mi alrededor. Ahora, en la fría penumbra, podía ver el cuarto. Era espacioso y bien amueblado, mejor que todos los demás de mi vida. Distinguí un candelabro y unos fósforos en la repisa. Tiritando con el frío del alba, aunque era verano, me levanté y abrí la luz. La acerqué al espejo: *vi la cara de Elvesham*. Lo presentía, pero la impresión fue terrible. Elvesham siempre me había parecido físicamente débil y lastimoso; pero ahora, apenas cubierto por un camisón de franela, que revelaba el descarnado pescuezo, ahora visto como mi propio cuerpo, su decrepitud era atroz. Las mejillas hundidas, los sucios mechones de pelo gris, los vagos ojos nublados, los labios temblorosos y esas horribles encías negras...

Quedé aturdido; el sol había entrado en mi pieza, cuando empecé a reflexionar. Fui comprendiendo la astucia demoníaca de Elvesham.

Me pareció evidente que si yo estaba en posesión de su cuerpo, él lo estaba del mío; es decir, de mi vigor y de mi futuro. Pero, ¿cómo probarlo? ¿La vida entera no sería una alucinación? ¿Era yo realmente Elvesham y él yo? ¿No había yo soñado con Eden? ¿Existía Eden? Pero, si yo era Elvesham debería recordar lo que sucedió antes del sueño. «Llegaré a la locura», grité con mi odiosa voz.

Desesperado metí la cabeza en una palangana de agua fría, luego me sequé y probé otra vez. Era inútil. Yo sentía, fuera de toda duda, que era Eden, no Elvesham, pero Eden en el cuerpo de Elvesham.

Ansiosamente me vestí con la ropa que recogí del piso y sólo después me di cuenta de que me había puesto un traje de etiqueta. Abrí el ropero y saqué un pantalón gris y una *robe de chambre*. Serían las seis de la mañana. La casa estaba silenciosa; las ventanas cerradas. El pasillo era amplio. La alfombrada escalera se perdía en la oscuridad del *hall*. Por una puerta entreví una gran mesa de trabajo, una biblioteca giratoria, la espalda de un sillón y una pared con filas y filas de libros. Mi biblioteca, murmuré, y el sonido de mi voz me trajo un recuerdo. Volví al dormitorio y me puse la dentadura postiza con la facilidad que da la costumbre. Así estoy mejor, dije rechinándola y volví al escritorio. Los cajones del escritorio estaban cerrados con llave. No había rastros de las llaves ni tampoco las encontré en los bolsillos. Registré la ropa del dormitorio. No había llaves, ni monedas, ni papeles, salvo la cuenta del restaurante. Sentí un extraño cansancio. La sagacidad de los planes de mi enemigo era verdaderamente infinita; comprendí que mi situación era desesperada. Me levanté con un esfuerzo y volví al escritorio.

En la escalera había una doncella, que abría los postigos. Se sobresaltó, creo, al ver mi expresión. Cerré la puerta detrás de mí. Con un atizador intenté abrir a golpes el escritorio. Fue así como me encontraron. La tabla del escritorio quedó llena de rajaduras; la cerradura, aplastada; las cartas, diseminadas por la alfombra. En mi furor senil tiré la regla y las lapiceras, y volqué la tinta. No encontré ni talonario de cheques ni dinero, ni la menor indicación de cómo proceder para recuperar mi cuerpo. Golpeaba frenéticamente los cajones, cuando el mayordomo, respaldado por las doncellas, me contuvo.

Tal es la historia de mi transformación. Nadie me cree. Me tratan como un demente y, aún ahora, me tienen bajo vigilancia. Pero estoy cuerdo, absolutamente cuerdo; para demostrarlo, escribo lo que me ha sucedido. Soy un hombre joven, secuestrado en el cuerpo de un viejo. Naturalmente, parezco loco a quienes no me creen. Naturalmente, ignoro los nombres de mis secretarios y de los médicos que vienen a verme; de los sirvientes de mi casa; del pueblo en que estoy. Naturalmente, me pierdo en mi propia casa. Naturalmente, lloro y grito y tengo paroxismos de desesperación. No tengo ni dinero ni talonario de cheques. El banco no reconoce mi firma, pues, aunque mis músculos están débiles, mi letra es todavía la de Eden.

Soy un viejo furioso, desesperado, temido, que merodea por una lujosa casa interminable y a quien todos evitan. Y en Londres está Elvesham, con la sabiduría acumulada de setenta años y con el joven cuerpo que me ha robado.

No comprendo bien lo que ha sucedido. En la biblioteca hay muchos volúmenes que se refieren a la psicología del recuerdo y otros con cifras y símbolos que no entiendo.

Estoy por ensayar un experimento desesperado y último. Esta mañana, con el auxilio de un cuchillo que pude sustraer durante el almuerzo, logré forzar la cerradura de un evidente cajoncito secreto del escritorio. No había más que un frasco de vidrio verde, con el rótulo: Liberación. Contiene, seguramente, veneno. Si no hubiera estado tan escondido, creería que Elvesham lo había puesto a mi alcance para desembarazarse del único testigo de su crimen. Ahora vivirá en mi cuerpo hasta que éste envejezca y luego, rechazándolo, se pondrá la fuerza y la juventud de otra víctima. ¿Desde cuándo viene saltando de un cuerpo a otro? El polvo del frasco se disuelve en el agua. El gusto no es desagradable.

Aquí termina el manuscrito que se encontró en la biblioteca de Mr. Elvesham. El cadáver fue hallado entre la mesa de trabajo y la silla. El relato estaba escrito a lápiz. La escritura no parecía la de Mr. Elvesham. Indiscutiblemente, existió alguna relación entre Eden y Elvesham, pues la propiedad del último había sido transferida al joven, aunque éste nunca heredó. Cuando Elvesham se suicidó, Eden ya estaba muerto. Veinticuatro horas antes, en la intersección de Gower Street y Euston Road, murió atropellado por un carruaje. El único hombre capaz de proyectar alguna luz sobre este relato fantástico, ha desaparecido.

H. G. WELLS
The Plattner Story (1897)

LOS DONGUIS

JUAN RODOLFO WILCOCK, nacido en Buenos Aires. Ha publicado en castellano e italiano libros de poesía y de prosa. Entre ellos citaremos: *Libro de poemas y canciones* (1940); *Ensayos de Poesía Lírica* (1945); *Persecución de las Musas Menores* (1945); *Paseo Sentimental* (1946); *Sexto* (1953); *Il Caos* (1960); *Fatti Inquietanti* (1961); *Luoghi Comuno* (1961); *Teatro in prosa e versi* (1962).

I

Suspendida verticalmente del gris como esas cortinas de cadenitas que impiden la entrada de las moscas en las lecherías sin cerrar el paso al aire que las sustenta ni a las personas, la lluvia se elevaba entre la Cordillera y yo cuando llegué a Mendoza, impidiéndome ver la montaña aunque presentía su presencia en las acequias que parecían bajar todas de la misma pirámide.

Al día siguiente por la mañana subí a la terraza del hotel y comprobé que efectivamente las cumbres eran blancas bajo las aberturas del cielo entre las nubes nómadas. No me asombraron en parte por culpa de una tarjeta postal con una vista banal de Puente del Inca comprada al azar en un bazar que luego resultó ser distinta de la realidad; como a muchos viajeros de lejos me parecieron las montañas de Suiza.

El día del traslado me levanté antes de la aurora y me pertreché en la humedad con luz de eclipse. Partimos a las siete en automóvil; me acompañaban dos ingenieros, Balsa y Balsocci, realmente incapaces de distinguir un anagrama de un saludo. En los arrabales el alba empezaba a alumbrar cactos deformes sobre montículos informes: crucé el río Mendoza, que en esta época del año se destaca más que nada por su estruendo bajo el rayo azul que enfocan hacia el fondo del valle las luces nítidas de verano, sin mirarlo, y luego penetramos en la montaña.

Balsocci hablaba con Balsa como un combinado y dijo en cierto momento:

—Barnaza come más que un dongui.

Balsa me miró de costado y después de otra selección de noticias del exterior pretendió sonsacarme:

—¿A usted le han explicado, ingeniero, por qué motivo construimos el hotel monumental de Punta de Vacas?

Yo sabía pero no me lo habían explicado; contesté:

–No.

Y les ofrecí esta miseria adicional:

–Supongo que lo construyen para fomentar el turismo.

–Sí, fomentar el turismo, ja, ja. Cola de paja, ja, ja, diga mejor (Balsocci).

No dije mejor, pero entendiendo les dije:

–No entiendo.

–Después le comunicaremos ciertos detalles secretos –me explicó Balsa– que se relacionan con la construcción y que por lo tanto le serán comunicados cuando lo pongamos en posesión de los planos, pliegos de condiciones y demás detalles de construcción. Por ahora permita que abusemos un poco de su paciencia.

Supongo que entre los dos no habrían conseguido ni en catorce años formar un misterio. Su única honradez –involuntaria– consistía en mostrar todo lo que pensaban, por ejemplo en vez de disimular poner cara de disimulo, etc.

Miré mi valiente nuevo mundo. Ciertos instantes se proyectan sobre las horas y los días subsiguientes, de modo que cuando uno vuelve por ejemplo por segunda vez a la plaza cóncava de Siena y entra por el otro lado cree que la entrada que utilizó primero ya es famosa. Móvil entre dos rocas altas como el obelisco, una negra y una colorada, capté una visión memorable y me dediqué a la toma de posesión de otro gran paisaje: junto al estrépito fluvial recapacité que el momento era un túnel y que emergería cambiado.

Proseguimos como un insecto veloz entre planos verdes, amarillos y violetas de basalto y granito por un camino peligroso. Balsa me preguntó:

–¿Tiene la familia en Buenos Aires, ingeniero?

–No tengo familia.

–Ah, comprendo –contestó, porque para ellos siempre existía la posibilidad de no comprender, ni siquiera eso.

–¿Y piensa quedarse mucho tiempo por aquí? (Balsocci).

–No sé; el contrato mencionaba la construcción de indefinidos hoteles monumentales, lo que naturalmente puede prolongarse un tiempo indefinido.

–Mientras la altura no le caiga mal... (Balsocci, esperanzado).

–Dos mil cuatrocientos metros ni se sienten, menos un muchacho (Balsa, con la misma esperanza).

Los cielos de gran lujo se transformaban en mercados de nubes congestionadas entre los cerros: al rato llovía entre arcos-iris, al otro rato la lluvia era nieve. Bajamos para tomar café con leche en casa de un eslavo amigo de ellos de 50 años casado con una argentina de 20 y encargado de mantener el ferrocarril y de cambiar las vías de lugar, esos trabajos fútiles de los pobres. La mujer apenas visible parecía sufrir meramente de vivir pero me dio semejante deseo que tuve que salir afuera para no mirarla como un mono. Hundí los pies en esa materia nueva; me quité los guantes y apreté un ovillo, lo probé con los labios, lo mordí con los dientes, arranqué de las ramas pedazos de escarcha, oriné, me resbalé y me caí sobre una acequia congelada.

Cuando nos fuimos la nieve emplumaba los vidrios del coche y la humedad me penetró en las botas. A veces pasábamos al lado del río y a veces lo veíamos en el fondo de un precipicio.

—Los que se caen al agua los arrastra lejísimos y cuando los encuentran están desnudos y pelados (Balsa).

—¿Por qué? (Yo).

—Porque el agua los golpea contra las piedras (Balsa).

—Siete metros por segundo, dispara el agua. Hace unos días se cayó un capataz de la pasarela, Antonio, la mujer está en Mendoza esperando el cuerpo y no podemos encontrarlo (Balsocci).

—Cierto, tendríamos que mirar de vez en cuando a ver si se lo ve (Balsa).

En el fondo del valle se abrió un cuadro sencillo al sol. De un lado Uspallata con álamos y sauces sin hojas, del otro el camino que seguía subiendo por una garganta colorada, entre ríos solitarios.

Esos ríos de la Cordillera, rápidos, más claros que el aire, con sus piedras redondas, verdes, violeta, amarillas y veteadas, siempre lavados, sin bichos y sin ninfas entre bloques sin edad que algo raro trajo y dejó, ríos modernos porque no tienen historia. A veces los escucho parado sobre una roca, bajo el cielo invisible sin nubes ni pájaros; entre manantiales, oyendo torrentes, pensando en la misma nada.

Tienen nombres de colores, Blanco, Colorado y Negro; algunos aparecen de frente, otros de un salto (dicen que hay guanacos, pero hasta ahora no vi ninguno); todos vienen al valle y en verano engordan, cambian de lugar y de olor, transportan cantidades increíbles de barro.

Pasamos una elevación aluvional amarilla geológicamente interesante denominada Paramillo de Juan Pobre y llegamos a la obra a la hora de almorzar. No queda exactamente en Punta de Vacas sino unos dos kilómetros antes; esto me enfureció porque pensé que en invierno la nieve podía dejarme sin mujeres, suponiendo que me gustara alguna. Después me tranquilicé porque comprendí que de todos modos siempre podía llegar a pie, aunque se cayeran los rodados –son unos conos de detritos minerales que periódicamente se escurren cubriendo los caminos y las vías.

La construcción ocupa una especie de plataforma a buena distancia de los derrumbes. El terreno es inclinado y a un lado está limitado por un arroyo que después de formar una noble cascada de 7 metros cae al valle miserablemente como un chorro de canilla. En este lugar todo lo que no vino sobre ruedas es basalto, pizarra o jarilla y yuyos parecidos. Un cerro como un serrucho colorado o el techo de una iglesia o más bien la estación de Saint Pancrace en Londres cierra la quebrada del otro lado; el cielo es tan angosto aquí que el sol se asoma a las nueve y media y se pone a las cuatro y media, rápido, como avergonzado por el frío y el viento que van a hacer.

¡El viento! ¿Cómo harán para vivir aquí las mujeres ricas de Buenos Aires, siempre tan atentas con sus peinados, entre estos vientos que hacen rodar una piedra como nada? Ya las oigo decir el dolor de cabeza que les da y eso en cierto modo me alienta a terminar pronto el primer hotel y a perfeccionar un tipo de ventana sencilla que una vez abierta no se puede cerrar. Dentro de unos días inauguraremos la sección provisoria, si no aparece Enrique el fastidioso.

Después de almorzar los dos ingenieros me mostraron los planos y la obra. Estaban muy satisfechos de que no interviniera en ella ningún arquitecto y habían encomendado la decoración del edificio a una marmolería de Mendoza con la que actualmente existe un conflicto por una partida de ciento veintiocho cruces destinadas a los dormitorios cuyo tamaño no está estipulado en ningún pliego de condiciones. Las cruces enviadas son de «granitit» negro y un metro de alto; yo que las concebí insisto en colocarlas pero Balsocci les teme. En realidad me excedí, pero hasta ahora se han dejado, pobres, notoriamente manejar y, exceptuando la menor del correo y esta crónica, me cuesta entretenerme: en una de las columnas principales de hormigón del anexo para la servidumbre conseguí intercalar cuando la llenaban una cámara de pelota inflada pero al sacar el encofrado se veía la cámara donde había apoyado la madera; hubo que rellenar el hueco con una inyección de cemento y el incidente es ahora una leyenda confusa que periódicamente provoca despidos de personal. La pelota pertenecía a Balsocci.

Volvimos a la oficina y los colegas abordaron la parte secreta de mi iniciación. No tuve que simular curiosidad porque me interesaba oírselo contar a ellos.

BALSOCCI: ¿Usted no advirtió nada raro últimamente en Buenos Aires?

YO: No, nada.

BALSA: Vamos al grano (*como si decidiera rápidamente chupar un grano en un cráneo frondoso*). ¿No oyó nunca hablar de los donguis?

YO: No. ¿Qué son?

BALSA: Usted habrá visto en el subterráneo de Constitución a Boedo que el tren no llega hasta la estación de Boedo porque no está terminada, se para en una estación provisoria con piso de tablas. El túnel sigue y donde interrumpieron la excavación el hueco está cerrado con tablas.

BALSOCCI: Por ese hueco aparecieron los donguis.

YO: ¿Qué son?

BALSA: Ahora le explico...

BALSOCCI: Dicen que es el animal destinado a reemplazar al hombre en la Tierra.

BALSA: Espere que le explico. Hay unos folletos de circulación restringida y prohibida que le condensan la opinión de los sabios extranjeros y de los sabios argentinos. Yo los leí. Dicen que en distintas épocas predominaron distintos animales en el mundo, por H o por B. Ahora predomina el hombre porque tenemos muy desarrollado el sistema nervioso que le permite imponerse a los demás. Pero este nuevo animal que se llama dongui...

BALSOCCI: Lo llaman dongui porque el que lo estudió primero fue un biólogo francés Donneguy (*lo escribe en un papel y me lo muestra*) y en Inglaterra le pusieron Donneguy Pig pero todos dicen dongui.

YO: ¿Es un chancho?

BALSA: Parece un lechón medio transparente.

YO: ¿Y qué hace el dongui?

BALSA: Tiene tan adelantado el sistema digestivo que estos bichos pueden digerir cualquier cosa, hasta la tierra, el hierro, el cemento, aguas vivas, qué sé yo, tragan lo que ven. ¡Qué porquería de animal!

BALSOCCI: Son ciegos, sordos, viven en la oscuridad, una especie de gusano como un lechón transparente.

YO: ¿Se reproducen?

BALSA: Como la peste. Por brotes, imagínese.

YO: ¿Y son de Boedo?

BALSOCCI: Cállese, allí empezaron, pero después empezaron también en otras estaciones, sobre todo si hay túneles de vía muerta o depósitos subterráneos, Constitución está plagado, en Palermo, en el túnel empezado de la prolongación a Belgrano hay montones. Pero después empezaron en las otras líneas, habrán hecho un túnel, la de Chacarita, la de Primera Junta. Hay que ver lo que es el túnel del Once.

BALSA: ¡Y el extranjero! Donde había un túnel se llenaba de donguis. En Londres hasta se reían porque tienen tantos kilómetros de túnel; en París, en Nueva York, en Madrid. Como si repartieran semillas.

BALSOCCI: No permitían que los barcos que llegaban de un puerto infectado atracara en esos puertos, temían que trajera donguis en la bodega. Pero no por eso se salvaron, están mejor que nosotros.

BALSA: En nuestro país tratan de no asustar a la población, por eso no le dicen nunca nada, es un secreto que le confían solamente a los profesionales, y también a algunos no profesionales.

BALSOCCI: Hay que matarlos pero quién los mata. Si les dan veneno se lo comen o no se lo comen, como usted prefiera, pero no les hace nada, lo comen perfectamente como cualquier otro mineral. Si les echan gases los degenerados tapan los túneles y salen por otra parte. Cavan túneles en todos lados, no puede atacárselos directamente. No se puede inundarlos o echar abajo las galerías porque se puede hundir el subsuelo de la ciudad. Ni qué decir que andan por los sótanos y las cloacas como Juan por su casa...

BALSA: Habrá visto estos derrumbes de estos meses. Los depósitos de Lanús son ellos, por ejemplo. Quieren dominar al hombre.

BALSOCCI: ¡Oh!, al hombre no lo dominarán así nomás, no lo domina nadie, pero si se lo comen...

YO: ¿Se lo comen?

BALSOCCI: ¡Y cómo! Cinco donguis se comen a una persona en un minuto, todo, los huesos, la ropa, los zapatos, los dientes, hasta la libreta de enrolamiento, si me perdona la exageración.

BALSA: Les gusta. Es la comida que más les gusta, mire qué desgracia.

YO: ¿Hay casos comprobados?

BALSOCCI: ¿Casos? Ja, Ja. En una mina de carbón de Gales se comieron quinientos cincuenta mineros en una noche: les taparon la salida.

BALSA: En la capital se comieron una cuadrilla de ocho peones que arreglaban las vías entre Loria y Medrano. Los encerraron.

BALSOCCI: Yo propongo que hay que inocularles una enfermedad.

BALSA: Hasta ahora no hay caso. No sé cómo le van a inocular una enfermedad a un agua-viva.

BALSOCCI: ¡Esos sabios! Supongo que el que inventó la bomba de hidró-
geno contra nosotros podría inventar algo también, unos pobres
chanchitos ciegos. Los rusos, por ejemplo, que son tan inteligen-
tes.

BALSA: Sí, ¿sabe qué están haciendo los rusos? Tratando de criar una
variedad de donguis que resista la luz.

BALSOCCI: Que se embromen ellos.

BALSA: Sí, ellos. Pero ellos no importa. Nosotros desapareceríamos. No
será cierto. Será un rumor como tantos. Yo no creo una palabra de
lo que le dije.

BALSOCCI: Primero pensamos resolver el problema construyendo edificios
sobre pilotes, pero por una parte el gasto y, por otra, siempre pueden
derrumbarlos de abajo.

BALSA: Por eso construimos nuestros hoteles monumentales aquí. ¡A que
no socaban la Cordillera! Y la gente que sabe está loca por venirse.
Veremos cuánto duran.

BALSOCCI: Podrían socavar también las rocas, pero tardarían mucho; y mientras me supongo que alguien hará algo.

BALSA: De todo esto ni una palabra. Total no tiene familia en Buenos
Aires. Por eso nos limitamos a un mínimo de excavaciones en los
cimientos y todos los hoteles proyectados ni tienen sótanos ni planta alta.

III

El aire de Buenos Aires posee una calidad coloidal especial para la trans-
misión intacta de rumores falsos. En otros lugares el ambiente deforma
lo que oye pero junto al Río las mentiras se transmiten con pulcritud.
Cada ser humano puede inventar en sus días de extroversión rumores
concretos y no requiere proclamarlos en una esquina para que se los
devuelvan idénticos un semana después.

Por eso cuando me anunciaron los donguis hace unos dos años y
medio los relegué con los platos voladores, pero un amigo de intereses
variados que acababa de autorizarse en Europa me patentó la noticia.
Desde el primer momento me fueron simpáticos y esperé quererlos.

En esa época descendía parabólicamente mi interés por aquella ven-
dedora de una sedería denominada Virginia y ascendía el subsiguiente
por la negrita Colette. Mi desvinculación de Virginia solía adquirir
forma de noche en el Parque Lezama aunque su estupidez prolongaa
indecorosamente el proceso.

Una de esas noches en que más sufrí de ver sufrir nos acariciábamos en esa escalera doble que abarca unos depósitos excavados en la barranca del Parque donde guardan sus herramientas los jardineros. La puerta de uno de estos depósitos estaba abierta; en el hueco oscuro vi de repente ocho o diez donguis nerviosos que no se atrevían a salir por un poquito de luz de mala muerte. Eran los primeros que veía; me acerqué con Virginia y se los mostré. Virginia llevaba puesta una pollera clara estampada con grandes macetas de crisantemos; la recuerdo porque se desmayó de espanto en mis brazos y por suerte paró de llorar por primera vez esa noche. La llevé desmayada hasta la puerta abierta y la tiré adentro.

La boca de los donguis es un cilindro cubierto de dientes córneos en todo su interior y tritura mediante movimientos helicoidales. Miré con curiosidad espontánea; en la oscuridad se distinguía la pollera de crisantemos y sobre ella el movimiento epiléptico de las vastas babosas en masticación. Me fui casi asqueado pero contento; al salir de Parque cantaba.

Ese Parque solitario y húmedo con estatuas rotas y mil vulgaridades modernas para ignorantes, con flores como estrellas y una sola fuente buena, Parque casi sudamericano, cuántas *liasons* de personas que llaman jazmines a la tumbergias habrá visto fenecer por otra parte debajo de sus palmeras polvorientas.

Allí me deshice de Colette, de una polaca que me prestó el dinero de la moto, de una menorcita indigna de confianza y finalmente de Rosa, adormeciéndolas con un caramelo especial. Pero la Rosa llegó en cierto momento a excitarme tanto que perpetré la temeridad de darle el número de teléfono aunque juró destruir el papelito y aprenderlo de memoria, y lo hizo, una vez su hermano la vio llamar y se fijó en el número que marcaba de modo que poco después de su desaparición apareció Enrique y empezó a fastidiar. Por eso acepté este trabajo renunciando provisoriamente a toda diversión como los reyes prehistóricos que debían pasar 40 días de ayuno en la montaña.

De este voto de castidad me distraigo a mi manera resolviendo jeroglíficos y preparando cosas para Enrique. La pasarela sobre el río Mendoza por ejemplo sólo era cuando vine una vía de esas que esparció el aluvión del treinta y tantos el que retorció los puentes, y un cable tendido a un costado a la altura de la mano para sostenerse. De allí se cayó un tal Antonio y con ese pretexto hice retirar el cable y colocar en su lugar un caño largo que en cada punta va enganchado en un poste. Ahora es más fácil sostenerse cuando uno cruza y cuando cruza otro desenganchar el caño.

Otras distracciones podrían ser cuando hace frío encender con un fósforo los arbustos que rodean las carpas de los peones porque son tan resinosos que arden solos. Una vez organicé un pic-nic unipersonal que consistía en subir y subir siempre con varios sandwiches de jamón, huevo y lechuga y me hastié tanto de ascender que me volví a mediodía. Esa mañana vi glaciares inexplicablemente sucios y encontré en los rodados de arriba flores negras, las primeras que veo. Como no había tierra, sino solamente piedras sueltas y filosas, me interesó ver las raíces; la flor medía cinco centímetros más o menos pero apartando las piedras desenterré unos dos metros de tallo blando que se perdía entre los cascotes como un cordón negro y liso; pensé que seguiría así unos cien metros más y me dio un poco de asco.

Otra vez vi un cielo negro sobre la nieve fosforescente porque absorbía toda la luz de la luna; parecía un negativo del mundo y valía la pena describirlo.

JUAN RODOLFO WILCOCK

LA SECTA
DEL LOTO BLANCO

Había una vez un hombre que pertenecía a la secta del Loto Blanco. Muchos, deseosos de dominar las artes tenebrosas, lo tomaban por maestro.

Un día el mago quiso salir. Entonces colocó en el vestíbulo un tazón cubierto con otro tazón y ordenó a los discípulos que los cuidaran. Les dijo que no descubrieran los tazones ni vieran lo que había adentro.

Apenas se alejó, levantaron la tapa y vieron que en el tazón había agua pura, y en el agua un barquito de paja, con mástiles y velamen. Sorprendidos, lo empujaron con el dedo. El barco se volcó. De prisa, lo enderezaron y volvieron a tapar el tazón.

El mago apareció inmediatamente y les dijo:

–¿Por qué me habéis desobedecido?

Los discípulos se pusieron en pie y negaron. El mago declaró:

–Mi nave ha zozobrado en el confín del Mar Amarillo. ¿Cómo os atrevéis a engañarme?

Una tarde, encendió en un rincón del patio una pequeña vela. Les ordenó que la cuidaran del viento. Había pasado la segunda vigilia y el mago no había vuelto. Cansados y soñolientos, los discípulos se acostaron y se durmieron. Al otro día la vela estaba apagada. La encendieron de nuevo.

El mago apareció inmediatamente y les dijo:

–¿Por qué me habéis desobedecido?

Los discípulos negaron:

–De veras, no hemos dormido. ¿Cómo iba a apagarse la luz?

El mago dijo:

–Quince leguas erré en la oscuridad de los desiertos tibetanos, y ahora queréis engañarme.

Eso atemorizó a los discípulos.

RICHARD WILHELM
Chinesische Volksmaerchen (1924)

LOS CIERVOS CELESTIALES

El *Tzu Puh Yu* refiere que en la profundidad de las minas viven los ciervos celestiales. Estos animales fantásticos quieren salir a la superficie y para ello buscan el auxilio de los mineros. Prometen guiarlos hasta las vetas de metales preciosos; cuando el ardid fracasa, los ciervos hostigan a los mineros y éstos acaban por reducirlos, emparedándolos en las galerías y fijándolos con arcilla. A veces los ciervos son más y entonces torturan a los mineros y les acarrean la muerte.

Los ciervos que logran emerger a la luz del día se convierten en un líquido fétido, que difunde la pestilencia.

G. WILLOUGHBY-MEADE

El literato Wu, de Ch'iang Ling, había insultado al mago Chang Ch'i Shen. Seguro de que éste procuraría vengarse, Wu pasó la noche levantado, leyendo, a la luz de la lámpara, el sagrado libro de las Transformaciones. De pronto se oyó un golpe de viento, que rodeaba la casa, y apareció en la puerta un guerrero, que lo amenazó con su lanza. Wu lo derribó con el libro. Al inclinarse para mirarlo, vio que no era más que una figura, recortada en papel. La guardó entre las hojas. Poco después entraron dos pequeños espíritus malignos, de cara negra y blandiendo hachas. También éstos, cuando Wu los derribó con el libro, resultaron ser figuras de papel. Wu las guardó como a la primera. A medianoche, una mujer, llorando y gimiendo, llamó a la puerta.

–Soy la mujer de Chang –declaró–. Mi marido y mis hijos vinieron a atacarlo y usted los ha encerrado en su libro. Le suplico que los ponga en libertad.

–Ni sus hijos ni su marido están en mi libro –contestó Wu–. Sólo tengo estas figuras de papel.

–Sus almas están en esas figuras –dijo la mujer–. Si a la madrugada no han vuelto, sus cuerpos, que yacen en casa, no podrán revivir.

–¡Malditos magos! –gritó Wu–. ¿Qué merced pueden esperar? No pienso ponerlos en libertad. De lástima, le devolveré uno de sus hijos pero no pida más.

Le dio una de las figuras de cara negra.

Al otro día supo que el mago y su hijo mayor habían muerto esa noche.

G. WILLOUGHBY-MEADE

LA SENTENCIA

Aquella noche, en la hora de la rata, el emperador soñó que había salido de su palacio y que en la oscuridad caminaba por el jardín, bajo los árboles en flor. Algo se arrodilló a sus pies y le pidió amparo. El emperador accedió: el suplicante dijo que era un dragón y que los astros le habían revelado que al día siguiente, antes de la caída de la noche,

Wei Cheng, ministro del emperador, le cortaría la cabeza. En el sueño, el emperador juró protegerlo.

Al despertarse, el emperador preguntó por Wei Cheng. Le dijeron que no estaba en el palacio; el emperador lo mandó buscar y lo tuvo atareado el día entero, para que no matara al dragón, y hacia el atardecer le propuso que jugaran al ajedrez. La partida era larga, el ministro estaba cansado y se quedó dormido.

Un estruendo conmovió la tierra. Poco después irrumpieron dos capitanes, que traían una inmensa cabeza de dragón empapada en sangre. La arrojaron a los pies del emperador y gritaron: Cayó del cielo.

Wei Cheng, que había despertado, la miró con perplejidad y observó: Qué raro, yo soñé que mataba a un dragón así.

WU CH'ENG EN
(Autor chino del siglo XVI)

FRAGMENTO

JOSÉ ZORRILLA, poeta y dramaturgo español. Nacido en Valladolid, en 1817; muerto en Madrid, en 1893. El 22 de enero de 1889, el Liceo de Granada lo coronó con corona de laurel, ante 14.000 personas. Es autor de: *Juan Dándolo* (1833); *A la memoria desgraciada del joven literato D. Mariano José de Larra* (1837); *A buen juez mejor testigo* (1838); *Más vale llegar a tiempo que rondar un año* (1838); *Vigilias del estío* (1842); *Caín pirata* (1842); *El caballo del rey D. Sancho* (1842); *El alcalde Ronquillo* (1844); *Un testigo de bronce* (1845); *La calentura* (1845); *Ofrenda poética al Liceo Artístico y Literario de Madrid* (1848); *Traidor, inconfeso y mártir* (1849); *La rosa de Alejandría* (1857); *Álbum de un loco* (1866); *La leyenda del Cid* (1882); *Gnomos y mujeres* (1886); *A escape y al vuelo* (1888); etc. El insigne poeta colaboró en *El álbum religioso*, en *La corona fúnebre del 2 de mayo de 1808,* y en *El álbum del Bardo.*

DON JUAN: ¿Conque por mí doblan?
ESTATUA: Sí.
DON JUAN: ¿Y estos cantos funerales?

ESTATUA:	Los salmos penitenciales
	que están cantando por ti.
DON JUAN:	¿Y aquel entierro que pasa?
ESTATUA:	Es el tuyo.
DON JUAN:	¡Muerto yo!
ESTATUA:	El capitán te mató
	a la puerta de tu casa.

JOSÉ ZORRILLA
Don Juan Tenorio, acto III (1844)

OBRAS EN POCKET EDHASA
CON GUÍA DE LECTURA

Aldous Huxley
LA ISLA

Thomas Mann
LA MUERTE EN VENECIA

Eric Maria Remarke
SIN NOVEDAD EN EL FRENTE

Mercè Rodoreda
LA PLAZA DEL DIAMANTE

John Steinbeck
**LOS HECHOS DEL REY ARTURO
Y SUS NOBLES CABALLEROS**

John Steinbeck
LA PERLA
Traducción de Horacio Vázquez

Virginia Woolf
ORLANDO

Marguerite Yourcenar
MEMORIAS DE ADRIANO
Traducción de Julio Cortázar

ESTA EDICIÓN DE
ANTOLOGÍA DE LA
LITERATURA FANTÁSTICA,
SE TERMINÓ DE IMPRIMIR EN
ROMANYÀ/VALLS, PARA POCKET EDHASA
EL 15 DE MARZO DE 1996